C000064528

Lendenfeld, Robert ...

Die Westalpen

Lendenfeld, Robert von

Die Westalpen

Inktank publishing, 2018

www.inktank-publishing.com

ISBN/EAN: 9783747779644

All rights reserved

This is a reprint of a historical out of copyright text that has been re-manufactured for better reading and printing by our unique software. Inktank publishing retains all rights of this specific copy which is marked with an invisible watermark.

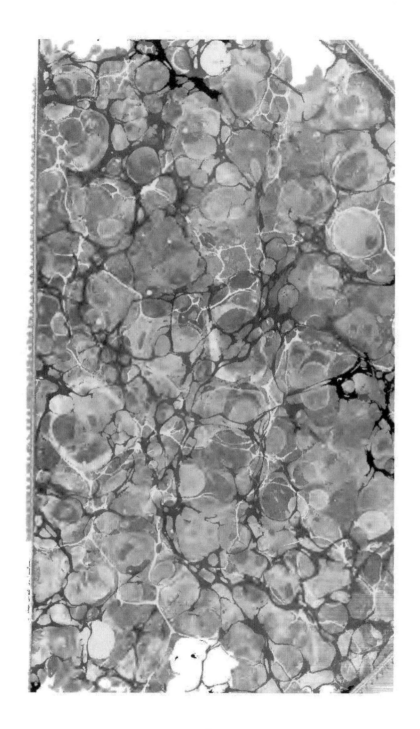

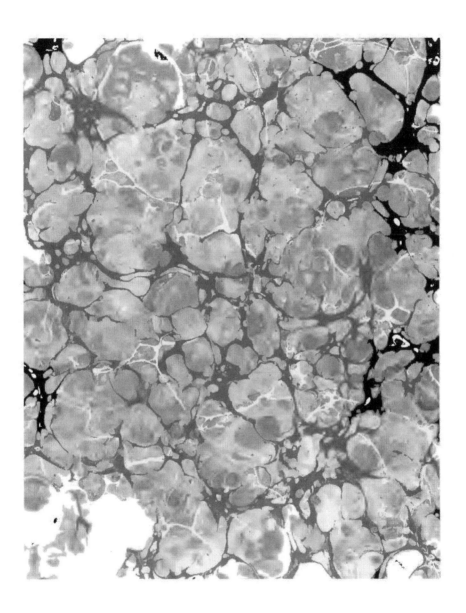

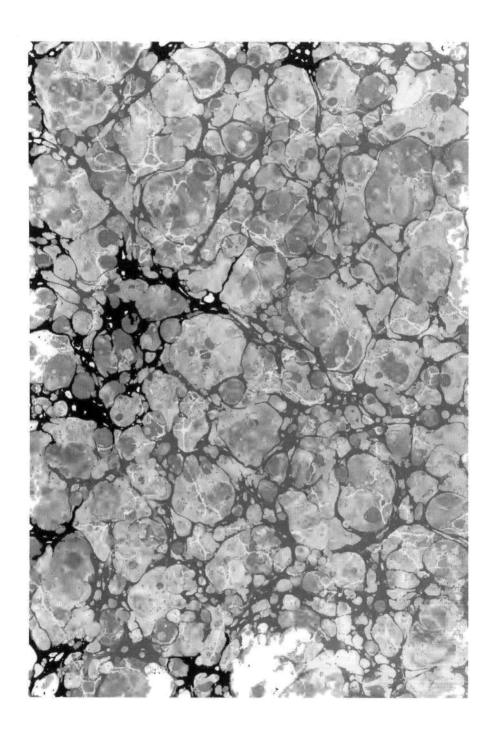

Holzmann

VON

ROBERT VON LENDENFELD.

ILLUSTRIERT

VON

E. T. COMPTON und PAUL HEY.

I. BAND:

DIE WESTALPEN.

II. BAND:

DIE OSTALPEN.

PRAG.

. TEMPSKY.

WIEN.

F. TEMPSKY.

LEIPZIG.

G. FREYTAG.

1896.

JUNGFRAU, MONCH UND EIGER
VOM BEATENBERGE AUS GESEHEN

Verlag von Themas von Brug und Göfreg-ag in Leipzig

K u. k Hofkunstgraphie A Haase in Prag

13

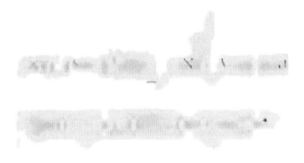

DN AND PAUL HEY.

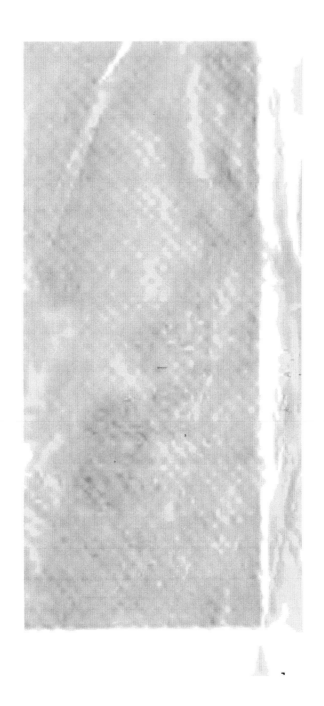

DIE WESTALPEN

VON

ROBERT VON LENDENFELD.

MIT) FARBENDRUCKTAFEL UND 186 TEXT- UND VOLLBILDERN.

AUSGEFÜHRT NACH ORIGINALZEICHNUNGEN

VON

E. T. COMPTON UND PAUL HEY.

PRAG.   WIEN.   LEIPZIG.

F. TEMPSKY.   F. TEMPSKY.   G. FREYTAG.

1896.

16

Druck von Gebrudc Stiepel in Reichenberg.

INHALTS-VERZEICHNIS.

Verzeichnis der Abbildungen.

24

I.

DIE ALPEN UND DAS MEER.

Abb. 1.

Promenade des Anglais in Nizza.

1. Die Riviera.

Stetig an Wärme abnehmend, zieht sich die Erde fortwährend zusammen. Leicht folgt der heiße, flüssige oder doch weiche Erdkern diesem Zuge; schwer dagegen die auf seiner Oberfläche gewissermaßen schwimmende, stärker abgekühlte und bereits erstarrte Erdrinde. Indem der sich zusammenziehende Kern unter ihr zurückweicht, verliert sie ihre Stütze und muss einer Riesenwölbung gleich das eigene Gewicht nun selber tragen. Dem in ihr dabei zustande kommenden Seitendrucke zu widerstehen, ist sie zu dünn noch und zu schwach; sie wird durch ihn gerunzelt wie das Antlitz des alternden Menschen. Ausgedehnte Schollen brechen los und sinken hinab in die Tiefe, die benachbarten Theile der Erdrinde nach Art eines Keiles auseinander treibend und ihre anstoßenden Ränder dabei zerknitternd und faltend.

Die Poebene und das Adriatische Meer bezeichnen die Lage einer solchen versunkenen Scholle, welche beim Sinken die benachbarten Theile der Erdrinde in ihrem ganzen Umkreise zerdrückt und zu hohen Gebirgen emporgefaltet hat. Am höchsten ist dieses adriatische Randgebirge im Norden und Westen, wo der gewaltige Bogen der Alpen den nordwestlichen, von alluvialem Schutte bereits wieder ausgefüllten Theil jener adriatischen Senkung, die norditalienische Tiefebene, umspannt. Im großen und ganzen besteht die Alpenkette aus einem centralen, gefalteten Gneis- und Glimmerschiefer-Zuge, dem sich auf der convexen Außenseite stark zerknitterte, auf der concaven, der adriatischen Senkung zugekehrten Innenseite aber ungefaltete Sedimentgesteine jüngeren Alters angliedern. Namentlich diese südliche Nebenzone wird von großartigen Verwerfungsspalten durchzogen, längs deren die der Senkung zugekehrte Seite in die Tiefe hinabgeglitten ist. Solche Spalten bilden den Rand der versunkenen Scholle im Norden und Nordwesten. An vielen Orten liegen mehrere derartige Brüche colonnenförmig hintereinander, dem die Senkung erfolgte nicht auf einmal und an einer Linie, sondern sehr allmählich und treppenförmig an mehreren Verwerfungsspalten.

Die Nebenzonen bestehen größtentheils aus mesozoischem Kalksteine; man hat sie daher die nördlichen und südlichen Kalkalpen genannt. In dem mittleren und östlichen, annähernd ostwestlich streichenden Theile der Alpenkette trifft diese Bezeichnung auch zu. Anders aber verhält sich's im Westen, wo das Gebirge in scharfem Bogen den oberen Theil der Poebene umgürtet. Denn die südliche Kalkalpenkette, genauer gesagt die innere (der Senkung näher liegende) Nebenzone, verliert nach Westen hin an Breite und keilt sich am Lago Maggiore ganz aus. Jenseits, westlich von diesem See, taucht der alte Centralzug direct unter das alluviale Flachland der Poebene. Ja in der Gegend von Cuneo verschwindet der Centralzug selbst unter derselben, ohne das Meer zu erreichen. Die äußere (von der Senkung weiter abliegende) Nebenzone an der convexen Seite des Alpenbogens, die nördliche Kalkalpenkette, breitet sich im Westen fächerförmig aus und enthält hier mehrere Inseln von Gneis und Glimmerschiefer, welche vom Centralzuge gänzlich abgetrennt sind. Solche Urgebirgsinseln der äußeren Nebenzone sind der Montblanc, die Meije, der südöstliche Theil der Seealpen und das Vorgebirge von St. Tropez. Der dem Centralzuge zunächst liegende Theil des fächerförmig ausgebreiteten Westendes der äußeren Nebenzone bildet fast Dreiviertel eines Kreisbogens, indem er in der Nordschweiz westsüdwestlich verläuft, dann an der Stelle, wo er das Rhônethal kreuzt, eine südwestliche, weiter mit zunehmender Krümmung in der Gegend von Modane eine südliche, jenseits Briançon eine südöstliche und endlich bei Cuneo — wo der Centralzug endet — eine östliche Richtung annimmt. Die Poebene im Süden begrenzend, verbindet die äußere Nebenzone den Alpenbogen mit dem Appennin.

Abb. 2. Nizza.

Zwischen Genua und der Rhônemündung taucht der verbreiterte westliche Theil der äußeren Nebenzone der Alpen in das Meer. Dies führt einerseits zur Bildung jenes Landvorsprunges, dessen äußerste Spitze das Cap d'Esterol ist, und bedingt andrerseits die außerordentlich reiche Gliederung jener Rias-artigen Küstenstrecke; denn hier bespült das Mittelmeer den Bruch, der quer durch all die verworren gefalteten und zerknitterten mesozoischen Schichten der äußeren Nebenzone mit ihren Urgebirgs- und Porphyr-Inseln geht. Diese reiche Gliederung ist es, welche jenem Strande (italienisch Riviera) seine große Schönheit verleiht.

Die zahlreichen trefflichen Häfen desselben zogen seit den ältesten Zeiten die seefahrenden Völker an, und schon im sechsten Jahrhunderte vor Beginn unserer Zeitrechnung gründeten griechische Auswanderer von den jonischen Inseln in einer jener Buchten die Ansiedlung Massilia (Marseille), so den Namen jenes großartigen Liedes schaffend, das, von ungezählten Tausenden mit Begeisterung gesungen, das halbe Europa erobern half: „Allons, enfants de la patrie!"

Später besiedelten die Jonier auch die weiter östlich, an der Mündung des Paillonflusses gelegene Bucht, welche sich zwischen dem kleinen Delta des Var und dem Vorgebirge des Monte Boron ausdehnt. Nachdem sie die ligurischen Eingeborenen jener Gegend besiegt hatten, erbauten die Jonier hier eine Stadt (Abb. 2) welche sie zur Erinnerung an ihren erfolgreichen Kampf die Siegesstadt Nικαια nannten. Diese griechische Colonie und die Stadt, die ihr Mittelpunkt war, gelangten zu hoher Blüte und behielten noch lange, nachdem sie in römischen Besitz gelangt waren, wertvolle Sonderrechte. Unter der Republik war diese Stadt der Sitz der Regierung der Seealpen-Provinz, und in derselben befand sich ein wichtiges Arsenal. Zu Anfang der römischen Kaiserzeit versandete der Hafen von Nicaea derart, dass das Arsenal anderswo (bei Frejus) untergebracht werden musste. Auch der Regierungssitz wurde nach dem am Paillonflüsschen etwas landeinwärts gelegenen Cemelium verlegt. Während der Völkerwanderung wurde Nicaea wiederholt gebrandschatzt und verwüstet. In 737 war die Stadt so arm und unbedeutend, dass die Longobarden, welche das reiche Cemelium geplündert hatten, es gar nicht der Mühe wert hielten, auch noch das benachbarte Nicaea auszurauben. Während im Binnenlande um diese Zeit schon erträglichere Zustände eintraten, waren die armen Bewohner jenes herrlichen Strandes auch jetzt noch arg gepeinigt, denn an mehreren Punkten der Küste und auch bei Villa Franca in der nächsten Nähe von

Nizza siedelten sich Saracenen an, welche lange Zeit hindurch die Riviera mit Raub, Mord und Verwüstung heimsuchten. Zur Abwehr gegen diese mohamedanischen Räuber bildeten sich unter dem Schutze der größeren Städte christliche Republiken, und einer von diesen — Genua — gelang es, die Saracenen gänzlich von der Riviera zu vertreiben. Hiedurch zu sehr hohem Ansehen emporgestiegen, erlangten die Genuesen eine Art Hegemonie über die ganze Küste. Nizza war zuweilen von Genua abhängig, zuweilen auch in einem Lehensverhältnisse mit dem einen oder andern der benachbarten Fürsten, bis es sich endlich, um 1388, definitiv unter die Obrigkeit der Herzoge von Savoyen stellte.

Allerdings thaten die Savoyer für Nizza viel. Sie erbauten einen neuen Hafen, befestigten den Schlossberg und schützten die Stadt in Kriegszeiten; dafür wurde aber Nizza auch vielfach in die Fehden der großen Nachbarreiche, namentlich Frankreichs, verwickelt, welche die Nizzarden eigentlich gar nichts angiengen. Zu den Zeiten der großen Franzosenkriege wurde Nizza wiederholt belagert, erstürmt und verwüstet; 1792—1814 war es in französischem Besitze, wurde dann dem Hause Savoyen zurückgegeben, aber 1860 als Preis für die französische Hilfe gegen Österreich — sammt dem dazugehörigen Gebiete an Frankreich abgetreten. Seither wird in Nizza — Nice sagen die Franzosen scharf französiert, aber noch ist das Volk ganz italienisch und wird wohl so bleiben, bis Nizza wieder — doch nichts von Politik!

Wenn die Trefflichkeit des Hafens und die Aussicht auf einen lebhaften Handel die ersten Ansiedler nach Nizza lockten, und wenn später ihre Lage an der Heeresstraße von Frankreich nach Italien der Stadt besondere Bedeutung verlieh; so sind gegenwärtig die Schönheit der Küste, in deren Mitte sie liegt, die Milde ihres Klimas und ihre fast subtropische Vegetation das Wichtigste für sie, denn ihnen und dem verbesserten Verkehrswesen der neuen Zeit verdankt die Stadt ihren gegenwärtigen Aufschwung: sie sind es, welche Nizza zu einem Winter- und Frühlings-Stelldichein aller jener gemacht haben, die — die Reise dahin und die dortigen Hotelrechnungen bezahlen können.

Die Nizzarden haben sich redlich bemüht, den Fremdenstrom in ihre Stadt zu lenken. Villen, Hotels und schöne Anlagen mit Palmen und andern exotischen Bäumen zieren die Neustadt, welche sich am rechten Ufer des Paillon ausbreitet, während die düstere Altstadt in dem kleinen Raume am linken Ufer des Paillon zusammengedrängt ist. Es wurde auch ein schöner, breiter Quai (Abb. 1) erbaut, welcher sich am Strande vor der Neustadt hinzieht. Besonders lebhaft geht es in

Abb.   Die Corniche-Straße.

Nizza im Fasching zu, denn die Einheimischen sind ebenso toll-vergnügungssüchtig wie bigottfromm, und viele von den ruhigeren nordischen Fremden wollen auch einmal im Leben einen solchen Spass mitmachen.

Über die Alt-
stadt erhebt sich,
mit steiler Felswand
aus dem Meere
emporsteigend, im
Osten der 97 Meter
hohe Schlossberg,
von dessen Gipfel
man eine prächtige
Rundschau über
Meer und Land ge-
winnt. Reich be-
lebt mit Booten
und Yachten ist
der glatte Meeres-
spiegel (Abb. 4).

Abb. 4. Ruhige See.

An den Fuß des Berges selbst schmiegt sich die Stadt an, und
über diese erheben sich amphitheatralisch Hügel und Berge mit Oliven-
und Orangen-Gärten, höher und immer höher ansteigend bis zu den
schneegekrönten Gipfeln der Seealpen.

Eine Eisenbahn und eine Straße ziehen den ganzen Strand entlang
von St. Tropez über Nizza nach Genua und weiter. Östlich von Nizza,
wo die Küstenfelsen am höchsten sind und vielfach steil oder gar senkrecht ins Meer abstürzen, sind diese Verkehrswege besonders interessant
und kunstvoll angelegt. Die Bahn durchzieht auf dieser Strecke gegen
100 Tunnel, die zusammen gegen 40 Kilometer lang sind. Viel lohnender
aber als eine Fahrt auf der letzteren ist die Straße; auf dieser wollen
wir nun nach Osten wandern. Es ist das die berühmte Corniche-
Straße (Abb. 3), welche von den Römern erbaut und von Napoleon I.
reconstruiert wurde. Sie läuft größtentheils dicht am Meere hin und
bietet im steten Wechsel herrliche Ausblicke über die felsige, mit südlichen Pflanzen geschmückte Küste hinaus auf das ewig schöne Meer.

Zunächst geht es in nördlicher Richtung landein und bergauf, dann
nach rechts um den Mont Gros herum in großer Schlinge und weiter
nach Osten über den Col des Chemins. Rechts unten auf scharfem, unzu-
gänglichem Felskegel liegt die Ruine des saracenischen Raubnestes Eze.
Jenseits der Passhöhe kommen wir an den Resten des Denkmales

vorüber, welches Augustus zur Erinnerung an den Sieg über die Ligurier
im Jahre 12 errichten ließ. Von dieser Tropaea ist der Name der nahen
Ortschaft Turbia abzuleiten. Weiter absteigend erreichen wir Roccabruna
und genießen einen schönen Rückblick auf einen schmalen, von dichten
Häusermassen gekrönten, ins Meer vorspringenden Felssporn. Das ist
Monaco, die Hauptstadt des souveränen Fürstenthumes derer von
Grimaldi, Prinzen von Monaco.

Der Gründer dieses Fürstenthums war Carlo Grimaldi, welcher
1296 aus Genua vertrieben, sich hier niederließ. Carlo war ein gewaltiger Seeheld, der mit seiner kleinen Flotte weite Raubzüge unter-
nahm und im ganzen Mittelmeere gefürchtet wurde. Auch seine Nachkommen betrieben den Seeraub mit großem Erfolge, und es gelang ihnen,
ihre Machtsphäre zu Lande bis Mentone auszubreiten. Als jedoch die
Nachbarstaaten erstarkten und diesen wie anderen Seeräubern das Hand-
werk legten, verarmten Fürsten und Volk, und die ersteren waren im
Jahre 1850 gezwungen, einen großen Theil ihres Besitzthumes an Frankreich zu verkaufen. Nur Monaco selbst und die jenseits des Hafens ins
Meer vorspringende Klippe Les Speluges mit einem kleinen zugehörigen
Landstriche verblieben unter der Herrschaft des Prinzen. Steuern waren
aus der armen Bevölkerung nicht viele herauszupressen; die vier Millionen,
die für den erwähnten Landverkauf bezahlt wurden, reichten nicht weit;
und mit dem Seeraube, dem Monaco seine erste Blüte verdankte, war
es auch schon lange nichts mehr: bald stand der Fürst dem financiellen
Ruin gegenüber. Da ward ihm ein rettender Gedanke eingeflüstert.
Die Flüsterer meinten, es gebe noch andere Arten der Geldbeschaffung
als den Seeraub, namentlich eine Art, die weit einträglicher und (für
den Räuber wenigstens) viel weniger gefährlich sei: die Ausbeutung
moralisch schwacher Menschen zu Lande. Dem Fürsten gefiel der Rath
jener Flüsterer nicht übel, und er gab die Bewilligung zur Errichtung
der zu solchem Raube nöthigen Anstalten auf dem Vorgebirge von Les
Speluges. Der Hauptflüsterer hatte schon anderwärts mit Erfolg diesem
edlen Erwerbe obgelegen und stellte jetzt — aus allen civilisierten Staaten
vertrieben — hier im Gebiete des Fürsten seine Werkstätte auf. Üppig
blühte das Räuberhandwerk, und der Prinz erhielt einen ungeheueren
Pachtzins. Seinen Unterthanen erließ er jegliche Steuer und bestritt von
nun an alle Auslagen der eigenen Hofhaltung sowohl, wie des Staates
aus seinem Antheile an der Beute. Die Bevölkerung von Monaco aber
wetteiferte mit ihrem Fürsten und dem Haupträuber auf Les Speluges

in dem Bestreben, den Opfern, welche in die Räuberhöhle gerathen waren, Geld zu entlocken.

Ungeheuer war der Gewinn, den man erzielte. Aus dem mit diesem Hexengolde gedüngten Boden wuchsen prächtige Hotels, Badeanstalten, Theater und Villen hervor, alles prangend in Marmor und Gold und geschmückt mit den wertvollsten Erzeugnissen der modernen Kunst.

Der schönste Palast war die eigentliche Räuberhöhle auf Les Speluges selbst, welche zu Ehren (!) des Fürsten Karl III. von Monaco den Namen Monte Carlo erhielt. Wenn jene alten Piratenführer und ihre tapferen Mannen jetzt herabblicken auf das Gedränge, welches die glänzenden Spielsäle von Monte Carlo füllt, dann mögen sie wohl ihre bärtigen Häupter schütteln und trauern über solche Verweichlichung oder lächeln über die Gefahrlosigkeit des Räuberhandwerks, das ihre Nachkommen treiben; aber ist es wirklich so gefahrlos? Dort unten am Fuße des Felsens, liegt da nicht ein zerschmetterter Leichnam und hier im Schatten der Magnolien ein junger Mann mit der Kugel in der Brust? Es scheint doch so gefahrlos nicht zu sein, zum mindesten für die Beraubten nicht! — Wir wenigstens wollen nichts zur Förderung solchen Unwesens beitragen und eilen auf der Straße weiter, ohne uns von den Sirenentönen der wohlgeschulten Kapelle bestricken zu lassen, die aus den Orangen- und Palmen-Gärten von Monte Carlo in die ambrosische Abendluft emporsteigen.

Allmählich ansteigend gewinnen wir die Höhe des Berges, welcher das Vorgebirge von S. Martin bildet, und erblicken vor uns die herrliche Bucht von Mentone. Im Abendroth glänzen die Städte und die einzelnen Häuser, welche den blauen Meerbusen wie ein Juwelen-Gürtel umgeben. Dichte Oliven- und Orangen-Wälder bedecken die sanfteren Hänge, und dunklen Säulen gleich ragen die ernsten Cypressen aus dem lichten Laubwerk empor. Steile Küstenfelsen, an denen nur stachlige Aloen und Opuntien gedeihen, streben über uns auf; langsam, gleichmäßig und ruhig wogt sanft athmend das Meer, und leise, wie ein abendliches Schlummerlied rauscht die schwache Brandung an der Küste. Wir lauschen ihr traumverloren und bewundern mit Andacht das herrliche Bild. — Piu! Piu! ein hässlicher Ton, Peitschengeknall, Staub und knarrende Räder. Ein heterogenes Gespann von zwei abgerackerten Pferden, einem Maulthiere und einem Esel, durch die Fußtritte, Peitschenstichhiebe und das unausgesetzte «Piu Piu» des rohen Fuhrmannes angetrieben, schleppt mühsam und keuchend einen hochbeladenen Frachtwagen den Berg herauf.

Abb.   In Bordighera.

Aus dem glatten Meereshorizonte im fernen Südosten steigt der volle Mond empor und gießt sein Silberlicht über die schlummernde See und die herrliche Küste, aber selbst dies vermag die abscheuliche Dissonanz nicht zu verwischen, mit welcher jener rohe Fuhrmann die harmonische Schönheit des herrlichen Abends an der Riviera gestört hat. Solch marternde Realistik ist uns tödlich verhasst; nicht nochmals wollen wir uns der Gefahr aussetzen, etwas derartiges zu erleben. Bald ist Mentone erreicht, wir verlassen die Straße und fahren auf der Eisenbahn weiter nach Bordighera.

Von Nizza bis hinter Mentone bestehen die Felsen der Küste größtentheils aus höchst verworren gefalteten und zerknitterten Jura- und Kreide-Schichten. Nur am Cap Martin und bei Mentone selbst treten jüngere, tertiäre Gesteine zu Tage. Die Verworrenheit des geologischen Baues dieser Küstenstrecke macht sie zu der schönsten Strandpartie der ganzen Riviera. Hinter Mentone verlassen wir das mesozoische Gebiet und betreten jenes ausgedehnte tertiäre Land, welches bis an die innerste mesozoische und paläozoische Kette der äußeren Nebenzone des Alpenbogens reicht. Dieses Terrain zeichnet sich jenem, welches wir eben durchwandert haben, gegenüber durch größere Sanftheit der Formen aus.

Wie Nizza, Mentone und die übrigen Städte der Riviera ist auch Bordighera ein fashionabler, klimatischer Curort, mit allem Comfort, prächtigen Villen etc. ausgestattet. An keinem andern Orte der Riviera entfaltet die südliche Vegetation eine solche Mannigfaltigkeit und Üppigkeit wie in der schmalen Strandebene, welche von Bordighera nach Westen bis Ventimiglia reicht. Aus allen Weltgegenden zusammengeweht, wie die Fremden, welche die Riviera besuchen, sind auch die Pflanzen, welche den Gärten und Culturen dieser Küstenstrecke ihren eigenthümlichen Charakter verleihen. Da finden wir neben der einheimischen Olive die afrikanische Dattelpalme, die amerikanische Aloe, asiatische Bambus und Bananen und australische Casuarineen: alles wohlgepflegt und üppig gedeihend, wenn auch keine guten Früchte zeitigend. Vor allem berühmt sind die Palmen (Abb. 5).

Bordighera ist der einzige Ort in Europa, wo die Dattelpalme im Freien cultiviert wird. In den Gärten der Villa Morena finden sich 700 Jahre alte Exemplare. Und wenn auch die Früchte nicht reifen, so wird doch mit den Blättern, den Palmenwedeln, ein bedeutender Handel getrieben und namentlich zur Osterzeit die ganze Umgebung und auch Rom von Bordighera aus mit solchen versehen.

Viele Leute sind über die Vegetation der Riviera und namentlich die Palmenwälder von Bordighera in Ekstase gerathen, und gewiss wird jeder Nordländer, der zum erstenmale den Süden sieht, diese Pflanzungen bewundern — besonders den Ausblick von der Spitze des Vorgebirges S. Ampelio, auf welchem die Altstadt gebaut ist; denn von hier sieht man die ganze palmen- und olivenbedeckte Strandebene bis Ventimiglia und weiter in der Ferne, coulissenartig hinter einander auftauchend, alle Vorgebirge der schönen Küste bis zum Cap d'Antibes jenseits Nizza. — Unsereinem freilich, der die wirkliche tropische Vegetation in ihrer tropischen Heimat kennt, erscheinen diese Palmenwälder doch nur künstlich und kümmerlich.

Wir verlassen Bordighera und erreichen, unsere Riviera-Fahrt nach Osten fortsetzend, den jüngsten der dortigen Curorte, Ospedaletti, und weiter San Remo in der Bucht zwischen dem Cap Nero im Westen und dem Cap Verde im Osten.

Schon die alten Römer benützten diesen Platz, ebenso wie Nicaea, als klimatischen Curort. Das Terrain gehörte damals einem Patricier namens Matucius, und der Villencomplex, welcher für die Curgäste auf demselben errichtet wurde, erhielt nach ihm den Namen Matucia. Rasch entwickelte sich dieser Ort zu hoher Blüte, und früh schon bekehrte

Cyrus die Be-
wohner desselben
zum Christen-
thume. Später er-
scheint Matucia
unter dem Namen
San Romolo. Die
Saracenen zer-
störten die Stadt,
und die Bewohner,
welche die Kata-
strophe überlebt hatten, gründeten einige Kilometer landeinwärts im Gebirge ein neues
San Romolo. Nach Vertreibung
der Saracenen durch die Ge-

Abb. — In San Remo.

nuesen kehrte ein Theil der San Romolisten nach der alten Wohnstätte
am Meere zurück und baute auf dem Abhange eines in die Bucht vorspringenden Hügels das alte San Romolo wieder auf, das nun als
jüngerer Bruder von San Romolo den Namen San Remo erhielt.
Ängstlich drängten sich die Häuser von San Remo zusammen und
suchten hinter gewaltigen Festungsmauern Schutz vor erneuten Angriffen
der Saracenen und anderer Seeräuber.

In Schutt versunken sind die Ringmauern, aber unverändert steht
noch die alte Stadt da mit ihren unregelmäßigen, engen Gässchen
und ihren hohen, durch freie Bogen verbundenen Häusern. Jetzt ist
San Remo wieder wie vor zwei Jahrtausenden ein klimatischer Curort,
und weithin breiten sich den Strand entlang die Hotels und Villen, die
Anlagen und Promenadewege aus, welche für die Curgäste errichtet
wurden. Im schärfsten Gegensatze zu der ein Bild der Furcht vor
dem wilden Treiben des Mittelalters darbietenden, schattig-finsteren
Altstadt steht die offen und wehrlos über das Gelände sich ausbreitende
Neustadt, der Sonne überall Zutritt gewährend und jeden Fremden mit
Freude empfangend. Auch hier ist die südliche Vegetation eine reiche,
und allerliebst blicken die netten Villen zwischen den dichten Oliven-
und Orangen-Bäumen hervor (Abb. 16).

Den Strand entlang unsere Fahrt in nordöstlicher Richtung fortsetzend, passieren wir Porto Maurizio, Oneglia, Alassio, Pietra, Noli,

39

sowie viele andere alte Seestädte — von denen mehrere zugleich Curorte sind — und erreichen Savona.

Das die Verbindung mit dem Appennin herstellende umgebogene Westende der Alpenkette, welches den oberen Theil der Poebene im Süden begrenzt, ist nördlich von Savona am schmalsten und senkt sich hier zu der tiefen, bloß 400 Meter über dem Meere liegenden Einsattlung des Col d'Altare herab, über welche eine alte Straße nach Norden ins Binnenland führt. Durch diese leichte Verbindung mit der volkreichen Poebene vor anderen Seehäfen der Riviera ausgezeichnet, ward Savona bald eine gefährliche Rivalin von Genua. In dem mehrere Jahrhunderte währenden Concurrenzkampfe zwischen Genua und Savona um die Handelshegemonie in jener Gegend siegte aber das erstere; die Genuesen verschütteten den Seehafen von Savona, und dieses sank zu einem unbedeutenden und armen Städtchen herab, welches von genuesischen Statthaltern regiert wurde. Erst in unserer Zeit, seitdem die Macht von Genua gebrochen und eine Eisenbahn über den Altare gebaut worden ist, lebt das alte Savona wieder auf. Jetzt herrscht dort ein ziemlich reger Handel, obwohl der Hafen nur für kleine Schiffe tief genug ist.

Im Reisehandbuche heißt es, dass die Seife (italienisch Savone) dort erfunden worden sei und von der Stadt ihren Namen erhalten habe. Wenn das wahr wäre, hätte Savona wohl ein Recht, sehr stolz zu sein, denn die Erfindung der Seife war eine große Wohlthat für die Menschheit. Aber es ist eben nicht wahr. Plinius berichtet vielmehr, dass vor Beginn unserer Zeitrechnung die Seife im Süden nicht bekannt war, und dass die Römer dieselbe erst gelegentlich ihrer Kriegszüge in Germanien kennen gelernt hätten. Unsere Altvordern also waren die Erfinder der Seife, und wir wollen uns den Ruhm dieser Entdeckung nicht nehmen lassen, auch wenn zehn Städte im Welschlande Savona heißen!

In Savona wollen wir die Riviera verlassen und auf der Bahn nach Cuneo fahren, um die Seealpen kennen zu lernen.

Abb. 7. Fischerbarken an der Riviera.

40

Abb. 8. Cuneo mit den Seealpen.

2. Die Seealpen und der Monte Viso.

Das umgebogene Endstück der Alpen und das nordwestliche Anfangsstück der Appenninen bilden eine orographisch und auch geologisch continuierliche Kette, deren wasserscheidender Hauptkamm den oberen und mittleren Theil des Pogebietes im Süden begrenzt und von den Sammelbecken der zahlreichen Küstenflüsse der Riviera trennt. Wie erwähnt, nähert sich bei Savona dieser Kamm der mittelländischen Küste, und zwar so sehr, dass er hier kaum 8 Kilometer von der Strandlinie entfernt ist. Bis Genua bleibt der Hauptkamm in gleicher Küstennähe, um sich erst weiter östlich vom Meere wieder zu entfernen. Diese Küstenkette — das ligurische Bergland — wird durch die 400 Meter über Meer liegende Senkung des Col d'Altare in einen westlichen und einen östlichen Abschnitt zerlegt. Der Col d'Altare wird als die Grenze — es ist eine willkürlich angenommene Grenze — zwischen den Alpen und dem Appennin angesehen. Das östlich an den Col d'Altare anstoßende Gebirge ist der ligurische Appennin, das westlich daranstoßende sind die ligurischen Alpen. Die Westgrenze der letzteren wird im Col di Tenda angenommen, die Berge jenseits dieses Col sind die Seealpen.

Von dem Col d'Altare zieht das Thal des Letimbro nach Süden hinab an die Küste, um dort, bei Savona, auszumünden. Durch dieses Thal führt die Eisenbahn hinauf nach dem Santuario — von wo wir noch einen herrlichen Rückblick aufs Meer genießen — und weiter, stetig ansteigend, zum Thalschlusse. Der Berg wird östlich von der tiefsten

Senkung in langem Tunnel durchfahren, und wir kommen hinaus in das zum Pogebiete gehörige Thal der Bormida. Nun geht es durch Tunnel und Gallerien die steilen Abhänge entlang hinüber ins Tanarothal und hinaus nach dem 387 Meter über dem Meere gelegenen Ceva mit seinen alten Festungsbauten. Dem Tanaro nach abwärts folgend, kommen wir rasch in eine sanftere Gegend hinaus; die Berge werden niedriger, ihre Abhänge weniger steil, und bald haben wir — oberhalb Carrù — die Poebene erreicht. Die Hauptlinie führt von hier in nördlicher Richtung über Brà nach Turin; wir aber benützen die Zweigbahn, welche den Nordabhang der ligurischen Alpen entlang in westlicher Richtung nach Cuneo führt.

Im äußersten südwestlichen Winkel der Poebene gelegen und auf drei Seiten von dem umgebogenen Ende der Alpenkette eingeschlossen, besitzt diese Stadt eine Rundschau, wie sie nur von jener Turins übertroffen wird; namentlich fesselt der Blick auf die Seealpen im Südwesten und Westen (Abb. 8) unsere Aufmerksamkeit. Wir denken nicht an die vielen Belagerungen, welche diese im sechzehnten Jahrhunderte befestigte Stadt von den Franzosen auszuhalten hatte, nicht an die römischen Funde, die hier und in der nächsten Nachbarschaft gemacht worden sind; nur fort, fort in die Berge!

Eine schnurgerade Straße führt von Cuneo in südwestlicher Richtung nach Borgo San Dalmazzo am Fuße des Gebirges. Hier theilt sie sich: rechts, westlich, geht es durch das Sturathal über Demonte und den Col dell' Argentera nach Frankreich hinein; links, südlich, über Limone und den Col di Tenda an die französische Riviera; und geradeaus, südwestlich, nach Valdieri im Vallettathale. Der mittleren von diesen drei Straßen folgend, erreichen wir das im zwölften Jahrhunderte von Benedictinern gegründete Valdieri und, im Thalboden durch schönen Buchenwald weiter hinaufgehend, die 1346 Meter über dem Meere gelegenen Bäder — Terme di Valdieri.

Mit der Unterkunft ist es in den Seealpen sehr schlecht bestellt. Nur wenige Orte — und von diesen sind die Bäder von Valdieri einer — eignen sich zum Aufenthalte.

Von den Bädern wollen wir zunächst über den Col del Chiapous im Südosten hinübergehen zu dem herrlichen Brocansee (Abb. 9) im Hintergrunde des Rovinathales. Steile Felswände umgürten den blauen See, und prächtig spiegelt sich der Felsbau der Punta dell' Argentera in

Abb. 1. Lago di Brocan.

seiner klaren Flut. Nicht trennen kann sich das Auge von den wilden
Gipfelzacken, zwischen denen steile Schneerinnen herabziehen. Da wollen
wir hinauf! Wir kehren nach den Bädern zurück und machen uns zeitlich am andern Morgen auf den Weg.

Auf einem vom Könige Victor Emanuel zu Jagdzwecken angelegten
Saumpfade gehen wir zur Passhöhe von Chiapous eine Strecke weit hinauf
und wenden uns dann rechts dem unteren Ende jener steilen, schnee-
erfüllten Schlucht zu, welche zum Argenteragrate emporzieht. Bald ist
das Schneefeld erreicht, und Stufen tretend steigen wir über dasselbe
an. Unten schon ziemlich stark geneigt, wird es oben ganz unheimlich steil. Uns erscheint es endlos lang, denn 800 Meter   so hoch zum
mindesten ist es   über steilen Schnee continuierlich hinaufzugehen, ist
kein Spass. Endlich erreichen wir das obere Ende des Schneecouloirs
und betreten den Grat in einer Einsattlung, welche zwischen den beiden
nördlichen Spitzen des Argenterastockes liegt. Nun geht es über den
Grat fort nach rechts, ganz leicht auf den Monte Stella (auf der Karte
Gelas di Lourousa), dann nach Süden weiter zum nördlichen Argentera-
gipfel. Wildzerrissen erhebt sich vor uns der Culminationspunkt der
Gruppe, die 3313 Meter hohe südliche Spitze der Punta dell' Argentera.
Nach kurzer Rast nehmen wir den Grat, der uns noch von unserem
Ziele trennt, in Angriff und klettern theilweise über die Gratkante selbst,

endlich erreichen wir den stolzen Gipfel (Abb. 10). Die erste Ersteigung dieser Punta wurde im Jahre 1879 von Coolidge ausgeführt, jedoch von einer anderen Seite. Der Weg, den wir zurückgelegt haben, wurde zuerst von Bodenmann und Purtscheller begangen. Den Abstieg wollen wir ins Vallettathal nehmen.

theilweise durch den Abhang zur Linken dahin. Es sind da mehrere unangenehme Stellen zu passieren, aber

Abb. 10. Punta dell'Argentera.

Zunächst geht es nach Süden abwärts zu der Einsattlung zwischen Cima di Nasta und Cima del Baus und von hier nach rechts hinunter in den Thalgrund.

44

Von dem Vallettathale geht   oberhalb Valdieri   ein Nebenthal nach Süden ab, welches sich bei Entraque in einen südöstlichen und einen südwestlichen Ast spaltet. Der südwestliche Thalast theilt sich nochmals in das rechts zum Rovina- und Brocansee hinaufziehende Rovinathal, das wir schon kennen, und in das links zum Colle delle Finestre hinaufziehende Finestre- oder Barathal. Durch letzteres und über den genannten Col führt ein Saumpfad aus dem Vallettathale nach Madonna delle Finestre und weiter über S. Martin-Lantosque und durch das Vesubiethal in südlicher Richtung hinaus nach Levens und weiter nach Nizza.

Über das genannte Joch wollen wir nach Madonna delle Finestre hinübergehen. Wir verlassen die Bäder, marschieren durch das Hauptthal hinab und dann in südlicher Richtung durch das Nebenthal hinein nach Entraque, wo wir die Nacht - recht ungemüthlich — zubringen. Am anderen Morgen gehen wir von hier nach Tetti Camus und weiter, dem Jochwege folgend, durch das Finestre- oder Barathal hinauf. Wir kommen an dem nach Südosten abzweigenden Monte Colombthale vorüber, welches zu den Eisfeldern der Cima dei Gelas und des Monte Clapier hinaufführt. Rauher und wilder wird die Landschaft. Muhren und Schatthalden verdrängen die Vegetation. Öde und leblos ist der Grund, kein Hirte, keine Herde belebt das trostlose Hochthal. Über den Thalschlusshang vor uns zieht der Saumweg empor zu dem 2471 Meter über dem Meere gelegenen, von gewaltigen Felspfeilern eingefassten Colle delle Finestre. Prächtig erhebt sich zur Linken der steile Felsbau der Cima dei Gelas. Immer lenkt dieser schöne Berg unsere Blicke von dem Pfade ab; wir halten an, um ihn genauer zu betrachten. Schweigend stehen wir da, gleichzeitig reift in uns beiden derselbe Gedanke: lassen wir das Joch Joch sein und versuchen wir die Cima! Gedacht, gethan. Ein halbverfallener Jagdsteig führt uns an den Fuß der Felsen. Über diese und die die Stufen bedeckenden Schnee- und Firn-Lagen geht es hinauf, dem Gipfel zu. Rasch kommen wir vorwärts. Eine Schneewächte wird durchbrochen, und wir stehen auf der südlichen, 3135 Meter hohen Hauptspitze des Gipfelgrates der Cima dei Gelas. Prächtig ist die Rundschau von dieser Hochwarte; in der nächsten Umgebung die wilden Felszacken der Seealpen, Argentera, Clapier, Bego und Capeiet; in der Ferne im Norden der Alpenkranz und im Süden das endlose Meer; während aus der Tiefe das an den Fuß unseres Berges sich schmiegende, tannenumgürtete Madonna delle Finestre zu uns heraufblickt.

Lange liegen wir oben, des herrlichen Bildes uns freuend, und klettern dann nach Westen hinunter. Anfangs ist es recht steil, nach unten hin nimmt aber die Neigung ab, und wir erreichen die Terrasse, auf welcher der Baloursee liegt. An diesem vorübergehend erreichen wir bald eine zweite, 300 Meter hohe Stufe, an deren Fuße sich ein zweites kleines Plateau mit mehreren Seen ausbreitet. Auch diese ist bald hinter uns, wir betreten den schütteren Wald, und nach kurzem Marsche ist Madonna delle Finestre (Abb. 11) erreicht.

Dieser freundliche Ort liegt in einer Seehöhe von 1886 Metern und eignet sich — da es dort ein Hotel gibt — vortrefflich als Standquartier für Bergsteiger. Trotzdem wollen wir uns hier nicht länger aufhalten, sondern über das Finestrejoch ins Pogebiet zurückkehren. Sehr schön ist der Ausblick, den man von der Jochhöhe nach Norden gegen die Alpen und nach Süden auf das Meer gewinnt. Auf dem Saumpfade gehen wir hinunter durchs Thal, hinaus nach Entraque und nach Valdieri, nehmen hier einen Wagen und fahren nach unserem Ausgangspunkte, Cuneo, zurück.

Der nordsüdlich verlaufende, die Pocbene im Westen begrenzende Theil des Alpenbogens wird durch die tiefe, westöstlich streichende Furche der bei Turin in den Po einmündenden Dora Riparia in einen südlichen und einen nördlichen Abschnitt getrennt. Der erstere ist unter dem Namen Cottische, der letztere

Abb. 11. Madonna delle Finestre.

unter dem
Namen Graji-
sche Alpen
bekannt.
Beide beste-
hen aus Ur-
gestein, Gneis
und Glimmer-
schiefer, denen

Abb. 12. Rifreddo mit dem Monte Viso.

große Massen von Serpentin und verwandten Felsarten eingelagert sind.
Außen, im Westen, lagern sich diesem centralen Urgebirge mesozoische
Sedimentgesteine an; innen, im Osten, taucht es unvermittelt unter das
Alluvium der Poebene hinab.

Die Cottischen Alpen werden ihrerseits wieder durch die Thäler des
Quil und Pellice, welche durch den Col de Lacroiz verbunden sind, in
eine nördliche und südliche Hälfte zerlegt. In letzterer erhebt sich der
Monte Viso (Abb. 12), der Culminationspunkt der ganzen Gruppe, zu der
stattlichen Höhe von 3843 Metern. Diesen durch seine isolierte Lage vor
allen anderen gleich hohen und höheren Gipfeln der Alpen ausgezeichneten
Berg wollen wir besuchen, denn einzig muss von seiner Spitze die Rundschau sein.

Wir verlassen Cuneo und fahren auf der Bahn über Fossano und
Savigliano nach Saluzzo am Rande der Ebene. Von hier geht es dann
zu Wagen quer hinüber über den breiten, flachen Ausgang des Pothales

nach Revello und weiter durch das Pothal in westnordwestlicher Richtung aufwärts nach Crissolo, das bereits 1396 Meter über dem Meere liegt. Wir besuchen die nahe liegende Tropfsteinhöhle Caverna del Rio Martino und setzen dann unseren Weg thaleinwärts fort. Stärker wird die Neigung der Thalsohle, reißender der junge Po; an einer Thalstufe herabstürzend, bildet er einen schönen Fall. Über diese Stufe geht es hinauf, und wir erreichen das alpine Gasthaus Pian del Re.

Nicht weit davon bricht unter

Abb. 13.

Am Ursprung des Po.

Felstrümmern eine größere Wassermasse hervor; dieser Punkt (Abb. 13) wird als Ursprung des Po bezeichnet. In Wahrheit liegt die Poquelle weiter oben, zwischen dem Monte Granaro und Monte Meidassa.

Wir halten uns in Pian del Re nicht länger auf, sondern setzen gleich unseren Weg in südlicher Richtung fort, um zur Schutzhütte zu gelangen. An einem kleinen See vorüber und über alte Moränen erreichen wir den Col delle Sagnette und über diesen das jenseits etwas tiefer gelegene Rifugio Quintino Sella. Hier bringen wir, in einer Höhe von ungefähr 3000 Metern, die erste Hälfte der Nacht zu. Bald nach Mitternacht machen wir uns an den Anstieg, um den Gipfel des Monte Viso, wenn möglich, noch vor Sonnenaufgang zu erreichen. Diesen

frühen Aufbruch empfiehlt auch der viele Neuschnee, da bei solchem der
Weg lawinengefährlich ist; je früher am Tage wir daran sind, umso
geringer ist die Lawinengefahr.

Hell beleuchtet der Mond die Schutthalden und Schneefelder, über
welche wir zu den Felsen der Südseite des Berges emporsteigen. Allmählich beginnt es zu dämmern. Die Felsen sind zwar leicht, aber die
dichte Neuschneelage erschwert das Fortkommen. Immer heller wird's im
Osten, und schon befürchten wir zu spät den Gipfel zu erreichen. Möglichst rasch steigen wir an, sowohl um noch vor dem Sonnenaufgange
anzulangen, als auch um uns warm zu halten, denn es ist sehr kalt.
Endlich betreten wir den Gipfel — noch ist die Sonne nicht da.

Weithin, unabsehbar breitet sich zu unseren Füßen das Tiefland nach
Osten aus. Rechts im Südosten erheben sich am Horizonte die Gipfel
des Ligurischen Appennin und weiter zur Rechten, immer höher und
höher ansteigend, der Alpenwall, alle Gipfel der Ligurischen und See-Alpen.
Stolz ragt im Süden die zackige Punta dell' Argentera über ihre Nachbarn
empor, und weit, bis nach dem Innern Frankreichs hinein verfolgen wir
das verworrene Bergland des breiten Westendes der äußeren Nebenzone
der Alpenkette. Aber was ist alles das im Vergleiche mit dem gewaltigen
Hochgebirge im Westen und im Norden! Da stehen sie alle die herrlichen, uns so wohl bekannten Gipfel, aber in neuer, für den nordischen
Bergfahrer fremdartiger Gruppierung: ganz rechts in nordostnördlicher
Richtung der Monterosa gegen das Tiefland vorgeschoben und gewaltig
sich über dasselbe erhebend, dann nach links hin die stattlichen Gipfel am
Südrande des Cornergletschers, Lyskamm, Zwillinge und Breithorn nieder
sich senkend zum Pass von St. Theodule; dann — dunkelroth erglüht
plötzlich der Gipfel des Monterosa, und gleich darauf erglänzen hier und
dort andere Berge im Morgenstrahl: immer neue Spitzen tauchen ihren
Scheitel in das belebende Licht. Jetzt erreicht die Sonne auch das unvergleichliche Matterhorn, welches westlich von der Theodule-Senkung aufragt, und die herrliche Pyramide der Dent Blanche zur Linken. Von hier
an senkt sich der Hauptkamm gegen die Einsattlung des Col des
Bouquetins, um rasch wieder ansteigend sich über den Mont Collon zum
Stocke des Grand Combin fortzusetzen, welcher fast genau nördlich liegt.
Links von ihm erkennen wir die breite Senkung des St. Bernhard und
weiter die gewaltige Masse des Montblanc mit ihren wilden Dents und
Aiguilles und dem herrlichen Dom des Montblanc. Mit der Aiguille
des Glaciers endet dieser unvergleichliche Gipfelzug. Näher an uns

durch das breite Aostathal von der Hauptkette getrennt, erheben sich
im Norden die schönen Berge der Grajischen Alpen, deren höhere,
östliche Gipfel, der Grand Paradis und die Grivola, deutlich hervortreten, während ihre mittleren und westlichen Erhebungen zum Theile
von den Vorbergen verdeckt werden. Noch näher an uns ragt im Nordwesten der von unserem Standpunkte aus freilich sehr gedrückt und
klein aussehende Visoletto auf, und über ihn hinausblickend erkennen
wir, jenseits des Duranecthales, die Gipfel der Pelvouxgruppe. Da erhebt
sich zunächst über den Lautaretsattel zur Rechten der Bec de l'Homme,
von dem ein Grat steil hinaufzieht zu dem prächtigen, von hier aus
verkürzt erscheinenden Gipfelkamme der Meije. Dann weiter zur Linken
die Grande Ruine, die Gipfel von Agneaux, der Écrins und der Pelvoux,
Les Bans und Sirac; endlich südlich von der Senkung des Cavale der
Grand Pinier und ein Gewirre von Gipfeln, die nach Süden hinter den
näheren Bergen der westlichen Cottischen Alpen hinabtauchen. Und
wieder kehrt das Auge zurück zur östlichen Poebene, die jetzt in der
Morgensonne sich badet. Flussläufe glitzern zwischen den hellen Straßen-
linien und fahlgrünen Culturen; silberglänzend dehnen sich da und
dort Morgennebel über die Niederung aus, und graue Dunstflecken, aus
denen Mauern und Thürme hervorschimmern, bezeichnen die Lage von
Städten.

Kräftig bescheint auch uns jetzt die Sonne, und es ist nicht mehr
so kalt. Ungestört können wir diese herrliche Rundschau bewundern:
das versunkene Land, die Poebene, im Osten und den zerknitterten
Rand der angrenzenden Theile der Erdrinde, die Alpenkette, im Norden,
im Westen und im Süden.

Doch endlich müssen wir uns trennen von unserer Hochwarte. Wir
steigen rasch hinab zur Schutzhütte, wandern wieder hinaus nach Pian
del Re und hinab durch das Pothal. In Crissola halten wir uns nicht
auf und erreichen in Saluzzo noch glücklich den Abendzug, der uns nach
Turin bringt.

Schön ist es in diesen Alpengebieten, aber unwirtlich, öde und
einsam. Für Unterkunft ist nur in sehr geringem Maße gesorgt, und auf
Schritt und Tritt verfolgen einen die italienischen Soldaten, welche
diese Grenzgebiete stark besetzt halten, mit ihren Fragen und ihrer
Spionriecherei. Ohne Pass und Legitimation von Seite der italienischen Militärbehörde ist an ein Reisen in jener Gegend nicht zu
denken, und so oft wird man angehalten und nach den Papieren gefragt,

dass es wahrhaft am bequemsten wäre, dieselben ins Hutband zu stecken,
um nicht immer in die Tasche greifen zu müssen. Diese Zustände
werden einen regeren Fremdenverkehr in diesen Gebieten wohl noch auf
längere Zeit hinaus unmöglich machen.

Abb. 14. Italienische Alpenjäger.

II.

VON TURIN IN DIE DAUPHINÉ.

Abb. 15. La Superga.

1. Turin und Mont Cenis.

Die Erdscholle, durch deren Versenkung das Becken der Adria und die Poebene zustande gekommen sind, zerbrach, während sie sank, in kleinere Stücke, von denen einige weniger tief hinabglitten als andere und jetzt inselartig aus dem Senkungsfelde hervorragen. Ein solches weniger tief hinabgesunkenes Bruchstück jener Scholle ist das Hügelland von Montferrat, welches einem Vorgebirge gleich von Süden her in den westlichen Theil der Poebene hineinragt. Vom Tanaro wird dieses Hügelland durchbrochen, den Po aber zwingt es, in weitem Bogen nach Norden auszuweichen. Von Moncalieri bis Casale bespült der Po den Nordwest- und Nordfuß dieser zu seiner Rechten gelegenen Hügel von Montferrat, während sich an seinem linken Ufer die große alluviale Ebene ausbreitet. Die Ebene selbst wird in der Gegend der Ausmündung des von dem Alpenwalle im Westen herabkommenden Thales der Dora Riparia durch das erwähnte Hügelland zu einem ziemlich schmalen Flachland-Streifen verengt, so dass der ganze Verkehr zwischen dem unteren, östlich von jenem Hügellande, und dem oberen, westlich

54

von demselben gelegenen Theile der Poebene hier, an dieser engen Stelle zusammengedrängt, auf kleinem Raume gewissermaßen concentriert wurde. Überdies war dieser Platz der Ausgangspunkt für die Pfade über die schon in den ältesten Zeiten begangenen Pässe des Mont Cenis und Genèvre, welche den Verkehr zwischen der Poebene und dem Westen vermitteln.

So bedingten die orographischen Verhältnisse hier eine außerordentliche Lebhaftigkeit des Verkehrs, und diese führte naturgemäß zur Entstehung einer Stadt an dieser Stelle.

In alter Zeit lebte in jener Gegend der keltische Stamm der Taurisker, und diese erbauten an der Einmündung der Dora Riparia in den Po, an einem von der Natur dazu gewissermaßen ausersehenen Platze, ihre Hauptstadt Taurasia. Die verschiedenen, die Poebene und das Gebirge bewohnenden Keltenstämme befehdeten sich unter einander, und viele von ihnen standen außerdem noch im Kampfe gegen die wachsende Macht der römischen Republik. Zu letzteren gehörten die Salasser und Insubrer, welche im Aostathale und draußen auf der Ebene, in der Gegend von Ivrea saßen. Die Taurisker und Insubrer befehdeten einander, und so standen die ersteren in dem großen Kampfe zwischen Rom und der übrigen Welt, der jetzt zu einer Krise kommen sollte, gewissermaßen auf Seite der Römer.

Als Hannibal die Alpen überschritten und das karthagische, durch den Alpenübergang stark mitgenommene Heer, von den Insubrern gastlich aufgenommen, sich in den reichen ivreischen Gefilden gehörig erholt hatte, wandte er sich zunächst gegen die mit Rom befreundeten Taurisker. Es wird wohl anzunehmen sein, dass die Insubrer, welche ihn in jeder Weise unterstützten, diesen Zug gegen ihren nächsten Feind von Hannibal als Gegenleistung für ihre Dienste gefordert hatten.

Nach vierzehntägiger Rast in den ivreischen Gefilden machte er sich gegen die Hauptstadt der Taurisker, Taurasia, auf den Weg und eroberte sie im Herbste 218 v. Chr. nach dreitägiger Belagerung. Hiedurch verpflichtete er sich nicht nur die Insubrer und die mit ihnen verbündeten Keltenstämme zu Dank, sondern schreckte auch die Rom freundlichen Clans der Poebene und machte sie zum Anschlusse an sein Heer geneigter.

Später, als die Römer den karthagischen Erbfeind vernichtet hatten und ihre Herrschaft im Norden und Westen immer weiter ausbreiteten und befestigten, siedelten sie sich in Taurasia dauernd an: wir wissen, dass Augustus dort eine römische Colonie gründete, welche den Namen Augusta Taurinorum führte.

Nach dem Verfalle des weströmischen Reiches fiel Taurasia im Jahre 570 - in die Hände der Longobarden. Die Stadt wurde von Herzogen verwaltet, stand eine Zeit lang unter der Oberhoheit der Markgrafen von Susa und gelangte 1060 in den Besitz der Fürsten von Savoyen.

Unter der savoyischen Herrschaft erweiterte sich die Stadt und blühte immer mehr auf, obwohl sie wiederholt von dem französischen Erbfeinde belagert und 1506 von den Franzosen genommen wurde. Bis 1562 blieb sie in französischem Besitze, wurde dann aber zurückgewonnen und gleichzeitig zur Hauptstadt von Savoyen erhoben, was ihr zu erneutem Aufschwunge verhalf. Auch später war die Stadt, die nun schon Torino heißt, wiederholt in die Kämpfe mit den Franzosen verwickelt. Von einer der in diese Kämpfe fallenden Belagerungen wurde sie durch den berühmtesten Prinzen des Hauses Savoyen, Eugen, am 7. September 1706 befreit. Auch 1798 und 1800 wurde Turin von den Franzosen besetzt und war 1800-1814 die Hauptstadt des französischen Podepartements.

Turin ist die Wiege des italienischen Einheitsstaates. Von hier giengen alle Versuche aus, Italien sich selbst zurückzugeben, von hier aus wurde die ganze Halbinsel gewissermaßen zurückerobert.

Unglaubliches Glück begünstigte dieses Unternehmen, dessen Gelingen zuerst dem französischen Siege über Österreich, dann dem preußischen Siege über Österreich und schließlich dem deutschen Siege über Frankreich zu danken war. Die Italiener selber hatten gegen die Fremden nie mit Erfolg gekämpft, mit umso größerer Schlauheit aber machten sie sich die Kämpfe dieser Fremden untereinander zunutze.

Mit der Einigung Italiens unter dem Scepter Savoyens war der heiße Wunsch jedes italienischen Patrioten erfüllt, und gerade die Turiner hatten allen Grund, mit dem glänzenden Erfolge ihrer Bestrebungen zufrieden zu sein. Gleichwohl aber missfiel ihnen die eben durch diesen ihren Erfolg nothwendig gewordene Verlegung der königlichen Residenz nach einer andern Stadt, erst nach Florenz, dann nach Rom, gar sehr.

Dass Rom die Hauptstadt von Italien werden musste, darüber konnte wohl kein Mensch im Zweifel sein, aber gewiss wird der König

nur widerstrebend und mit Trauer im Herzen seine und seiner Ahnen
Hauptstadt, das herrliche Turin, verlassen haben, denn keine andere Groß-
Stadt auf der Erde hat eine so herrliche Lage wie diese. Von allen
Thürmen und freien Fenstern sieht man den Bogen der Alpen, die im
Westen und Norden Turin mit dem schimmernden Kranze ihrer firngekrönten Gipfel umgeben. Noch schöner ist dieses Alpenpanorama
von der in einer Seehöhe von 780 Metern, 541 Meter über der Stadt
gelegenen Superga (Abb. 15), einer prachtvollen Kloster-Kirche (Basilica),
welche Herzog Amadeus zum Danke für den Sieg über die Franzosen
von 1706 erbaute. Die Superga ist die Grabstätte der Fürsten aus dem
Hause Savoyen.

Aber Turin ist nicht nur durch seine prächtige Umgebung, die
unvergleichliche Gebirgsrundschau ausgezeichnet; auch die Stadt selbst
ist reinlich und schön; sie besitzt breite, gerade Straßen, schöne Façaden, Anlagen und Plätze. Hier begegnen wir nicht jenen engen und
schmutzigen Gässchen und Winkeln, jener veralteten Bauart und jenen
unschönen Wohnhäusern, welche andere italienische Städte verunstalten.
Und auch die Bewohner haben einen ganz anderen Charakter als die
Leute des Südens. Wohlthätig berührt uns die Kraft und die Ruhe dieser
Männer, die reinliche Anmuth der Frauen; man sieht gleich, dass dieses
Volk das Mark und der Kern des italischen Einheitsstaates ist. Um das
zu erkennen, bedarf es gar nicht des Studiums der Geschichte.

Bald haben wir uns an den schönen Museen und Bauten, an den
Bildern und der prächtigen Waffensammlung im Palaste satt gesehen,
an den Bergen aber, welche diese Perle von Italien bewachen, können
wir nimmer uns satt sehen. In stets wechselnder Beleuchtung bieten sie
immer neue Bilder uns dar. Das einemal ragen sie stolz und klar empor
über die ihren Fuß umwallenden Wolken, das anderemal hüllen sie ihre
Häupter in Nebel und Dunst. Rothglühend leuchten sie in der Morgensonne auf, weiß glänzen sie am Tage, blau und violett ragen sie des
Abends in den Himmel. Immer wechseln ihr Schneekleid und die
Deutlichkeit, mit welcher sie ihre Sculptur erkennen lassen. Scharf
treten die uns zugekehrten Grate hervor bei klarer Luft, nur die Um-
risse sehen wir bei Höhenrauch; immer neu ist der Anblick, und immer
ist er schön.

Doch wir sind keine Turiner — man könnte, von der Superga
hinausblickend, fast versucht sein zu sagen leider — und müssen die
schöne Stadt wieder verlassen.

Abb. 16. Susa.

Drei Eisenbahnen vereinigen sich in Turin: eine führt in südlicher Richtung nach Cogne und an die Riviera, eine nach Nordosten hinab in den mittleren Theil der Poebene und eine nach Westen durch das Thal der Dora Riparia und unter dem Col de Fréjus durch nach Frankreich.

Der Leser weiß es schon, oder er wird es wenigstens bei dem Lesen dieses Buches bald inne werden, dass ich ein rechter deutscher Mann bin – und kein rechter deutscher Mann mag einen Franzmann leiden, doch ihre Weine trinkt er gern. Aber Sect und Larose sind das einzige Französische nicht, was der Deutsche schätzen soll; auch die herrlichen Berge muss er bewundern und lieben, welche den Südosten des Gallierreiches zieren, die gewaltigen Gipfel der Pelvouxgruppe, vor allem die Meije: um dieses Gebirge kennen zu lernen, wollen wir jetzt das schöne Turin auf der Westbahn verlassen.

Zunächst geht es in nordwestlicher Richtung durch die Niederung, an dem schlachtenberühmten Rivoli am Eingange ins Dorathal vorüber und dann durch den breiten Boden des letzteren thaleinwärts, erst am rechten, dann am linken Ufer der Dora Riparia, bis Bussoleno. Hier spaltet sich die Bahn. Der rechte Ast und die Straße bleiben in der Thalsohle und führen hinauf nach Susa (Abb. 16); der linke Bahnast wendet sich dem südlichen Thalhange zu und beginnt an ihm emporzusteigen.

Das nach Süden umgebogene, westliche Endstück des Centralzuges der Alpenkette, welches die Poebene im Westen begrenzt, wird an zwei Stellen von Nebenflüssen des Po durchbrochen: im Norden, zwischen den Penninischen und Grajischen Alpen, von der Dora Baltea; in der Mitte, zwischen den Grajischen und Cottischen Alpen, von der Dora Riparia. Die Quellen dieser beiden Flüsse liegen jenseits, auf der Westseite des Centralzuges, im Gebiete der äußeren Nebenzone.

Da nun die Berge der äußeren Nebenzone an diesen Stellen viel niedriger als jene des Centralzuges sind, so liegt die Wasserscheide im Hintergrunde der beiden genannten Thäler bedeutend tiefer als anderwärts. Hier finden sich jene großen Einsattlungen, welche von jeher den Verkehr zwischen der Poebene und dem Rhônegebiete vermittelt haben: im Hintergrunde des Dora Baltea-Thales der Große und Kleine St. Bernhard, im Hintergrunde des Dora Riparia-Thales der Mont Cenis, der Genèvre, der Col du Fréjus und andere.

Da diese beiden Dora-Thäler in das Rhônegebiet vortreten, sind die ihre obersten Theile seitlich begrenzenden Bergkämme ebenso Wasserscheiden wie die ihre Thalschlüsse selbst bildenden Höhen. Der Kleine St. Bernhard und der Genèvre liegen am Thalschlusse, die anderen genannten Pässe aber in diesen seitlichen Grenzkämmen.

Die obere Hälfte des nach Osten zum Po herabziehenden Dora Riparia-Thales wird im Norden durch einen verhältnismäßig niedrigen Bergkamm mit mehreren gangbaren Pässen von dem nach Westen zur Rhône herabziehenden Thale des Arc, der Maurienne, getrennt. Der tiefste und am leichtesten zugängliche von den Sätteln dieses Kammes ist der nördlich von Susa gelegene, 2098 Meter hohe Mont Cenis (Abb. 17).

Der Mont Cenis-Sattel hat große strategische Bedeutung und ist von zahlreichen römischen — die Römer nannten ihn Mons Geminus — und französischen Heeren überschritten worden. Allenthalben findet man an seinen Zugängen Reste alter Wege und daneben Festungsbauten, die Feinden die Überschreitung des Passes unmöglich machen sollten. Zu Beginn unseres Jahrhunderts erbaute Napoleon eine ausgezeichnete Straße über den Mont Cenis, welche Susa (im Dora Riparia-Thale) mit Lans-le-Bourg (im Arc-Thale) verbindet.

Wir lassen Susa und die Mont Cenis-Straße rechts liegen und setzen unsere Fahrt auf dem linken Bahnaste fort. Bis Susa hinauf erstreckt sich das Dora-Thal in nordwestlicher Richtung, hier wendet es sich nach

Abb. 17. Am Mont Cenis.

Westsüdwest und zieht in dieser Richtung hinauf nach Oulx, wo es sich spaltet: links nach Südwesten zieht das Hauptthal, in dessen Hintergrunde der Genèvre-Sattel liegt, hinauf; rechts nach Nordwesten ein Nebenthal, das Val de Rochemolle. Halbwegs zwischen Susa und Oulx setzt die Bahn auf das linke Ufer der Dora Riparia über und bleibt auf dieser Seite bis Oulx, wo sie das Hauptthal verlässt, um durch das genannte Nebenthal in nordwestlicher Richtung nach Bardonecchia hinaufzuziehen. Bardonecchia, jetzt eine alpine Sommerfrische, war in der ersten Hälfte unseres Jahrhunderts ein kleines und unbedeutendes Alpendorf.

Schon in den dreißiger Jahren erkannte einer der Bewohner von Bardonecchia, ein gewisser Médail, dass die den westlichen Theil der Poebene einschließende Wasserscheide an keiner anderen gleich niedrigen und leicht zugänglichen Stelle durch einen ebenso kurzen Tunnel durchbrochen werden könnte wie hier, unter dem Sattel von Fréjus, zwischen seinem Heimatsdorfe und Modane im Arc-Thale. Da aber dieser Tunnel immerhin 12 Kilometer lang sein musste und es wegen der bedeutenden Höhe des über denselben aufragenden Berges unmöglich gewesen wäre, Schächte anzulegen und so von zahlreichen Stellen aus gleichzeitig die Arbeit in Angriff zu nehmen, hätte es — bei Benützung der damals allein bekannten Handsprengarbeit — ein halbes Jahrhundert erfordert, den Tunnel fertig zu stellen. Der König von Sardinien lehnte es aus diesem Grunde ab, den ihm von Médail vorgelegten Plan dieses Tunnelbaues zur Ausführung zu bringen. Erst als Maus eine Bohrmaschine

5*

60

construiert hatte und Colladon auf den glücklichen Gedanken gekommen war, diese Maschine durch von außen zugeführte comprimirte Luft in Gang zu setzen, war es möglich, an die Ausführung des von Médail projectirten Tunnelbaues zu schreiten. Im Jahre 1857 wurde von der Turiner Regierung der Beschluss gefasst, den Tunnel zu bauen. Während die Bohrmaschinen und die durch Wasserkraft in Betrieb zu setzenden Luftcomprimatoren errichtet wurden, begann man von beiden Seiten her den Berg durch gewöhnliche Handsprengarbeit anzubohren. Erst 1861 waren die Maschinen vollendet und durch wiederholte Abänderung gebrauchsfähig gemacht. Jetzt traten sie in Action, und gar bald begann die Tunnelarbeit rascher vorwärts zu schreiten.

Die Bohrmaschine wurde auf Schienen an das Tunnelende herangebracht. Eine Anzahl Stahlmeißel stießen mit großer Kraft und Schnelligkeit — mehrere hundertmal in der Minute — gegen den Fels. Gleichzeitig wurden Wasserstrahlen in die in Bohrung begriffenen Löcher geleitet, welche das zerstampfte Material herauswuschen und die Meißelspitzen kühl erhielten. Die aus der Maschine entweichende Arbeitsluft reichte zur Ventilation, zur Erneuerung der Atmosphäre am Tunnelende hin, und da sie sich bei der Ausdehnung natürlich abkühlte, trug sie wesentlich zur Herabsetzung der im Berginneren hohen Temperatur bei.

In der Tunnelhinterwand bohrte die Maschine zahlreiche, etwa ein Meter tiefe Sprenglöcher von geringem Durchmesser und außerdem in der Mitte ein viel größeres, über 10 Centimeter breites Loch aus. Dann wurde sie zurückgezogen, und man füllte die innersten, dem großen centralen Loche zunächst liegenden kleinen Sprenglöcher mit Schießpulver. Dieses wurde entzündet, und die Sprengung erfolgte natürlich in der Richtung des geringsten Widerstandes, gegen das große centrale Loch hin. Dann wurde der nächste Kreis von Sprenglöchern geladen und abgefeuert u. s. w., bis man die Endwand in ihrer ganzen Ausdehnung ein Meter tief — diese Tiefe hatten die Bohrlöcher abgesprengt hatte. Die losgesprengten Trümmer wurden hinausbefördert, die Schienen verlängert, die Bohrmaschine wieder vorgeschoben, und die Arbeit begann von neuem.

So arbeitete man einen etwa drei Meter breiten Stollen aus. Weiter rückwärts waren dann Hunderte von Leuten damit beschäftigt, diesen Stollen durch Handsprengarbeit zu erweitern und den Tunnel, wo nöthig, auszumauern.

Dreizehn Jahre arbei-
tete man unverdrossen fort,
bis endlich, zu Anfang
December 1870, die Leute
am Tunnelende die Spreng-
schüsse der ihnen von der
anderen Seite her entgegen-
arbeitenden Partie durch
den Berg hörten. Von Tag

Abb. 18.
Am Bahnhofe in Modane.

zu Tag wurden diese Töne lauter, und am 26. December trafen die von
beiden Seiten her vordringenden Stollen in der Mitte des Berges zusammen.

Die letzte trennende Felswand fiel, und die in den beiden Stollen arbeitenden Männer reichten einander die Hände.

Seither hat man andere Tunnel dieser Art gebohrt, aber der Bau des Mont Cenis-Tunnels wird stets der interessanteste von ihnen bleiben, weil er der erste war. Und wir, die wir jetzt in den dunklen Schlund hineinfahren, wollen mit Dank und Bewunderung der Thatkraft, der Geschicklichkeit und der Ausdauer jener Männer gedenken, welche dieses großartige Werk vollbracht und damit dem Ruhmeskranze ihres schönen Landes Savoyen ein neues, glänzendes Lorbeerblatt eingefügt haben.

Der Mont Cenis-Tunnel — da er nicht unter dem Mont Cenis, sondern weiter westlich unter dem Col du Fréjus durchgeht, sollte er eigentlich Fréjus-Tunnel heißen — ist 12,220 Meter lang, zweigeleisig und 8 Meter breit. Die Tunnelmitte liegt 1294 Meter über dem Meere, und von hier senkt er sich sowohl nach dem südlichen, wie nach dem nördlichen Ausgange. 25 Minuten währt die Fahrt, dann kommen wir hinaus ins Arc-thal, die Bahn macht eine scharfe Biegung nach rechts, und wir sind in Modane.'

Auf dem Perron herrscht ein wüstes Gedränge (Abb. 18). In greulichem Durcheinander schwirren Worte der verschiedensten Sprachen um unsre Ohren, und von der Zollschranke her tönt deutlich das von klugen Reisenden wohl einstudierte rien declarer . Es ist eine böse Viertelstunde, aber auch sie geht vorüber, und wir setzen unsre Fahrt durch die Maurienne hinunter fort.

Der Arc hat sich tief eingeschnitten, und die Berge zu seinen Seiten, namentlich jene im Norden, sind hoch und steil. Das Thal wendet sich im Bogen nach rechts St. Jean-de-Maurienne, der alten Hauptstadt der Maurienne, zu. Wir aber verlassen die Bahn schon vorher, in St. Michel, um durch das Valloire-Thal zu dem Col du Galibier hinaufzugehen.

Eine vortreffliche Straße führt in südlicher Richtung hinauf nach Valloire, dem Hauptorte des Thales. Edelkastanien und breitkronige Nussbäume beschatten den Weg, und an den sanften Berghängen breiten sich Weingärten aus. Allmählich ansteigend lassen wir diese Tiefland-Vegetation hinter uns. Getreidefelder treten an die Stelle der Weingärten, Buchen und Tannen ersetzen Kastanie und Nussbaum. Jenseits Valloire verlassen wir die große Straße und betreten den zum Goléon-Passe emporziehenden Pfad, welcher uns rasch in die Höhe bringt. Es ist drückend heiß. Ein paar Stunden geht es auf diesem Wege fort, dann nach rechts an einem kleinen, schmutzigen See, an Hütten und einem Wasserfalle vorüber, über Alpenmatten aufwärts, bis wir hoch oben mit der Straße wieder zusammentreffen. Drückende Schwüle lastet sogar noch hier in der Höhe auf der einförmigen Gegend. Die Straße unterfährt den 2658 Meter über dem Meere liegenden Col du Galibier in einem kurzen Tunnel. Diesen durchschreitend erreichen wir den südlichen Berghang.

Abb. 30.
St. Just in Susa.

Abb. 20. Die Meije vom Col du Galibier.

2. Pelvoux und Meije.

Ein kalter, erfrischender Hauch, richtige Schneeluft, begrüßt uns am Tunnel-Ausgange. Vor uns erhebt ein gewaltiger Berg seinen unvergleichlichen, eisgepanzerten Felsbau: das ist Sie, die Einzige, die Meije (Abb. 20). Die scharfe Felsenspitze rechts ist der Grand Pic. Nach Westen (rechts) bricht er in gewaltiger Steile zu der breiten, firnbedeckten Brèche de la Meije ab; nach Osten (links) zieht von ihm ein herrlicher Grat über den Pic Central zum Pic Oriental.

Im Zickzack führt der Fahrweg über den südlichen Berghang hinab und vereinigt sich unten mit der großen Straße über den Col du Lautaret, die im Süden an uns vorbeizieht.

Diese Lautaret-Straße folgt jener bedeutenden Terrainfurche, welche sich von Le Bourg d'Oisans im Romanchethale in östlicher Richtung über den Col du Lautaret bis Madelaine im Guisanne-Thale erstreckt, um hier, dem Südosten sich zuwendend, nach Briançon im Durance-Thale hinabzuziehen. Der westöstlich verlaufende Theil dieser Furche, von Le Bourg d'Oisans bis Madelaine, bildet im allgemeinen die Nordgrenze einer jener Urgebirgsinseln, welche, wie eingangs erwähnt, im westlichen Theile der äußeren Nebenzone der Alpenkette an mehreren Stellen zu Tage treten. Diese Urgebirgsinsel ist die Pelvouxgruppe. Sie hat die Gestalt einer Viertelkreisfläche. Der Nordrand und der Westrand sind gerade. Die Begrenzung gegen Osten und Süden hin bildet ein Viertelkreis. Le Bourg d'Oisans ist der Mittelpunkt des letzteren und bildet gleichzeitig die Nordwestecke der Urgebirgsscholle. Im Nordwesten schließt sich dieselbe an die südwestliche Fortsetzung des gleichfalls azoischen Mont Blanc-Massivs an. Im Norden und Westen stößt sie an liassische und jurassische, im Südosten an eocene Sedimentgesteine. Von Norden her ragen einige mesozoische Zungen in dieses Urgebirge hinein, und in ihrem südwestlichen Theile finden sich zwei größere Flecken solch jüngerer Gesteine. Die Schichten sind steil und compliciert gefaltet, und namentlich der Lias-Kalk in dem die Nordgrenze der Pelvouxgruppe bildenden Romanchethale außerordentlich zerknittert.

Die Pelvouxgruppe liegt ganz innerhalb des Rhônegebietes, in der Wasserscheide zwischen Isère und Durance. Sie besteht aus einem vom Pic de l'Homme, südöstlich von La Grave, in südlicher Richtung zum Pas de la Cavale streichenden Gebirgskamme, von welchem mehrere ostwestlich verlaufende Nebenkämme abgehen.

Steil stürzt der Pic de l'Homme (2904 Meter) nach Norden ins Romanchethal ab. Der Hauptkamm zieht von ihm nach Süden empor zum Bec de l'Homme (3457 Meter) und senkt sich jenseits nur wenig zum Col de l'Homme (3430 Meter), um dann, nach Südwesten sich wendend, rasch zum Pic Oriental de la Meije (3911 Meter) anzusteigen. Hier zweigt der Meije-Grat nach Westen ab. Dieser erhebt sich im Pic Central zu 3970, im Grand Pic zu 3987 Metern und erstreckt sich, die Thäler der Romanche und Vénéon trennend, weit hin nach Westen. Der Südabfall dieses bedeutenden Kammes ist steiler als sein Nordabhang, welch letzterer mehrere bedeutende Gletscher trägt. Vom Pic Oriental wendet sich der Hauptkamm nach Südost und gibt nach kurzem, südöstlichem Verlaufe einen unbedeutenden Nebenkamm nach Osten ab, welcher in den Pics du Neige de Lautaret über 3500 Meter ansteigt. Nun zieht der Hauptkamm in südlicher Richtung zur Grande Ruine (3702 Meter), von welcher ein kurzer Felssporn nach Osten abgeht, und umsäumt, im weitern Verlaufe stark nach Osten sich krümmend, den Glacier de la Plate des Agneaux. Infolge dieser Krümmung nimmt er schließlich eine westöstliche Richtung an, so dass der im Roche

Faurio 3716 Meter) nach Osten abzweigende Nebenkamm als eine directe Fortsetzung dieser Hauptkammstrecke erscheint. Dieser Nebenkamm erhebt sich im Pic de Neige Cordier zu 3615, weiter in dem Montagne des Agneaux zu 3600 Metern und endet, nach Süden umgebogen, an der Vereinigungsstelle des Eychauda und Pierre-Thales. Der Hauptkamm zieht, den Bonne Pierre- vom Blanc-Gletscher trennend, in südlicher Richtung über den Col des Écrins (3115 Meter) hinauf zu dem 4083 Meter hohen mittleren Écrins-Gipfel. Nördlich von dem Écrins geht ein unbedeutender Nebenkamm nach Westen und in dem Écrins ein bedeutenderer nach Osten ab, welch letzterer, vom Blanc-Gletscher (im Norden) und vom Noir-Gletscher (im Süden) umflossen, an der Vereinigungsstelle dieser beiden Eisströme am obern Ende des Pierrethales endet. In diesem Kamme liegt der 3103 Meter hohe Hauptgipfel der Écrins, der Culminationspunkt der ganzen Pelvoux-Gruppe. Von dem mittleren Écrins zieht der Hauptkamm über den Pic Coolidge (3756 Meter) in genau südlicher Richtung zum L'Ailefroide (3925 Meter). Von hier geht ein bedeutender Nebenkamm nach Osten ab, welcher, zu einem förmlichen Gebirgsstocke verbreitert, zwischen dem Pierre- und Celee-Nière-Thal endet. Dieser Gebirgsstock ist der eigentliche Pelvoux; dessen höchste Spitze, die Pointe Puiseux, eine Höhe von 3954 Metern erreicht. Der Hauptkamm umzieht im Bogen das Firnfeld des nach Osten hinabströmenden Sélé-Gletschers, gibt nach Osten den Nebenkamm der Créte des Boeufs Rouges ab, wendet sich scharf nach Westen und erhebt sich im Les Bans zu 3951 Metern. Von hier geht ein sehr bedeutender Nebenkamm nach Westen ab, welcher sich im Les Rouies zu 3634 und im Pic d'Olan zu 3574 Metern erhebt. Dieser bildet durchaus die südliche Begrenzung des Gebietes des Vénéon-Flusses und erstreckt sich weithin nach Westen und Nord-Westen. Er ist — namentlich an der Nordseite — auf eine Strecke von 20 Kilometern stark vergletschert. Die weitere Fortsetzung des Hauptkammes vom Les Bans nach Süden bis zum Pas de la Cavale trennt die Quellgebiete des Drac von jenen der Onde und gibt einen Nebenkamm nach Westen ab, welcher bis an die Einmündung des Severeisse-Flusses in den Drac reicht und im Sirac zu einer Höhe von 3438 Metern ansteigt.

Die südöstliche Fortsetzung der großen Furche der Romanche durchschneidet das mesozoische und paläozoische Gelände östlich vom Pelvoux in schräger Richtung. In derselben fließt der Guisanne-Bach hinab, um sich bei Briançon in die Durance zu ergießen. Durch das Guisanne-thal wollen wir hinabwandern nach Briançon, um diese merkwürdige Festungsstadt kennen zu lernen.

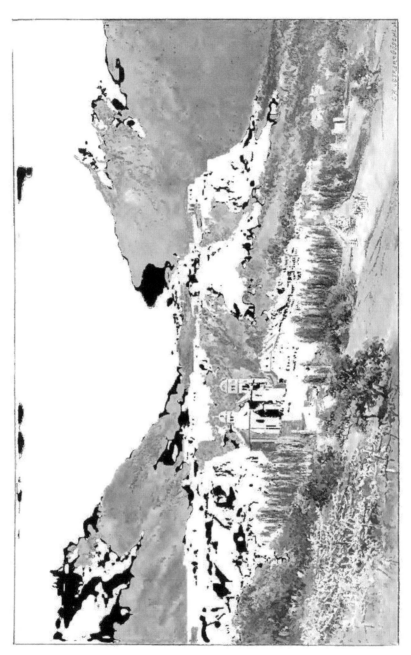

Abb. 21. Briançon.

Die Straße folgt der flachen Sohle des breiten Thales am linken
Ufer der Guisanne. Vor uns erhebt sich in der Ferne eine herrliche
Spitze, wohl der Monte Viso. Wir kommen nach Monestier, einem
großen, 1403 Meter über dem Meere gelegenen Dorfe, und erreichen, nachdem wir eine schmale Triaszone durchquert haben, das paläozoische, der
Carbonformation angehörige Terrain, in welchem wir nun bis Briançon
bleiben. In der Nähe von Monestier finden sich triassische Gips- und
paläozoische Anthrazit-Lager. Das Gelände der Thalstrecke von Monestier
bis Briançon ist recht fruchtbar und freundlich. Hoch hinauf an den
Hängen reichen die Felder, und zahlreiche Ortschaften und Kirchthürme
beleben die Gegend. Die Straße macht eine große Curve, und wir erreichen Briançon.

Hier, an der Einmündung der Guisanne in die Durance, springt
eine ebene Terrasse mit steilen, felsigen Abbrüchen weit ins Thal hinein
vor. Sie beherrscht den alten Weg über den etwa 8 Kilometer entfernten Genèvre von Italien nach Frankreich. Jene zur Errichtung
eines Sperrforts wie geschaffene Terrasse wurde schon im Alterthume
befestigt und im Laufe der Zeit immerfort verstärkt. Jetzt gilt dieser
durch eine dreifache Umwallung und elf Forts geschützte Punkt als eine
uneinnehmbare Festung. Hässlich ist die alte Stadt mit ihren winkligen,
schmutzigen und engen Gassen und wild und unheimlich die 56 Meter
tiefe Durance-Schlucht, welche, von einer kühnen Bogenbrücke überspannt, den Ort durchzieht. Obwohl Briançon an der Bahn liegt — am
Terminus der Durancethalbahn — so ist doch nur wenig von dem be-
lebenden Hauche des Weltverkehrs in dieser, so zu sagen, bis an die
Zähne gewappneten Stadt zu verspüren. Froh sind wir, dieselbe nach
kurzem Aufenthalte wieder verlassen zu können. Der trotzige Pelvoux,
dessen schöner Gipfelbau so stolz herabblickt auf Briançon, hat es uns
angethan: den wollen wir besteigen und dann hinübergehen nach La
Bérarde auf der anderen Seite des Hauptkammes.

Der Pelvoux (Abb. 22) ist ein massiger, allseitig steil abfallender
Gebirgsstock, welcher auf seinem Scheitel einen kleinen, flachen Gletscher
trägt. Dieses Firnfeld – der Glacier du Clot de l'Homme – fließt nach
Süden ab; im Westen, Norden und Osten wird es von einem Bergsaume
eingefasst, dem die Pelvouxgipfel entragen: westlich die Pointe Puiseux
(3954 Meter), nördlich die Pyramide (3938 Meter), östlich die Trois
Dents und südöstlich der Petit Pelvoux (3762 Meter). Von der Pointe
Puiseux geht ein Grat nach Westsüdwest ab, welcher das Pelvouxmassiv

Abb. 22. Refuge Tuckett und Pelvoux.

mit dem Hauptkamme verbindet. Nördlich von diesem Verbindungsgrate
und dem Pelvouxmassiv liegt das Pierrethal, dessen oberer Theil von dem
Noir-Gletscher ausgefüllt ist; südlich das Celce-Niére-Thal, in dessen
Hintergrunde der Sélé-Gletscher sich ausbreitet. Im Bogen umziehen
diese zwei Thäler den Pelvoux und vereinigen sich im Osten desselben
bei Ailefroide zu dem Ailefroidethale, welches in südöstlicher Richtung
nach Ville Vallouise hinabzieht, um endlich — hier unten heißt es
Gyrondethal — bei la Bessée in das Durancethal auszumünden.

Wir verlassen Briançon, fahren durch das Durancethal hinunter nach
La Bessée und von hier rechts durch das Gyrondethal hinauf nach
Vallouise. Am Südabhange des Pelvoux, nahe dem Ende des Glacier du
Clot de l'Homme liegt in einer Seehöhe von 2724 Metern die Refuge de
Provence, eine Schutzhütte, zu welcher wir hinaufgehen wollen, um von
dort aus den Pelvoux zu besteigen.

In Ville Vallouise halten wir uns nicht auf, sondern beginnen
sogleich unsern Marsch. Eine reiche Vegetation schmückt das Thal, und
mächtige Nussbäume beschatten den Weg; tief im Grunde einer engen
Klamm braust der Ailefroide-Bach dahin; und vor uns erhebt sich
der stolze Felsbau des Pelvoux.

Wir erreichen Ailefroide, eine Gruppe elender Hütten, und wenden uns links dem öden Celce-Niére-Thale zu. Wüst und trostlos ist der Grund, vermuhrt und baumlos. Kein Mensch bewohnt das Thal; kein Vogel ist in der Luft; kein Fisch im Wasser; keine Gemse und kein Murmelthier an den steilen Hängen. Not a living thing did we see in this sterile and savage valley during four days, except some few poor goats which had been driven there against their will — sagt Whymper.

Noch wilder und schauerlicher als die Gegend aber sind die empörenden Greuelthaten, welche einstens hier verübt wurden.

Im Jahre 1170 hatte der Lyoner Waldus eine Religionsgemeinde gegründet, welche durch strenge Moral, Demuth und Armut die apostolische Reinheit der Kirche wieder herstellen sollte. Bald geriethen die Anhänger dieser waldensischen Lehre mit der katholischen Kirche in Streit. 1184 und 1215 schleuderten die Päpste den Bannfluch gegen die Waldenser, welche sich aber dessen ungeachtet immer mehr ausbreiteten und namentlich in den savoyischen Thälern festsetzten. Vergebens bemühten sich benachbarte Kirchenfürsten, der Erzbischof von Embrun und andere, diese Sectierer in den Schoß der katholischen Kirche zurückzuführen — viele Waldenser starben damals unter qualvollen Martern den Opfertod für ihre Überzeugung.

Albert Cattanée, der Legat des Papstes Innocenz des Achten, griff die Waldenser in den piemontesischen Thälern an und wandte sich, da er dort nichts ausrichten konnte, 1488 gegen die gleichfalls waldensischen Bewohner der Alpenthäler im Osten des Pelvoux. Mit einer großentheils aus Vagabunden, Räubern und Mördern zusammengesetzten Armee, welche durch das Versprechen vollkommenen Ablasses, sowohl in jenem Leben, wie in diesem, zur Theilnahme an dem Zuge gewonnen worden waren, überschritt er den Genèvre und rückte durch das Durancethal herab. Einem verheerenden Lavastrome gleich ergossen sich seine wüsten Banden über die von den Waldensern bewohnten Seitenthäler, und die also Bedrängten flüchteten sich vor der zehnfachen Übermacht hier herein in dieses wüste Thal.

Hoch oben am Hange erblicken wir eine große Höhle. Diese war es, in welcher die Waldenser damals große Mengen von Proviant anhäuften, denn sie hatten gehofft, dort eine sichere Zufluchtsstätte zu finden. Beim Herannahen Cattanées versteckten sie sich mit ihren Frauen und Kindern in jener Höhle.

Cattanée erlangte bald Kenntnis von diesem Versteck und ließ seine wüsten Banden gegen dasselbe los. Allein die Waldenser vertheidigten den Höhleneingang mit Muth und Geschick, so dass ihnen nicht beizukommen war. Da befahl Cattanée, große Mengen von Gesträuch vor der Höhle zusammenzutragen und es zu entzünden. In Rauch und Flammen erstickten die Kinder und Frauen, betend zu dem Gotte ihrer Väter, die Männer aber brachen hervor und verkauften ihr Leben im Einzelkampfe so theuer als möglich. Nicht ein einziger entkam. — 3000 Menschen waren in solcher Weise hingemordet worden.

Über die öden Geröllhalden und Schlammströme des trostlosen Thalgrundes wandern wir dahin. Dunkle Wolken senken sich herab auf das Thal, und heulend jagt der plötzlich erwachte Sturm weißliche Nebelfetzen an uns vorüber; sie zerreißen im rasenden Fluge und wirbeln, ein wüthendes Geisterheer, an den finsteren Pelvouxfelsen hin. Sind die Seelen der Waldenser ihrem Flammengrabe entstiegen, wagen sie noch einmal den furchtbaren Kampf? Ja, sie sind es, sie siegen: helle Strahlen durchbrechen die Wolken, die Nebel verschwinden, Firne und Felsen erglänzen im Lichte, und liebevoll küsst die siegende Sonne den Eingang jener finsteren Höhle des Todes.

Dem Fußsteige am linken Ufer des Baches folgend, kommen wir bald zu einem Felsvorsprunge, über dessen Scheitel die zerklüfteten Eismassen des Clot de l'Homme Gletschers herabschauen. Hier verlassen wir die Thalsohle und wenden uns rechts dem Berge zu. An einem gewaltigen Blocke, unter welchem jene seichte Höhle liegt, die früher bei Pelvouxbesteigungen als Bivouacplatz benützt wurde, vorbeigehend, erreichen wir auf steilem Steige die Provencehütte. Aus Holz gebaut und viel besser ausgestattet als die meisten anderen Schutzhütten jener Gegend, bietet sie eine verhältnismäßig angenehme Nachtherberge. Sie liegt auf dem Rande einer kleinen Terrasse, der einzigen, welche den steilen Südabfall des Pelvoux unterbricht.

Von der Hütte aus kann man das Schneeplateau des Pelvouxmassivs auf drei verschiedenen Wegen erreichen: erstens durch das eiserfüllte Tuckett-Couloir, welches zum Westfuße des Petit Pelvoux hinaufzieht; zweitens über die Rochers Rouges, erst östlich vom Clot de l'Homme-Gletscher hinauf, dann über diesen und westlich von ihm über steile Felsen und durch viele kleine Couloirs zum Südrande des Plateaus; und endlich drittens von Westen, erst östlich vom Gletscher hinauf, dann über diesen und nun immer nach Westen bis zu dem kleinen Sans Nom-Gletscher. Von hier geht es dann über einen steilen Schneehang zum

Südfuße der Pointe Puiseux. Der letzte von den drei genannten Wegen
ist bei reichlichem Schnee der leichteste, und diesen wählen wir, weil
der ganze Gipfelbau mit Neuschnee bedeckt ist.

Beim ersten Grauen des Tages verlassen wir die Hütte und steigen
in einer Fallinie an. Felsen und Schutt, steil und beschwerlich, ohne alle
Schwierigkeit, aber höchst monoton. Doppelt schwer fällt einem so ein
Weg um diese frühe Stunde, denn nicht sogleich functionieren die Organe,
wie sie sollten, und erst wenn man ein paar Stunden wacker gestiegen
ist, finden Herz und Leber das richtige Tempo. Allmählich weicht das
Dunkel aus dem tiefen Celse-Niére-Thale, und immer prächtiger entfaltet
sich der Sélé-Gletscher in seinem Hintergrunde. Wir erreichen den Punkt,
wo die schmale, wild zerklüftete und steile Zunge des Clot de l'Homme-
Gletschers überschritten werden muss. Nicht leicht ist es, auf das Eis zu
gelangen. Ist man darauf, so heißt es wacker Stufen schlagen. Die
Zunge des Eisstromes ist aber hier so schmal, dass wir bald drüben
sind. Nun müssen die Felsen, welche den Clot de l'Homme von dem
nächst westlichen Hängegletscher, dem Glacier Sans Nom, trennen,
traversiert werden. — Da fällt mir ein, dass ich eigentlich diese französischen Worte in einem deutschen Buche nicht gebrauchen sollte. Couloir,
traversieren, arête, séracs, cornice, col, pic, aiguille, dent etc.; aber es
geht wirklich nicht anders. Diese Ausdrücke gehören mit zum Local-
colorit der Westalpen und werden von allen Führern und Bergsteigern
benützt. Sie erzeugen gewisse Vorstellungen und erwecken associierte
Ideen wie keine deutschen Worte, die an ihre Stelle gesetzt werden
könnten; sie müssen daher benützt werden, wenn diese Vorstellungen
und Ideen-Associationen im Geiste meines Lesers geweckt werden
sollen. Wir traversieren also den gewaltigen Felsabhang: über breite,
geröllbedeckte Stufen, durch Risse und Runsen geht es fort, immer
schräg aufwärts bis an den Gletscher. Den Eisstrom selbst betreten wir
nicht, sondern klettern durch die Felsen an seiner Seite empor zu
jenem großen, stark geneigten Schneefelde, welches vom Südwestrande
des Plateaus nach Südwesten herabzieht. Nun geht es über dieses hinauf bis an die Felsen des Plateaurandes und dann über letztere zum
höchsten Gipfel des Pelvoux, der Pointe Puiseux.

Herrlich ist die Rundschau. Einem Krater gleich eingesenkt erscheint das Schneeplateau; die Kratermulde wird von dem Firnfelde des
Clot de l'Hommegletschers eingenommen; aus dem Kraterrande ragen
die Pelvouxspitzen hervor. Großartig und wild ist die nähere Umgebung: im Süden das tiefe Thal, aus dem wir emporgestiegen, im

Norden der große Noir-Gletscher und darüber zur Linken die herrliche Spitze des Écrins, von welcher der Hauptkamm über Gipfel und Hörner nach rechts hinüberzieht zur Meije, deren gewaltiger Grat die Aussicht im Nordwesten begrenzt. Nach Westen schweift der Blick unaufgehalten über das südliche Frankreich, über Berge und Hügel, die immer niedriger werden, bis sie im Dufte der Ferne verschwimmen. Im Osten sehen wir den Bogen der Alpen, die Seealpen, den Monte Viso, die Grajischen Alpen und den Montblanc, dessen stolzes Haupt von den zahlreichen Aiguilles eingefasst wird.

Die erste Ersteigung des höchsten Pelvouxgipfels wurde im Jahre 1848 von Puiseux, aber auf anderem Wege ausgeführt. Von ihm hat der Pic seinen Namen. Unseren Weg hat 1881 Coolidge zum erstenmale begangen.

Wohl kann man vom Pelvoux auch nach Norden hinab zum Noir-Gletscher, aber dieser Weg ist sehr schwierig und bei dem reichlichen Schnee doch zu gefährlich. So wollen wir denn lieber nach Süden absteigen und vom Celce-Nière-Thal aus einen Übergang nach La Bérarde im Vénéonthale machen.

Auf demselben Wege, dem wir beim Aufstiege gefolgt sind, kehren wir zur Provencehütte zurück, übernachten dort zum zweitenmale und gehen dann den nächsten Tag hinunter zu jenem alten Bivouacplatze (Soureillan), welcher oben erwähnt worden ist.

Der leichteste Pass zwischen dem Sélé-Gletscher (im Hintergrunde des Celce-Nière-Thales) und dem Pilatte-Gletscher (im Hintergrunde des Vénéonthales) ist wohl der 3302 Meter hohe Col du Sélé. Diesen wollen wir zu unserem Übergange benützen.

Vom alten Bivouacplatze, dem sogenannten Soureillan, gehen wir über ein wüstes Trümmerfeld hinauf zur Zunge des Sélé-Gletschers, betreten diese aber nicht, sondern klettern über das lose Getrümmer zu ihrer Seite — eine sehr mühsame Arbeit — nach rechts empor. Weiter oben erst, wo er weniger zerklüftet ist, betreten wir den Gletscher, gehen über denselben schräg nach links aufwärts und dann steiler hinauf über das den Thalschluss bekleidende Firnfeld zum Sattel. Jenseits geht es, erst über Felsen, dann über den Pilatte-Gletscher, hinaus ins Vénéonthal und durch dieses längs dem rechten Bachufer nach La Bérarde.

Wie wohl thut nach dem langen Marsche und dem zweimaligen Übernachten in der Schutzhütte das Bad! Unvergleichlich alpin ist's in dem kleinen, armseligen Dorfe La Bérarde, und trefflich sind wir hier im Hotel der Société des Touristes du Dauphiné aufgehoben.

So recht im Herzen der Pelvouxgruppe gelegen ist La Bérarde, wie das Reisehandbuch etwas trocken sagt, Mittel- und Ausgangspunkt für eine Reihe grossartiger Hochtouren. Da haben wir im Süden die Rouies und Les Bans, im Osten den Pic l'Ailefroide, den Écrins und die Grande Ruine, im Norden aber die einzige Meije.

Dass der Bergsteiger, welcher nach La Bérarde kommt, die Meije erklettern muss, ist selbstverständlich, aber ehe wir uns an sie machen, wollen wir noch dem höchsten Punkte der ganzen Gruppe, dem Écrins, unseren Besuch abstatten.

Einen Tag bleiben wir in La Bérarde, uns mit Kletterübungen an den umherliegenden Felsblöcken die Zeit vertreibend. Am zweiten Tage gehen wir hinauf zum Refuge Carrelet, welches weiter oben im Vénéonthale in einer Höhe von 2070 Metern liegt.

Der höchste Écrinsgipfel liegt nicht im Hauptkamme, sondern in dem als Barre des Écrins bekannten, nach Nordost abgehenden Nebenkamme. An der Stelle, wo die Barre von dem Hauptkamme abzweigt, erhebt sich der 4083 Meter hohe mittlere Écrinsgipfel, und von diesem zieht ein steiles, von Felsen vielfach unterbrochenes Firnfeld in südwestlicher Richtung herab in die Pilatteschlucht, an deren Ausmündung ins Vénéonthal das Refuge de Carrelet steht.

Von der Hütte aus hat man also durch die Pilatteschlucht hinaufzugehen, über den Firn den Hauptkamm zu erreichen, diesen zu überschreiten und jenseits desselben zur höchsten Spitze anzusteigen.

Die Hütte selbst ist gut gebaut, die Einrichtung aber nicht besonders luxuriös. Nach Schmitt ist das Inventar folgendes: Ein rauchender Ofen, dumpfiges Stroh auf der Pritsche, rostige Wassergefässe und einige Decken, die den Mäusen zum Theil zur Wohnung, zum andern Theil zur Nahrung dienen .

In der Nacht noch verlassen wir bei Laternenschein die Hütte und gehen durch das Krummholz, welches hier den Hang bekleidet, hinauf. Bald kommen wir in eine vegetationslose Felswildnis hinaus. Gewaltige Trümmer bedecken den Boden, und schmutzige Schneestreifen ziehen zwischen denselben herab. Einem der letzteren folgend, erreichen wir das Firnfeld und gehen über dieses schief nach links aufwärts, im Bogen unter dem Pic Coolidge und dem Fifre durch, auf den Col des Avalanches zu, welcher südlich vom mittleren Écrinsgipfel in den Hauptkamm eingesenkt ist.

In guter Zeit erreichen wir diesen 3511 Meter über dem Meere liegenden Col. Der höchste Écrinsgipfel hat eine Höhe von 4103 Metern;

wir haben also noch 503 Meter zu überwinden. Diese Wegstrecke nimmt
je nach Umständen (Schneeverhältnissen, Vereisung der Felsen) 4 bis
10 Stunden (Schmitt brauchte 1892 sogar 11½ Stunden) in Anspruch.
Einige Schritte nordwestlich vom Col beginnt auf der La Bérarde - Seite
des Hauptkammes ein Schneecouloir, welches hoch in die Südwand des
Écrins hinaufzieht. Dieses spaltet sich oben in zwei Äste. Durch das
Hauptcouloir und weiter durch seinen rechten (östlichen) Ast steigen wir
an. Der Schnee ist gut, und trotz der Steilheit kommen wir rasch vorwärts. Doch bald wird die Sache schwierig. Das Couloir endet in der
Wand, die wir nun im allgemeinen schief nach rechts aufwärts zu durchqueren haben, um den östlich von uns liegenden Gipfel zu erreichen.
Einige Kamine müssen durchklettert und ein überhängender Felsen mit
Hilfe eines dort befestigten Drahtseiles traversiert werden. Jenseits
dieser Stelle wird die Wasserscheide überschritten, dann ein Schneecouloir traversiert und endlich wieder schief nach rechts emporgeklettert.
Nach mühsamer Arbeit erreichen wir den kleinen Écrins-Gletscher,
welcher an der Südwand des Gipfelfelsens klebt. Es ist das ein etwa
300 Meter hoher und 200 Meter breiter Hängegletscher, von welchem
schmale Schneezungen zu den Scharten emporziehen, die zwischen den
Felszacken der Kammhöhe eingesenkt sind. Wir waten durch den tiefen
Schnee, welcher den Gletscher bedeckt, hinauf, erreichen den Fuß der
Gratfelsen und nach kurzer Kletterei den Grat selbst. Nur eine Scharte
trennt uns noch von dem Gipfel. Diese ist bald überwunden, und wir
stehen auf dem stolzen Écrins, dem höchsten Punkte der Pelvouxgruppe.

Großartig ist die Rundschau, ganz unbeschränkt nach allen Seiten
hin die Fernsicht und prächtig der Ausblick auf die steilen Gipfel der
Pelvouxgruppe, welche Vasallen gleich den Écrins auf allen Seiten umgeben. Das Schönste aber bleibt immer der gewaltige Nordabsturz des
Pelvoux, dessen breiter Felsbau im Südosten über dem Noirgletscher
aufragt — und dann die Südwand der Meije, welche in kühner Plattenflucht das nördliche Étançonsthal abschließt.

Die erste Ersteigung des Écrins wurde im Jahre 1864 von Whymper,
Moore und Walker mit den Führern Ch. Almer und M. Croz ausgeführt,
und zwar von dem im Norden des Gipfels ausgebreiteten Firnfelde des
Glacier Blanc aus. Dieses Firnfeld zieht, nach oben hin an Neigung zunehmend, gegen den Écrinsgrat empor, zu dessen Kante es Schneezungen
hinaufsendet. Zwischen diesen Schneezungen liegen Felsen, welche wegen
ihrer nördlichen Lage stets vereist zu sein pflegen. Ein großer Bergschrund durchquert in einer Isohypse den ganzen nördlichen Firnhang.

4*

Man kann auf verschiedenen Wegen vom Écrinsgipfel zum Blanc-Fira absteigen: direct sowohl, als auch über den östlichen oder den westlichen Grat. Welcher von diesen Wegen der beste, oder genauer gesagt, der am mindesten schlechte ist, hängt ganz von den Schneeverhältnissen ab. Wenn von irgend einem Berge, so gilt von dem Écrins der Satz, dass (in Bezug auf Schwierigkeit) keine zwei Berge so verschieden sind wie ein und derselbe Berg unter verschiedenen Verhältnissen.

Wir wählen zum Abstiege zunächst den Westgrat, klettern über diesen eine Strecke weit hin und dann nach rechts in einer Fallinie hinab in ein Schneecouloir, durch welches wir, da der Schnee gut ist, leichter, als wir gedacht, Stufen tretend und hauend bis zum Bergschrunde hinabkommen. Diesen müssen wir freilich eine Strecke weit entlang gehen, bis wir — nach einigem Stufenhauen — eine gangbare Lawinenbrücke finden; endlich erreichen wir eine solche, und damit sind alle Schwierigkeiten überwunden. Wir überschreiten den Schrund und gehen in nördlicher Richtung über den beträchtlich zerklüfteten oberen Theil des Blanc-Gletschers hinüber zum Col des Écrins, welcher südlich vom Roche Faurio in den Hauptkamm eingesenkt ist. Bald ist der Col gewonnen. Noch einmal blicken wir zurück zur Nordwand des Écrins und beginnen dann durch jenes steile Eiscouloir hinabzugehen, welches von diesem Col nach Westen zum Glacier de la Bonne Pierre hinabzieht. Heut morgen hat eine andere Partie diesen Col überschritten, und trefflich kommen uns jetzt die von derselben hergestellten Stufen zustatten. Bald sind wir unten am Gletscher und wandern über diesen und seine rechte Seitenmoräne hinaus zum Refuge de la Bonne Pierre. Hier halten wir uns nicht auf, sondern eilen weiter, hinunter über die steilen Hänge ins Thal und hinaus nach La Bérarde.

Das nördliche Romanche- und das südliche Vénéon-Thal, welche sich oberhalb Le Bourg d'Oisan vereinigen, werden durch jenen Gebirgskamm von einander getrennt, welcher im Pic Oriental de la Meije vom Hauptkamme nach Westen abzweigt. Dieser Kamm, der Meijekamm (Abb. 23), verläuft fast genau in ostwestlicher Richtung. Erst senkt er sich zu einer ziemlich tiefen, felsigen Scharte, steigt dann plötzlich zum Pic Central de la Meije an und zieht von hier, ohne erheblich an Höhe zu verlieren, nach Westen zur Brèche Zsigmondy, einer auffallenden, breiten Gratscharte. Jenseits dieser Brèche erhebt er sich sehr steil zu der scharfen, 3987 Meter hohen Spitze des Grand Pic de la Meije, seinem höchsten Punkte, um über den Pic du Glacier Carré jählings zu der bloß 3300 Meter hohen Brèche de la Meije abzusetzen (Abb. 20, 23, 25). Jenseits dieser Einsattlung erhebt sich der Kamm wieder und zieht, eine bedeutende Höhe beibe-

Abb. 23. Die Meije vom Col du Lautaret.

haltend, über den Rateau und den Pic de la Grave bis zum Jandri. Erst hier sinkt er unter die Schneegrenze herab; die 9 Kilometer lange Kammstrecke vom Pic Oriental bis zum Jandri ragt über dieselbe empor und ist auf der Nordseite stark, im Süden aber, wegen der großen Steilheit des Absturzes auf dieser Seite, nur in geringem Maße vergletschert. Zwischen der Brèche de la Meije und dem Rateau zweigt von diesem Kamme ein secundärer Nebenkamm in südwestlicher Richtung ab, welcher das östliche Étançons- und das westliche Diable-Thal (zwei Nebenthäler des Vénéon) von einander trennt. Die eigentliche Meije, das ist die Gratstrecke vom Pic Oriental bis zur Brèche de la Meije, schließt das Étançonsthal im Norden ab. Dieser Thalschluss, der Südabhang der Meije, besteht aus sehr steilen, theilweise überhängenden Wänden, während der Nordabhang nur im Westen (am Grand Pic) eine jähe Felswand, weiter östlich aber weniger geneigt und von steilen Schneefeldern bedeckt ist. Quer durch den östlichen Theil der Südwand ziehen zwei sehr auffallende, weniger geneigte und daher Schnee tragende Bänder, von denen das obere nach links etwas ansteigt und   jenseits der von der Brèche Zsigmondy nach Süden herabziehenden Schlucht   in dem kleinen, sehr steilen, viereckigen, links unter dem Grand Pic gelegenen Firnfelde des Glacier Carré seine Fortsetzung findet. Den Fuß der Südwand der Meije bespült der kleine, den Hintergrund des Étançons-Thales ausfüllende Étançons-Gletscher; während nach Norden ins Romanche-Thal westlich der Glacier de la Meije und östlich der Glacier du Tabuchet hinabziehen.

Strebepfeilerartig ragt aus dem westlichen Theile des Südabsturzes ein steiler Felssporn nach Süden vor, welcher den Zugang zum Grand Pic von der Südseite (La Bérarde) aus vermittelt. Von Norden (La Grave) her kann der Grand Pic über den Pic Central und den Grat erreicht werden. Auch von Westen, der Brèche de la Meije aus ist der Gipfel erklettert worden. Dieser Weg vereinigt sich oben mit dem Südwege.

Nach zahlreichen vergeblichen Versuchen, den Grand Pic zu erreichen, gelang die erste Ersteigung desselben von der Südseite Herrn Boileau de Castelnau mit den Führern P. Gaspard senior und iunior am 16. August 1877. Die erste Ersteigung von Westen her führte Herr Verne mit den drei Gaspards und Rodier am 2. Juli 1885 aus. Von Norden her und über den Pic Central und den Ostgrat wurde der höchste Gipfel zum erstenmale von Purtscheller und den Brüdern Zsigmondy am 6. Juli 1885 erreicht.

Bei einem am 6. August 1885 unternommenen Versuche, den Grand Pic über das obere von den zwei großen, die Südwand durchziehenden Bändern zu erreichen, stürzte Emil Zsigmondy. Das Seil, welches ihn

mit seinen tiefer stehenden Gefährten verband, riss, 700 Meter weiter
unten, am Étançons-Gletscher fanden sie die Leiche. Auf dem Kirchhofe
von St. Christophe im Vénéonthale, im Herzen der Berge, die er über
alles liebte, erhebt sich sein Grabhügel. Nie verwelken wird der Kranz,
den unsere Liebe um denselben geschlungen: immer werden edle Männer
Kraft und Muth und heldenhaftes Streben bewundern und solch
tragisches Geschick, wie es Emil Zsigmondy ereilte, liebevoll betrauern;
denn ihr und unser Wahlspruch wird stets derselbe sein wie der, welcher
Zsigmondys Thun leitete und jetzt seinen Denkstein schmückt: Excelsior!

Wohl könnten wir — und das ist auch schon gemacht worden — die
Meije in einem Zuge von La Bérarde aus ersteigen, sogar traversieren, aber
besser ist's doch, wir nächtigen am Wege, denn langwierig ist die
Arbeit und schwer. Ziemlich hoch oben, auf dem erwähnten nach Süden
vortretenden Strebepfeiler, bei der Pyramide Duhamel, befindet sich ein
Felsabsatz, wohl etwas luftig, aber doch groß genug, dass man sich darauf
niederlegen kann. Auf diesem bei Meijebesteigungen häufig zum Übernachten benützten Platze wollen auch wir bivouakieren.

Mit Proviant und Decken ausgerüstet, verlassen wir vormittags
unser Quartier und wandern durch das wüste, bei La Bérarde in das
Vénéonthal einmündende Val des Étançons hinauf. Am Fuße des Abhanges der Tête de la Maye geht es empor, dann thalein und hinüber
auf das linke Ufer des Étançonsbaches. Ein guter Steig führt diesen entlang zu den Matten von Châtelleret, wo die Schutzhütte steht. Unseren
Marsch fortsetzend, kommen wir bald an die Endmoräne des Glacier des
Étançons, gehen über diese hinauf und betreten den Gletscher, über
welchen die gewaltigen Südabstürze der Meije aufragen. Den Eisstrom
überquerend, erreichen wir den Fuß jenes strebepfeilerartigen Felsspornes,
auf dem hoch oben der Bivouacplatz liegt, und beginnen über seine Kante
hinaufzuklettern. In der Westwand dieses Strebepfeilers zieht ein großes
Schneecouloir empor zur Pyramide Duhamel, welche den Kopf des
Pfeilers bildet. Durch eine kurze Traverse nach links gewinnen wir das
Couloir und steigen nun in diesem hinauf. Der Schnee ist gut, und stufen-
tretend kommen wir rasch über denselben empor. Dicht bei seinem oberen
Ende liegt der erwähnte Schlafplatz, ein kleiner, ebener Raum, an dessen
äußerem Rande frühere Besucher eine niedrige Mauer aufgebaut haben.

Es ist ein herrlicher Abend, den wir auf dieser, einem Adlerhorste gleich,
an der Meijewand klebenden Felsvorsprunge verbringen. In dem Étançons-
thale zu unseren Füßen breiten sich dunkle Schatten aus, hellbeleuchtet aber
strahlen die Hochfirne roth und röther im Lichte der scheidenden Sonne.

80

Wohl verwahrt in unseren Decken trotzen wir dem eisigen Luft
hauche, der an der Wand hinzieht: ausgeruht und frisch machen wir uns
des andern Morgens an die Arbeit, nehmen etwas heißen Thee, verab
schieden die Träger, legen das Seil an und beginnen die Kletterei. Zu
nächst geht es auf Bändern in östlicher Richtung, dann über eine jähe
Wandstufe empor, immer steil und exponiert, umso schlimmer, je höher
hinauf wir kommen. Das Campement Castelnau, welches wir jetzt erreichen,
ist das letzte ebene Plätzchen. Es folgt eine 200 Meter hohe Plattenwand
mit höchstens fußbreiten Bändern. Glücklicherweise ist das Gestein fest
und verlässlich. Zur Linken wölbt sich die Wand vor. Auf schmalem Ge
simse und über weitere Platten erreichen wir eine Kante, die nach rechts
hinaufführt. Zwei überhängende Felsen bilden hier einen Bogen. Unter
diesem müssen wir durch und auf die Westseite hinaus. In Schulter
höhe ragt eine Platte aus der Wand, auf die wir uns über die grauen
volle Tiefe hinweg schwingen können. Das ist der Pas du Chat. Nun
geht es wieder über die Wand empor, und endlich kommt man auf ein
breiteres Felsband hinaus, über welches wir, etwas absteigend, den Glacier
Carré erreichen.

Hier, in einer großen, ins Eis gehauten Stufe, halten wir Rast und
steigen dann über das steile Firnfeld schief hinauf zum Westfuße des
Gipfelfelsens. Der untere Theil dieses Felsens ist recht gut gangbar: man
kann gerade über denselben hinaufklettern. Oben aber wird die Wand
senkrecht, und wir müssen hinaus auf die Schneide zwischen dem West
und dem Nord-Abhange. Eine senkrechte Platte, das Cheval Rouge,
bildet hier die Kante. Auf ihrem schmalen Rande nehmen wir rittlings
hinter einander Platz. Der Absturz nach Norden ist so steil, dass man
fast senkrecht hinabblickt zu dem Meijegletscher, welcher 1000 Meter
unter uns liegt. Frei richtet der erste sich auf der Kante empor und
bewältigt, schief nach links aufwärts kletternd, die überhängende Felsmasse
oberhalb des Cheval Rouge. Ein dort herabhängendes Seil erleichtert
diese böse Traverse einigermaßen. Kraft und Ruhe sind nothwendig:
Vorsicht braucht man hier gewiss keinem anzurathen, denn wer einmal
vom Cheval Rouge in die Tiefe gesehen hat, wird , wie Schmitt sich
ausdrückt, mir recht geben, wenn ich sage, dass die meisten Menschen
so vorsichtig sein werden, diese Stelle überhaupt nicht zu überschreiten.
Nach Überwindung dieses schlimmen Stückes geht es leichter, und in
wenigen Minuten betreten wir den Gipfel des Grand Pic de la Meije.

Gewaltig ist der Blick in die Tiefe nach Süden, Westen und Norden.
Nach Osten zieht der Meije-Grat zum Pic Oriental, links überfirnt, rechts

aber in überhängenden Felswänden abbrechend. Einem nach Süden überhängenden Horne gleich entragt diesem Grate der Pic Central. Abgesehen von der dicht am Grand Pic liegenden Brèche Zsigmondy sieht der Grat ganz leicht aus. — Diese Brèche werden wir bald kennen lernen! Nach kurzem Aufenthalte verlassen wir den Gipfel und klettern mit Hilfe eines Seiles, das wir oben befestigt haben, rasch und leicht über die furchtbar steile, ohne Seil nur mit der größten Schwierigkeit zu überwindende Wand hinab in die Scharte. Sie

ist breit und hat eine scharfe, horizontale Sohle. Den steil nach links hinabschießenden Firnhang traversierend, erreichen wir die gegenüberliegende Wand. Sie sieht, wenn man den Meijegrat von Süden oder von Norden betrachtet, ganz senkrecht

Abb. 24. Am Tabuchet-Gletscher.

aus — und sie ist es auch. Diese Wand, namentlich ihr unterster Theil, ist die schwerste Stelle an der ganzen Meije, und das will etwas heißen! Von der Stirnseite ist die Wand überhaupt unersteiglich; wir müssen auf die Nordseite hinaus und uns dort über einen Überhang hinaufarbeiten. Dann geht es etwas weniger schwierig auf den Grat. Die Höhendifferenz zwischen der Brèche und dem Grate beträgt nur 40 Meter, aber die Schwierigkeiten sind hier so groß, dass einige Stunden vergehen, ehe wir alle oben sind. Lustig geht's dann den prächtigen Grat entlang, theils auf der Kante, theils an der Nordseite zum Pic Central. Nicht einen Augenblick zögern wir hier, sondern beginnen sofort den Abstieg in nordöstlicher Richtung über den Firnhang zum Glacier du Tabuchet. Dieser ist zwar steil und der Gletscher weiter unten zerklüftet (Abb. 24),

aber nach der Meije-Traversierung ist alles das nur Spielerei! Rasch
eilen wir hinab, springen über die Klüfte und erreichen den Bec de
l'Homme-Grat. Weiter über den Tabuchet-Gletscher abzusteigen, ver-
bietet die zunehmende Zerklüftung seines Endtheiles. Wir müssen daher
den Bec de l'Homme-Grat überschreiten und über den kleinen Glacier du
Bec de l'Homme hinunter. Bald ist das Ende dieses kleinen Gletschers
erreicht. Nun hat man noch volle 1000 Meter über steile Rasen- und
Felshänge abzusteigen, was sehr ermüdend und jetzt, nach dem langen
Marsche über die Meije, doppelt unangenehm ist. Dabei müssen wir uns
beeilen, denn schon wird es spät, und ein zweites Bivouac, so nahe dem
Ziele noch dazu, das gienge uns denn doch über den Spass! Mit erneutem
Eifer geht's vorwärts, schon beginnt es zu dunkeln, da hören wir in der
Tiefe das Rauschen der Romanche, erreichen den Bach, gewinnen das
andere Ufer und kommen — bei finsterer Nacht — nach Villard d'Arène
an der Lautaret-Straße. Ein Wägelchen bringt uns nach dem nahen La
Grave (Abb. 25), und jetzt treten wir in das Hotel Juges daselbst ein.

Die Bergfahrt ist gelungen. Mit Wohlgefühl strecken wir die
müden Glieder und schlürfen den edlen Sect der Witwe Cliquot. Der
Wein ist vortrefflich, und die Meije — ist eben die Meije, die Einzige,
Unvergleichliche! Die Gläser klingen zusammen: wir sind rechte deutsche
Männer, aber gleichwohl — Vive la France!

Das Romanchethal, in dessen oberem Theile La Grave liegt, zieht,
wie erwähnt, vom Col du Lautaret in westlicher Richtung hinab nach
Le Bourg d'Oisans. Hier verlässt es das Urgebirgsmassiv der Pelvouxgruppe, dessen nördlichem Rande es bis Le Bourg folgte, durchbricht, scharf nach Norden sich wendend, eine mesozoische Zone und
erreicht jenen langen und schmalen Urgebirgsstreifen, welcher die südwestliche Fortsetzung des Montblancmassivs bildet. Das Thal wendet
sich nach Südwesten und folgt einer der Streichung des Gesteins
parallelen, jenes Urgebirge durchsetzenden Senkung bis Vizille. Hier
wendet es sich abermals nach rechts, durchbricht die dort anstehenden
Triasschichten und mündet schließlich in das Dracthal aus. Das Romanchethal ist also streckenweise Längs- und streckenweise Querthal.
Durch dieses Thal zieht die große Straße vom Col du Lautaret herab
ins Dracthal und weiter nach Grenoble, an der Einmündung der Drac
in die Isère. Auf dieser Straße wollen wir das Iserethal erreichen.
Wir haben herzlichen Abschied von den freundlichen Leuten in La Grave
genommen, setzen uns neben dem Kutscher des Postwagens zurecht und

fahren hinunter durch das herrliche Thal. Wir schwenken die Hüte und
grüßen zur Meije hinauf; sie aber reckt trotzig und finster ihr stolzes
Haupt himmelwärts, als kennte sie uns nicht, wir aber kennen sie.
Nicht lange sehen wir sie. Bald ist das Ende der Thalweitung von
La Grave erreicht, und wir kommen, an Fréaux vorüber, in eine wilde
Klamm hinein. Durch Gallerien, an steilen Wänden und an Wasserfällen vorüberfahrend, erreichen wir die Weitung von Chambon. Doch nur
kurze Zeit begleiten die grünen Matten den Weg; bald nimmt eine
zweite Klamm uns auf. Mühsam bahnt sich hier die Straße in Tunneln
und unter hohen Stützmauern den Weg durch die jähen Abstürze. Wir
erreichen Le Freney und treten dann in eine dritte Felsenge, die wildeste
von allen, ein. Wieder Tunnel und Gallerien und in der Tiefe die
wüthend dahinstürmende Romanche. Endlich kommen wir in die breite
Thalebene von Le Bourg d'Oisans hinaus, wo sich der von Südosten, aus
dem Herzen der Pelvouxgruppe herabkommende Vénéon-Bach in die
Romanche ergießt. Breit und freundlich bleibt nun das Thal, bis es in
den erwähnten Urgebirgsstreifen eintritt. Hier ist es wieder stark verengt
und stellenweise klammartig. Ganz draußen bei Vizille erst wird die
Gegend zahmer, wir erreichen das Dracthal und durch dieses nun bald,
arg verstaubt zwar, aber entzückt von den wechselnden Bildern, die
während der Fahrt an uns vorübergezogen, Grenoble.

Abb. 25. La Grave mit
der Meije.

III.

DAS ISÈRETHAL
DIE GRAJISCHEN ALPEN.

Abb. 96. Schloss Chambéry.

1. Der Annecy-See und das Isère-Thal.

enem mehrfach erwähnten, vom Montblanc nach Südwesten strei chenden Urgebirgsstreifen schließen sich im Nordwesten schön gefaltete Jura- und Lias-Schichten an. Dann folgt eine breite, der Kreideformation angehörige Zone und weiter das tertiäre, zur Rhône hinabziehende Hügelland. Tief eingeschnitten in die Jurazone ist der mittlere Theil des Thales der Isère. Den Urgebirgsstreifen durchbrechend, tritt die Isère bei Albertville in diese Jurazone ein und durchfließt sie in südwestlicher Richtung bis Grenoble. Dort erst verlässt sie den Jura wieder, durchbricht die vorgelagerten Kreidegebirgszüge in nordwestlicher Richtung und strömt dann hinab zur Rhône.

In dem fruchtbaren Gelände zwischen der Rhône, den Alpen und der Isère saßen in alter Zeit die Allobroger, ein mächtiger Keltenstamm. Durch ihr Gebiet zogen die Wege von Frankreich nach der Poebene, und sie selber standen mit ihren Stammesbrüdern jenseits der Alpenkette in regem Verkehr.

Am Südwestende der breiten, in die erwähnte Jurazone eingesenkten Isèrefurche, dort, wo die Romanche in dieselbe eintritt und die Isère nach Nordwesten sich wendet, erbauten die Allobroger die Stadt Cularo. Später bemächtigten sich die Römer des allobrogischen Landes, und Cularo wurde zerstört. Im Jahre 379 ließ der Kaiser Gratian auf dem Platze, wo das alte Cularo gestanden, eine neue Stadt aufbauen, welche nach ihm Gratianopolis genannt wurde. Im Laufe der Zeit ist dieser Name in Grenoble umgewandelt worden. Im Mittelalter war Grenoble die Hauptstadt der damals burgundischen Dauphiné, welche erst 1349 an Frankreich fiel. Bald begannen die Franzosen diese die Zugänge zu den Alpen beherrschende Stadt zu befestigen, und heute ist sie mit einer Enceinte, detachierten Forts u. s. w. ausgestattet. Obwohl in jüngster Zeit einige prächtige Neubauten errichtet wurden, so sind doch im allgemeinen die Gassen der Altstadt schmutzig und eng. Whymper citiert hierüber den französischen Reiseschriftsteller Joanne: Les habitants de la ville, affligés des déplorables habitudes, y entrent incessament sans scruple et sans pudeur, et rarement les propriétaires ou les locataires s'associent entre eux pour fair disparaitre les ordures qui déshonorent leur demeure. — So schlimm ist es wohl heutzutage nicht mehr, aber noch schlimm genug: im unangenehmsten Contraste zu der schönen Lage und dem prachtvollen Bergpanorama steht das Innere der alten Stadt.

Unvergesslich wird die Scene bleiben, welche sich zu Anfang März 1815 vor und in Grenoble abspielte. Napoleon, von Elba entflohen, war mit einigen hundert Mann der alten Garde im Golfe von St. Juan gelandet und rückte jetzt gegen Grenoble vor. General Marchand, der Commandant von Grenoble, war regierungstreu und ließ sich nicht für Napoleon gewinnen. Umso eifriger ergriff sein Untergebener La Bédoyère für diesen Partei. Als das kleine Häuflein Napoleons heranrückte, schob Marchand eine Abtheilung Infanterie und einige Kanonen — nicht unter dem Oberbefehl La Bédoyères, der diesen erbeten hatte — gegen Vizille vor. Cambronne, welcher Napoleons Vorhut commandierte, suchte mit dieser Truppe in Verbindung zu treten, wurde aber abgewiesen. Da gieng Napoleon selbst, angethan mit dem bekannten grauen Mantel und dem berühmten Hute, auf Marchands Soldaten zu und rief sie an: «Kennt ihr mich noch, meine Kinder? Ich bin euer Kaiser; schießt auf mich, wenn ihr wollt; hier ist meine Brust». Damit riss er den Rock auf und bot sich den Kugeln dar. — Allein keiner schoss. Zu seinen Füßen stürzten sich die Soldaten nieder, umarmten und küssten ihn, und donnernd erhob sich über das Getümmel der Siegesruf Vive l'Empereur! Vermischt mit der Garde, marschierten nun Marchands Soldaten nach Grenoble zurück.

La Bédoyères Regiment schloss sich ihnen an. Vergebens sperrte Marchand die Thore. Sie wurden erbrochen, und im Triumphe rückte Napoleon, umgeben von seinen begeisterten Soldaten, bei Fackellicht in Grenoble ein.

Der eingangs erwähnte, den Montblanc mit der Pelvoux-Gruppe verbindende Urgebirgsstreifen, welcher das Iserethal im Südosten begleitet, ragt in Gestalt eines ziemlich hohen Gebirgszuges über das mesozoische Terrain zu seinen Seiten auf. Sehr schön sind die Aussichten von den Gipfeln dieser durch einzelne Diorit- und Protogin-Inseln unterbrochenen Gneiskette. Einer der lohnendsten von ihnen ist wohl die östlich von Grenoble aufragende, 2981 Meter hohe Croix de la Belledonne. Diesen Berg wollen wir besteigen. Wir fahren auf der Iserethalbahn eine kurze Strecke weit hinauf nach Domène und gehen dann durch das bei Domène ausmündende, von Südosten herabkommende Nebenthal hinauf nach Revel, wo wir die Nacht zubringen. Zeitlich am anderen Morgen brechen wir auf und steigen weiter in dem Thale hinauf zu den Hütten von Freydières. Revel liegt noch im mesozoischen Terrain; eine kurze Strecke oberhalb aber erreichen wir nach Überschreitung eines schmalen Streifens von paläozoischem Gestein den Gneis, aus welchem die Croix de la Belledonne aufgebaut ist. Wir kommen an einigen Hochseen vorüber und gewinnen nach unschwierigem, aber ziemlich anstrengendem Marsche den Gipfel. Das Panorama ist ebenso interessant wie großartig: nach Westen blicken wir über die cretacischen Gebirge hinaus in die breite Senkung des unteren Rhônethales, während im Osten die Gipfel des Centralzuges der Alpen in langer Reihe ihre firngekrönten Häupter erheben. Im Südosten und Nordwesten fassen die der Außenzone der Alpenkette entragenden azoischen Gebirgsmassen des Montblanc und der Pelvouxgruppe dieses prächtige Bild ein. Lange genießen wir die herrliche Rundschau und kehren dann über Revel zurück nach Grenoble.

In dem cretacischen Berglande, zwischen Rhône und Isère, liegen mehrere Seen. Diesem Seengebiete wollen wir uns jetzt zuwenden. Wir verlassen Grenoble und fahren durch den breiten Boden des Iserethales hinauf bis Montmelian, wo die Bahn nach Chambéry links abzweigt. Mitten in dem waldreichen Berglande, welches diese Strecke des Iserethales im Nordwesten begleitet, liegt das berühmte Chartreuse. Wer denkt wohl an den heiligen Bruno, den Gründer dieses Klosters und des Karthäuser Ordens überhaupt, dessen Mitglieder zu ewigem Stillschweigen und einem streng ascetischen Lebenswandel verpflichtet sind, wenn er aus den Händen des Frackschoß-beschwingten Jean sein Gläschen

Aus den Alpen. I.

5

Chartreuse in Empfang nimmt! Chambéry ist die chemalige Hauptstadt
Savoyens. Das dortige Schloss (Abb. 26) der savoyischen Fürsten
wurde im Jahre 1230 gegründet und neuerlich durch einen bedeutenden
Zubau erweitert. Von den erwähnten Seen ist der nördlich von Chambéry gelegene, durch die dort gefundenen Pfahlbautenreste bekannte
Lac du Bourget der größte. An landschaftlicher Schönheit wird er aber
von dem weiter östlich gelegenen, viel kleineren Annecy-See (Abb. 27)
übertroffen, dessen Ufer einen außerordentlich reichen Wechsel von
steilen Felsen und freundlichen Geländen darbieten.

Wir kehren nach Montmelian zurück und setzen unsere Fahrt durch
das Iserethal hinauf fort. Bei St. Pierre spaltet sich die Bahn; rechts
nach Süden geht es hinein in die Maurienne und hinauf zum Mont Cenis;
geradeaus, nach Nordosten, weiter durch das Iserethal nach Albertville.
Das Iserethal wendet sich nach Süden. Wir verlassen das mesozoische
Terrain und betreten die Schlucht, welche die Isère durch den mehrfach genannten Urgebirgsstreifen gegraben hat. Bei Petit Coeur kommen
wir wieder in das mesozoische Gebiet hinaus und erreichen bald Moutiers.
Hier endet die Bahn. Das Thal wendet sich wieder scharf nach Nordosten. Wir erreichen die Thalweitung von Bourg St. Maurice. Das Thal
zieht von hier in südwestlicher Richtung zum Hochgebirge hinauf, die
Straße aber erklimmt in Serpentinen den rechten Thalhang und bringt
uns auf die breite Einsattlung des Kleinen St. Bernhard.

Abb. 27. Am Annecy-See.

Abb. 78. Verrès.

2. Der Kleine St. Bernhard und das Aosta-Thal.

D er Kleine St. Bernhard ist eine breite, 2188 Meter über dem Meere gelegene Einsattlung der Hauptwasserscheide zwischen dem Montblancmassiv und den Grajischen Alpen, zugleich der tiefste Punkt des Bergkammes, welcher das Gebiet der Isère im Westen von jenem der Dora Baltea im Osten trennt. Als solcher und wegen seiner leichten Zugänglichkeit wurde dieser Frankreich mit Italien verbindende Pass von jeher viel begangen.

5

Als Hannibal auf seinem denkwürdigen Marsche von Spanien nach
Italien im Sommer des Jahres 218 v. Chr. das allobrogische Gebiet
zwischen Rhône und Isère erreicht hatte, stand er vor der gewaltigen
Aufgabe, mit seinem stattlichen Heere — 50,000 Mann Infanterie, 9000
Reitern, unzähligen Tragthieren und einigen dreißig Elephanten — den
damals fast weglosen Alpenwall zu übersteigen. Seinen Scharen entsank
der Muth: vor allem musste der Feldherr diesen neu zu beleben suchen.
Livius berichtet, wie er in kräftiger Rede seine Soldaten ermuthigte:
»quid Alpis aliud esse credentes« sagte er »quam montium altitudines?
fingerent altiores Pyrenaei iugis«; aber »nullas profecto terras caelum
contingere nec inexsuperabiles humano generi esse«, (bravo, Hannibal!)
»Alpis quidem habitari, coli, gignere atque alere animantes: pervias
paucis esse, pervias exercitibus.« Auch die Abgesandten der freundlich
gesinnten keltischen Bewohner der Poebene, die zu ihm gestoßen waren,
ließ er zu dem Heere sprechen: so ward der Muth seiner kampfgeübten
Truppen gehoben, und er konnte sich an die Ausführung des schwierigen
Alpenüberganges machen.

Von höchster Wichtigkeit war die richtige Wahl des Weges.
Polybius und Livius haben Hannibals Alpenübergang zwar eingehend
geschildert, die topographischen Verhältnisse aber so ungenau dar-
gestellt, dass man aus ihren Beschreibungen nicht mit Sicherheit entnehmen kann, welchen Pass Hannibal eigentlich überschritten hat. Deshalb sind auch die neueren Historiker in Bezug auf diese Frage nichts
weniger als einig. Einige, wie Rauchenstein, Desjardins, Hennebert und
Neumann, behaupten, er sei über den Mont Genèvre gegangen; andere,
wie Ball, Allison und Maissiat, glauben, er habe den Mont Cenis überschritten; während noch andere, darunter Law und Mommsen, annehmen,
dass der kleine St. Bernhard der Pass sei, welchen Hannibal benützt hat.

An eine kritische Prüfung der Quellen darf ich mich als Nicht-
historiker wohl nicht wagen, aber aus der Divergenz der Meinungen der
Historiker kann auch unsereiner schließen, dass sich diese Quellen zu
Gunsten eines jeden der genannten Pässe auslegen lassen. Die Lösung
der Frage wäre nach meiner Meinung deshalb in der Weise zu versuchen,
dass man sich eine Vorstellung von der damaligen Beschaffenheit der
Alpen bildet und in die Lage Hannibals hineindenkt: den Weg, welchen
man dann als den besten erkennt, den wird Hannibal vermuthlich eingeschlagen haben. Die historischen Quellen wären dabei nur insoweit zu
berücksichtigen, als sie ganz verlässlich erscheinen. Alles Zweifelhaften
entkleidet, geben sie folgende Kunde: Hannibal durchzieht das Land der

freundlichen Allobroger, überschreitet unter schweren Kämpfen einen niederen Pass, rastet einen Tag, marschiert vier Tage ohne Belästigung weiter, erklimmt unter erneuten Kämpfen die Höhe des Hauptpasses, rastet oben, rückt dann völlig unbelästigt jenseits hinab, kommt auf harten alten Schnee, der von Neuschnee überdeckt ist, bessert den Weg aus, der theilweise durch Kalkfels führt (Anwendung von Essig!), erreicht die Ebene, rastet hier längere Zeit und erstürmt endlich Turin. Außerdem wissen wir, dass im Aosta-Thale der Hannibal freundliche, von den Insubrern abhängige Keltenstamm der Salasser seine Wohnsitze hatte.

Wenn wir uns die Alpen vorstellen wollen, wie sie zu jener Zeit waren, so müssen wir alle Straßen und Flussregulierungen überhaupt, sowie jegliche Cultur aus den Inundationsgebieten wegdenken; alle Thalengen sind absolut unpassierbar, die breiteren Böden bedeckt mit Geröll und vielfach der Quere nach von reißenden, schwer oder gar nicht passierbaren Torrenten durchzogen. Die damaligen Pfade mieden womöglich jene wüsten Thäler, in denen heutzutage reiche Culturen sich ausbreiten, Straßen und Eisenbahnen dahinziehen. Ich glaube, dass von den Historikern die damalige Unwegsamkeit der Alpen-Haupt-Thäler nicht hinreichend gewürdigt wird. Ich selbst aber habe bei meiner Bereisung der neuseeländischen Alpen die Hindernisse, welche den Reisenden gerade in den breiten Hauptthälern entgegentreten — wenn sie wie die damaligen Alpenthäler der Flussregulierungen und Straßen entbehren — sattsam kennen gelernt.

Also: ich stelle mir vor, ich sei Hannibal. Mein Heer ist ausgeruht und wieder guten Muthes. Es lagert im allobrogischen Lande nicht weit von Valence. Die Abgesandten der befreundeten Kelten der Poebene berichten über die Pässe und deren Gangbarkeit, auch allobrogische Handelsleute und andere theilen ihre Erfahrungen mit. Die Angaben, die mir gemacht werden, widersprechen einander vielfach, und schwer ist es, aus dem gallischen Wortschwalle das wirklich Wichtige herauszufinden. Soviel aber lässt sich doch feststellen, dass drei Pfade über die Alpen führen, von denen zwei (Mont Cenis, Genévre) nahe beisammen im Süden und einer (Kleiner St. Bernhard) im Norden liegen. Die ersteren führen in das von den Tauriskern bewohnte Gebiet, der letztere aber in das Land der Salasser und Insubrer. Die Insubrer sind meine Freunde, und ihre Abgesandten berichten, dass die Taurisker mit ihnen in Fehde leben und sich wahrscheinlich dem Übergange eines mit ihnen, den Insubrern, verbündeten Heeres widersetzen würden. Ich entnehme daraus, dass es aus militärischen Gründen jedenfalls vorzuziehen wäre, den nördlichen Pass zu wählen und so mit der ermüdeten Armee ins Land meiner Freunde zu kommen, anstatt über einen der südlichen Pässe dem tauriskischen Feinde in den Rachen zu laufen.

Von erhöhten Standpunkten sehe ich die Ausläufer der Alpenkette und bemerke, dass diese im Süden mir viel näher sind als im Norden. Hieraus und aus den Angaben der Gallier entnehme ich, dass der Weg zu den südlichen Pässen länger durch das Hochgebirge führen dürfte als jener zu dem nördlichen Passe. Schrecklich werden mir die Thäler der Romanche und Durance geschildert, welche zu den südlichen Pässen hinaufziehen. Minder furchtbar scheint das Thal der Isère zu sein, das zu dem nördlichen Passe führt. Auch geht die zu letzterem führende Route durch dichter bevölkertes Land als die andere, ich werde daher auf jener eher Proviant für mein Heer finden als auf dieser. — Ich wähle den nördlichen Pass (den Kleinen St. Bernhard).

Um dem unteren, wüsten Theile des Isèrethales auszuweichen, marschiere ich anfänglich nicht durch dieses hinauf, sondern mehr nach Norden, quer durch das wohl cultivierte Hügelland der freundlichen Allobroger.

Das, meine ich, wird Hannibal gethan haben. Ohne Schwierigkeit erreichte er die Bergkette, welche das obere Isèrethal vom allobrogischen Hügellande trennt. Hier aber traten ihm ernste Hindernisse in den Weg. Unter schweren Kämpfen und großen Verlusten nur war es ihm möglich, diese Höhe — Mommsen glaubt den Mont du Chat — zu überschreiten. Im Isèrethale angelangt hielt er einen Rasttag und setzte dann den Marsch thalaufwärts fort. Vier Tage lang gieng das ganz gut, als er aber am Fuße der letzten Höhe angelangt war, begannen die Kämpfe aufs neue. Nur dadurch, dass er den friedlichen Kundgebungen der Einwohner misstraute und die Nachhut durch seine besten Veteranen verstärkte, entgieng er, wenngleich nicht ohne erneute schwere Verluste, dem drohenden Verderben.

Endlich war die Höhe des Hauptpasses erreicht; auf der Hochfläche des Kleinen St. Bernhard lagerte das Heer. Während der vermuthlich zweitägigen Rast kamen noch viele von den bei den vorhergehenden Kämpfen Versprengten an, und die ausgeruhten Truppen konnten den Abstieg ins Thal der Dora Baltea antreten. Alter Schnee, welcher von Neuschnee bedeckt war, bereitete dem Marsche große Schwierigkeit, und an einer Stelle, welche nicht umgangen werden konnte, war durch eine Abrutschung der

Pfad zerstört worden. Drei Tage lang musste gearbeitet werden, ehe hier ein für die Elephanten practicabler Weg hergestellt war. Mit Feuer und Essig gieng man den Felsen zu Leibe, machte sie mürbe und brach sie dann mit Keilen los. Endlich war auch diese letzte Schwierigkeit überwunden und der Boden des Aosta-Thales (bei Morgex) erreicht; hier sammelte und erholte sich das Heer. Von der Gesammtzahl der Soldaten hatte Hannibal bei dem Übergange mehr als die Hälfte eingebüßt; bloß 20.000 Mann Infanterie, 6000 Reiter und 10 Elephanten waren ihm geblieben.

Bequem fahren wir im Wagen auf der herrlichen neuen Straße vom Passe hinab. Der Sonnenschein glänzt auf den Firnen, und freundlich glitzert der Bach im Thalgrunde. Eifrig erzählt mein Freund einigen jungen Damen, die in demselben Wagen fahren, von jenem denkwürdigen Alpenübergange Hannibals; lächelnd blicken sie unter den spitzen-besetzten Sonnenschirmen hervor; endlich fragt eine do you think he had Mrs. Hannibal with him?» Mein Freund verstummt — über diesen Punkt geben die historischen Quellen keinen Aufschluss!

An der Cantine des Eaux Rousses vorbei und über Pont Serrand erreichen wir, durch das Tinilethal hinabfahrend, Pré-St.-Didier im Aosta-thale. Hier mündet die Thuile in die Dora Baltea ein. Wir vertauschen die bisher eingehaltene nordöstliche mit jener südöstlichen Richtung, in welcher das Aosta-Thal bis nach Avise hinabzieht. Pré-St.-Didier liegt in jenem langen, versenkten, nordöstlich streichenden Triasstreifen, welcher die Urgebirgsmasse des Montblanc vom Centralzuge der Alpen trennt. In dieses Gestein und weiterhin in das südöstlich daran stoßende Carbon ist die Weitung des Aosta-Thales bei Morgex, welche sich von Pré-St.-Didier bis Villaret erstreckt, eingesenkt. Bei dem letztgenannten Orte verlässt das Thal die äußere Nebenzone der Alpen und tritt, schlucht-artig sich verengend, in den azoischen Centralzug ein. Diesen nun durch-bricht das Aosta-Thal in seiner ganzen Breite, anfangs — bis Chatillon - in östlichem, dann weiter in südöstlichem Verlaufe. Erst bei Ivrea tritt es aus dem Urgebirge hervor und hinaus in das alluviale Flachland der Poebene. Die Dora Baltea, welche dieses Thal durchfließt, mündet bei Brusasco in den Po.

Prächtig ist der Rückblick auf die Südostabhänge des Montblanc-massivs, den wir von der hoch an der Berglehne hinziehenden Straße unterhalb Pré-St.-Didier gewinnen. Bald senkt sich die Straße, und wir kommen hinab in den reichcultivierten Thalboden von Morgex, über dem im Südosten die firnschimmernde Pyramide der Grivola aufragt. In Morgex befinden wir uns nur 920 Meter über dem Meere, 1268 Meter

tiefer als der Kleine St. Bernhard. Von hier bis zu der 234 Meter über
dem Meere liegenden Stelle bei Ivrea, wo die Dora Baltea in die Ebene
eintritt, hat sie also — bei einer Thallänge (ohne Rechnung der kleinen
Krümmungen) von 92 Kilometern — ein Gefälle von 1034 Metern; das
ist ungefähr 1 : 88. Wir verlassen Morgex und erreichen bald das
Urgebirge. Ein wilder Engpass, die Pierre Taillée, nimmt uns auf.
Wir kommen an Avise mit seinen Burgtrümmern — das ganze Thal ist
an solchen reich — vorüber. Durch eine zweite Enge erreichen wir
Liverogne. Eine kurze Strecke jenseits begrüßen uns die ersten Kastanien.
Das Thal wendet sich immer mehr nach links und nimmt bei Villeneuve
jene ostnordöstliche Richtung an, die es von hier bis Aosta beibehält. Hoch
über dem Dorfe thronen auf steilen Felsen die Ruinen der Burg Argent.

Die Straße übersetzt die Dora und steigt links etwas an. Gegenüber, an der Südseite, mündet das Val de Cogne ein. Das Thal wird
breiter, und wir kommen hinaus nach Aosta. Hier, und weiterhin bis
Chatillon noch an mehreren Stellen, steht Phyllit an. In dieses weichere
Gestein hat die Dora eine viel breitere Furche gegraben als in den harten
Glimmerschiefer, der oberhalb Aosta, und den nicht minder harten Serpentin,
der unterhalb Chatillon zu Tage tritt. Der leichten Verwitterbarkeit
dieses Phyllites verdankt die breite, von Aosta bis Chatillon reichende
Thalebene ihre Entstehung.

Schon in den ältesten Zeiten war diese schöne und fruchtbare
Weitung reich cultiviert, und zweifellos zogen die Bewohner derselben
schon damals großen Nutzen aus dem Verkehre über den Großen und
Kleinen St. Bernhard, welcher ihr Thal durchzog. Am Westende dieser
Niederung gründete Augustus im Jahre 25 v. Chr. nach Besiegung der
dort ansässigen Salasser die Stadt Augusta Praetoria Salassorum. Das
ist das heutige Aosta. Die alten römischen Stadtmauern mit ihren
Thürmen sind jetzt noch in ihrem ganzen Umfange erhalten, ebenso die
Mauern des römischen Theaters und die Arcaden des Amphitheaters.
Besonders schön ist der große Triumphbogen des Augustus (Abb. 29),
welcher 5 Minuten außerhalb der Porta Praetoria steht. Auch andere
mittelalterliche, sowie neuere Bauten schmücken die Stadt. Aber die
Gassen sind schmutzig und eng, und es gibt, wie das Reisehandbuch
kurz und bündig sagt, in der Stadt viele Cretins . Das ist leider,
nur zu wahr! Diese durch Fruchtbarkeit, regen Verkehr und Natur-
schönheit der Umgebung gleich ausgezeichnete Ebene von Aosta ist
eines der am meisten vom Cretinismus heimgesuchten Alpenthäler.

97

Es gibt gewisse Leute — Felix Dahn hat sie muthig mit der bekannten Mistgabel von Bazailles am Boden festgenagelt —, welche es lieben, im Schmutze zu wühlen und das Ekelhafte, das sie da finden, möglichst breit und behaglich zu schildern. Die mögen die Cretins beschreiben! Mir, der ich nur das Gute und Schöne beachten und schildern will, dem Schlechten und Hässlichen aber, wo ich es nicht bekämpfen kann, so viel als möglich aus dem Wege gehe, fällt es nicht ein, das zu thun. — Wer die Cretins von Aosta gesehen hat, wird, ebenso wie seinerzeit Saussure, an dem Anblicke genug haben und ihn niemals

vergessen —
und wer sie nicht
gesehen hat, dem wünsche
ich Glück dazu. Ich werde
diese seine glückliche Nichtkenntnis
wahrlich nicht durch eine Cretin-Schilderung zerstören.

Abb. 20.
Triumphbogen des Augustus in Aosta.

Über die Ursache des Cretinismus ist nichts Sicheres bekannt. Da er fast nur in den breiten Böden der Alpenhauptthäler vorkommt, wird wohl anzunehmen sein, dass dort existierende und anderswo fehlende Eigenthümlichkeiten der äußeren Einflüsse es sein müssen, welche den Cretinismus veranlassen. Diese Heimstätten des Cretinismus, die breiten Mulden der Hauptthäler, sind sehr abgeschlossen. In ihnen strömt die bei der nächtlichen Irradiation, sowie durch Verdunstung an der Erdoberfläche abgekühlte Luft der Umgebung zusammen, und dieselbe stagniert hier mehr als anderwärts. Ich möchte die Accumulation dieser Bodenluft in den großen, abgeschlossenen Alpenthälern für den Cretinismus verantwortlich machen. Sollte aber, wie meist angenommen wird, der Cretinismus erblich sein, d. h. von den Eltern auf die Kinder

übergehen, so konnte die Einwirkung der Luft auf die Individuen allein
natürlich nicht seine Ursache sein, da durch äußere Einflüsse zustande
gekommene Krankheiten nicht vererbt werden. Es lässt sich aber denken,
dass entweder die Disposition zum Cretinismus erblich ist, und dass
dann die Luft in den hiezu disponierten Individuen den Cretinismus er-
zeuge oder diese Bodenluft direct oder indirect auf die Keimzellenserie
einwirke. Auch die Heiraten unter Verwandten, die Inzucht also, hat
man für den Cretinismus verantwortlich gemacht. Diese Annahme halte
ich aber für unrichtig. Erstens meine ich, dass in diesen Thälern nicht
mehr Verwandten-Heiraten stattfinden als an vielen anderen Orten, wo
es keine Cretins gibt, und zweitens glaube ich überhaupt nicht, dass
Inzucht eine solche Wirkung hervorbringen könnte. Glücklicherweise
scheint in neuester Zeit diese schauderhafte Krankheit eher in Abnahme
als in Zunahme begriffen zu sein.

Doch genug von den Cretins! Verlassen wir Aosta und setzen wir
unsere Reise thalabwärts fort! Aosta liegt am Terminus der in Chivasso
von der Hauptlinie Mailand—Turin abzweigenden Seitenbahn. Wir wollen
aber nicht diese, sondern, da die Straße ganz gut ist, das Zweirad benützen, um die vielen interessanten Orte des unteren Aostathales mit Muße
betrachten zu können.

Furchtbar heiß und drückend schwül ist es in dem sonnigen Boden
der Thalweitung. Verschwitzt und staubig erreichen wir Chatillon am
östlichen Ende der Ebene. Jenseits Chatillon kommen wir bald in jene
enge, schattige und kühle Schlucht hinein, welche die hier nach Südosten sich wendende Dora Baltea in den Serpentinfels gegraben hat.
Der fast klammartige Anfang der Schlucht ist der Engpass von
Montjovat. In brausenden Wasserfällen stürzt sich die Dora durch
denselben hinab. Hoch oben an der steilen Bergwand hin zieht die
kunstvoll gebaute Eisenbahn. Die Klamm erweitert sich wieder. Zur
Linken sehen wir auf der Berghöhe die Trümmer der Burg Montjovat, von
welcher der Engpass den Namen hat. Wir kommen hinaus nach Verrés,
welches 161 Meter tiefer als Chatillon, 390 Meter über dem Meere liegt.
Die große Höhendifferenz dieser Orte zeigt, wie stark das Gefälle der
Dora in dieser kurzen, klammartigen Thalstrecke ist.

Verrés (Abb. 28) ist sehr hübsch gelegen. Prächtige Schlösser, einst
den mächtigen Grafen von Challant gehörig, krönen die Erhöhungen. Laut
rauscht die Dora im Thale, und eine südliche Vegetation, Reben und
Kastanien schmücken den Fuß der felsigen Berghänge.

Weiter unten verschmälert sich das Thal wieder zu einer Enge, aus deren Mitte sich ein von einer Festung gekrönter Felsen erhebt. Das ist Fort Bard (Abb. 30). Im Frühling 1800 war diese Feste von einem Häuflein Österreicher besetzt, welche, da das Fort sturmfrei ist und die Straße vollkommen beherrscht, in der Lage gewesen wären, den Marsch der französischen Hauptarmee durch das Aosta-Thal längere Zeit aufzuhalten. Lannes, der die französische Avantgarde commandierte, erstürmte das Dorf ohne Schwierigkeit; die Festung aber konnte er nicht nehmen. Die französische Armee staute sich oberhalb Bard. Napoleon, von dem Hindernisse benachrichtigt, eilte an die Tête. Aufforderungen

Abb. 30. Fort Bard.

zur Übergabe, Beschießung und ein nächtlicher Sturmangriff der Grenadiere der Garde blieben gleich erfolglos. Die Armee konnte nicht vorwärts. Da ließ Napoleon die Infanterie und Cavallerie, sowie die Artilleriepferde auf dem rauhen Gebirgspfade das Fort zur Linken über Albard umgehen, und diese Truppen sammelten sich unterhalb Bard auf der Straße wieder. Unmöglich aber war es, die Geschütze auf diesem Gebirgspfade fortzubringen. In der Nacht bestreuten die französischen Artilleristen die Straße mit Stroh, umwickelten die Räder der Geschütze und Munitionswagen gleichfalls mit Stroh und mit Fetzen und zogen sie möglichst geräuschlos unter dem Fort auf der Straße durch Bard hindurch. Der Commandant von Bard, der 22 Kanonen auf die Straße gerichtet hatte, merkte hievon nichts und ließ die Artillerie unangefochten passieren.

Zwei Nächte brauchten die Franzosen, um solcherart ihren Artilleriepark an dem Fort vorüber zu ziehen. Es gelang vollkommen: vereint erreichten alle Theile des Heeres das berühmte Schlachtfeld von Marengo.

Lebhaft kann man sich vorstellen, wie die französischen Kanoniere gelacht haben werden, als ihnen dieses Stücklein gelungen war. Für uns ist die Geschichte freilich weniger erfreulich.

Gleich unterhalb Bard erweitert sich das Thal beträchtlich und bleibt bis Montestrutto mäßig breit. Hier treten die Thalwände noch weiter auseinander, und wir kommen hinaus in die Poebene und nach Ivrea.

Gewaltige Gletscher füllten zur Eiszeit alle Alpenthäler, und auch durch das Aosta-Thal floss ein solcher herab. Dieser Aostagletscher hat in der Gegend von Ivrea ungeheure Endmoränen aufgethürmt, welche in Gestalt unregelmäßiger Hügel aus der Ebene aufragen.

Abb. 31.   Auf dem Kleinen St. Bernhard.

Abb. 32. Locana.

3. Die Grajischen Alpen.

Es ist oben darauf hingewiesen worden, dass die Dora Baltea und die Dora Riparia den Centralzug der Alpen durchbrechen. Das zwischen diesen Thälern liegende Stück des Centralzuges sind die Grajischen Alpen. Dieselben bestehen ganz und gar aus azoischem Urgestein. Das von Osten her tief in dieses Gebirge einschneidende Locanathal theilt die Grajischen Alpen in eine nördliche und eine südliche Hälfte. Die erstere, welche aus Gneis, Glimmerschiefer und einigen kleinen Inseln und Streifen von Granit und Serpentin zusammengesetzt ist, enthält die höchsten Erhebungen; die letztere, welche zum großen Theile aus Serpentin besteht, ist niedriger und weniger vergletschert, obwohl auch hier einige Gipfel, wie namentlich der Levanna, die Höhe von 3500 Metern übersteigen.

Um dieses Gebirge kennen zu lernen, wollen wir von Ivrea den Fuß des Alpenwalles entlang in südwestlicher Richtung nach Castellamonte, wo das Locanathal in die Ebene austritt, fahren. Von hier geht es dann hinauf nach Cuorgne am Terminus jener Seitenbahn, welche zwischen Turin und Chivasso von der Hauptlinie abzweigt.

Von Cuorgne zieht das Locanathal in etwas gewundenem Verlaufe, aber im ganzen eine westnordwestliche Richtung beibehaltend, über Pont, Locana und Ceresole Reale hinauf zu jener Depression, welche zwischen dem Massiv des Grand Paradis und der Levanna eingesenkt ist. Von dieser seenreichen Mulde fließt der Oreobach durch das Locanathal nach Ostsüdosten und die Dora di Nivolet, weiterhin Savara genannt, durch das Savarenchethal nach Norden. Ersterer ergießt sich bei Chivasso in den Po, letztere oberhalb Aosta in die Dora Baltea. Jener Theil der Grajischen Alpen, welcher von diesen Thälern eingeschlossen wird, die Gruppe des Grand Paradis, ist der großartigste und schönste. Ihm gilt unser Besuch.

Wir verlassen Cuorgne und fahren auf der Straße, die sich immer am linken Ufer des Oreo hält, über Pont hinauf nach Locana (Abb. 32), dem Hauptorte des Thales. Hier befinden wir uns noch sehr tief, bloß 617 Meter über dem Meere, und es ist schrecklich heiß. Unsere Fahrt fortsetzend, überschreiten wir den vom Grand S. Pierre im Nordosten herabkommenden Piantonettobach. Das Thal verschmälert sich, und in großer Steilheit erhebt sich rechts die nördliche Bergwand. Bei Noasca, an der Mündung des vom Südostabhange des Grand Paradis herabkommenden, einen schönen Fall bildenden Gletscherbaches, wendet sich das Thal im Bogen nach links, und bald erreichen wir Ceresole Reale (Abb. 33), wo wir im „Grand Hotel", einem vortrefflichen Hause, übernachten wollen.

Am anderen Morgen verlassen wir zeitlich Ceresole und wandern wohlgemuth durch das schöne Thale hinauf. Immer herrlicher entfaltet sich das Hochgebirge, welches den oberen Theil des Locanathales einschließt: links der Levanna, dessen höchster Gipfel Ceresole um 3079 Meter überragt; rechts die steile Felswand des Mare Percia. Bis hinter den Hütten von Pilocca bleiben wir in der Thalsohle; dann erklimmen wir im Zickzack die nördliche Bergwand, um die steile Terrasse, die hier der Oreo überspringt, im Osten zu umgehen. Bald ist die Höhe erreicht, und wir betreten jenes seengeschmückte, wellige Plateau, welches die Wasserscheide zwischen Oreo und Dora di Nivolet bildet. Wir überschreiten den Col di Nivolet und gehen nun durch den obersten Boden des Savarenchethales in nordöstlicher Richtung hinab. Bald kommen wir an eine hohe

Thalstufe, gehen über diese hinunter in einen tieferen Boden und jenseits hinauf zu dem am Westabhange des Grand Paradis, dicht beim Glacier de Moncorvé, 2675 Meter über dem Meere gelegenen Rifugio Vittorio Emanuele II., wo wir die Nacht zubringen wollen. Dieses Rifugio ist eine recht gemüthliche Unterkunftshütte und die Aussicht von derselben, obgleich man die höchsten Gipfel nicht sieht, sehr schön.

Abb. 33. Ceresole Reale.

Von diesem Rifugio aus wollen wir den Grand Paradis, den höchsten Berg der Paradisgruppe und den Culminationspunkt der gesammten Grajischen Alpen, ersteigen und dann hinübergehen nach Cogne, dem Hauptorte des herrlichen Cognethales.

Nachmittags erklettern wir einen nahen Felsen und suchen, dort uns lagernd, mit dem Fernrohre die Umgebung nach Steinböcken ab, denn wir befinden uns hier im Herzen des königlichen Jagdreviers und können hoffen, vielleicht einer kleinen Herde dieses vom Könige mit so großer Sorgfalt gehegten Wildes ansichtig zu werden. Richtig, da sehen wir einige ruhig äsend an einem hohen Grate. Es sind prächtige Thiere, doch so fern, dass wir sie kaum deutlich erkennen.

Der Steinbock (Abb. 38) ist wohl das auffallendste und interessanteste von allen Thieren der Hochregion. Es wird anzunehmen sein, dass zur Eiszeit ein unserem Alpensteinbocke sehr ähnliches Thier in ganz Europa verbreitet war. Als die Temperatur sich erhöhte und die Gletscher zurückgiengen, rückten aus wärmeren Gegenden andere, besser ausgerüstete Thiere in Europa ein und verdrängten die Steinböcke aus dem Tieflande. Sie mussten sich in das Hochgebirge zurückziehen, und hier, in den isolierten Gebirgsstöcken der Pyrenäen, der Sierra Nevada, der Alpen und des Kaukasus, passten sich die Nachkommen dieser gemeinsamen Stammform den localen Verhältnissen an und wurden immer mehr differenziert; heute bewohnen recht verschiedene, als getrennte Arten aufzufassende Steinbockformen diese Gebirge: die Alpen Capra ibex, die Sierra Nevada Capra hispanica, die Pyrenäen Capra pyrenaica und den Kaukasus Capra caucasica.

Alle diese Arten zeichnen sich durch große Gewandtheit im Klettern und durch den Besitz ungeheurer Hörner aus. Unsere Art, die Capra ibex, ist ein großes Thier. Alte Böcke erreichen eine Länge von anderthalb Metern und haben 80 Centimeter lange Hörner. Die rauhe, dichte Behaarung ist im Sommer vorherrschend röthlichgrau, im Winter gelblichgrau. Das Fleisch ist wohlschmeckend. Der Steinbock nährt sich von zarten Alpenkräutern und steigt auch in die hochgelegenen Waldungen hinab, um hier junge Knospen zu naschen. Fleisch frisst er nicht, am allerwenigsten Bergsteiger. Es beruht demnach die Stelle in der Gardinenpredigt Baumbachs:

> Wenn dich ein Steinbock frisst
> Oder ein Stier dich spießt
> Mitten durch deinen Leib,
> Ich armes Weib!

auf einer irrthümlichen Auffassung der Lebensgewohnheiten unseres Thieres.

Schon der alte Gessner erwähnt das Geschick des Steinbockes im Klettern. Was für geschwinde und weite Sprünge dieses Thier von einem Felsen zu dem anderen thu, sagt er, ist unmöglich zu glauben, wer es nicht gesehen: Dann wo es nur mit seinen gespaltenen und spitzigen Klauen haften mag, so ist ihm keine Spitze zu hoch, die es nicht mit etlichen Schritten überspringe, auch selten ein Fels so weit von dem anderen, den es nicht mit einem Sprunge erreiche. Neuerlich hat Graf Wilczek eingehendere Angaben über den Steinbock veröffentlicht. Der

starke Steinbock, sagt er,
«ist das schönste Jagdthier,
welches ich je ge-
sehen. Er hat die
würdevolle Haupt-
bewegung des Hir-
sches; — das fast
unverhältnismäßig
große Gehörn be-
schreibt bei der
kleinsten Kopf-
bewegung einen
weiten Bogen.
Seine Sprung-
kraft ist fabel-
haft. Ich sah eine
Gemse und einen
Steinbock densel-
ben Wechsel an-
nehmen. Die Gemse
musste im Zickzack
springen, wie ein
Vogel, welcher hin-
und herflattert; der

Abb. 31. Der König Ehrenmann auf der Steinbockjagd.

Steinbock kam in gerader Linie herab, wie ein Stein, welcher fällt, alle
Hindernisse spielend überwindend. An fast senkrechten Felswänden
muss die Gemse flüchtig durchspringen; der Steinbock dagegen hat so
gelenkige Hufe, dass er, langsam weiter ziehend, viele Klafter weit an
solchen Stellen hinschreiten kann; ich sah ihn beim Haften an Felswänden
seine Schalen so weit spreizen, dass der Fuß eine um das Dreifache verbreiterte Fläche bildete.

Größer, gesuchter und weniger scheu als die Gemse wurde der
Steinbock schon früh in allen zugänglicheren Theilen der Alpen ausge-
rottet. Nur in den wildesten Gebieten der Penninischen und der Grajischen
Alpen waren zu Anfang dieses Jahrhunderts noch einige wenige Exemplare
übrig. Nachdem Zumstein größere Schonung dieses Wildes schon 1821
erwirkt hatte, begann der König Victor Emanuel um die Mitte des Jahrhunderts den Steinbock systematisch zu hegen, und es gelang ihm, in den
Grajischen Alpen einen beträchtlichen Stand von Steinböcken zu erzielen.

Abb. 34. Der Grand Paradis
vom Valtontey.

Er selbst liebte die Steinbockjagd
und pflegte eifrig diesen edlen
Sport. (Abb. 34.)

Das Merkwürdigste am Stein-
bocke sind seine ungeheueren, durch transversale Verdickungsringe ausgezeichneten Hörner. Diese müssen ihm wegen ihres großen Gewichtes
beim Klettern sehr hinderlich sein und dienen überhaupt keinem ersicht-
lichen Zweck, denn als Waffen sind sie recht ungeschickt. Es ist daher
nicht möglich, die Entstehung des Steinbockhorns durch die Zuchtwahl-
theorie, welcher ja auch die geschlechtliche Zuchtwahl untergeordnet ist,
zu erklären. Diese Steinbockhörner müssen vielmehr als einer jener nicht
allzuseltenen Fälle angesehen werden, in denen sich die Natur gewissermaßen in eine bestimmte Entwicklungsrichtung — in diesem Falle
Größerwerden der Hörner — verrannt hat; in aufeinanderfolgenden
Generationen ließ sie die Hörner immer größer werden, ohne dass das
von Nutzen, ja obwohl es direct schädlich war. Die kolossale Größe
dieser ungeschlachten Hörner wird es wohl auch gewesen sein, welche
den Steinbock im Kampfe mit verwandten Herbivoren unterliegen ließ
und ihn zwang, die von den anderen Arten wegen ihrer Dürftigkeit und
Gefährlichkeit gemiedenen, höchsten Weideplätze der Alpen zu seinem
Aufenthalte zu nehmen. Gern ist der Steinbock gewiss nicht dort
oben, wo er wenig zu fressen findet und den Schrecken des Hochgebirges ausgesetzt ist, aber er muss oben bleiben, weil in dem gün-
stigeren Tieflande kein Platz für ihn ist. Und da er oben sein musste,
hat er sich den Verhältnissen der Hochregion möglichst angepasst. Nur

Abb. 36. Cogne.

die Hor-
ner, die
ihn in die
Eiswü-
sten ver-
bannten,
konnte er
wegen der in
seinen Keimzellen
einmal vorhande-
nen Entwicklungs-
tendenz nicht mehr
los werden.

Der Abend senkt
sich herab auf das Thal.

Abb. 37. Die Grivola.

Bläuliche Schatten breiten sich in den Tiefen aus, und immer röther glühen die Hochfirne der Grajischen Alpen. Auch dieses Licht verlischt. Es wird dunkel und kalt. Wir kehren zur Hütte zurück, nehmen noch ein leichtes Nachtmahl und legen uns schlafen.

Die Besteigung des Grand Paradis (Abb. 35) von dem Rifugio Vittorio Emanuele II aus bietet keine besondere Schwierigkeit. Wir haben einfach über den spaltenarmen Gletscher hinaufzugehen und erreichen, ohne Hindernissen zu begegnen, in einigen Stunden den 4061 Meter hohen Gipfel. Es gibt nur sehr wenige leichtere, über 4000 Meter hohe Berge als den Grand Paradis. Die Aussicht ist sehr schön und umfassend, nicht unähnlich jener vom Monte Viso, aber noch großartiger, weil man hier dem Montblanc und den Penninischen Alpen viel näher ist. Wir sehen den ganzen Centralzug der Alpenkette von der Punta dell'Argentera in den Seealpen bis zum Bernina und überdies die höheren Gebirgsstöcke des äußeren Nebenzuges Pelvoux, Meije und Montblanc. Lange liegen wir, in der Sonne uns badend, auf dem Gipfel und beginnen dann den Abstieg nach Cogne in nordöstlicher Richtung. Dieser ist so leicht nicht wie der Aufstieg von der Westseite. Zunächst geht es durch ein großes Couloir hinunter zu den obersten Schneefeldern jenes großen, flachen Firnfeldes, das unter dem Namen Plan de la Tribulation bekannt ist; dann auf dieses hinab und über dasselbe hinaus nach Nordosten. Dort, wo der Gletscher sich steiler gegen das Valnontey hinabsenkt, verlassen wir den Firn, gewinnen, links uns haltend, einen aperen Abhang und über denselben einen der in dieser Gegend so zahlreichen Jagdsteige, der uns ins Thal hinabführt. Der Sohle des engen Thales in nordöstlicher Richtung folgend, erreichen wir Cogne (Abb. 36) an der Stelle, wo sich dieses Thal mit dem nordwestlich hinabziehenden Val de Cogne vereinigt.

Dieses in einer breiten Thalweitung 1534 Meter über dem Meere gelegene Alpendorf ist ein vortrefflicher Ausgangspunkt für Bergpartien und Jochübergänge. Aber auch für den Thalbummler, der die Berge nur platonisch liebt, gibt es hier im Cognethale Genüsse in reicher Fülle. Die Einblicke in die südlichen, zum Grand Paradis, zum Grand Saint Pierre und zu der Grivola hinaufführenden Seitenthäler sind einzig schön, und besonders ist es die weit nach Norden vorgeschobene, 3969 Meter hohe Grivola, der nördliche Eckpfeiler der Grand Paradis-Gruppe, welche unsere ungetheilte Bewunderung verdient, so schlank und steil ragt ihr stolzer Gipfelbau auf. (Abb. 37.)

Wir verbummeln einen Tag im Thale und unterhalten uns mit der
Lectüre des Fremdenbuches, in welchem über die Erstlingstouren in
diesem Gebiete berichtet wird. Doch lässt es uns hier unten keine
Ruhe — diese herrliche Grivola, wir müssen sie besteigen. Wir finden
bei genauerer Erkundigung, dass sie lange nicht so schwer ist, wie sie
aussieht, und brechen um Mitternacht auf, um ihren stolzen Gipfel zu
bezwingen.

Sternenhell breitet sich der nächtliche Himmel über das dunkle Thal,
und rüstig marschieren wir, erst eine kurze Strecke thalaus, dann links
ziemlich steil auf gutem Steige hinauf zur Pousset-Alpe. Hier halten wir
kurze Frühstücksrast und steigen dann in westlicher Richtung zu dem
Kamme, welcher die Mulde von Pousset im Westen begrenzt, empor.
Wir erreichen die Kammhöhe im Trasojoche, überschreiten dasselbe und
gewinnen, jenseits etwas absteigend, den ebenen Firn des Trasogletschers,
welcher sich im Südosten der Grivola ausbreitet. Diesen überqueren wir
ohne Mühe und erreichen den Südostabsturz unseres Berges. Ein großes
Schneecouloir führt durch denselben hinauf. Auf einer Schneebrücke
wird der Bergschrund, welcher das Couloir vom Firn trennt, überschritten, das Couloir selbst überquert und dann über die brüchigen und
mit losen Trümmern übersäten, aber gar nicht steilen Felsen zur Linken
emporgestiegen. Das ist eine lange, mühsame und sehr monotone Arbeit.
Weiter oben müssen wir das hier zu einer breiten Schneeschlucht aus-
geweitete Schneecouloir nochmals traversieren, was wegen der von der
Höhe herabstürzenden und durch das Couloir hinuntersausenden Steine
nicht gerade angenehm ist. Dann geht es, wieder über Felsen, zum
Gipfel empor. Herrlich ist der Blick hinab nach Norden in die tiefe
Furche des Aosta-Thales, dessen Sohle wir an mehreren Punkten sehen.
Über dasselbe steigen im Norden und Nordosten die Penninischen Alpen
auf, während im Nordwesten das gewaltige Massiv des Montblanc, dessen
ganzen Südabsturz wir überblicken, unsere Aufmerksamkeit fesselt. Im
Süden sehen wir die Gipfel der Grand Paradis-Gruppe in weitem Kranze
die südlichen Nebenthäler des Val de Cogne umgeben.

Doch leider ist böses Wetter im Anzuge, wir können nicht lange
verweilen und treten den Abstieg an, den wir auf derselben Route wie
den Aufstieg bewerkstelligen. Schon am Trasogletscher ereilt uns das
Unwetter. Im Schneesturme müssen wir das Trasojoch überschreiten und
bei strömendem Regen hinabgehen nach Cogne. Tief herab hängen die

Wolken, und ununterbrochen strömt der Regen: hier ist nichts mehr zu machen, fahren wir hinaus durch das Thal und nehmen wir für diesmal Abschied von den Bergen!

Das Val de Cogne zieht von seinem Hauptorte, Cogne, in welchem wir uns befinden, erst in nordwestlicher, dann in nördlicher Richtung hinab und mündet bei Aquavilles ins Aosta-Thal aus. Hier oben bei Cogne breiter und freundlich, verengt es sich nach unten hin zu einer schmalen, ungemein wilden Schlucht.

An mehreren Stellen, so bei Chevrit und St. Martin, finden sich alte Eisenhütten: das Eisen des Cognethales soll das beste in Europa sein.

Die Wanderung hinab durch das Cognethal, namentlich auf dem alten, hoch an der rechten Thalwand hinziehenden Wege, muss bei schönem Wetter etwas Herrliches sein. Wir sehen leider nichts von allen den Schönheiten desselben, denn tief herab reichen die Nebel. Die häufigen Regenschauer, mit denen sie uns überschütten, hindern uns, an den alten Schlössern, welche das Cognethal schmücken, und an den Wasserfällen, welche über seine Flanken herabstürzen, Interesse zu nehmen: möglichst rasch aus dem unwirtlichen Hochgebirge hinauszukommen, ist unser Bestreben.

Abb. 36. Der Steinbock.

IV.

ER SEE UND MONTBLANC.

Alb. 30.
Am Genfer See.

1. Der Genfer See.

Die von der Senkung der adriatischen Scholle ausgehende Alpenfaltung hatte ihrer Natur nach die Tendenz, nach außen hin allmählich in sanftere Wellen auszulaufen. Hätten alle benachbarten Theile der Erdrinde dem durch jene Senkung verursachten Seitendrucke in gleichem Maße nachgeben können, so hätten sich nach außen hin an Höhe und Steilheit abnehmende Falten den ganzen Nord- und Westrand des Hochgebirges entlang bilden müssen. In Wirklichkeit war aber, wie sich wohl denken lässt, die Erdrinde keineswegs überall gleich nachgiebig; an jenen Stellen, wo alte Gebirgsmassive lagen, welche durch die Alpen-aufbauende Kraft nicht von der Stelle gerückt werden konnten, blieb sie trotz des Druckes unbeweglich; zwischen diesen Fixpunkten wölbten sich die äußeren, auf die beweglichen Gebiete beschränkten Falten vor.

Ein solcher Fixpunkt war der Schwarzwald, ein anderer lag in dem von der Rhône und der Isère eingefassten allobrogischen Lande. Zwischen diesen beiden war die Erdrinde beweglich; hier wurde sie gefaltet und in Gestalt eines weiten Bogens nach Nordwesten vorgeschoben. Dieser Faltenbogen ist das Juragebirge. Dasselbe besteht aus jurassischen, liassischen und cretacischen Sedimentgesteinen. Zwischen der Vorfalte des

116

Jura und den inneren, der Centralzone angelehnten Falten der äußeren Nebenzone liegt eine große Senkung, welche, stetig an Breite zunehmend, von Chambéry nach Nordosten zieht und den Jura von dem eigentlichen Alpengebirge trennt.

Diese Senkung ist mit tertiären und quaternären Sedimenten angefüllt, und in ihr, sowie an ihrem Rande, liegen die zahllosen Seen Ostfrankreichs und der Nordwestschweiz. Am südwestlichen Ende der Depression haben wir den Bourgetsee bei Chambéry und den Annecy-See, die wir schon kennen; dann weiter außer vielen kleineren den Genfer See, den Neuchateler See, Bieler See, Murtensee, Thuner und Brienzer See, Vierwaldstädter, Zuger und Sempacher See, Züricher und Walensee, endlich in dem breiten nordöstlichen Endtheile der Senkung den Bodensee. Einige von diesen Seen, wie der Vierwaldstädter und Thuner See, dringen mehr oder weniger weit in die mesozoische Nordwestabdachung der Alpen ein; andere, wie der Brienzer und Walensee, sind ganz in dieselbe eingebettet. Die letzteren sind, wenn auch klein, so doch die schönsten von allen diesen Seen, denn sie haben die steilsten und höchsten Ufer. Die größten Seen liegen ganz (Bodensee) oder doch zum größten Theile (Genfer See) in dem tertiären und quaternären Gelände, welches die Senkung ausfüllt.

Der Genfer und die südlich von ihm gelegenen kleineren Seen gehören in das Gebiet der Rhône; alle übrigen aber in das Gebiet des Rheines. Bemerkenswert ist es, dass die beiden größten Seen auch von den beiden größten Flüssen durchströmt werden: der Genfer See von der Rhône, der Bodensee vom Rheine.

Der größte von diesen und von den Seen im Gebiete der Alpen überhaupt ist der Genfer See (Abb. 39 bis 47). Derselbe hat die Gestalt der Mondsichel, kehrt seine convexe Seite gegen Nordwestnord, ist 72 Kilometer lang und in der Mitte über 13 Kilometer breit. Sein Spiegel hat eine Flächenausdehnung von 577 Quadratkilometern und liegt 375 Meter über dem Meere. Seine größte Tiefe (zwischen Ouchy und Evian-les-Bains) beträgt 334 Meter. Die Rhône hat das obere Ende des früher viel längeren Sees mit alluvialem Geröll ausgefüllt und mündet jetzt am linken, westlichen Rande dieser neugebildeten Delta-Ebene von Süden her in den östlichen Endtheil des Genfer Sees ein. Außerdem ergießen sich zahlreiche kleine Flüsschen in den See, von denen die von Norden kommende Venoge und die von Süden kommende Drance die wichtigsten sind. Am Südwestende des Sees tritt die Rhône aus demselben hervor und nimmt gleich darauf die von Südosten herabkommende Arve auf.

117

Abb. 50 Genf.

Auf dem sanftwelligen, quaternären Gelände, welches das Südwestende des Genfer Sees einfasst, erbauten die Allobroger eine Grenzfestung
zum Schutze gegen die räuberischen Helvetier. Diese Festung, welche im
Jahre 120 v. Chr. in den Besitz der Römer gelangte, hieß Geneva. Aus
ihr ist das heutige Genf (Abb. 40) hervorgegangen.

Als sich die Helvetier im Jahre 58 v. Chr. aus ihrer Heimat auf-
machten, um in Gallien neue Wohnsitze zu suchen, ließ Caesar die Rhônebrücke bei Geneva abbrechen und zwang die helvetischen Scharen zu
dem weiten Umwege über die Jurapässe. Hiedurch gewann er Zeit, ein
Heer zu sammeln und dieses ihnen entgegenzustellen. Früh schon ward
Genf christianisiert: bereits im Jahre 381 soll es Sitz eines Bischofs gewesen sein. Jedenfalls gewannen die Bischöfe von Genf bald eine große
Macht. Die unabhängige Herrschaft — Gerichtsbarkeit — über die Stadt
war schon in ihren Händen, als im Jahre 1162 Kaiser Friedrich Barbarossa
den Bischof als Fürsten von Genf anerkannte. Später erlangten die
Savoyer dort bedeutenden Einfluss, und die Bischöfe gerieten einigermaßen in Abhängigkeit von ihnen. Auch die Bürgerschaft lehnte sich
gegen sie auf und gewann immer größere Freiheiten. Ja, 1364 wurde den
Syndiken der Bürger sogar der Blutbann zuerkannt. Im fünfzehnten
Jahrhunderte wurden die Bischöfe von Genf geradezu von den Herzogen
von Savoyen ernannt, aber die Bestrebungen der Savoyer, Genf ganz in
ihre Gewalt zu bekommen, scheiterten an dem Freiheitssinne der Bürger.

Zu Anfang des sechzehnten Jahrhunderts erscheint Genf als eine sehr
reiche und blühende Stadt. Lebhaft war der Verkehr zu Lande und zu
Wasser, über den See und die Rhône hinab. Viermal im Jahre hielten die
Genfer Märkte ab, welche von Deutschen, Franzosen und Italienern reich
beschickt wurden. » Ein stolzes Gefühl von Unabhängigkeit und kräftigem
Selbstvermögen «, berichtet der Chronist, » durchdrang die Bürgerschaft, und
ein frischer, freier Sinn beseelte ihr Gemeinwesen. Jedem Bürger war der
Weg zu allen Ehren und Ämtern offen. Alle hatten Antheil an der
großen Goldernte, welche Fleiß und Arbeit einbrachten, alle auch Antheil
an der Regierung des Staates. « Die Bürger wählten den Rath, von
welchem — in internen Angelegenheiten — selbst der Bischof abhängig
war. 1513 setzte Karl III. von Savoyen seinen ihm ganz ergebenen Vetter
Johann auf den Bischofsstuhl von Genf und begann, mit diesem vereint,
die Rechte der Bürger einzuschränken. Unter anderem verlangte er von
den Syndiken — den Spitzen der Bürgerregierung — einen Huldigungs-
eid. Diesen Bestrebungen des Fürsten setzten die Genfer den heftigsten

Widerstand entgegen, und betreffs des Huldigungseides erklärten sie, es
sei noch nie erhört worden, dass Genfer Syndiken irgend einem Fürsten
der Welt einen Treueid geleistet hätten. Die Genfer bildeten eine Art
Trutzbund Kinder Genfs› — und wurden von anderen Schweizer
Städten, zunächst und auf das ausgiebigste von Freiburg unterstützt. Als
nun 1515 der Bischof einige von diesen «Kindern» verhaften ließ, kam
es zum Kampfe. Der Aufstand, welcher ohne Umsicht geleitet war,
wurde unterdrückt, und Berthelier, der Führer desselben, flüchtete nach
Freiburg. 1519 kam ein engeres Bündnis zwischen den Genfern und Freiburg zustande, und es gab neuerdings Unruhen. Das half aber nicht viel,
da die mit Bern im Bande stehenden Savoyer Freiburg bald nöthigten,
von diesem Bündnisse zurückzutreten. Karl III. selbst kam mit Heeres-
macht nach Genf, der Bischof erhielt die ausgedehntesten Vollmachten,
blutig wurde der Aufstand unterdrückt. Man verhaftete, schlug, folterte,
man köpfte und hängte, dass es ein Jammer war›, berichtet ein Zeit-
genosse. Jene, welche der Verfolgung entronnen waren, flohen in die
Schweiz; Genf musste Karl III. als Souverän anerkennen; seine Freiheit
war gebrochen. Dies dauerte, bis im Jahre 1526 das mächtige Bern, das
jetzt, in dem allgemeinen Kriege, gegen Savoyen stand, ein Bündnis mit
Freiburg und den Genfern schloss. «Da wurden die savoyischen Soldaten
und Beamten aus der Stadt vertrieben, und seither gehört Genf der
Schweiz und der Freiheit›, so wenigstens drückt sich ein schweizerischer
Geschichtschreiber aus. Wie es mit dieser ‹Freiheit› eigentlich bestellt
war, werden wir bald sehen. Der Adel der Umgegend verbündete sich
gegen Genf, und die Ritter belagerten, unterstützt von einem savoyischen
Heere, die Stadt. Die Schweizer Bundesgenossen aber eilten mit einer
14.000 Mann starken Armee zum Entsatze herbei, vertrieben die Belagerer
und hausten dann bös auf den Ritterburgen.

Die Berner waren damals schon evangelisch und bemühten sich, die
zu jener Zeit noch ganz katholische, romanische Westschweiz, vor allem
Genf, zum evangelischen Glaubensbekenntnisse herüberzuziehen. Der berühmte protestantische Prediger Farel wurde nach Genf gesandt, aber er
kam dort übel an: misshandelt und gedemüthigt musste er die Stadt
wieder verlassen. Fromment setzte das von Farel ohne Glück begonnene
Werk fort, und infolge der Agitation dieses Predigers erstarkte die evan-
gelische Partei in Genf sehr bedeutend. Es kam zu heftigen Streitigkeiten zwischen ihr und den vom Bischofe und allen Behörden unterstützten Katholiken. Von Bern kräftig unterstützt, gewann aber der
Protestantismus bald die Oberhand, und 1534 gab es zum erstenmale

eine protestantische Majorität im Genfer Bürgerrathe. Die Savoyer unterstützten die Katholiken, und es kam zu einem Kampfe, der sich sofort zu
Gunsten der Protestanten entschied: schon im nächsten Jahre wurden
der katholische Cultus, Bilder und Messe verboten und die Klöster aufgehoben. »Genf«, sagt der Chronist, »war nun eine protestantische Stadt.«
Und die religiöse Freiheit stärkte auch die politische. Genf fühlte sich
schon wie eine völlig unabhängige Republik.

Im Vereine mit dem vertriebenen Bischofe belagerten nun die Savoyer
die Stadt nochmals, aber auch diesmal wurde Genf von den Bernern
entsetzt. In der Stadt selbst hatte infolge der wiederholten Parteikämpfe
und des Umsturzes der bischöflichen Autorität eine arge Verwilderung
Platz gegriffen, und zu dieser gesellten sich finanzielle Schwierigkeiten,
wie sie infolge der langjährigen Kämpfe ja gar nicht ausbleiben konnten.
Da trat ein Mann auf, welcher diese chaotischen Verhältnisse beseitigte,
eine neue straffe Disciplin einführte und durch seine religiösen Lehren
den Namen der Stadt Genf zu einem der vielgenanntesten in allen
protestantischen Landen machte: Calvin.

Calvin, 1509 geboren, stammte aus der schönen Picardie. Er war
zunächst für den geistlichen Stand bestimmt und studierte anfangs in
Paris, dann in Orleans. Hierauf wandte er sich der Rechtsgelehrsamkeit
zu und arbeitete mit dem größten Eifer. Zuletzt beschäftigte er sich mit
humanistischen Studien. Die Berührung mit evangelisch gesinnten Männern
erweckte in seinem Geiste Zweifel an der Richtigkeit der katholischen
Lehre, und um diese Zweifel zu beseitigen, vertiefte er sich neuerdings in
theologische Studien. Letztere führten ihn zur Aufstellung jener strengen,
evangelischen Doctrin, die seither seinen Namen führt. Sobald er mit sich
selbst im Reinen war, begann er seine Lehre zu verbreiten; zuerst in Paris,
dann in Straßburg und Basel. Hier schrieb er das berühmte Buch »Institutio
christianae religionis«, in welchem diese kühne neue Lehre klar zum Aus-
drucke gebracht ist. Er gieng dabei weit über Luther hinaus und fügte die
Angaben der Bibel zu einem streng logischen und consequenten Systeme
zusammen, welches in schroffstem Gegensatze zum Katholicismus stand.
Diese strenge Logik führte Calvin zur Aufstellung der Lehre von der
Praedestination, welche die Freiheit des Willens negierte und mit allen
übrigen evangelischen Doctrinen im heftigsten Widerspruche stand. Es
war, wie Calvin selbst sagte, eine furchtbare Lehre, denn aus ihr ergab
sich die Nutzlosigkeit der Tugend und die Unschädlichkeit des Lasters;
eine Lehre, welche die moralische Grundlage des individuellen, wie des

socialen Lebens vernichtete. Die Prädestinationslehre machte die Calvinisten zu Fatalisten und goss ihnen jenen Muth ein, den sie später so oft bethätigt haben.

Calvin hatte Italien bereist und kam auf seinem Rückwege im Jahre 1536 nach Genf. Erst wollte er nicht dort bleiben, doch endlich entschloss er sich dazu und nahm die Organisation der wüsten Genfer Verhältnisse in die Hand. Die fröhlichen Genfer aber sträubten sich damals noch gegen die Zwangsjacke, welche der strenge Calvin ihnen anlegen wollte: von den Bernern unterstützt, vertrieben sie ihn aus der Stadt. Nach drei Jahren wurde Calvin jedoch zurückgerufen, und im Triumphe zog er 1541 zum zweitenmale in Genf ein. Die ihm augenblicklich sehr günstige Stimmung der Bevölkerung benützend, führte er eine neue Kirchenordnung ein. Diese war milder als seine Lehre und erwies sich als praktisch. Das Merkwürdigste an ihr waren wohl die Sittenrichter, welche über das Privatleben der Bürger zu wachen und das Recht hatten, überall ohneweiters Haussuchungen vorzunehmen. Auch an der weltlichen Gesetzgebung betheiligte sich Calvin. Stets drang er auf die Einführung, beziehungsweise Aufrechterhaltung der allerstrengsten Strafen, auch für leichte Vergehen. Tortur und Todesstrafe waren seine Lieblinge. Allmählich erlangte Calvin geradezu dictatorische Macht, und nun gab es keine Milde mehr. In drei Monaten wurden 34 Menschen, meist wegen geringfügiger Vergehen, geköpft, gehängt oder verbrannt. Immer neue Torturen wurden ersonnen; jeder Andersdenkende als Ketzer verbrannt. Die Freude war aus Genf gewichen, und wie ein drückender Alp lastete auf der schönen Stadt der finstere Fanatismus des evangelischen Dictators. Alle Versuche der freisinniger Denkenden, das Calvinische Joch abzuschütteln, scheiterten; bis zu seinem Tode (1564) behielt er die Gewalt in den Händen. Unter seiner Herrschaft ward Genf Hort und Mittelpunkt des Protestantismus, und aus der 1559 von ihm gegründeten Genfer Akademie giengen jene Kämpfer hervor, welche überall, von Ungarn bis nach Schottland, dem erneuten katholischen Ansturme gegenüber das Banner der evangelischen Lehre hochhielten. So wurde Genf zu einem protestantischen Rom und Calvin selbst zu einem protestantischen Papste.

In Genf behielt auch nach Calvins Tode die strenge, calvinistische Partei die Oberhand. 1584 wurde Genf mit der Schweiz vereinigt und die Versuche der Savoyer, sich der Stadt wieder zu bemächtigen, abgeschlagen. Genf behielt seine Freiheit, aber diese war sehr merkwürdig

beschaffen, denn abgesehen von der intensiven religiösen Intoleranz ward
auch die bürgerliche Verfassung immer aristokratischer. Wenige reiche
Familien beherrschten die Stadt; die große Menge war rechtlos. Zu
Anfang des achtzehnten Jahrhunderts begann diese Masse sich zu rühren;
es gab Unruhen, die, wiederholt unterdrückt, sich ebenso oft wiederholten
und jedesmal den unteren Classen Gewinn brachten. Fast das ganze
Jahrhundert gieng das so fort, bis endlich 1782 die Regierung gestürzt
wurde und ein von den Massen gewählter Sicherheitsausschuss die Gewalt an sich brachte. Die vertriebene Regierung rief die Nachbarn zu
ihrer Unterstützung herbei, Franzosen, Berner und Sardinier besetzten die
Stadt, und die frühere Regierung wurde wieder eingesetzt. Dann wiederholten sich in Genf die Vorgänge von Paris: Revolution, Schreckens-
regierung u. s. w. 1794 wurde eine freisinnige Verfassung eingeführt,
1798 Genf gewaltsam mit der französischen Republik vereinigt. Erst
1815 ward es der Schweiz zurückgegeben. Genf kam aber nicht zur
Ruhe, immer gab es neue Streitigkeiten, und öfter wurde die Verfassung
revidiert — d. h. zu Gunsten der Massen abgeändert. 1847 erst brach
man mit den strengen calvinistischen Traditionen und tolerierte von nun
an die Katholiken. Durch dieses Toleranzedict war der finstere Geist
der Vergangenheit verscheucht, und herrlich entfaltete sich nun die Stadt.
Die Festungsmauern fielen, großartigen Neubauten Platz machend, und
der erfrischende Hauch einer neuen Zeit erweckte die Genfer aus der
hypnotischen Starre, die Calvin ihnen eingehaucht.

Jetzt ist, wie die bekannte Genfer Convention und die dortigen Ver-
sammlungen der Friedensvereine, Socialisten u. s. w. zeigen, Genf gewissermaßen der Mittelpunkt des internationalen Lebens.

Allerdings spukt hie und da noch der alte finstere Geist in Gestalt
von geheimen Nihilistenconventikeln und Mordbrenner-Genossenschaften,
aber wir, die wir nur die Lichtseiten des Lebens dort sehen, merken davon
nichts. Uns erscheint die Stadt behaglich und fidel: es gibt Bootwett-
fahrten (Abb. 11) und Picknicks (Abb. 47), Seefahrten in Vergnügungs-
dampfern, Spaziergänge am Quai und in den Anlagen des Jardin Anglais,
Ausflüge nach St. Julien und nach dem Salève, Unterhaltungen und
Zerstreuungen die Menge.

Die Stadt breitet sich zu beiden Seiten der Rhône und des Seendes
aus. Der Fluss wird an der Stelle, wo er aus dem See austritt, von der
schönen Montblancbrücke übersetzt. Stromabwärts verbinden noch fünf

123

Abb. 41. Regatta auf dem Genfer See.

andere Brücken die beiden Rhôneufer miteinander. Zwischen den beiden ersten Brücken liegt die mit Anlagen gezierte, kleine Rousseauinsel (Abb. 42). Wie schön aber Genf mit seinen Anlagen und Neubauten auch ist, so bildet doch immer die Fernsicht, der Ausblick auf die Montblancgruppe, den Glanzpunkt der Scenerie. Am besten sieht man ihn von den am nordwestlichen Seeufer hinziehenden, an die Montblancbrücke rechts anschließenden Quais. Außer dem alle anderen hoch überragenden

7*

Abb. 42. Auf der Rousseau-Insel in Genf.

Montblanc selbst sieht man (links von ihm) die Aiguille du Midi, die Grandes Jorasses und den Dent du Géant.

Doch zu lange schon haben wir uns in Genf aufgehalten. Wir wollen die Stadt verlassen und das Nordufer des Sees entlang hinüber nach Villeneuve am östlichen Seende. Bis Lausanne wollen wir einen Dampfer, dann weiter die Straße benützen, welche durchaus dicht am Seestrande hinführt.

Einen großen Genuss gewährt die Fahrt bei diesem herrlichen Wetter. Anders freilich ist es bei Sturm und Unwetter: dann wirft der See ganz tüchtige Wellen, und mancher, der sich im kleinen Boote zu weit hinausgewagt, hat seine Sportlust mit dem Leben bezahlt. Außer den gewöhnlichen Windwellen werden auch große, sehr flache, am Strande bis zu 2 Metern ansteigende, flutartige Wogen beobachtet, die sogenannten Seiches. Über die Ursache ihrer Entstehung sind die Gelehrten nicht einig. Neuerdings neigt man sich der Ansicht zu, dass diese Seiches entweder durch Erderschütterungen zustande gebracht werden, Oscillationen des ganzen Sees also seien, oder Unterschieden des Luftdruckes auf verschiedenen Theilen des Sees ihre Entstehung verdanken.

Uns stören weder Wind noch Seiches in dem Genusse der Seefahrt. Ruhig durchschneidet der Dampfer die klare, dunkelblaue Flut, in welcher

Abb. 43. Landschaft.

die Berge sich spiegeln. Seeschwalben und Möwen ziehen über die
Wasserfläche hin, und hoch in der Luft fliegt eine Gesellschaft wilder
Schwäne nach Westen der sinkenden Sonne zu.

Bis hinter Nyon bleibt der See ganz schmal. Dort wird er durch
das kleine, aus der Nordwestküste vortretende Cap von Promenthoux
erst noch mehr eingeengt, erweitert sich aber dann durch das Zurück-
treten des südlichen Ufers plötzlich zu doppelter Breite. An Rolle und
Morges vorüberfahrend, erreichen wir Ouchy, den Hafen von Lausanne.
Lausanne (Abb. 43) selbst, das römische Lausonium, ist eine kurze Strecke

Abb. 44. Montreux.

vom See entfernt auf den Höhen gebaut und hat eine höchst anmuthige
Lage: amphitheatralisch steigt die Stadt an der sanften Abdachung des
Mont Jorat auf. Die jetzt theilweise ausgefüllte Flon-Schlucht, welche
den alten von dem viel schöneren neuen Stadttheile scheidet, wird von
einer 180 Meter langen Brücke überspannt. Besonders interessant ist die
im 13. Jahrhunderte erbaute Kathedrale, welche vom Papste Gregor X.
in Gegenwart Rudolfs von Habsburg eingeweiht wurde. Jenseits Lausanne verlassen wir das quarternäre Terrain und betreten die in steileren
Hängen zum Seestrande absetzenden tertiären Hügel von La Vaux.
An diesen reich cultivirten, mit Weingärten, Villen und Gehöften geschmückten Hängen zieht die Straße in östlicher Richtung über Lutry
und Cully nach Vevey. Prächtig entfaltet sich die Aussicht nach Süd-

osten, über das östliche Seende und durch das breite Rhône-Thal hinauf
gegen die Alpen. Vevey ist ein fashionabler Badeort ganz internationalen
Charakters.

Die den Seestrand entlang ziehende Straße wendet sich immer
mehr nach rechts gegen Südost. Ihr folgend, erreichen wir bald den
in den See vorspringenden Schuttkegel, welchen der Montreuxbach aufgeschüttet hat. Auf diesem liegt Montreux-Vernex (Abb. 44), der Hauptort einer ganzen Gruppe von Dörfern. In Montreux beginnt das mesozoische Bergland, welches den Außenrand der eigentlichen Alpenkette

Abb. 45. Chillon.

bildet. Steiler sind die Hänge, kühner und höher die Berge. Der
Rochers de Naye im Norden von Montreux ragt schon zu einer Höhe
von 2045 Metern, also 1700 Meter über den Genfer See auf. Eine Bahn
führt auf die Höhe, welche ein prachtvolles Panorama bietet. Man sieht,
über die Senkung im Westen hinausblickend, den Jura, im Osten die
Gipfel des Berner Oberlandes und im Süden, über die Dents du Midi
herüberschauend, den Montblanc. Das Schönste an der Rundschau aber
ist der Genfer See, den man in seiner ganzen Ausdehnung überblickt.

Jenseits des kleinen Schuttkegels, welchen der Verayebach östlich
von Montreux aufgeschüttet hat, springt ein Fels in den See hinein vor.
Auf diesem steht das schöne Schloss Chillon (Abb. 45). Schon in alter

Abb. 46. Im Burgverlies.

Zeit befand sich hier eine Burg, und in dieser soll Ludwig der Fromme
den Abt von Corvey gefangen gehalten haben. Das jetzige Schloss wurde
im dreizehnten Jahrhundert von dem mächtigen Fürsten Peter von Savoyen
erbaut und blieb Jahrhunderte lang eine savoyische Zwingburg im
Schweizerlande; viele Staatsgefangene haben in seinen Verliesen (Abb. 46)
geschmachtet. Auch einer der Führer der oben erwähnten »Kinder
Genfs«, Bonivard, wurde hier eingekerkert. 1536 gelang es den Genfern,
mit Hilfe der Berner das Schloss zu erstürmen und Bonivard zu befreien.
Romantische Leute, wie Lord Byron und Victor Hugo, haben in Bonivards Kerkerzelle geschwärmt, und es wäre auch in der That in diesem
alten gothischen Verlies, dessen Rückwand der Felsen bildet, und
von dessen kleinen Fensterlöchern aus man den herrlichen Genfer See
überblickt, romantisch genug — wenn nicht auch hier, wie an allen
solchen Orten, die Fremdenindustrie jeden richtigen Genuss unmöglich
machte: zwei elektrische Glühlampen erhellen den Raum, und mit mono-
tonem Geschnarr erzählt der Hausmeister die Geschichte Bonivards.
Es ist wie in einer Jahrmarktsbude; abscheulich. Verlassen wir diese
Schreckenskammer, verlassen wir Chillon und dieses schöne, Trinkgeld-
durstige Gestade! Wandern wir hinein in die Berge, hinauf zu dem
ewigen Eise, das ihre Gipfel krönt! Da oben beeinträchtigt kein solcher

Kerl mit seinem geistlosen Geschwätze unsere Freude, da steht niemand zwischen den Dingen und uns; vollkräftig und direct wirken sie dort auf uns ein.

Wir wandern weiter bis nach Villeneuve am östlichen Seende, besteigen hier den Dampfer und fahren zurück nach Genf.

Abb. 47. Picknick am See.

Abb. 18. Aiguille Verte, Aiguille du Dru und Mer de Glace von La Flégère.

2. Chamonix und der Montblanc.

s ist oben erwähnt worden, dass gleich unterhalb Genf die Arve in die Rhône einmündet. Jener Fluss entwässert den Nordwest-abhang des Montblancmassivs, und das Thal, welches von ihm durchströmt wird, bildet den directesten und bequemsten Zugang von Genf zum Montblanc. Eine Eisenbahn führt durch das Arvethal hinauf bis nach Cluses, weiter eine ausgezeichnete Straße über Sallanches nach Chamonix am Fuße des Montblanc.

Auf diesem Wege wollen wir nach Chamonix fahren, um dann von dort aus das Montblancmassiv kennen zu lernen. Gleich hinter Genf beginnt die Bahn anzusteigen. Durch einen Tunnel gewinnen wir die Hochfläche von Chêne, überschreiten bei Foron die französische Grenze — glücklicherweise gibt es hier wegen der Zollfreiheit im Departement des Haute-Savoie keine Gepäckrevision — und passieren den Bahnknoten-punkt Annemasse. Zur Rechten erhebt sich der aus cretacischem Gestein zusammengesetzte, mitten in dem tertiären und alluvialen Gelände der

131

großen Senkung aufragende, südwest-nordöstlich streichende Bergrücken
des Mont Salève. Im großen Bogen führt die Bahn um das Nordostende
dieses Berges herum und in das Arvethal hinein. Wir gewinnen einen
prächtigen Blick auf den im Hintergrunde des Thales aufragenden Montblanc, während tief unten im Grunde einer engen Klamm die Arve dahin-
braust. Immer am rechten Ufer der letzteren hin geht es nach Bonne-
ville. Hier verlassen wir das tertiäre Gebiet und kommen in die verworren gelagerten Flysch-, Kreide- und Jura-Schichten hinein, die an dieser
Stelle den Außenrand der Alpenkette bilden. Das Thal verengt sich; in
östlicher, dann südöstlicher Richtung geht es weiter nach Cluses, wo
gegenwärtig die Eisenbahn endet. Ihre Fortsetzung durch das an dieser
Stelle nach Süden sich wendende Thal ist im Bau. Wir besteigen den
Postomnibus und setzen in diesem die Fahrt fort. Das Thal verengt
sich, hier ganz in cretacisches Gestein eingesenkt, zu einer schmalen
Schlucht, erweitert sich aber bald wieder, und wir erreichen den breiten
Thalboden von Sallanches. Dieser liegt in einer Höhe von 546 Metern,
bloß 171 Meter über dem Genfer See und nicht weniger als 4264 Meter
unter dem Gipfel des Montblanc. Jenseits Sallanches wendet sich das
hier in jurassische Schichten eingeschnittene Thal wieder nach Osten.

Von Süden her mündet in die Weitung von Sallanches das Montjoie-
thal ein, hier unten eine schöne Waldschlucht, in deren Grunde Schwefel-
quellen zu Tage treten. Bei den Quellen wurde ein großes Badehotel,
St. Gervais les Bains (Abb. 53), errichtet, welches durch einen Ausbruch
des Bionnassay-Gletschers im Jahre 1892 zerstört worden ist. Man hat
seither weiter oben an gesicherter Stelle ein neues Badehotel gebaut.

Der Hauptstraße folgend, treten wir wieder in eine Enge ein. In
wilder Klamm braust der Arvebach in der Tiefe. Durch einen Felsdurch-
bruch, durch Tunnel und über Brücken erreichen wir Les Houches am
unteren Ende der Mulde von Chamonix. Der westliche Theil der Schlucht
zwischen Sallanches und Les Houches ist zwischen dem Gneis (rechts) und
mesozoischem Gestein (links) eingesenkt. Im weiteren Verlaufe durchbricht
sie einen Schieferzug und Carbonschichten.

Von Martigny, an dem «Knie» der Rhône oberhalb des Genfer Sees,
zieht eine Verwerfungs- oder Überschiebungs-Spalte in südwestlicher
Richtung. Diese hat zur Bildung zweier, dicht neben einander liegender,
südwestlich verlaufender Furchen Anlass gegeben, durch welche die
Straßen über den Col de Balme und den Col des Montets aus dem
Rhônethale nach Chamonix führen. Bei Argentière vereinigen sich diese
zwei Furchen zu einer: der von hier nach Südwesten ziehenden, etwa

Abb. 5. In Chamonix.

1 Kilometer breiten, von der Arve durchströmten Mulde von Chamonix. Südöstlich von der erwähnten Spalte stehen der den Nordwestabhang des Montblanc bildende Glimmerschiefer, nordwestlich von ihr in merkwürdiger Weise über und durch einander geschobene Trias-, Gneis-, Carbon- und Protogin-Massen zu Tage.

Ein wüstes Getümmel empfängt uns in Chamonix (Abb. 30). Hoteldiener drängen sich heran. Fremde aus aller Herren Länder erfüllen den Platz. Es ist nichts weniger als gemüthlich.

Den besten Überblick über die Nordwestabdachung der Montblancgruppe gewinnt man von einer oder der andern der Höhen an der gegenüberliegenden nordwestlichen Seite des Chamonixthales. Ein sehr guter Aussichtspunkt dieser Art ist die 1806 Meter hohe, als La Flégère bekannte Terrainnase, nördlich von Chamonix. Gerade gegenüber La Flégère zieht die Zunge des Mer de Glace (Abb. 48) herab in das zu unseren Füßen ausgebreitete Chamonixthal. Links von derselben erhebt sich die schlanke Felsspitze der Aiguille du Dru und die breitere Schneepyramide der Aiguille Verte; rechts davon ragen die scharfen Zacken der Aiguilles du Grépon, Charmoz, Blaitière, Plan und Midi auf, und diese führen hinauf zu dem sanften Schneedom des Montblanc. Im Hintergrunde des Gletschers erheben sich die Grandes Jorasses. Von diesen Gipfeln liegen nur der Montblanc und die Grandes Jorasses im Hauptkamme, alle die anderen in den beiden das Gebiet des Mer de Glace seitlich begrenzenden nordwestlichen Nebenkämmen.

Die Montblancgruppe ist ein von Sembrancher im Bagnesthale nach Südwesten bis zum Col de la Seigne sich erstreckendes, etwa 15 Kilometer breites und 45 Kilometer langes Bergmassiv. Tiefe, wohl ausgesprochene Furchen begrenzen es im Nordwesten und im Südosten, Furchen welche gewaltigen Störungen, Verwerfungen, Überschiebungen und Einfaltungen der Erdschichten ihre Entstehung verdanken. Die nordwestliche Grenze, die wir theilweise schon kennen, zieht von Les Contamines im Montjoiethale über Miage nach Le Houches im Chamonixthale. Jurassische Gesteine stoßen hier an den Glimmerschiefer des Montblanc. Weiterhin bilden die große Chamonixmulde und die durch den Col de Balme und den Col de la Forclaz gehende Scheidelinie zwischen dem Jura und weiterhin dem Lias im Nordwesten und dem Glimmerschiefer im Südosten die Begrenzung des Massivs, welche von Les Contamines bis Martigny am Rhôneknie fast ganz geradlinig nach Nordosten verläuft. Im Norden schneidet die Querfurche des unteren Bagnesthales, von Le Brocard bei Martigny bis Sembrancher, das Montblancmassiv ab. Die

Südostgrenze ist bogenförmig gekrümmt, nach Südosten convex und
wird durch eine noch deutlichere und tiefere Furche als die Nordwestgrenze markiert. Der nördliche Theil dieser Furche ist der untere Abschnitt des bei Sembrancher ins Bagnesthal ausmündenden Entremontthales, dann weiter das Branchethal Val de Ferret und der Col Ferret.
Ihren südwestlichen Theil bilden das Dorathal (auch Val de Ferret genannt) und das Val de l'Allée Blanche (Val Véni, welche sich oberhalb Courmayeur zum Aostathale vereinigen. Im Hintergrunde des
Allée Blanchethales liegt der auch dieser Furche angehörende Col de la
Seigne, und über diesen hinaus erstreckt sich die südöstliche Grenzfurche des Montblancmassivs in das Gebiet der Isère. Auf dieser ganzen
Strecke stößt das mesozoische Gestein der Furche direct an den Protogin
Granit, beziehungsweise den Glimmerschiefer des Montblancmassivs. Die
Verwerfung oder Überschiebung, welche dieses Aneinanderstoßen so verschiedenalter Gesteine zustande gebracht hat, und welche die eigentliche
Grenze des Massivs bildet, geht an dem oberen Ende des schon mehrfach erwähnten, nach Norden zum Arvethale hinabziehenden Montjoiethales vorüber: der obere in einen Jurastreifen eingesenkte Theil des
Montjoiethales ist es, welcher die Südwestgrenze des Montblancmassivs
bildet und es von jenem Urgebirgsstreifen trennt, der sich von hier bis an
die Romanche erstreckt und dort mit dem Massiv des Pelvoux zusammenhängt. Dieser vielgenannte Urgebirgsstreif gehört derselben Erhebungszone an wie der Montblanc. Das aus sehr alten Gesteinen bestehende
Montblancmassiv wird also allseitig von tiefen Furchen umgeben, welche
in verhältnismäßig sehr junge, mesozoische Schichten eingesenkt sind.
Nur an wenigen Punkten, wie bei Chamonix und zwischen Sembrancher
und Brocard, sind diese Grenzfurchen in Urgestein eingeschnitten.

Das durch die beschriebenen Furchen eingeschlossene Gebirge besteht größtentheils aus einem granitartigen Gesteine, dem Protogin: der
Montblanc und alle nordöstlich von ihm liegenden Hochgipfel sind aus
dieser Felsart zusammengesetzt. Am Fuße des Nordwestabhanges finden
wir anderes Gestein: eine obere, an den Protogin stoßende Zone von
Gneis und eine untere, bis in die Mulde von Chamonix hinabreichende
Zone von Glimmerschiefer. Die letztere bildet durchaus, von Martigny
bis les Contamines, den Nordwestfuß der Bergmasse und verbreitet sich
im Südwesten derart, dass sie hier zuerst den Gneis und dann auch den
Protogin ganz verdrängt, letzterer endet am Miage-Gletscher im Allée
Blanchethale. Das Südwestende des Massivs von nahe dem Montblancgipfel bis zum oberen Montjoiethale besteht ganz aus Glimmerschiefer.

Der Hauptkamm des Montblancmassivs, welcher sich vom Col de la Seigne zum Col de Balme erstreckt, hat die Gestalt eines stark gekrümmten, nach Südosten convexen Bogens. Diese seine starke Krümmung bedingt es, dass die mittleren Partien des Hauptkammbogens sich dem Südostrande des Gebirgsmassivs bedeutend nähern: in der Gegend der Grandes Jorasses ist er von der südöstlichen Grenzfurche (Val Ferret) bloß 5, von der nordwestlichen (Chamonix) aber 12 Kilometer entfernt. Im Süden (Montblanc) und im Norden (Aiguille d'Argentière) liegt er mehr in der Mitte des Massivs. Vom Col de la Seigne (2512 Meter) zieht der Hauptkamm in nördlicher Richtung hinauf zur Aiguille du Glacier (3834 Meter) und setzt sich in dieser Richtung, den östlichen Allée Blanche-vom westlichen Trelatête-Gletscher trennend, zu der etwas nach Osten vorgeschobenen Aiguille de Trelatête (3932 Meter) fort. Von hier erstreckt er sich weiter in nördlicher Richtung zur Aiguille de Bionnassay (4061 Meter) und wendet sich dann nach Osten, um über dem Dôme du Goûter zum Montblanc (Abb. 51, 52, 58) anzusteigen. Dieser Gipfel, der höchste Berg auf 34 Grade in der Runde, liegt 4810 Meter über dem Meere. Der Hauptkammbogen vom Trelatête zum Montblanc umschließt das Firnbecken des ins Allée Blanchethal hinabziehenden Glacier de Miage im Norden und im Westen. Der Süd- und Ostabfall dieses Kammes (gegen den Miagegletscher) ist sehr steil; der viel sanftere Nordabfall dagegen erscheint als ein großes Firnplateau, von dem der Bionnassay-Gletscher in das Montjoie-, und der Taconnay- und Bossons-Gletscher in das Chamonixthal hinabziehen. Vom Montblanc zieht der Hauptkamm in nordöstlicher Richtung zum Mont Maudit (4471 Meter), wendet sich hier nach Ostsüdost und umgibt, allmählich in eine nordostnördliche Richtung einbiegend, das Firnbecken des Mer de Glace im Süden und Südosten. Der vom Mont Maudit nach Norden abgehende und das Mer de Glace-Gebiet im Westen begrenzende Nebenkamm ist es, aus dessen Endtheile jene wilden Felszacken, die 3673 Meter hohe Aiguille du Plan, die 3533 Meter hohe Aiguille du Blaitière und endlich die unnahbar erscheinenden Klippen der Charmoz (3442 Meter) und des Grépon (ungefähr 3500 Meter) aufragen, welche so drohend ins Chamonixthal und auf die nördlich vorüberziehende Zunge des Mer de Glace herabschauen (Abb. 50). Der Hauptkamm senkt sich zu dem 3362 Meter hohen Col du Géant, im Hintergrunde des Glacier du Géant, des westlichsten und bedeutendsten der drei Zuflüsse des Mer de Glace. Jenseits steigt er zu dem gewaltigen, 4019 Meter hohen Felszacken des Dent du Géant (Abb. 54, 57) an und zieht von hier, ohne sich zu tieferen Pässen zu senken, hinüber zu den

Grandes Jorasses (4206 Meter) (Abb. 54. 57), dem Culminationspunkte
dieser Kammstrecke. Hier bricht er plötzlich und steil zu dem bloß
3479 Meter hohen Col des Hirondelles ab. Diese Kammstrecke ist wohl
der schönste Theil der ganzen Montblancgruppe und bietet, besonders
von Norden, vom Mer de Glace aus gesehen, ein Bild (Abb. 57), wie es
an Großartigkeit von keinem zweiten in den Alpen übertroffen wird.
Im Col des Hirondelles wendet sich der Hauptkamm wieder nach Norden
und behält diese Richtung bis zur Aiguille du Talèfre (3750 Meter) bei.
Dieses Kammstück schließt den Glacier des Leschaux, den mittleren Zufluss des Mer de Glace, ein, welcher durch die 3438 Meter hohe Aiguille
du Tacul vom Géantgletscher getrennt wird. Ein von der Aiguille du
Talèfre nach Westen abgehender Felssporn trennt den Leschaux- vom
Talèfre-Gletscher, dem nördlichsten von den drei Firnströmen, die sich
im Mer de Glace vereinigen. Von der Aiguille du Talèfre zieht der Hauptkamm über den nur schwach eingesenkten Col de Talèfre (3576 Meter)
in nordöstlicher Richtung zur Aiguille du Triolet (3870 Meter), um dann
noch mehr nach Osten sich wendend zu dem 3830 Meter hohen Mont
Dolent anzusteigen. In der Aiguille du Triolet zweigt jener bedeutende
Nebenkamm nach Westen ab, welcher den zum Mer de Glace-Gebiete
gehörigen Talèfregletscher von dem nördlichen Glacier d'Argentière trennt.
Dieser Kamm steigt in der gegen das Chamonixthal vorgeschobenen
Aiguille Verte (Abb. 48) zu der bedeutenden Höhe von 4127 Metern an.
Die Aiguille Verte ist es, welche sich gerade gegenüber unserem Standpunkte in La Flégère erhebt. Rechts vor ihr sehen wir die schlanke,
aus einem Seitengrate aufragende, 3815 Meter hohe Aiguille du Dru
(Abb. 48. 55). Im Mont Dolent wendet sich der Hauptkamm nach Norden
und weiter nach Nordwesten, um, den östlichen Saleinazgletscher von dem
westlichen Glacier d'Argentière trennend, über die Aiguille d'Argentière
(3912 Meter) zu der 3823 Meter hohen Aiguille du Chardonnet hinüber
zu ziehen. Von hier erstreckt er sich in unregelmäßigem Verlaufe nach
Norden, erhebt sich in der Aiguille du Tour noch einmal zu einer Höhe
von 3531 Metern und sinkt dann hinab zu dem 2202 Meter hohen
Col de Balme. Ein bedeutender Nebenkamm, der von dieser Hauptkammstrecke nach Nordosten abgeht, trennt das Firnbecken des nach
Osten in das Ferretthal hinabziehenden Saleinazgletschers von dem
nach Norden in das Trientthal hinabziehenden Trientgletscher. Auf der
ganzen, über 10 Kilometer langen Strecke von der Aiguille du Tour
bis zur Aiguille du Glacier sinkt der Hauptkamm nirgends unter die
Schneegrenze herab.

Der südwestliche Theil des Hauptkammes der Montblancgruppe vom Col de Seigne bis zum Mont Dolent liegt in der Hauptwasserscheide der Alpen (zwischen Po und Rhône), der nordöstlich vom Mont Dolent gelegene Theil desselben ganz im Rhônegebiete.

Nachdem wir so einen Überblick über den Bau und die Gestaltung des Montblancmassivs gewonnen haben, wollen wir nach Chamonix zurückkehren, von dort aus Gipfelbesteigungen unternehmen und dann über den Hauptkamm hinübergehen nach Courmayeur am Südostfuße des Gebirges.

Mit welchem Berge wir anfangen sollen, darüber kann kein Zweifel sein: unser erster Besuch muss dem Montblanc selbst gelten, der alle anderen Gipfel der Montblancgruppe so sehr überragt, dass sie neben ihm ganz unbedeutend und niedrig erscheinen. Dieses Dominieren des einen Gipfels ist der auffallendste Charakterzug des Montblancstockes: in keiner anderen Gruppe der Alpen dominiert ein Gipfel alle die andern, wie hier der Montblanc. Die Spitze des Montblanc liegt nahe der Südostecke eines nach Norden verhältnismäßig sanft sich abdachenden Plateaus. Der Hauptkamm, welcher den erhöhten Süd- und Ostrand dieses Plateaus bildet, wendet sich im Montblanc fast im rechten Winkel von Osten nach Norden. Nach Osten und Süden stürzt das Plateau sehr steil

Abb. 50. Aiguille du Charmoz.

138

ab, und aus diesen Wänden treten jähe, theils felsige, theils vereiste Grate hervor, welche die vom Montblanc nach Südosten herabziehenden Gletscher von einander trennen.

Der Gipfel selbst erscheint als ein ostwestlich verlaufender Schneerücken, welcher durch eine leichte Einsattlung von dem um 54 Meter niedrigeren, südöstlich vorgeschobenen, an der äußersten Ecke des Plateaus gelegenen Firndom des Montblanc de Courmayeur getrennt ist. Der Gipfelschnee, die Calotte, des Montblanc setzt sich nach Westen in einen schmalen Firngrat fort, welcher anfangs ziemlich steil absetzt, dann, nach Nordwesten sich wendend, zur Eiskante der Bosse de Dromedaire ein wenig ansteigt und über diese und einen zweiten, viel tieferen Sattel zum Dôme du Goûter hinüber streicht. Nach Norden senkt sich ein breiter Schneerücken ziemlich steil über die Petits Mulets hinab zu einem 500 Meter unter dem Gipfel liegenden Sattel, jenseits dessen der Mont Maudit sich erhebt. Die ganze Nordabdachung wird von einem Firnfelde eingenommen, welches, von zahlreichen Felsinseln unterbrochen, in Stufen zur Zunge des Bossonsgletschers hinabzieht. Solche Stufen sind das Grand-Plateau und das Petit-Plateau. Ein gewaltiger, den ganzen Nordabhang durchziehender Bergschrund trennt den Gipfelschnee, die Calotte, von der obersten Stufe des Bossonsfirns.

Vom Montblanc de Courmayeur geht der steile, theils vereiste, theils felsige Grat des Mont Brouillard nach Süden ab. Westlich von diesem und im Norden durch die Hauptkammstrecke Montblanc – Dôme du Goûter — Aiguille de Bionnassay begrenzt, liegt das durch mehrere Felsgrate in eine Anzahl getrennter Zuflüsse getheilte, steil herabziehende Firnfeld des Miagegletschers. Östlich von ihm werden zwei kleinere Gletscher, die Glaciers du Brouillard und du Fresnay, angetroffen, von denen ungemein jähe Schneefelder und Felswände zur südöstlichen Plateauecke emporziehen. Ein vom Montblanc du Courmayeur nach Südosten abgehender, etwas stärker vortretender Grat trennt die beiden letztgenannten Gletscher von dem großen Brenvagletscher im Norden, dessen Firn in erschreckender Steile zum östlichen Plateaurande emporzieht und, an vielen Orten von jähen Felsgraten unterbrochen, den Ostabsturz der Kammstrecke Montblanc – Mont Maudit bildet.

Es ist also der Montblanc von Norden her weit leichter zugänglich als von jeder anderen Seite: alle Montblancbesteigungen vom Jahre 1786 bis zum Jahre 1854 wurden von Chamonix aus über den nach Norden hinabziehenden Bossonsgletscher durchgeführt.

Der erste, welcher ernstlich daran dachte, den Montblanc zu besteigen, war der berühmte Saussure. In den achtziger Jahren des vorigen Jahrhunderts setzte er eine Prämie aus, welche demjenigen zukommen sollte, welcher eine gangbare Route nach dem Gipfel auffinden und diesen besteigen würde. Jaques Balmat in Chamonix wurde dadurch veranlasst, sich näher mit dieser Sache zu befassen, und er vor allen war dazu befähigt, Saussures Plan zur Ausführung zu bringen: mit körperlicher Kraft und Ausdauer vereinte er bedeutenden alpinen Scharfsinn und eine geistige Energie von seltener Größe.

Nach einer Reihe vergeblicher Versuche und nachdem er mehrmals in bedeutenden Höhen bivouakiert hatte, gelang Jaques Balmat die erste Ersteigung des Montblanc am 8. August 1786. Er stieg — in Begleitung des Dr. Paccard — von Chamonix ausgehend, über den die Zungen des Bossons- und Taconnaygletschers trennenden Rücken den Montagne de la Côte hinauf, betrat am oberen Ende desselben die erste Stufe des Bossonsfirns, überschritt diese und gewann den untersten von den aus dem Eise vorschauenden Felsen, die Grands Mulets. Westlich von diesen Felsen zieht eine seichte, spaltenarme Firnrinne zu der Stufe des Petit-Plateau und weiter zum Grand-Plateau hinauf. Durch diese stieg Balmat empor, und so kam er schließlich an den großen, oben erwähnten Bergschrund heran. Er überschritt denselben, links sich haltend, auf einer Schneebrücke und kletterte jenseits über den steilen Firnhang zu den Rochers Rouges und dem Hauptkamme empor, den er nordwestlich von den Petits Mulets erreichte. Paccard verließen die Kräfte, Balmat musste ihn bei den Petits Mulets zurücklassen. Er selbst erreichte von hier aus den Gipfel ohne Schwierigkeit. Auf demselben angelangt, war er im Zweifel, ob es wirklich der höchste Punkt sei. «Anfangs sah ich mich», erzählte er, «scheu nach allen Seiten um, fürchtend, dass ich wo anders neben mir eine noch höhere Spitze entdecken würde, ich hätte nicht mehr die Kraft gehabt, sie noch zu erklimmen, mir kam es vor, als könnten sich meine Beine nur mehr mit Hilfe der Beinkleider, in denen sie staken, gerade und aufrecht erhalten. Aber nein, ich stand wirklich auf dem Ziele, welches ich so oft vergeblich zu erlangen bemüht gewesen war; ich stand da, wo noch keines Menschen Fuß hingekommen war, wo selbst der Adler und die Gemse nicht hinflüchten, ich hatte das Ziel erreicht, durch mich allein, nur durch meine Kraft und meinen Willen! Es schien mir, als gehöre alles rings um mich herum mir allein. Ich blickte hinab nach Chamonix, schwenkte meinen

8*

Hut und sah mit Hilfe meines Glases zu meiner Genugthuung, dass man mir zuwinkte; die ganze Ortschaft war auf dem Platze versammelt.

Balmat gieng zu dem zurückgebliebenen Paccard zurück, rüttelte ihn auf und brachte — nach 6 Uhr abends — auch ihn auf die Spitze.

Diesen Weg über die Grands Mulets und Petits Mulets hat auch Saussure benützt, als er mit 19 Begleitern und einem großen Apparate von wissenschaftlichen Instrumenten im Jahre 1787 seine denkwürdige Montblancbesteigung durchführte. Auf demselben Wege erstieg 1809 auch zum erstenmale eine Dame, Fräulein Marie Pardis, den Montblanc.

Das schlimmste Stück dieses Balmat'schen Weges war die Erkletterung der Eiswand jenseits des Bergschrundes, welche zu den Rochers Rouges hinaufführt. 1827 gelang es Fellowes und Hawes, eine Variante zu finden, welche diese Stelle vermeidet. Sie übersetzten den Bergschrund noch weiter östlich und stiegen durch eine zwischen den Rochers Rouges und der nördlichen gleichfalls felsigen Mur de la Côte hinaufziehende Schneeschlucht, den sogenannten Corridor, zum Hauptkamme empor, über welchen sie dann ohne weitere Schwierigkeit den Gipfel erreichten. Trotz der Lawinengefahr im Corridor ward dieser Weg nun der allgemein benützte, bis die dort wiederholt sich ereignenden Unglücksfälle ihn so in Verruf brachten, dass man eine andere Route aufsuchte und den Corridor mied.

1855 stiegen die Herren Hudson, Kennedy, Ainslie und Smith von St. Gervais im Montjoiethale zur Aiguille du Goûter hinauf, gewannen von hier aus den Dôme du Goûter und stiegen von diesem zum Grand Plateau am Bossonsgletscher ab. Der Gipfel des Montblanc wurde endlich auf dem Corridorwege erreicht.

1859 gelang es Hudson mit Melchior Andernegg, den Montblanc über den Bossonsgletscher mit Vermeidung sowohl der Rochers Rouges als auch des lawinengefährlichen Corridors zu erreichen. Sie stiegen vom Grand-Plateau, nicht wie alle früheren Partien nach links hinauf zu dem nördlichen Grate, sondern wandten sich, vor dem großen Bergschrunde angekommen, nach rechts, stiegen am Dôme du Goûter empor und giengen dann über den Nordwestgrat, die Bosse de Dromedaire, zum Gipfel hinauf. Dieses ist der beste, sicherste und jetzt gewöhnlich gemachte Weg von Chamonix auf den Montblanc.

Nachdem es schon 1855 Ramsay gelungen war, von Courmayeur über den Col du Géant und den oberen Bossonsfirn nahe an den Gipfel heranzukommen, erreichten 1863 Maquelin und Briquet auf diesem Wege den

Gipfel des Montblanc. Es war das die erste, allerdings auf großem Umwege ausgeführte Ersteigung desselben von der südöstlichen Courmayeur-
Seite aus.

1864 erreichten Moore, Mathews und Walker mit J. und M. Andernegg
den Gipfel des Montblanc ziemlich direct von Courmayeur aus. Sie giengen
über den Brenvagletscher hinauf und erkletterten unter großen Schwierigkeiten die im Hintergrunde desselben zu dem Nordgrate des Montblanc
hinaufziehenden, furchtbar steilen Eis- und Felswände. Endlich erreichten
sie den Kamm am oberen Ende des Corridors und über diesen den Gipfel
des Montblanc.

Im Jahre 1869 erstieg A. G. Brown den Montblanc, ebenfalls von
Courmayeur aus, über den Miagegletscher. Von dem Firnbecken des
letzteren kletterte er zum Dôme du Goûter empor und erreichte von hier
aus den Gipfel auf dem gewöhnlichen Wege über die Bosse du Dromedaire.

1872 stieg Kennedy mit seinen Führern von Courmayeur über den
Miagegletscher, den östlich von der Aiguille Grise herabkommenden Zufluss des letzteren und weiter den Südwestabsturz direct zum Gipfel des
Montblanc empor. Diese Route ist der leichteste und kürzeste Weg von
der italienischen Südostseite auf den Gipfel und wird gegenwärtig sehr
oft gemacht.

1878 endlich gelang es Eccles mit Führern aus Courmayeur, den
Gipfel über den zwischen dem Fresnay- und Brouillard-Gletscher herab-
ziehenden Grat, den oberen Fresnayfirn, ein langes Schneecouloir, den
Ostgrat und den Montblanc du Courmayeur zu erreichen.

1876 erstieg Fräulein Straton den Montblanc zum erstenmale im
Winter, und zwar auf dem gewöhnlichen Wege über den Bossonsgletscher.

Am interessantesten ist es, den Montblanc von Courmayeur nach
Chamonix zu traversieren, was bei gutem Wetter ganz leicht und schon
öfter in einem Tage — ohne Übernachten in einer Schutzhütte — gemacht
worden ist. Wir aber wollen, da wir in Chamonix sind, uns damit
begnügen, von hier aus den Montblanc auf dem gewöhnlichen Wege zu
besteigen und wieder nach unserer Station zurückzukehren.

Die Chamonixer sind nicht blöde. Sie wissen, dass viele unerfahrene
Leute gerne den Montblanc besteigen möchten, und benützen dies, um hohe
Summen zu verdienen. Die Taxe für die Führung auf den Montblanc be-
trägt 100 Francs, und es müssen stets (um einen) mehr Fuhrer mitgehen, als

Abb. 51. Die Hütte auf den Grands Mulets.

Touristen an der Partie
theilnehmen; außerdem
noch Träger. Dann muss
in einer Hütte auf den
Grands Mulets übernach-
tet und dort soupiert werden, was auch horrend
theuer ist. — Nun, uns
ficht das nicht an, denn
wir brauchen Gottlob
keine Führer oder neh-
men einen Tiroler oder
Schweizer mit. Freilich
dem Souper in den Grands
Mulets, wollen wir nicht
ausweichen, denn nach
den Vorschriften des Hau-
ses muss man dafür auch
dann theilweise wenig-
stens — bezahlen, wenn
man selber Proviant mit-
bringt und es gar nicht
isst!

Des Vormittags verlassen wir, von den besten Wünschen des Wirtes
begleitet, unser Hotel Couttet und wandern in südlicher Richtung auf
gutem Wege durch Wald und weiter über Alpenmatten hinauf zu dem
nordöstlich von der Zunge des Bossonsgletschers auf einem vorspringenden Rücken in einer Höhe von 2020 Metern gelegenen Wirtshause Pavillon
de la Pierre-Pointue. Dann geht es noch eine Strecke weit auf gebahntem
Wege aufwärts, und wir betreten die unterste Stufe des Bossonsgletschers,
über welche wir nun schief in südwestlicher Richtung ansteigen. Zwischen
den großartigen Séracs des theilweise stark zerklüfteten Eisstromes hin-
durchlavierend, erreichen wir die aus dem Eise vorragenden Felsen der
Grands Mulets, auf welchen in einer Höhe von 3050 Metern die Schutzhütte (Abb. 51) steht.

Prächtig ist der Abend, den wir da oben genießen. Mir geht es
nicht so wie Balmat, der hier einmal eine ganze Nacht im Schneesturme
ohne jeglichen Schutz hat zubringen müssen; wolkenlos dehnt sich der

Himmel über mir aus, und ein warmes, gutes Bett steht zu meiner Aufnahme bereit. Ja bei solch herrlichem Wetter ist's hier königlich — und der Preis entsprechend. Doch, hol's der Teufel, wer wird hier oben ans Geld denken! Gewaltig erhebt im Süden der Montblanc sein schneegekröntes Haupt, stolz herniederblickend auf das freundliche Chamonixthal, dessen breiter Boden, durchzogen von der Straße und dem Arveflusse und geschmückt mit zahlreichen Gehöften und Hotelbauten, freundlich zu uns heraufblickt. Schon dunkelt es im Thale, glänzend im Sonnenscheine leuchten aber noch die Hochfirne. Immer höher herauf steigen die Schatten; immer goldiger, orange und roth flammt das Licht auf den Höhen. Jetzt ist schon alles im Schatten der westlichen Erde, der Montblanc allein glüht noch scharlachroth im Lichte der scheidenden Sonne.

Zeitlich am Morgen, kurz nach 1 Uhr, brechen wir auf. Im ungewissen Mondlichte glänzen die Schneefelder, finster drohend und schwarz gähnen die Klüfte. Der Erste und Vorletzte tragen je eine Laterne. Obwohl diese nicht viel Licht geben, kommen wir, da es gar keine Schwierigkeiten gibt, rasch genug vorwärts. Zuerst geht's in südwestlicher Richtung, Direction Dôme du Goûter, dann links über einen etwas steileren Firnhang in einer Fallinie hinauf zum Petit Plateau. Es beginnt zu dämmern. Wir sehen die breite Trasse, welche frühere Partien ausgetreten haben. Gleichmäßig geht es in dieser aufwärts. Das höchst monotone Ansteigen über derartige, jeder Schwierigkeit und jedes Interesses bare Schneehänge ist mir in der Seele zuwider, und verdrießlich stapfe ich hinter meinem Vordermanne einher. Endlich nimmt die Neigung ab. Wir sind am Grand Plateau. Jetzt erglüht die Calotte des Montblanc im Morgenroth. Der wolkenlose Himmel verspricht einen herrlichen Tag. Mit erneutem Eifer setzen wir nach kurzer Frühstücksrast den Weg fort, wenden uns wieder etwas rechts und gehen über holperige Lawinenreste mühsam weiter. Endlich sind auch diese hinter uns, und wir betreten den Hauptkamm in jenem Sattel, welcher zwischen Dôme du Goûter und Bosse de Dromedaire eingesenkt ist. Nach links umbiegend, überschreiten wir nun stufenhauend die ziemlich schmale und besonders nach Süden steil abfallende Eiskante der Bosse. Bald gewinnen wir ihren höchsten Punkt, steigen ein wenig ab und jenseits 200 Meter über den Schneerücken hinauf: wir sind auf dem Montblanc.

Oben steht bekanntlich ein meteorologisches Observatorium. Mit diesem wollen wir uns später beschäftigen, jetzt aber die Rundschau betrachten. Es ist ein außerordentlich klarer Tag, und wir können das meiste von dem sehen, was überhaupt zu sehen ist.

Nach Nordwesten blicken wir hinab in den tief unter uns liegenden Boden von Sallanches, hinter welchem die Felsköpfe jener cretacischen und jurassischen Gebirgszüge aufragen, die von der Arve durchbrochen werden. Über diese hinausblickend, sehen wir den westlichen Theil des Genfer Sees, die Jurakette und, in der Ferne verschwimmend, die sanften Höhenzüge an den Quellen der Seine.

Rechts oberhalb des Bodens von Sallanches sehen wir über dem flachen Dôme du Goûter im Vordergrunde die aus merkwürdig zerknitterten Eocenschichten zusammengesetzten Felsköpfe der Aiguille de Varens und des Pointe du Collency. Dieser Schichtencomplex lässt sich nach rechts hin bis zu dem Tête à l'Ane verfolgen, wo er mit scharfer Felsnase endet. Über demselben sehen wir das verworrene mesozoische Bergland von Chablis und Theile des Genfer Sees.

Nach Norden blicken wir hinab in das freundliche Chamonixthal, aus dem wir emporgestiegen. Jedes Haus können wir sehen, mit freiem Auge fast die Fenster zählen. Die Bergkette, welche das Chamonixthal im Nordwesten begleitet, nimmt nach rechts hin an Höhe zu: wir sehen den Brevent, die Aiguille Pourrie, die Aiguilles Rouges. Bis zum Rhônethale können wir die tiefe, das Montblanc-Massiv nordwestlich begrenzende Furche, welche über Argentière am oberen Ende der Chamonixmulde nach Nordosten zieht, verfolgen. Links vom Chamonixthale ragt das vielgipfelige Massiv der Dents du Midi empor; rechts ziehen coulissenartig hintereinander mehrere Felsrücken hinauf zu den nördlichen Theilen des Montblanc-Stockes.

Zu bedeutender Höhe steigt jenseits des Rhônethales das cretacische Gebirge an: da stehen die firngekrönten Gipfel der Diablerets, das Wildhorn und der Wildstrubel. Doch mehr als diese fernen Berge interessiert uns der von unserem Standpunkte nach Nord und Nordostnord ziehende Grat, welcher den Bessonsgletscher vom Mer de Glace-Gebiete trennt. Gewaltige Firnmassen senken sich nach links hinab zum Bossons, während nach rechts jähe, lawinendurchfurchte Schneefelder und steile Couloirs zwischen wild zersägten Felsgraten hinabziehen zum Glacier du Géant. Prächtig erhebt sich die Zackengruppe der Aiguilles, Blaitière Charmoz und Consorten aus dem Endtheile dieses Grates. Hoch dieselben überragend sehen wir jenseits des Mer de Glace-Thales die stolze Aiguille Verte, von welcher ein großartiger Felsgrat nach rechts hinüberzieht zu den Grandes Jorasses. Zahllose Felsgipfel entragen diesem Kamme, und Schneerinnen ziehen durch seine Südwand herab zu dem Taléfre-

Abb. 52. Der Montblanc von Combleux.

146

Firn, der sich am Fuße derselben ausbreitet. Herrlich thront über diesem gewaltigen Vordergrunde jene Gruppe von Gipfeln, welche den großen Aletschgletscher umgibt: links die scharfe Spitze des Eiger, dann die breite Pyramide der Jungfrau, das schlanke Grünhorn, Bietschhorn, Aletschhorn und Finsteraarhorn. Über dem Mont Dolent senkt sich der ferne Berghorizont herab zur Depression des St. Gotthard, um dann im Osten wieder anzusteigen, immer höher, zackiger und wilder über Weißhorn, Dent Blanche, Dom, Täschhorn, Alphubel, Rimpfischhorn, Matterhorn und Strahlhorn zum Monterosa, dem einzigen annähernd zur Höhe unseres Standpunktes sich erhebenden Berge. Hier im Osten erreicht der Ausblick die größte Höhe und Tiefe. In gewaltiger Steilheit stürzen die dunklen Felswände von dem Kamme, welcher unseren Standpunkt mit den Grandes Jorasses verbindet, nach rechts ab in das tiefe Ferretthal, und über diesem erheben sich Bergreihen über Bergreihen, Felszacken und Firnfelder, immer höher ansteigend bis zu dem breiten Massiv des Monterosa, aus welchem links das Nordend, in der Mitte Dufourspitze und Zumsteinspitze und rechts der Lyskamm deutlich erkennbar hervortreten.

Nach rechts sinkt das Gebirge hinab zu dem südöstlich von uns eingesenkten Aosta-Thale, um jenseits desselben anzusteigen zur Grand Paradis-Gruppe. Coulissenartig liegen die zahlreichen Bergrücken, welche die südlichen Querthäler trennen, hintereinander, und über diesen Coulissen erheben sich die firngekrönten Gipfel, die herrliche Pyramide der Grivola, der Grand S. Pierre, die Pointe Herbetet und der breite Grand Paradis. Nach rechts hin senkt sich das Gebirge zu der Depression des Mont Cenis. Im Vordergrunde sehen wir südostsüdlich die scharfe Schneekante des Montblanc du Courmayeur, von welchem ein wilder Felsgrat nach rechts hinabzieht. Über demselben im Süden erblicken wir den breiten Sattel des Kleinen St. Bernhard und erkennen darüber hinausschauend in der Ferne den Monte Viso und andere Gipfel der Cottischen Alpen. Ein ganz unbedeutender mesozoischer Rücken begrenzt im Süden das Allée Blanchethal, und ebenso flach und unbedeutend erscheint der den Thalschluss bildende Kamm, in welchem der Col de la Seigne eingesenkt ist. Über denselben hinausblickend, sehen wir den obersten Boden des Montjoiethales, dann darüber das Thal der Isère und die sanfteren Formen des paläozoischen und mesozoischen Geländes, welches sich zwischen dem azoischen Centralzuge der Alpen und jenem oft erwähnten Urgebirgsstreifen ausbreitet, der die südwestliche Fortsetzung des Montblanc-Massivs bildet.

Gewaltig, einer Titanenburg vergleichbar, erhebt sich über dieses junge Land das alte Felsenmassiv an den Quellen der Romanche: die Urgebirgsinsel des Pelvouxgruppe, Pelvoux, Écrins, Grande Ruine und die dreigipfelige Meije.

Rasch und unvermittelt steigt nach rechts hin der Gebirgskamm vom Col de la Seigne zu den wilden, eisgepanzerten Felsformen der Aiguille du Glacier und der Trelatéte an, welche im Südwesten aufragen. Die Fernsicht wird nach rechts aber immer zahmer, das Bergland niedriger und flacher die Höhen; es senkt sich immer mehr und mehr und taucht endlich hinab in die große Depression am Nordwestfuße der Alpenkette.

Nachdem Vallot auf den Rochers des Bosses eine Beobachtungsstation aufgestellt hatte, ist es neuerlich der Energie Janssens gelungen, die Errichtung eines meteorologischen Observatoriums auf dem höchsten Gipfel des Montblanc selbst zustande zu bringen. Da man keine Felsunterlage finden konnte, wurde das Haus einfach in den Gipfelschnee eingesetzt. Es hat die Gestalt einer abgestutzten Pyramide und ist aus Holz gebaut. Der Innenraum wird durch doppelte Wände vor der Kälte geschützt. Da befürchtet wurde, dass der Bau einseitig in den Schnee sinken und schief werden könnte, hat man ihn so eingerichtet, dass er auf sechs Holzsäulen ruht, welche durch Schrauben gehoben werden können. Bisher hat das Observatorium allen Unbilden der Witterung getrotzt und ist auch nicht, wie manche fürchteten, im Schnee versunken. Im Sommer ist stets ein Beobachter oben, im Winter wird die Beobachtung einer Anzahl von selbstregistrierenden Instrumenten überlassen. Die niederste, im letzten Winter (1894/95) dort registrierte Temperatur betrug — 43°, eine ganz respectable Kälte! Janssen selbst hat in dem Observatorium spectroscopische Untersuchungen angestellt, um den Einfluss unserer Atmosphäre auf das (an der Erdoberfläche beobachtete) Sonnenspectrum zu bestimmen. Er hält es nach seinen Beobachtungen auf dem Montblanc für nicht unwahrscheinlich, dass eine ganze Reihe von Absorptionslinien des Spectrums nicht durch die die Sonne umhüllenden Gase, sondern durch die Erdatmosphäre verursacht werden.

Wolken steigen herauf aus dem Süden, und ein heftiger Windstoß fährt plötzlich über den Gipfel: böses Wetter ist im Anzuge. Rasch steigen wir ab, überschreiten den Grat der Bosse de Dromedaire und gehen nun hinunter über den Bossonsfirn. Es ist schon Mittag und ganz erweicht der Schnee. Bei jedem Schritte sinken wir bis an die Knie oder gar bis an die Hüften ein. Wir können weder abfahren noch gehen: taumelnd, stolpernd und eine Reihe anderer merkwürdiger Bewegungen ausführend, für die es weder in unserer noch in einer anderen Sprache Worte gibt. - wurschtln wir uns über die Schneehänge hinunter, während die Sonne mit Macht in die Firnmulde hineinbrennt und die Gesichtshaut uns röstet. Je tiefer wir kommen, umso schlimmer wird es. Plötzlich hüllt sich der Gipfel in eine Wolkenhaube. Irisierende Nebelfetzen jagen an der Sonne vorüber, eisige Windstöße fegen über den Gletscher hin. Glücklicherweise ist's nimmer weit bis zur Hütte, und wir erreichen sie, ehe das Unwetter uns einholt: bis auf die Haut durchnässt und ganz erschöpft von dem greulichen Schneewaten.

Furchtbar tobt das Gewitter auf den Höhen   auch hier unten schneit und stürmt es schon. Dadurch lassen wir uns aber nicht abhalten, unseren Weg fortzusetzen. Bald sind wir unter dem Nebelniveau, finden ohne Anstand den Weg zum Pavillon de la Pierre - Pointue und laufen im strömenden Regen hinunter nach Chamonix.

Die sonst unerlässliche Pöllersalve bleibt uns wegen des Regens erspart, aber der freundliche Wirt versäumt es im übrigen nicht, uns, den kühnen Montblancfahrern, gebürenden Empfang zu bereiten. Der Chef hat sein Möglichstes gethan: aus verborgener Kellerecke ist der feinste Tropfen hervorgeholt worden; königlich werden wir bewirtet.

Abb. 53. Die Bäder von St. Gervais. Vor der Katastrophe

149

Abb. 51. Dent du Géant und Grandes Jorasses von Courmayeur.

3. Aiguille Verte und Dent du Géant.

Die Besteigung des Montblanc von Chamonix ist, wie der geneigte Leser aus Obigem entnommen haben wird, eine sehr monotone und dabei doch recht anstrengende Sache. Sie bietet lange nicht solche Abwechslung und solches Interesse wie die Erkletterung anderer Gipfel der Gruppe. Die Auswahl, die der Bergsteiger in dieser Hinsicht hat, ist eine sehr große. Da gibt es leichte, mittlere, schwierige und schwierigste Gipfel in Menge, und es ist wirklich schwer zu sagen, welchen von ihnen man besuchen soll, wenn man einmal die langweilige Montblanc-fahrt, deren Ausführung einem als eine Art Pflicht erscheint, glücklich überstanden hat.

Da sind vor allem die schönen Firngipfel der Aiguille Verte, der Grandes Jorasses, des Mont Dolent, dann die Felszacken der Aiguilles du Charmoz, Grépon, Dru und des Dent du Géant. Denen, welche Kletter-touren, so nach Art der auf die Dolomiten, lieben, seien vor allem die Aiguilles du Charmoz, Grépon und Dru empfohlen, denn alle diese sind gegen das Chamonixthal vorgeschoben, so dass man verhältnismäßig leicht an ihren Fuß herankommt. Um so schwerer ist dann ihre Erkletterung.

Die erste Ersteigung aller dieser Aiguilles wurde von Alexander Burgener ausgeführt. Auf die Dru führte er als ersten Touristen Dent, auf die Charmoz und den Grépon als ersten Mummery hinauf. Später sind diese Aiguilles öfter erklettert worden, die beiden letzteren von Mummery auch ohne Führer. Diese Aiguilles umstehen die Zunge des Mer de Glace und bilden die Pforte, durch welche der Gletscher zu Thal zieht: links im Nordosten steht die Dru (Abb. 48, 55), rechts im Südwesten erheben sich Charmoz (Abb. 50) und Grépon.

Der Grépon ist eine Erhebung des vom Charmoz zur Blaitière ziehenden Grates. Er hat zwei Hauptgipfel, einen abgeplatteten höheren und einen nadelförmigen niedrigeren. Das Gestein, aus welchem der Grépon besteht — er erhebt sich am Rande des Protogins — ist in ganz merkwürdiger Weise zersplittert: der ganze Berg erscheint aus großen, glattwandigen Klippen, Obelisken und Säulen von Kirchthurmgröße und darüber zusammengesetzt. Schmale, bodenlose Spalten, trennen die einzelnen Stücke von einander.

Die Ersteigung dieser Klippe ist ein großes Kletterkunststück, aber auch sie ist — leicht — geworden, wie alle solche Touren nach einiger Zeit stets — leicht — zu werden pflegen. Mummery, der diese Aiguilles am besten kennt[*]), hat einen missglückten Versuch und dann drei Besteigungen des Grépon beschrieben: ersteren unter dem Titel «an inaccessible Peak», die erste Besteigung mit und die zweite ohne Führer als «The most difficult climb in the Alps», und die dritte endlich, bei welcher er eine Dame auf den Gipfel führte, als «An easy day for a lady».

Wie großartig auch die Scenerie sein mag, welche sich dem Bergsteiger auf diesen Aiguilles darbietet, so übertrifft sie doch wohl nicht jene Bilder, die wir bei einer Erkletterung der höchsten und berühmtesten von diesen Zacken, des Dent du Géant, gewinnen: diese im Hintergrunde des Géantgletschers aufragende Felsnadel wollen wir erklimmen. Um den Dent du Géant von Chamonix aus zu erreichen, müssen wir zunächst über den Montenvers, das Mer de Glace und den Géantgletscher zur Hütte am Col du Géant hinaufgehen, von wo aus dann der Zahn angepackt werden soll.

Da nichts uns drängt und auch das Wetter noch nicht ganz gut ist, wollen wir vor der Hand bloß bis zum Montenvers gehen und in dem Hotel dort übernachten. Wir verabschieden uns von den freundlichen Wirtsleuten im Hotel Couttet zu Chamo-

---

[*]) Kannte - soll es heißen — Mummery ist während des Druckes dieses Buches bei einer Bergfahrt im Himalaya verunglückt. Wahrscheinlich hat eine Lawine ihn und seine Begleiter verschüttet.

nix und wandern ruck-
sacklos und gemächlich
— alles Gepäck haben
wir vorausgeschickt —
durch den schönen Fich-
tenwald hinauf, welcher
die Südostseite des Cha-
monixthales bekleidet.
Erst nur wenig anstei-
gend, wird der Pfad
hinter der Calletquelle
steiler und wendet sich
immer mehr nach Osten.
Wir erreichen die Höhe
des Bergrückens, da
entfaltet sich vor uns
ein herrliches Bild. Zu
unseren Füßen zieht der
mächtige Eisstrom des
Mer de Glace vom
Hauptkamme des Mont-
blanc im Südosten hinab
gegen das Chamonix-
thal im Nordwesten,
und jenseits der Glet-
scherzunge erhebt sich
der herrliche Felsbau
der Aiguille du Dru.
(Abb. 48, 55).

Gleich hinter der
Biegung steht in einer

Abb. 55. Aiguille du Dru.

Höhe von 1921 Metern - das Hotel. Obwohl auch hier am Montenvers
ein reger Verkehr herrscht und zahllose Partien diesen schönen Platz
besuchen, beziehungsweise bei dem Spaziergange über die Gletscherzunge
und den Mauvais-Pas zum jenseitigen Chapeau passieren, so ist es hier
oben doch viel gemüthlicher und ruhiger als unten in Chamonix, wo man
von dem wüsten internationalen Fremdengewimmel förmlich erdrückt wird.

Das Hotel am Montenvers hat eine unvergleichlich schöne Lage, und
wir fühlen uns hier so behaglich, dass wir den Plan, gleich am nächsten

Morgen weiter zu wandern, aufgeben: einen Tag wenigstens wollen wir dableiben und uns den herrlichen Gletscher etwas näher betrachten.

Das Mer de Glace (Abb. 48, 57), welches am Montenvers vorbeizieht, ist der größte Gletscher der Montblanegruppe und einer der größten — dem Flächeninhalte nach der drittgrößte — Gletscher in den Alpen überhaupt. Sein Sammelgebiet, die Firnfelder des Géant-, Lechaux- und Taléfregletschers, nehmen zusammen einen Flächenraum von 30·13 Quadratkilometern ein, während seine vor uns liegende Zunge 11·65 Quadratkilometer groß ist. Der ganze Gletscher ist vom Mont Maudit im Hintergrunde des Géantzuflusses bis zu seiner Stirne 14·5 Kilometer lang. Die Zunge hat beim Montenvers eine Breite von ungefähr 1 Kilometer. Die Gletscherstirne, aus welcher der Arveyronbach hervorbricht (Abb. 59), liegt 1140 Meter über dem Meere.

In der Nähe des Montenvers ist der Gletscher ziemlich stark zerklüftet, und wir unterhalten uns damit, in den Séracs herumzuklettern, an senkrechten Stellen Stufen zu hauen, breite Spalten zu überspringen, und mit dergleichen Thorheiten mehr — mit großer Vorsicht aber immer im Schallbereiche der Glocke uns haltend, welche zu den häufigen und sumptuösen Mahlzeiten ruft. Uns ruft sie niemals vergebens!

Doch wie lustig es auch in den Séracs sein mag, und wie sehr wir, nach der Lunch auf einem flachen Steine in der Sonne liegend, des Nichtsthuns uns freuen, so stören doch die stolz und herausfordernd auf uns Faulenzer herabblickenden Aiguilles das Behagen. Des Morgens noch fröhlich und gesprächig, werden wir des Nachmittags ernster und schweigsam. Der eine oder andere nimmt wohl die Karte aus der Tasche oder irgend ein alpines Reisehandbuch - auf einmal werden unsere Gedanken in einer lebhaften Discussion laut, welche von Aiguilles nur so starrt. Jeder Anstieg wird von allen Seiten beleuchtet und eingehend erwogen. Allmählich klären sich die Meinungen: verschieben wir den Géant, besteigen wir eine der Aiguilles, und die Verte soll es sein!

Vier Grate vereinigen sich in dem 4127 Meter hohen Gipfel der Aiguille Verte: einer zieht nach Osten über die Droites zur Aiguille du Triolet im Hauptkamme, einer nach Nordwesten zur Aiguille du Bochard, einer nach Westen zur Aiguille du Dru und einer nach Süden zur Aiguille du Moine. Zwischen dem Droites- und Bochard-Grate breitet sich der Firn des Glacier d'Argentière aus, zwischen dem Bochard- und Dru-Grate liegt der Glacier du Nant-Blanc, zwischen dem Dru- und Moine-Grate der Charpoua- und zwischen dem Moine- und Droites-Grate der Taléfre-

Gletscher. Man kann die Spitze durch Schneecouloirs sowohl vom Charpoua- wie vom Talèfre-Gletscher aus erreichen, doch sind beide Wege recht lawinen- und steingefährlich; der von objectiven Gefahren freieste und weitaus schönste Weg ist jener über den Moine-Grat, auf welchem auch eine der ersten Ersteigungen der Aiguille Verte im Jahre 1864 von Hudson, Kennedy und Hodgkinson ausgeführt worden ist.

Der Moine-Grat endet als ein breiter Rücken, mit dem sogenannten Couvercle, an der Stelle, wo der Talèfrezufluss in das Mer de Glace einmündet. Dort findet sich ein mehr oder weniger geschützter Platz, in welchem man gut bivouakieren kann. Gegenüber, am Pierre à Béranger, steht sogar eine Hütte. Ausgeruht und frisch, wie wir sind, wollen wir aber nichts hören von Bivouac oder Hütte, sondern auf die Verte in einem Zuge vom Montenvers aus steigen.

Frühzeitig gehen wir zur Ruhe und brechen dann bald nach Mitternacht auf. Mühsam ist es, bei dem ungewissen Lichte unserer Laternen zwischen den Séracs des Mer de Glace durchzukommen, mühsam und zeitraubend; doch endlich erreichen wir den Couvercle und gehen nun auf einem Fußsteige über jenen Abhang hinauf, welcher dem wild zerklüfteten Endtheile des Talèfre-Gletschers zugekehrt ist. Der Fußsteig endet gegenüber dem „Jardin", einem aus dem Talèfre-Gletscher hervorschauenden, mit einer schönen Alpenflora geschmückten Felsen. Wir wenden uns links und gehen über die rechte Seitenmoräne des hier oben theilweise weniger geneigten und zahmeren Talèfre-Gletschers hinauf. Inzwischen ist es Tag geworden, und obwohl die Moräne unangenehm genug ist, so kommen wir jetzt — bei Licht — doch viel leichter über dieselbe vorwärts als früher in der Finsternis über den Gletscher.

Zwischen der Aiguille du Moine und der Aiguille Verte zieht ein steiles Schneefeld vom Talèfre-Firn zum Kamme empor. Dieses wird von einer kleinen Felsrippe in einer Fallinie durchzogen. Über letztere haben wir hinaufzuklettern. Doch ehe wir sie erreichen, müssen noch einige ziemlich steile Eispartien, sowie auch der große Bergschrund, welcher den Rand des Firnfeldes durchzieht, überwunden werden. Mit Hilfe einer halb herabgestürzten Eismasse gelingt die Überschreitung des Schrundes, und wir fassen Fuß an den Felsen. Die Überkletterung der Rippe ist nicht besonders schwierig; wo sie zu schwer erscheint, nehmen wir den steilen Schnee an und gehen stufenhauend über diesen hinauf. So erreichen wir schließlich den Grat hinter dem als Zuckerhut bekannten, vom Montenvers sehr deutlich sichtbaren Felsthurme.

154

Abb. 50. Durch eine
Spalte am Mer de Glace.

Nun haben wir den Hauptgrat zu begehen. Eine Anzahl Felsthürme muss überklettert, beziehungsweise umgangen werden, und es gibt manche schwierige Stelle: vor fallenden Steinen und dergleichen Zuthaten ist man aber vollkommen sicher. An einem der Thürme müssen wir in schmaler Nische vorbeikriechen; an einem anderen in der Weise hinauf, dass der Erste sich an die glatte Felswand lehnt, der Zweite auf seine Schulter klettert und dann den Ersten am Seile nachzieht. So gibt es immer Interessantes in reicher Abwechslung, und fortwährend genießen wir den prächtigen Ausblick auf die gewaltigen Berge der Umgebung und auf die Firnfelder, welche in der Tiefe sich ausbreiten. Ja das ist etwas anderes als die langweilige Schneepatscherei auf dem Montblanc! Mehrere Stunden geht es so fort; endlich ist der letzte Thurm überwunden und das vom Gipfel herabziehende, ganz sanft geneigte Firnfeld erreicht, über welches wir Arm in Arm zur Spitze hinaufspazieren.

Herrlich ist die Rundschau. Besonders großartig erscheint jener gewaltige Bergkamm, welcher die Firnbecken des Glacier d'Argentière und Mer de Glace einfasst. Im weiten Bogen umgibt dieser eisgepanzerte, von der Aiguille du Chardonnet im Norden bis zum Montblanc im Südwesten reichende Riesenwall unseren Standpunkt im Osten, während wir nach Westen hinab-

blicken in das zu unseren Füßen dahinziehende freundliche Chamonixthal. Lange liegen wir hier oben, des herrlichen Bildes uns freuend, und
lassen keinen störenden Gedanken unseren Genuss beeinträchtigen.

Den Abstieg nehmen wir auf derselben Route, welche zwar schwerer,
aber viel sicherer ist als jede andere, erreichen den Bergschrund wieder,
übersetzen ihn und eilen zurück zum Hotel Montenvers, welches wir in
guter Zeit noch erreichen.

Nach einem Rasttage, der wieder zu Fels- und Sérac-Klettereien
(im Schallbereiche der Dinerglocke natürlich) benützt wird, machen wir
uns nach der Hütte am Col du Géant auf den Weg. Diesmal haben wir
nur einen verhältnismäßig kurzen Weg — im Reisehandbuche heißt es
6 Stunden — vor uns; da wollen wir nicht bei finsterer Nacht die Séracs
durchklettern; ziemlich spät erst brechen wir auf, gehen durch die Spalten
hinauf und erreichen bald den glatteren, mittleren Theil des Gletschers.
Erst in südöstlicher Richtung marschierend, wenden wir uns an dem Zu-
sammenflusse des Lechaux- und Géant-Gletschers im Bogen nach Süden
und gewinnen, über den unteren, ziemlich zahmen Theil des letzteren
hinaufgehend, jene Steilstufe zwischen der Aiguille Noire und dem Petit
Rognon, über welche der Eisstrom wild zerklüftet herabstürzt. Während
wir uns bisher in der Mitte des Gletschers gehalten haben, wenden wir
uns hier nach rechts, dem linken Rande des vor uns herabziehenden
Armes zu und klettern durch die Séracs zu dem Fuße des Rognon hinauf.
Dann geht es wieder nach links, und bald ist der obere, spaltenarme Firn
gewonnen. Jetzt rächt sich unser später Aufbruch, denn sehr erweicht
schon ist das Firnfeld, und bei jedem Schritte sinken wir tief in den
Schnee ein. Vor uns im Süden ragt ein kleiner Felsen aus dem Eise
hervor. Auf diesen steuern wir zu, erreichen ihn und steigen nun wieder
etwas steiler empor zu dem 3362 Meter hohen Col. Zwei Hütten stehen
oben. Eine davon nehmen wir in Besitz, wechseln die Unterkleider und
bereiten unser Diner, das uns, da wir es selbander am Rücken heraufgetragen, doppelt gut mundet.

Der Col du Géant ist ein vielbegangener Gletscherpass zwischen
Courmayeur und Chamonix. Auch wir wollen ihn als Übergang in
umgekehrter Richtung benützen, vorher aber noch den Dent du
Géant erklettern.

Der Dent du Géant (Abb. 51, 57) ist ein 4013 Meter hoher Felszacken von außerordentlicher Schlankheit, welcher der vom Col du Géant
zu den Grandes Jorasses hinaufziehenden Strecke des Hauptkammes des
Montblancmassivs entragt. Er hat die Gestalt einer dreiseitigen Pyramide

9*

mit zwei Gipfeln: einem niedrigeren südwestlichen und einem höheren nordöstlichen. Die Nordwestwand der Pyramide, welche zum Glacier des Périades absetzt, hat eine bedeutende Höhe. Viel niedriger, bloß 80 Meter hoch, ist die vollkommen senkrechte Südostseite. Die Südwestseite endlich, über welche die Anstiegsroute geht, besteht unten aus gestuftem, verhältnismäßig gut gangbarem Fels, darüber folgen kolossale Platten, welche durch ein links bis 2 Meter breites Band von dem gestuften Untertheile getrennt sind. Über den Platten steigt eine senkrechte, theilweise überhängende Wand zum Südwestgipfel empor.

Es ist natürlich, dass dieser von allenthalben — wir haben ihn schon von Genf aus bemerkt — so schön sichtbare Felsen die Aufmerksamkeit der Bergsteiger längst schon auf sich gezogen hat. Allein alle Versuche, den Berg zu erklettern, scheiterten an der furchtbaren Steilheit seiner Felswände. Da kam Filippi auf die Idee, ein Seil mittels Raketen über den Gipfelgrat hinüberzuschießen und dann an diesem Seile emporzuklettern. Mehrere andere schlossen sich Filippi an, und zusammen unternahmen sie den Versuch. Mit vieler Mühe wurden eine Lafette, Seile und die Raketen von Courmayeur zum Col du Géant hinaufgeschleppt. Man fand einen passenden Platz für die Aufstellung der Lafette und schoss nun das Seil. Es war zu tief gezielt worden: die Rakete erreichte die Gipfelscharte nicht. Man zielte höher, allein der über den Grat wehende Wind trieb das Seil zurück. Mehrmals wurde geschossen, allein immer mit dem gleichen negativen Resultate; unverrichteter Dinge mussten Filippi und seine Genossen nach Courmayeur zurückkehren.

1880 versuchte Mummery mit Alexander Burgener und Venetz den Géant zu bezwingen, allein sie kamen nicht weit über das untere Band hinaus, und Mummery erklärte, dass dem Berge mit fair means überhaupt nicht beizukommen sei. Nur mit foul means sei es möglich, und mit solchen wurde schließlich auch der Gipfel bezwungen.

Von Sella angeregt, begann der unerschrockene J. J. Maquignaz den Berg einer regelrechten Belagerung zu unterziehen. Er befestigte an den schlimmsten Stellen Eisenstifte und Seile, verbreiterte die vorhandenen Felsvorsprünge und erreichte nach zehntägiger Arbeit am 28. Juli 1882 den niedrigeren südwestlichen Gipfel. Am nächsten Tage führte er dann Sella und einige andere hinauf.

Am 20. August desselben Jahres erreichte Graham den höchsten nordwestlichen Gipfel, und damit war die letzte bedeutendere Spitze in

Abb. 57. Dent du Géant und Grandes Jorasses vom Mer de Glace.

Abb. 98. Der Montblanc vom Combal-See.

den Alpen besiegt. Es entspann sich nun ein Streit, ob Sella oder Graham die Ehre der Bezwingung jener sprödesten von allen Felszinnen gebüre. Ich sage entschieden: keinem von beiden, sondern Maquignaz, dessen Muth, Kraft und Geschicklichkeit allein diese Besteigung möglich gemacht haben.

In der Regel ist es gut, möglichst früh aufzubrechen, wenn man eine schwierige Tour vor sich hat. Aber wie alle Regeln hat auch diese ihre Ausnahmen, und eine solche ist die Erkletterung des Dent du Géant. Kommt man zu früh an die schwierigen Stellen, so sind die Felsen von der Nacht her noch so kalt, dass einem bald die Finger erstarren und das Klettern unmöglich wird. Aus diesem Grunde verlassen wir die Hütte erst um fünf und marschieren über den harten Firn auf den Géant zu. Hoch und immer höher erhebt sich vor uns der stolze Felsen. Wir erreichen die unteren, gestuften Felsen der Südwestwand und klettern über diese zum Bande hinauf. Schon hier unten sind an den schwereren Stellen Seile angebracht, welche den Anstieg wesentlich erleichtern, an diesen Stellen aber gar nicht nöthig sind. Nach kurzer Rast geht es nun an die Platten. An zwei Verticalrissen, zwischen denen ein festgespanntes Seil herabläuft, klettern wir hinauf. Oberhalb der Platten machen wir eine Wendung nach rechts und arbeiten uns durch einen Kamin hinauf, in dem auch ein Seil hängt. Dann geht es auf einer sehr schmalen Felsleiste, welche nur durch künstliche

Mittel (Maquignaz natürlich!) gangbar gemacht ist, etwa 7 Meter weit horizontal nach rechts hinaus und jenseits an zwei dort herabhängenden Seilen gerade über die senkrechte Felswand empor. Nun folgt noch ein Kamin — selbstverständlich wieder mit Seil — und wir kommen auf die weniger geneigten Gipfelfelsen hinaus. Über diese gewinnen wir den niedrigeren Gipfel, klettern in die Scharte hinab und jenseits hinauf zum höchsten Gipfel des Dent du Géant, einem 1 Meter breiten und etwa 4 Meter langen Felsgrate, von welchem nach allen Seiten steile Felswände abstürzen.

Schade, dass alle diese Seile an dem Felsen hängen. Wohl erleichtern sie den Zugang zu demselben ungemein, dafür stören sie aber auch den Genuss des Kletterns, denn es erfordert wahrlich nur wenig Muth und gewährt nur wenig Freude, einen so mit Seilen gefesselten Gegner zu überwinden: nur einem konnte die Besteigung des Géant wirkliche Genugthuung bereiten, demjenigen, der ihm diese Fesseln angelegt hat: Maquignaz.

Da eine richtige Gemüthlichkeit hier oben doch nicht aufkommen kann, so treten wir nach kurzem Aufenthalte den Abstieg an, turnen an den Seilen hinunter und sind bald wieder am Gletscher. Oft zu dem stolzen Zacken des Géant zurückblickend, marschieren wir hinüber zur Hütte. Hier suchen wir unsere Habseligkeiten zusammen und gehen dann über jenen steilen, felsigen Rücken hinunter, welcher im Col vom Hauptkamme nach Süden abzweigt, wenden uns, am Ende desselben angelangt, scharf nach links dem kleinen Glacier du Fréty zu, den wir jedoch nicht betreten, und kommen, wieder nach rechts umbiegend, bald auf sanftere Hänge hinaus, durch welche ein guter Weg hinabführt nach Fréty. Hier steht in einer Höhe von 2179 Metern ein Gasthaus, in welchem wir uns aber nicht aufhalten. Dem Reitwege folgend, eilen wir hinab in das Thal nach Entrèves und hinaus nach Courmayeur.

Das in freundlicher Thalweitung 1224 Meter über dem Meere gelegene Courmayeur (Abb. 51) bietet einen sehr angenehmen Aufenthalt. Gewaltig erhebt sich der 3000 Meter hohe Südostabsturz des Montblanc-Massivs mit seinen Felsrippen und Eiswänden über das baumreiche Thal. Und je länger man diesen mächtigen Bergwall bewundert, umso schöner und großartiger erscheint er.

Der Miage-Gletscher, dessen Firnfelder sich südwestlich vom Montblanc ausbreiten, schiebt seine Zunge bis ins Thal der Allée Blanche hinab vor. Er dämmt die vom Hintergrunde des Thales herabkommenden

Gewässer ab und staut sie zu einem schönen See, dem Lac de Combal (Abb. 58), auf. Es ist ein prächtiger Spaziergang unter dem gewaltigen Montblanc-Absturze hin, von Courmayeur zu diesem See.

Wir verlassen Courmayeur, fahren auf der Straße durch das Thal hinab nach Pré St. Didier und weiter auf dem uns schon bekannten Wege hinaus nach Aosta. Von dort aus wollen wir über den Großen St. Bernhard hinüber ins Rhône-Thal.

Abb. 59. Ursprung des Arveyron am Mer de Glace.

V.

DIE WESTLICHEN
UND SÜDLICHEN THÄLER DER
PENNINISCHEN ALPEN.

Abb. 60. Der Große St. Bernhard.

1. Der Große St. Bernhard.

Von der Rhônethal - Furche zwischen Martigny und Sitten zieht ein ununterbrochener Triasstreifen in weitem Bogen bis nach Borghetto am Strande des Mittelmeers. Soweit diese reicht — bis Cuneo — begleitet derselbe den Außenrand der Centralzone der Alpenkette und stößt, wie wir oben gesehen haben, jenseits dieses Punktes direct an das Alluvialterrain der Poebene. An beiden Enden schmal, verbreitert sich dieser Triasstreifen in seinem mittleren Theile und umgibt hier auf allen Seiten jene paläozoischen und azoischen Massen, aus denen die Gipfel der Grajischen Alpen aufgebaut sind. Der nördliche Theil des Triasstreifens verläuft von dem Centralmassiv der Grajischen Alpen bis zum Rhônethale in südwest-nordöstlicher Richtung. An ihn grenzt außen, im Nordwesten, ein schmaler Streifen jüngeren, jurassischen oder liassischen Gesteins, und innen, im Südosten, ein ebenso schmaler Streifen älteren, der Carbonformation angehörigen Gesteins. Dieser mesozoische und paläozoische Schichtencomplex trennt das alte Massiv des Montblanc von dem gleichfalls aus Urgebirge zusammengesetzten Zuge der Penninischen Alpen.

Während die Urgebirgsmassen zu seinen Seiten zu großer Höhe aufragen, erscheint diese mesozoische und paläozoische Zone tief versenkt, an großen Brüchen eingefaltet; in ihm ist jene tiefe, der Streichungsrichtung des Gesteins entsprechend von Südwest nach Nordost verlaufende Furche eingegraben, welche wir als die Südostgrenze des Montblancmassivs bereits kennen gelernt haben.

Jene versenkte jüngere Gesteins-Zone bildet einen Theil der Hauptwasserscheide der Alpen, und dieser Theil der letzteren liegt infolge der Versenkung natürlich viel tiefer als die benachbarten Abschnitte: er erscheint als eine breite Pforte, die sich zwischen den gewaltigen Massen des Montblanc und der Penninischen Alpen aufthut. Die tiefsten Punkte in dieser breiten Pforte vermitteln den Verkehr zwischen dem Aosta- und Rhônethale, zwischen Italien und dem Nordwesten. Den westlichsten von diesen Pässen, den am Fuße des Montblancmassivs gelegenen Col Ferret, haben wir schon erwähnt, viel wichtiger ist der östlichste von ihnen, welcher ganz an Rande des Carbons, ja theilweise in das anstoßende Urgebirge eingesenkt ist: der Große St. Bernhard.

Von dem letztgenannten Sattel zieht das in seinem oberen Theile in das Urgebirge eingesenkte Entremont-Thal nach Norden hinab. Dieses mündet bei Orsières in das Ferretthal, letzteres bei Sembrancher in das Bagnesthal und dieses endlich bei Martigny in die Rhônefurche aus. Nach Südosten zieht vom Großen St. Bernhard das Val du Grand St. Bernhard hinab nach Roysan, wo es in das Valpelline einmündet. Unterhalb Roysan ist letzteres in den Glanzschiefer eingegraben und mündet nach kurzem nord-südlichen Verlaufe bei Aosta in das Aosta-Thal aus.

Die Veragri, welche in alter Zeit in der Gegend von Martigny und den benachbarten Theilen des Rhônethales saßen, errichteten auf diesem von ihnen und von den im Süden der Alpenkette wohnenden Kelten häufig benützten Passe ein dem Gotte Penninus geweihtes Heiligthum. Nachdem sich die Römer im Aosta-Thale festgesetzt hatten, bauten sie eine Straße, welche durch die genannten Thäler und über den Großen St. Bernhard von Aosta nach Martigny führte. An Stelle des Penninustempels auf der Passhöhe errichteten sie dort einen Jupitertempel. Die römische Straße passierte die Stationen Porta Augusta Salassorum (Aosta),

Endracium (St. Remy), In summo Pennino (Passhöhe), Octodurum (Martigny). Sie ist an steilen Stellen in den Felsen gehauen und gegen 2 Meter breit. An mehreren Orten sind noch Reste derselben erhalten. Diese Straße bildete die nächste Verbindung zwischen Rom und Mainz, und zahlreiche Münzen aus der Römerzeit, welche an derselben gefunden worden sind, zeigen, wie lebhaft damals der Verkehr über den Großen St. Bernhard war. Auf der Passhöhe selbst hat man 15 Votivtafeln gefunden. Einige von diesen geben Kunde von Truppenabtheilungen, welche die Höhe überschritten haben. Es sind verzeichnet die Legio III Italica, IV Macedonica, VI Victrix und XIIII Gemmina. Der Kaiser Constantin ließ, nachdem er selbst zum Christenthum übergetreten war, an Stelle des Jupitertempels auf der Passhöhe eine christliche Kapelle errichten. Auch nach dem Sturze des weströmischen Reiches war der Große St. Bernhard ein stark frequentierter Pass. 547 überschritt ein langobardisches, 773 ein fränkisches Heer — letzteres geführt von Karl dem Großen — an dieser Stelle die Alpen, und unaufhörlich zogen fromme Pilger aus England, Westdeutschland und Nordfrankreich über den Großen St. Bernhard nach Rom. Zu Anfang des zehnten Jahrhunderts sollen sich nach Düby Saracenen dort eingenistet haben, und es wird berichtet, dass diese die Reisenden häufig überfielen, ausplünderten und entweder ermordeten oder zurückbehielten und nur gegen hohes Lösegeld frei ließen. Ob wirklich Saracenen dort gehaust haben, scheint recht zweifelhaft, jedenfalls dauerte der Spuk nicht lange.

962 erbaute ein savoyischer Edelmann, Bernhard von Menthon, auf der Passhöhe ein Kloster. Die darin hausenden Mönche hatten die Pflicht, die Reisenden, welche den Pass überschritten, in jeder Weise zu unterstützen, ihnen unentgeltlich Nahrung und ein Nachtlager zu gewähren und namentlich bei schlechtem Wetter, bei Sturm und Schnee die sich Verirrenden auf den richtigen Weg zu weisen und den Entkräfteten Beistand zu leisten.

Unterstützt von großen Hunden, welche sie oben eigens zu diesem Zwecke züchteten — den Bernhardinerhunden — suchten sie in Nebel und Schneegestöber auf dem Pfade und an den benachbarten Berghängen die vom Unwetter überraschten Reisenden auf. Die Hunde leisteten dabei sehr große Dienste, einer von ihnen, der Barry, hat allein vierzig Menschen gerettet. Tschudi erzählt von ihm, dass sein Eifer außerordentlich war. Kündete sich auch nur von ferne Schneegestöber oder Nebel an, so hielt

ihn nichts mehr im Kloster zurück. Rastlos suchend und bellend durch-
forschte er immer von neuem die gefahrvollen Gegenden. — Seine liebens-
würdigste That während des zwölfjährigen Dienstes auf dem Hospize wird
folgendermaßen berichtet: — Er fand einst in einer eisigen Grotte ein halb-
erstarrtes, verirrtes Kind, das schon dem zum Tode führenden Schlafe
unterlegen war. Sogleich leckte und wärmte er es mit der Zunge, bis es
aufwachte; dann wusste er es durch Liebkosungen zu bewegen, dass es
sich auf seinen Rücken setzte und an seinem Halse sich festhielt. So
kam er mit seiner Bürde triumphierend ins Kloster.

Ehre dem treuen Barry und seiner Familie, Ehre den tapferen
Mönchen! Hier zeigten sie und zeigen sie noch, was christliche Nächsten-
liebe ist.

Das Kloster, welches jetzt auf der Passhöhe steht (Abb. 60), wurde
im sechzehnten Jahrhunderte, nachdem sich der alte Bau als zu klein er-
wiesen hatte, erstellt. Auch jetzt noch bekommt jeder Reisende, »Jud,
Türk und Christ«, hier unentgeltlich Essen und Nachtlager.

Im Mai des Jahres 1800 überschritt Napoleon mit einem Heere von
30000 Mann und 150 Geschützen den Großen St. Bernhard, was in An-
betracht der Schlechtigkeit des Weges als eine sehr große Leistung angesehen werden muss. Der Übergang dauerte fünf Tage. Die Geschütze
wurden von den Soldaten unter den Klängen des Sturmsignales mit Seilen
über die schlechtesten Stellen hinaufgezogen.

Über das weitere Geschick dieses Heeres unten im Aosta-Thale ist
oben berichtet worden.

Im Jahre 1812, als an einem sehr bösen Tage alles, Mann und
Hund, zur Rettung von Verirrten ausgerückt war, fielen sämmtliche
Bernhardiner-Hündinnen den wüthenden Elementen zum Opfer, und man
war genöthigt, eine andere Rasse auf dem St. Bernhard einzuführen; jetzt
verrichten Neufundländer Hunde oben den Dienst.

Wir verlassen Aosta und fahren durch Reben- und Maisfelder im
Schatten von Nuss- und Kastanienbäumen hinauf durch das Thal. Zurückblickend sehen wir im Süden die stolze Pyramide der Grivola. Die
Straße steigt an der Thalwand empor, und wir erreichen Gignod,
welches gegenüber Roysan an der Vereinigung des Valpelline mit
dem Val de Grand St. Bernhard liegt. Hier verlassen wir den Schiefer
und treten in das Gneisgebiet ein. In großen Windungen geht es em-

por, und wir erblicken im Norden den schönen Gipfel des Grand
Combin. Bald ist Condemine erreicht, wo wir wieder auf Glanzschiefer
stoßen. Die Straße zieht in westnordwestlicher Richtung hoch an der
südlichen Thalwand hin, und wir kommen bei Etroubles auf den schon
1377 Meter über dem Meere gelegenen Boden von St. Oyen hinaus.
Das Hauptthal wendet sich hier nach Westen, die Straße aber biegt
nach rechts um und zieht durch ein Nebenthal in nordwestlicher Richtung hinauf nach St. Rémy, wo sie endet. Von dort führt ein Saumweg zur Passhöhe empor. Wir verabschieden den Wagen und setzen
unsere Wanderung zu Fuß fort. Der Saumpfad, dem wir folgen, bleibt
am nordöstlichen Thalhange. An dem Wegwärterhaus vorübergehend,
erreichen wir die Matten der Vacherie, biegen um eine Felsecke und
gewinnen, über den Abhang ansteigend, die Höhe. Oben liegt ein See;
auf einer kleinen Anhöhe neben demselben, dem Mont Joux (Mons
Jovis), stand der Jupitertempel. Wir erreichen das Hospiz, betrachten die
schönen Sammlungen, welche die Mönche im Laufe der Jahrhunderte hier
zusammengebracht haben, speisen vortrefflich an der Klostertafel, legen
unsere Gabe in den Opferstock und nehmen dann Abschied von den
freundlichen Mönchen.

Von Norden her führt eine gute Straße bis auf die Passhöhe hinauf,
und auf dieser fahren wir nun, eine Retourgelegenheit benützend,
hinunter ins Rhônegebiet. Zunächst geht es durch die rauhe und
kahle Grande Combe hinab, dann auf der Tronchetbrücke über den hier
noch ganz kleinen Thalbach. Jenseits kommen wir bald in eine Felsenge, den Pas de Marengo, hinein und erreichen, dieselbe durchfahrend,
die geröllbedeckten Matten des Plan de Proz, über welche es nun nach
links hinabgeht. Am Rande dieser Thalstufe liegt die Cantine de Proz.
Weiter geht es nun wieder durch eine Felsenge, das Défilé de Charreire,
hinab über Bourg St. Pierre nach Liddes, einem großen, in schöner
Thalweitung gelegenen Dorfe. Hier verlassen wir das Gebiet des
Glimmerschiefers, in welchen der obere Theil des Entremontthales eingeschnitten ist, und erreichen — das Thal hat seine anfänglich südnördliche mit einer südost-nordwestlichen Richtung vertauscht — den
Carbonstreif. Diesen und die Trias hat der Dransebach durchbrochen, und
ihm folgend, kommen wir bei Orsières in das Ferretthal hinaus, in welches
das Entremontthal einmündet. Nun geht es wieder in nördlicher Richtung thalaus, rechts den Trias, links Jura oder Lias, nach Sembrancher
im Bagnesthal.

Abb. 61. Auf zur Rettung.

Abb. 62. Der Mont Collon von Arolla.

2. Das Bagnesthal und seine Berge.

Das Val de Bagnes zieht von der Hauptwasserscheide der Alpen in
nordwestlicher Richtung hinab nach Le Brocard, wendet sich hier
— in der das Montblanc-Massiv nordwestlich begrenzenden Furche
angelangt — in scharfem Winkel nach Nordosten und mündet bei Martigny
in das Rhönethal aus. Nur das kurze Endstück desselben von Le Brocard
bis Martigny läuft der Streichungsrichtung des Gesteins parallel und
ist ein «Längsthal»; sein ganzer oberer und mittlerer Theil erscheint
als ein Querthal, welches alle hier südwestlich streichenden Gesteinsschichten quer durchschneidet: zuerst den Gneis des Hauptkammes; dann
jenen großen Glanzschieferstreifen, welcher von Arvier im Aosta-Thale bis
nach Zinal nördlich vom Weißhorn in einem weiten, nach Nordwest convexen Bogen die Nordwestabdachung der Penninischen Alpen durchzieht;

weiter den Glimmerschiefer des Außenrandes der Centralzone; das Carbon, die Trias und den Jura-Lias des vielgenannten Trennungsstreifens zwischen den Penninischen Alpen und dem Montblanc; und endlich noch das Nordostende des Montblanc-Massivs selbst. So erschließt dieses Thal ein geologisches Profil von seltener Mannigfaltigkeit. Sembrancher selbst liegt an der Grenze zwischen Trias und Carbon in einer freundlichen Thalweitung, 720 Meter über dem Meere.

Wir verlassen diesen Ort und fahren an einer Reihe großer Dörfer vorüber durch den Thalboden hinauf nach Lourtier. Hier endet die Straße, und wir setzen zu Fuß unsere Wanderung fort. Der ansehnliche Thalbach, die Drance,[*] stürzt über mehrere Thalstufen, schöne Fälle bildend, herab. Von Süden mündet der Abfluss des großen Corbassière-Gletschers ein. Wir erreichen das in einer kleinen Thalweitung, 1497 Meter über dem Meere gelegene Fionney, nehmen hier im Hôtel du Grand Combin das Mittagmahl ein und setzen dann nachmittags unsern Marsch fort. Jenseits Fionney verengt sich das Thal zu einer Schlucht, durch die wir das oberhalb Mauvoisin, 1824 Meter über dem Meere gelegene Hôtel du Giétroz erreichen, welches wohl der beste Ausgangspunkt für Partien im Hintergrunde des Bagnesthales ist.

Um einen Überblick über die Berge und Gletscher dieser verhältnismäßig so wenig besuchten Gegend zu gewinnen, wollen wir zunächst den leicht zugänglichen Mont Avril im Hauptkamme besteigen.

Ein Jochsteig führt von Mauvoisin durch den obersten Theil des Bagnesthales und über den Col de Fenêtre hinüber ins Valpelline. Nordwestlich von diesem Joche ragt der Mont Avril auf; er ist vom Col aus ganz leicht zu erreichen. Zeitlich am Morgen verlassen wir das an der steilen südwestlichen Thalwand gelegene Hotel und gehen hinab in das enge Thal des Dranccbaches. Gleich oberhalb Mauvoisin, dort wo wir den Boden der Schlucht erreichen, ist diese am engsten und wildesten, denn hier hat die Drance jenen gewaltigen Felsriegel durchgraben, welcher einstens wohl den südwestlichen Tournalin mit dem nordöstlichen Mont Pleureur verband, und dessen stehen gebliebene Theile mächtigen Thorpfeilern gleich den Eingang ins oberste Bagnesthal einschließen. Das Thal nimmt hier eine südliche Richtung an. Hoch oben begleiten sanft geneigte Terrassen mit Seen und Alpenmatten die Schlucht, durch deren Grund wir aufwärts wandern. Die Kanten der

---

[*] Beide in Sembrancher sich vereinigende Bache, sowohl der vom Großen St. Bernhard herabkommende als auch der das Bagnesthal durchfließende, heißen Drance oder Dranse.

untersten von diesen Stufen hemmen den Ausblick, und wir sehen nichts
von den Hochgebirgen, die den oberen Theil des Thales einfassen.
Melancholisch stimmt die Wanderung durch diese wüste Schlucht. Wir
erreichen die breite Zunge des von Westen herabkommenden Mont
Durandgletschers, welche nicht nur die Sohle des Bagnesthales erreicht,
sondern sich auch eine kurze Strecke weit über die gegenüberliegende,
östliche Thalwand hinaufschiebt. Diese Eismasse wird rechts überquert.
Jenseits gewinnen wir, einen den Gletscher im Südosten einfassenden
Bergkamm umgehend, die eigentliche Rückwand des Thales, über welche
der Glacier de Fenêtre herabzieht. Leicht geht es auf diesem zum Col
empor und dann rechts über einen felsigen Rücken hinauf zu dem Gipfel
des 3341 Meter hohen Mont Avril.

Die Bergsteiger, welche diese Gegenden besucht haben, klagen alle
über das Wetter, das im Bagnesthal viel schlechter und nebelreicher sein
soll als in anderen Theilen der Alpen. Um so mehr freut es uns, dass
wir einen so schönen Tag hier erleben: keine Wolke trübt die Fernsicht, und nichts stört den Genuss, welchen der Ausblick von dem Gipfel
uns bietet.

Das obere Bagnesthal wird im Süden von jener 17 Kilometer langen
Strecke der Hauptwasserscheide der Alpen eingefasst, welche zwischen
dem Amianthe oder Mont Sonadon,[*] einem der Gipfel der Aiguilles
Vertes, im Westen und der Erhöhung östlich vom Col de la Reuse de
l'Arolla[**] im Osten liegt. Zu seinen Seiten erheben sich ausgedehnte,
stark vergletscherte Gebirgsmassen. Die Hauptwasserscheide der Alpen
zieht am Südrande dieser Massenerhebungen hin; die höchsten Berggipfel
des Bagnesthalgebietes liegen alle nördlich von ihr.

Die westliche Bergmasse erscheint als ein nach Norden sich abdachendes und in dieser Richtung langgestrecktes Plateau mit erhöhten
West-, Süd- und Osträndern, welches von dem großen, westlich von
Fionney endenden Corbassièregletscher eingenommen wird. Der höchste
Punkt desselben ist der aus seinem Südrande aufragende, 4317 Meter
hohe Grand Combin (Abb. 63), zugleich der höchste Berg der ganzen
westlichen Penninischen Alpen. Er ist durch den unbedeutenden, nach
Süden ziehenden Grat der Aiguilles Vertes über den Col de Sonadon mit
der Hauptwasserscheide verbunden. Aus dem Westrande des Plateaus

---

*) Diener nennt diese Spitze Mont Somadon, Imfeld Amianthe. Auf der Karte hat
sie keinen Namen.

**) Nach Coolidge heißt dieser Pass jetzt Col d'Oren.

16*

ragt der Petit Combin zu einer Höhe von 3722 Metern, aus dem Ostrand der Tournelon Blanc zu 3712 Metern und weiter nördlich der Tavé zu 3154 Metern auf.

Horizontal viel ausgedehnter, wenn auch nicht zu so bedeutender Höhe ansteigend als die westliche, ist die östliche Bergmasse. Den Mittelpunkt derselben bildet ein großes, 3000—3100 Meter über dem Meere liegendes Firnplateau, welches sich nördlich vom Col de la Reuse de l'Arolla ausbreitet. Aus seiner Mitte erhebt sich der Felsbau des Petit Mont Collon zu einer Höhe von 3545 Metern, und seinem Ostrande entragen der Mont Collon (3644 Meter) (Abb. 62) und der Evêque (3738 Meter). Nordwestlich steigt es zu dem 3801 Meter hohen Pigno d'Arolla an, von welchem ein Kamm nach Südwesten abgeht. Zwischen diesem und der (südlichen) Hauptwasserscheide liegt der große, nach Südwesten zum oberen Ende des Bagnesthales herabziehende Otemma- oder Hautemmagletscher. Westlich vom Pigno d'Arolla erhebt sich der Montblanc de Seïlon, der Culminationspunkt dieser Gruppe, zu einer Höhe von 3871 Metern, und von dem Firnrücken, der diese beiden Spitzen verbindet, zieht der Breneygletscher — ebenfalls in südwestlicher Richtung — ins Bagnesthal hinab. Jenseits des Montblanc de Seïlon zieht sich das Plateau zu einem schmalen Kamme zusammen, welcher, das Bagnesthal im Nordosten begleitend, über den Mont Pleureur (3641 Meter), den La Salle (3641 Meter) und den Pointe de Rosa Blanche (3348 Meter) zu der Masse des Mont Fort (3330 Meter) hinzieht, wo er sich nochmals zu einem kleinen Plateau verbreitert und dann unter die Schneegrenze hinabsinkt.

Die Thalschlusswand des Val de Bagnes, welche diese beiden Gebirgsmassen verbindet und, wie erwähnt, ein Theil der Hauptwasserscheide der Alpen ist, zieht von dem 3600 Meter hohen Mont Sonadon oder Amianthe (s. o.) über den Tête de Buy herüber zu unserem Standpunkte, dem Mont Avril, sinkt dann zum Col de Fenêtre (2786 Meter) herab, steigt jenseits rasch zu dem 3517 Meter hohen Felsbau des Mont Gelé an und erstreckt sich von hier über den Col de Créte Sèche (2888 Meter), den Bec Epicoun (3527 Meter) und den Col d'Otemma zu der Sengla, wo sie, zu der Höhe von 3662 Metern ansteigend, plötzlich nach Nord umbiegt und dicht vor dem Col de la Reuse de l'Arolla ihren höchsten Punkt (3702 Meter am Nordende des Senglagrates) erreicht.

Nachdem wir so einen Einblick in die Bergumrandung des oberen Bagnesthales gewonnen haben, wollen wir nach dem Hôtel du Giétroz

Abb. 63. Grand Combin und Corbassièregletscher.

zurückkehren, von dort aus den Grand Combin besteigen und dann hinübergehen über den Otemmagletscher und das östliche Plateau nach Arolla.

Wir verlassen die Spitze, steigen hinab zum Col und marschieren wieder hinaus durch die wilde Schlucht der Drance nach Mauvoisin.

Von dem 4317 Meter hohen Culminationspunkte des Grand Combin (Abb. 63), welchen Diener als Aiguille du Croissant bezeichnet, gehen drei Grate ab: einer nach Süden zum Col de Sonadon (3489 Meter); einer nach Nordosten über den Pointe der Graffeneire (4300 Meter) zum Combin de Zesetta (4078 Meter); und endlich einer nach Westen zum Combin de Valsorey (4145 Meter). Der Sonadon- und Graffeneiregrat schließen den Mont Durandgletscher im Südosten; der Graffeneire- und Valsoreygrat den Corbassièregletscher im Norden; und der Valsorey- und Sonadongrat den Sonadongletscher im Südwesten ein.

Man kann den höchsten Gipfel des Grand Combin von Norden her über den Corbassièregletscher und den Graffeneire- oder Valsoreygrat, oder von Süden her über den Sonadongletscher und Valsoreygrat; oder endlich von Westen her auch über den Valsoreygrat erreichen. Für uns kommen nur die erste und zweite von diesen Routen in Betracht, da die dritte nicht vom Bagnes-, sondern vom Valsorey (Entremont-)thale ausgeht. Der Weg über den Corbassièregletscher ist der leichtere, dafür aber gefährlicher, jener über den Sonadongletscher der schwierigere, aber von objectiven Gefahren freier. Wir wählen daher nicht den ersteren, auf welchem im Jahre 1800 Deville die erste Ersteigung des höchsten Punktes bewerkstelligt hat, sondern den letzteren, welcher 1872 von Isler eröffnet wurde.

Bald nach Mitternacht verlassen wir das Hôtel du Giétroz und wandern durch die Dranceschlucht hinauf. Noch schrecklicher und wilder als am Tage erscheint jetzt bei dem schwachen Lichte unserer Laternen diese grausige Enge. Mühsam suchen wir den Weg zwischen riesigen Steintrümmern, erreichen endlich den Mont Durandgletscher und stolpern über seine linke Seitenmoräne hinauf. Dieses Moränen-Überklettern in der Finsternis am frühen Morgen ist eines der unangenehmsten Dinge, die es gibt, und froh sind wir, an einer schmalen, spaltenfreien Eisstufe angelangt, auf dieser den Gletscher überqueren und jenseits durch die Hänge über Felstrümmer und Schneefelder weitergehen zu können. Oberhalb der steil hinabziehenden und stark zerklüfteten Gletscherzunge breitet sich ein flaches, spaltenfreies Firnfeld aus, über welches wir nun in raschestem

Marschtempo dem im Hintergrunde des Mont Durandgletschers liegenden Col de Sonadon zustreben. Es beginnt zu tagen: das erste zarte Dämmerlicht umspielt die jähen Felswände und die wilden Eisbrüche des Südostabsturzes unseres Berges. Unter dem Col angelangt, wenden wir uns links, umgehen einen Eisbruch und suchen unseren Weg durch die Klüfte, welche glücklicherweise von zahlreichen, jetzt am Morgen hinreichend tragfähigen Schneebrücken überdeckt sind. Endlich ist der Col erreicht, und wir blicken frei hinaus nach Westen, hinüber zu dem gewaltigen Südostabsturze des Montblanc-Massivs. Dicht vor uns zieht der Sonadongletscher nach links hinab in das Val de Valsorey, ein Nebenthal des Val d'Entremont, während nach rechts Firnhänge zu jenem Felswalle emporsteigen, welcher den obersten Theil des Südabsturzes des Grand Combin bildet. Westlich vom Combin de Valsorey zweigt ein Nebengrat nach Südwesten ab. Dieser bildet ziemlich hoch oben eine Stufe, die mit Schnee bedeckt ist und als eine aus dem Hange vortretende Schulter erscheint. Jene Schneeschulter ist unser nächstes Directionsobject. Wir steigen über die Firnhänge schief in nordwestlicher Richtung hinauf, was zwar wegen der Härte des Firns leichtes Stufenhauen erfordert, aber gar nicht schwer ist. Bald ist die etwa 3700 Meter über dem Meere liegende Schulter erreicht, und wir genießen jetzt zum erstenmale einen freien Ausblick in das freundliche, grüne Valsoreythal. Steile, von Felsrippen unterbrochene Firnhänge ziehen von hier hinauf zu den Gipfelwänden. Wacker Stufen schlagend gehen wir nun zu dem Punkte, wo der Nebengrat mit dem Valsoreygrate sich vereinigt, hinauf. Endlos scheint dieser Weg, denn immer glaubt man schon nahe am Ziele zu sein, und immer ist es noch weit: man hat in solchen Höhen kein richtiges Verständnis für die Größenverhältnisse. Aber alles hat ein Ende und schließlich auch dieser Firnhang. Wir erreichen den Fuß der Gipfelfelsen des Combin de Valsorey und klettern über diese hinauf. Das ist der schwierigste Theil des ganzen Weges, und er erscheint noch schwieriger, weil man ihn erst nach Zurücklegung eines sehr langen Marsches ermüdet erreicht. Der Felswall ist bloß 100 bis 150 Meter hoch, nimmt aber trotzdem ziemlich viel Zeit in Anspruch. Endlich ist er überwunden, wir betreten den Combin de Valsorey und spazieren dann über den Firnrücken hinüber zum höchsten Gipfel, der aus zwei gewaltigen Schneewächten besteht.

Die Aussicht muss — wegen der isolierten Lage des Berges — eine außerordentlich umfassende sein, aber nur wenige haben sie gesehen, denn der Grand Combin hat die üble Gewohnheit, sich in Nebel zu hüllen,

wenn er Besuch empfängt. Uns geht es nicht besser als andern, auch
wir sehen nicht viel, nur zuweilen durch einen Riss in den Wolken einen
Theil der näheren Umgebung. Und ein solcher Blick ist besonders zu
erwähnen, der Blick hinab auf den Corbassièregletscher, welcher in schön
geschwungenen Wellenlinien von unserem Standpunkte nach Norden
hinabzieht. Dieser Eisstrom hat eine Länge von 11 Kilometern, eine
Gesammtfläche von 24·5 Quadratkilometern und ist somit einer der
größten Gletscher der Penninischen Alpen. Wohl möchten wir versuchen, über diesen herrlichen Firnstrom nach Norden abzusteigen, die
brauenden Nebel aber und die Lawinengefahr, welcher man auf diesem
Wege ausgesetzt ist, halten uns davon ab: wir steigen wieder hinunter
nach Süden. Bis zu dem Sonadonjoche geht's ganz gut; jenseits desselben aber haben wir mit größereren Schwierigkeiten zu kämpfen, da
die Schneebrücken, die am Morgen noch ganz verlässlich waren, jetzt
am Nachmittage so erweicht sind, dass wir hier im obersten Theile des
Mont Durandgletschers die größte Vorsicht anwenden müssen und nur
sehr langsam vorrücken können: fortwährend muss zwischen den Spalten
laviert werden, und alle Augenblicke durchstößt der sondierende Pickel
die trügerische Schneedecke. So zahlreich sind die Klüfte, dass wir
uns öfter schwachen Schneebrücken anvertrauen müssen, um überhaupt
weiter zu kommen. Da heißt es, sich leicht machen: wurmartig kriechend
und andere Kunstgriffe anwendend, kommen wir endlich über den
oberen, zerklüfteten Theil des Gletschers hinaus, waten durch den erweichten Firn der mittleren, spaltenfreien Partie hinab, erreichen die
Moräne, stolpern über diese hinunter und gelangen endlich bei sinkender
Nacht   der Combin ist eine lange Tour — wieder in den Boden
der Dranceschlucht. Unwillig wegen des schlechten Weges und ermüdet
von dem langen Marsche gehen wir nun wieder bei Laternenschein
durch diese hinab und erreichen sehr spät erst das Hotel, unseren Ausgangspunkt, wieder.

Das Hôtel du Giétroz hat eine sehr ungünstige Lage, es gibt in der
Nähe kein lauschiges Plätzchen, wo man einen Rasttag verträumen
könnte: nichts als steile Hänge, die wilde Schlucht und den miserablen
Weg. Dazu schlechtes Wetter. Zwei Tage halten wir es noch aus, dann
machen wir uns daran, trotz des noch immer höchst zweifelhaften Wetters
nach Arolla hinüber zu gehen.

Wieder wandern wir im Morgengrauen durch die uns jetzt schon
mehr als genugsam bekannte Dranceschlucht hinauf und kommen an die
Zunge des Otemmagletschers heran, aus welcher der Thalbach entspringt.

Der Otemmagletscher (Abb. 64), dessen Lage schon oben geschildert wurde, ist der drittgrößte Gletscher der Penninischen Alpen. Er ist gegen 10 Kilometer lang und hat eine Ausdehnung von 20·7 Quadratkilometern.

Wir verlassen den Jochsteig über den Col de Fenêtre, dem wir bisher gefolgt sind, wenden uns links, gehen durch den Berghang südlich von der Otemmagletscherzunge hinauf und betreten den Eisstrom selbst dicht vor der

Abb. 64.
Zunge des Otemma-Gletschers.

Stelle, wo der von Süden herabkommende Glacier de Crête Sèche in ihn einmündet. Hier sind einige unbedeutende Spalten zu überwinden. Bald kommen wir auf die ziemlich spaltenarme, sanft ansteigende Firnfläche hinaus, über die es nun fort geht. Das Wetter hat sich erheblich gebessert, und jetzt tritt auch der stolze Gipfelbau des Grand Combin aus den Wolken hervor. Je weiter wir kommen, umso geringer wird die Neigung, und endlich erreichen wir die Höhe jenes Firnplateaus, welches, wie oben erwähnt, im Mittelpunkte der östlich vom Bagnesthal aufragenden Bergmasse liegt.

Zur Rechten erhebt sich der Petit Mont Collon, zur Linken der Pigne d'Arolla, vor uns senkt sich das Firnfeld des Vuibezgletschers nach Nordosten hinab. Wir überschreiten das Plateau an seinem als Col de Chermontane bekannten, tiefsten Punkte (3084 Meter) und gehen jenseits über den Vuibezfirn hinab. Nicht lange hält die sanfte Neigung des letzteren an, bald wird es steil: wildzerrissen stürzt der Eisstrom über eine etwa 800 Meter hohe Stufe hinab, um sich unten mit dem Arollagletscher zu vereinigen. Links uns haltend, suchen wir diesem Absturze im Norden

auszuweichen, und es gelingt uns in der That mit vieler Mühe, dort hinab
zu kommen. Dann geht es leicht über die Zunge des Arollagletschers
hinaus nach dem 1962 Meter über dem Meere gelegenen Hôtel du Mont
Collon in Mayens d'Arolla.

Dieses Haus hat eine unvergleichlich freundlichere Lage als das
Hôtel du Giétroz im Bagnesthale. Von schönen Arven umgeben, liegt es
im innersten Thalboden, und herrlich ragt der Mont Collon über dasselbe
empor.

Arolla ist ein vortrefflicher Ausgangspunkt für eine Reihe von
Touren, wir aber fühlen, nachdem wir uns solange in dem wilden
Bagnesthale aufgehalten, Sehnsucht nach sanfteren Umgebungen und
größerem Comfort: nicht nach der Bezwingung weiterer Gipfel steht
unser Sinn, sondern nach den Fleischtöpfen des Hotels in Evolena,
draußen im Thale. Trotz des schönen Wetters - richtige Bergsteiger
werden uns darob wohl tadeln   verlassen wir am nächsten Morgen
nach einem sumptuösen Frühstücke sehr spät erst Arolla und wandern
hinaus nach Evolena.

Der obere Theil des Thales ist in jenen Gneis eingeschnitten,
welcher nach demselben Arolla-Gneis genannt wird. Wir kommen an
der Kapelle von St. Barthélemy vorüber, wo ein mächtiger Felsblock
zu Kletterübungen einladet. Bei Satarma, an der Einmündung des von
Westen herabkommenden Abflusses des Aiguilles Rougesgletschers, durchqueren wir einen Kalkschieferstreifen, kommen dann in eine Zone grünen
Schiefers und erreichen bei Haudères jenen breiten, oben erwähnten
Schieferstreifen, welcher die Nordwestabdachung der Penninischen Alpen
durchzieht und in dieser Gegend aus Kalkschiefer besteht. Bei Haudères
mündet das Arollathal in das von Südosten herabkommende Val d'Hérens
ein, welches den Schieferzug quer durchbricht und erst jenseits Evolena aus demselben wieder hervortritt. Die in den harten Gneis eingeschnittenen oberen Theile dieses Thalsystems, das Val d'Arolla und
der obere Theil des Val d'Hérens, sind ziemlich schmal, der mittlere, im
weichen Kalkschiefer eingegrabene Theil desselben dagegen sehr breit.
Nahe dem nordwestlichen Ende dieser erweiterten Thalstrecke liegt in
einer Höhe von 1378 Metern unser Ziel, Evolena (Abb. 65).

In Haudères halten wir Mittagsrast und bummeln dann nachmittags
durch den flachen, grünen Boden hinaus. Waldreiche Steilhänge schließen
die freundliche Thalebene ein, und über dieselben erhebt sich rechts
im Hintergrunde der prächtige, firngepanzerte Gipfel der Dent Blanche.

Abb. 65. Evolena.

während vor uns in der Ferne der Zanfleuromgletscher und das Oldenhorn über den Thaleinschnitt aufragen.

In guter Zeit zum Diner erreichen wir das Hotel. Ja, hier ist's gut sein, hier wollen wir uns einige Tage aufhalten und die wenigen Stunden, welche die gewissenhaft eingehaltenen Mahlzeiten übrig lassen, im Waldesschatten verträumen. Doch raffen wir uns wieder auf Evolena soll unser Capua nicht werden und beschließen, über einen Gletscherpass, welcher zwischen der Tête Blanche und der Dent d'Hérens eingesenkt ist, den 3418 Meter hohen Col des Bouquetins, nach dem Valpelline im Süden des Hauptkammes hinüberzugehen. Dieser Pass liegt am oberen Ende des Minégletschers, im Hintergrunde des Val d'Hérens. Nahe der Eiszunge, welche durch den Zusammenfluss des Minégletschers mit dem weiter östlich, von der Kammstrecke Tête Blanche-Dent Blanche herabkommenden Ferpèclegletscher entsteht, liegt, 1801 Meter über dem Meere, ein Gasthaus, das Hôtel du Ferpècle, welches von Evolena in einigen Stunden zu erreichen ist. Dort wollen wir übernachten und dann unseren Übergang machen.

Zwei Wege führen von Evolena hinauf zum Ferpècle-Hotel: der eine durch die Thalsohle über Haudères, der andere durch die östliche Thalwand. Letzterer ist der lohnendere. Wir verlassen das freundliche Evolena, marschieren eine kurze Strecke über den Thalboden hinauf, wenden uns dann links und steigen durch schönen Wald ziemlich steil nach Villa hinauf, einem Dorfe, welches auf einer Terrasse des östlichen Thalhanges liegt. Von hier geht es dann auf der Terrasse über La Sage und Forclaz nach Prazßeuri im Ferpèclethale und hinauf zum Hotel.

Beim ersten Morgengrauen verlassen wir das Gasthaus, übersetzen den Bach, gehen auf dem zum Col d'Hérens führenden Fußsteige eine kurze Strecke weit hinauf, betreten die Eiszunge oberhalb ihres steilen Endabfalles und steigen schief nach rechts über dieselbe empor. Die Mittelmoräne, welche vom Mont Miné herabzieht und den Ferpècleantheil von dem Minéantheile der Gletscherzunge trennt, wird überschritten und dann durch den westlichen Abhang des Mont Miné angestiegen. So umgehen wir die untere, spaltenreiche Stufe des Minégletschers im Osten und erreichen den mittleren, ziemlich spaltenfreien Theil desselben, über den wir eine Strecke weit leicht und bequem fortkommen. Doch bald hemmt eine zweite, noch steilere und spaltenreichere Stufe unseren Marsch. Auch diese suchen wir links zu umgehen, aber hier ist der Mont Miné-abhang sehr steil und schwer passierbar. Theilweise durch die Séracs des Gletscherabbruches, theilweise durch die Mont Minéwände klettern wir mühsam empor, gewinnen aber endlich den oberen, flacheren Firn, über den es nun leicht zum Col hinaufgeht.

Hier nehmen wir Abschied von dem nordwestlichen Theile der Penninischen Alpen und wenden uns dem Süden zu.

Abb. 69. Am Col de Valpelline.

181

Abb. 67. Gressoney la Trinité.

3. Die Südabdachung der Penninischen Alpen.

Der Monterosa-Kamm bildet einen Theil der Hauptwasserscheide der Alpen, der Grenze nämlich zwischen den Gebieten der Rhône und des Po. Die von demselben nach Westen und Norden herabziehenden Thäler gehören dem ersteren, die nach Süden und Osten herabziehenden dem letzteren an. Zwei Gebirgskämme, welche von der Südostecke des Monterosa-Massivs abgehen, trennen die Gebiete der Dora Baltea, der Sesia und des Tessin voneinander. Die drei genannten, zwischen Turin und Cremona in den Po einmündenden Flüsse sind es, die alle von der Süd- und Ostabdachung der Penninischen Alpen herabkommenden Gewässer aufnehmen. Die Bäche, welche von dem Hochgebirge zu diesen drei Flüssen hinabziehen, strahlen im großen und ganzen radial von einem Punkte aus, dessen Lage durch Zermatt bezeichnet wird. Ihre Quellen — die Gletscherenden, aus denen sie hervortreten — sind 11 bis 18 Kilometer von jenem Mittelpunkte auf der gegenüberliegenden Seite des

Gebirges entfernt, welches Zermatt in einem nach Süden convexen Bogen umzieht.

Das westlichste von diesen Thälern, an dessen oberem Ende wir hier im Col des Bouquetins stehen, das Valpelline, läuft nach Südwesten herab. Die Hauptkammstrecke zwischen den rechts von uns aufragenden Dents des Bouquetins und der Dent d'Hérens bildet seinen Schluss, und es mündet bei Aosta in das Dora Baltea (Aosta)thal aus. Das nächste, vom Hauptkamme herabkommende Thal ist das von der Hauptkammstrecke Dent d'Hérens-Theodulpass abgeschlossene, in südlicher Richtung herabziehende, ziemlich gerade, bei Châtillon ins Aosta-Thal ausmündende Val Tournanche. Dann folgt das mehrfach gekrümmte, von der Kammstrecke Theodulpass-Castor auch nach Süden gerichtete, bei Verrés mit dem Aosta-Thale sich vereinigende Challantthal; weiter das gleichlaufende, von der Kammstrecke Castor-Balmenhorn begrenzte, unterhalb Donnas ebenfalls ins Aosta-Thal mündende Gressoneythal; hierauf das von der Kammstrecke Balmenhorn-Signalkuppe nach Südosten herabziehende, von der Sesia durchströmte Val Grande und endlich das von der Kammstrecke Signalkuppe-Monte Moro nach Osten herablaufende Anzasca- oder Macugnagathal, welches bei Piedimulera ins Val d'Ossola (Tosa) ausmündet. Der größere, mittlere Theil des Valpelline ist der Streichungsrichtung des Gesteins parallel und daher als Längsthal aufzufassen. Alle die anderen genannten Thäler sind durchaus Querthäler, welche die Gesteinsschichten — alles ist hier wohl Urgebirge — quer durchbrechen.

Noch einmal blicken wir zurück zu der gewaltig über die Eismassen des Ferpèclegletschers aufragenden Dent Blanche, verlassen dann den Col und steigen über den Cià des Ciansgletschers nach Süden hinab. Ohne Schwierigkeit erreichen wir den Thalboden und weiter die Hütten von Pra Rayé. Froh, diesmal hier nicht übernachten zu müssen, — denn diese Pra Rayé-Hütten sind berühmt wegen ihrer Flöhe — marschieren wir wohlgemuth hinaus durch das Thal. Bald verlassen wir den Glimmerschiefer mit seinen Marmoreinlagerungen, welcher den oberen Theil des Valpelline einfasst, und erreichen jenen Dioritstreifen, in den der mittlere Theil desselben, von Chamin bis hinaus nach Valpelline, dem Hauptorte des Thales, eingeschnitten ist.

Ziemlich spät erst kommen wir in Valpelline an, nehmen hier einen Wagen und fahren in der Abendkühle durch den nordsüdlich verlaufenden Endtheil des Valpelline hinaus nach Aosta.

Um die übrigen südlichen Thäler kennen zu lernen, wollen wir von
Aosta auf der Eisenbahn zunächst nach Châtillon fahren und von hier
durch das Val Tournanche hinauf nach Breuil wandern. Der Weg durch
das letztere ist sehr lang und monoton: reichlich aber entschädigt der
Anblick des gewaltigen Südabsturzes des Matterhorn, welches am Thalschlusse aufragt, für alle Mühen das Marsches. Wir übernachten in Breuil
und gehen am andern Tage über den Col des Cimes Blanches hinüber nach
Fiery im oberen Challantthale. Der Weg über diesen 2986 Meter hohen
Sattel führt an einigen kleinen Seen vorüber durch ein wüstes, trümmererfülltes Hochthal. Ein ähnlicher, noch niedrigerer Sattel, die Bettaforca,
vermittelt den Übergang von Fiery nach Gressoney la Trinité (Abb. 67)
im oberen Gressoneythale. Von hier führt eine neue Straße über
Gressoney St. Jean hinaus ins Aosta-Thal. Doch wir wollen nicht dieser
folgen, sondern über einen dritten Pass, den 2871 Meter hohen Col
d'Olen, hinübergehen nach Alagna.

Wir verlassen das freundliche Gressoney la Trinité — zu deutsch
Obertheil — und wandern nach rechts hinauf zur Gabietalpe. Prächtig
ragt der vergletscherte Lyskamm über dem Thalgrunde auf, seine blendend-
weiße Schneide hoch in den Himmel erhebend. Wir erreichen die an
einem kleinen See herrlich gelegene Alpe. Ein guter Weg führt von
hier über Geröll und Matten in nordwestlicher Richtung zur Passhöhe
empor. Nördlich von derselben erhebt sich der Kamm, auf dem wir stehen
— die Wasserscheide zwischen Dora Baltea und Sesia — zu einem den
Col um 155 Meter überragenden, eine viel freiere Aussicht bietenden
Kopfe, dem Gemsstein. Zu diesem gehen wir hinauf: reichlich belohnt
die herrliche Rundschau die geringe Mühe des Anstiegs. Wir sehen eine
Reihe alter Bekannter, den Monte Viso, die Grivola, den Montblanc. Viel
mehr als diese fernen Berge fesselt aber das dicht vor uns im Norden
aufragende Monterosa-Massiv die Aufmerksamkeit. Da steht zunächst
die gegen unseren Standpunkt etwas vorgeschobene Vincentpyramide;
nach links hin zieht sich der mächtige Eiswall des Lyskammes, während
rechts die steilen Ostabstürze der Signalkuppe hervortreten. Lange liegen
wir hier oben, in der Sonne uns badend und uns erfreuend an dem
herrlichen Anblicke, doch endlich muss geschieden sein. Wir gehen
zurück zum Joche, dann über Geröll und Alpenwiesen hinunter zur Seon-
alpe und weiter, an mehreren Hütten vorbei, theilweise durch Wald,
hinab nach Alagna.

Alagna ist eine beliebte, namentlich von Italienern viel besuchte
Sommerfrische, welche dem germanischen Bergsteiger, ob er nun aus Eng-

land, Preußen
oder Österreich
stammt, wenig
sympathisch
ist. Diese fei-
nen Damen und
Herren in Alagna betrachten
unsere wettergebräunten Gesichter und unsere in der
That nichts weniger als salon-

Abb. 68. Varallo und der Sacro Monte.

fähigen Costüme mit spöttischer Geringschätzung. Der eine oder andere
lacht uns geradezu aus. O, hätten wir euch, wie ihr da seid, an der
Ostwand des Monterosa oder einer anderen ähnlichen Stelle, da würdet
ihr andere Gesichter machen! Doch dieser Wunsch wird uns sicher nicht
erfüllt, denn da hinauf kämen sie nie.

Unwillig über diese unalpine Gesellschaft gehen wir schlafen: morgen
früh wollen wir fort, noch ehe sie auf sind, und über den Turlopass
hinüber nach Macugnaga. Doch dieser Plan wird vereitelt: laut rauscht
der Regen nieder, als wir erwachen. Wir frühstücken; missmuthig blicken
wir hinaus durch die Fenster: es ist ein richtiger Landregen und auf
besseres Wetter nicht zu hoffen. In dieser Gesellschaft in Alagna bleiben,
das wollen wir aber um keinen Preis; also fahren wir durch das Thal
hinaus und reisen auf dem Umwege über den im Südosten, am Fuße des
Gebirges liegenden Ortasee nach Macugnaga.

Wir steigen in den Omnibus und fahren auf der guten Straße durch
das Val Grande hinaus nach Varallo. Unbarmherzig strömt der Regen
herab, und dichte Nebelmassen hüllen die Berge ein. Das Thal verläuft
bis Mollia in südöstlicher Richtung, wendet sich dort nach Süden, weiter,
bei Piode, nach Osten und endlich hinter Pila nach Nordosten, gleichzeitig zu einem weiten Boden sich verbreiternd. Hier verlassen wir das

Gneis- und Glimmerschieferterrain, in welches der obere Theil des Thales eingeschnitten ist, und erreichen jenen großen Dioritstreifen, welcher von Ivrea an der Ausmündung des Aosta-Thales in die Ebene bis Locarno am Nordende des Lago Maggiore in nordöstlicher Richtung das Gebirge durchzieht. Diesen Dioritzug durchbricht das hier im Bogen wieder nach Osten sich wendende Sesiathal (Val Grande) an seiner breitesten Stelle. Am Südostrande des Diorits angelangt, erweitert sich das abermals in den Gneis eintretende Thal noch mehr zu dem breiten Boden von Varallo.

Varallo (Abb. 68) ist eine kleine, am Terminus einer Zweigbahn, 451 Meter über dem Meere gelegene Stadt mit einer schönen, alten Kirche. Über der Stadt erhebt sich der berühmte, mit einer Kirche und zahlreichen Kapellen ausgestattete Wallfahrtsort Sacro Monte (Abb. 68, 69).

Von Varallo führt ein Weg über einen niederen Sattel, die 942 Meter hohe Colma, in östlicher Richtung nach Pella am Ortasee. Wir übernachten in Varallo und gehen des anderen Tages auf diesem Pfade hinüber zu dem genannten See.

Abb. 69. Auf dem Sacro Monte.

186

VI.

IN DER MONTEROSA-GRUPPE.

11*

Abb. 70. Im Macugnagathale (Val Anzasca).

1. Vom Macugnagathale nach Zermatt.

Der Ortasee ist der westlichste und kleinste von jenen langen und schmalen Wasserbecken, welche von der Poebene aus fjordartig in den Südfuß des Alpenwalles eindringen. Im Kahne durchqueren wir den kleinen See nach Orta an seinem Ostufer, steigen zu dem Bahnhofe hinauf, setzen uns in den Zug und reisen nun wieder dem Norden zu. Die Bahn zieht hoch am Berghange den See entlang und über einen großen Viaduct nach Omegna am nördlichen Seende. Von hier geht es dann durchs Stronathal nach Gravellona in dem alluvialen Terrain, welches die Tosa in dem nordwestlichen Zipfel des Lago Maggiore-Beckens abgelagert hat; und weiter durch das Val d'Ossola die Tosa entlang, erst in nördlicher, dann in nordwestlicher Richtung thalaufwärts. An den schönen Schlossruinen von Vogogna vorüber fahrend, erreichen wir Piedimulera an der Mündung des vom Monterosa nach

Osten herabziehenden Anzasca-(Macugnaga-)thales. Hier steigen wir aus, übernachten in einem einfachen Gasthause und fahren am nächsten Morgen hinein ins Macugnagathal.

Noch immer ist das Wetter recht ungünstig. Drückende Schwüle herrscht in dem Thale, und dichte Nebel umhüllen die Berge.

Die Straße führt hoch über dem Thalbache, der Anza, an der nördlichen Bergwand hin durch einige Tunnel, dann über fruchtbares Gelände mit Weingärten und Obstbäumen. An einer Thalbiegung, bei Castiglione d'Ossola gewinnt man den ersten Blick auf die den Thalschluss bildenden Ostabstürze des Monterosa — wir sehen nichts als Nebel und Wolken. An Pontegrande und den Goldgruben von Vanzone vorüberfahrend, erreichen wir das schon 753 Meter über dem Meere gelegene Ceppomorelli. Hier endet die Straße. Zu Fuß setzen wir auf einem Saumpfade die Wanderung fort. Wir übersteigen die Höhe von Morghen, kommen an weiteren Goldgruben vorüber und erreichen bei Borca das deutsche Gebiet. Bald kommen wir zu der Häusergruppe »Im Strich«, welche gewöhnlich Macugnaga — diesen Namen führt die ganze Gemeinde — genannt wird, und betreten Lochmatters Gasthaus zum Monterosa.

Der Hintergrund des Anzascathales von Borca aufwärts ist ganz deutsch. Zweifellos sind die deutschen Bewohner von Macugnaga von Norden her über den leicht überschreitbaren Monte Moropass herübergekommen. Ihre Namen zeigen, dass sie mit den Bewohnern des nördlichen Saasthales nahe verwandt sind. Ebenso wie von Norden her die Deutschen, sind von Süden her die Welschen ins Gebirge eingedrungen. Die Deutschen haben an mehreren Stellen die Hauptwasserscheide der Alpen überschritten und die obersten Theile der südlichen Thäler besiedelt. So finden wir Deutsche im oberen Gressoneythale bis hinab nach Gaby, hier im Anzascathale, im oberen Vedrothale, am Simplon und dann im ganzen oberen Etschgebiete in Südtirol. Die Welschen haben ihrerseits nur drei sehr kleine Gebiete nördlich von der Hauptwasserscheide eingenommen: das kleine Valle de Lei und das Val Cacrezzia im südlichen Theile des Rheinquellgebietes und das Valle de Livigno östlich von den Innquellen. An den Quellen des Rheins und des Inn und an zwei Stellen in Südtirol haben sich noch Reste der früheren rätoromanischen Alpenbewohner zwischen den von Nord und Süd her vordringenden Deutschen und Welschen erhalten. Der westlichste von Rätoromanen bewohnte Punkt ist Oberalp an der Quelle des Vorderrheins; westlich von der Furka stoßen die Deutschen zunächst an die Welschen und weiterhin dann an die Franzosen. Der südlichste Punkt der geschlossenen deutschen Bevölkerung ist Gaby im Gressoneythale.

In Macugnaga wollen wir gutes Wetter abwarten und dann hinübergehen nach Zermatt. Der bequemste allerdings den Umweg durchs Saasthal und über Stalden bedingende Weg dahin führt über den nördlich von Macugnaga liegenden, 2862 Meter hohen Monte Moropass. In früheren Zeiten, vor dem Baue der Simplonstraße, gieng der meiste Verkehr zwischen Wallis und Italien über diesen Sattel. Jetzt wird der denselben übersetzende Saumpfad fast nur von Touristen benützt. Wie der Große St. Bernhard soll auch dieser Pass im zehnten Jahrhunderte von Saracenen besetzt gewesen sein, welche die Reisenden ausraubten. Sein Name Moro soll auf sie hindeuten. Andere, directe, aber viel schwierigere Pässe sind das nordwestlich von Macugnaga gelegene, 3661 Meter hohe neue Weißthor, nördlich von der Cima di Rofel; das südlich von letzterer liegende Mittelthor (3660 Meter), das alte Weißthor (3576 Meter), welches noch weiter südlich zwischen Cima di Jazzi und Fillarkuppe liegt, das Fillarjoch südlich von letzterer, das Jägerjoch zwischen Jägerhorn und Nordend und endlich der 4196 Meter hohe Silbersattel zwischen Nordend und Monterosa, der schwierigste von allen, ein Pass, der zum erstenmale 1880 von Blodig überschritten worden ist.

Trübe bricht der Morgen an, aber gleichwohl beschließen wir, zu der Petrioloalpe, welche östlich von der Zunge des Macugnagagletschers liegt, hinaufzugehen, vielleicht wird uns doch der großartige Anblick des Monterosaabsturzes, den man von dort aus gewinnt, zutheil. Wir gehen hinauf nach Zertannen, dem letzten Weiler von Macugnaga, setzen über den Thalbach, überklettern eine alte Endmoräne des Macugnagagletschers und gewinnen die als Belvedère bekannte Anhöhe, welche zwischen den beiden Zipfeln des gespaltenen Zungenendes des Macugnagagletschers liegt. Dort angekommen, wenden wir uns links, überqueren den linken Gletscherarm und gehen theils über die rechte Seitenmoräne, theils über den Berghang zur Alpe hinauf.

Lichter und lichter wird der Nebelschleier, welcher über uns schwebt, hie und da sehen wir schon den blauen Himmel durchschimmern. Jetzt reißt die Wolke, und vor unseren staunenden Augen erhebt sich die eisgepanzerte Riesenwand des Monterosa. Zu unseren Füßen zieht der wildzerklüftete Macugnagagletscher zu Thal, und über demselben ragt der gewaltige Bergwall auf. Gerade gegenüber liegt das mit steilen Felswänden absetzende Jägerhorn. Höher steigt nach links hin die obere Kante der Wand an zu dem mit gewaltigen Schneewächten gekrönten, etwas vortretenden Nordend, unter welchem strebepfeilerartig ein breiter Felssporn herabzieht zum Macugnagagletscher. Weiter, etwas zurücktretend und daher niedriger erscheinend, erhebt die Dufourspitze, der höchste und daher schlechtweg als Monterosa zu bezeichnende Punkt der Gruppe, ihr scharfes Felsenhaupt. Von dem Fuße der Gipfelfelsen zieht ein nur an einzelnen Stellen von unbedeutenden Felsen unterbrochener Firnhang in einer über 2000 Meter hohen Flucht zum Macugnagagletscher herab. Rinnen durchfurchen ihn, und donnernd stürzen Lawinen durch diese hinab. Der Kamm zieht von Monterosa zu der wieder etwas vortretenden Signalkuppe. Im Südwesten schließt der von letzterer steil nach Osten absetzende Seitengrat das unvergleichliche Bild ein.

Hier liegen wir nun im weichen Alpengrase zwischen den Blüten von Steinbrech und Primeln, unverwandt jene herrliche Bergwand betrachtend. Ringsum herrscht Ruhe. Plötzlich wirbelt eine Schneewolke in der großen Rinne auf, welche zwischen Nordend und Monterosa den Firnhang durchschneidet: einem gewaltigen Wasserfalle vergleichbar stürzt durch dieselbe eine Lawine herab. Jetzt erreicht der Lawinendonner unser Ohr, rauschend und mächtig schwillt er an, allmählich verklingend rollt der Wiederhall an den Wänden hin. Die aufgewirbelten Schneemassen nehmen Gestalt an, sie neigen und beugen sich. Ha, wir kennen euch wohl, ihr Saligen Frauen, wie ihr webet und winkt und uns lockt hinauf in eure Lawinenrinne, jene furchtbare Gasse des Todes! Wir verstehen euch wohl. Nicht über einen der Pässe, über den gewaltigen Absturz, durch eure Lawinenrinne und über den Gipfel des Monterosa sollen wir nach Zermatt, unserem nächsten Ziele, hinüber!

Die erste Ersteigung des Monterosa von Macugnaga aus über den gewaltigen Ostabsturz wurde 1872 von W. M. und R. Pendlebury und C. Taylor ausgeführt, die zweite 1880 von mir. Eine dritte Partie, Marinelli mit zwei Führern und einem Träger, wurde 1881 dort von der Lawine ereilt: alle mit Ausnahme des Trägers blieben todt. Seither ist dieser Weg mehrmals gemacht worden, und es hat sich, abgesehen davon, dass hier ein fallender Stein dem Führer Ranggetiner einige Rippen brach, kein weiterer Unfall auf demselben ereignet.

Wir verlassen die Alpe und kehren zurück nach Macugnaga, um die nöthigen Vorbereitungen zu treffen und dann von dort aus zu der Marinellihütte hinaufzugehen, welche neuerlich auf dem erwähnten, aus

Abb. 71. Der Monterosa von Macugnaga.

dem Abhange vortretenden Felsgrate, dem Jägerrücken, in einer Höhe von etwa 3200 Metern erbaut worden ist.

Zeitlich am Morgen verlassen wir Lochmatters Hotel und wandern wieder hinauf zur Petrioloalpe, überschreiten den Gletscher, was trotz seiner Zerklüftung ganz leicht ist, und steigen über Felsen, Eis und Schnee zu der Hütte empor. Herrlich sind die Farben, in denen der Himmel beim Sonnenuntergange erglüht, und prächtig der Schatten, der aus dem tiefen Macugnagathale heraufschwebt, die steilen Firne mit einem blauen Mantel umhüllend. In immer größeren Pausen tönt der Lawinendonner, endlich schweigt er ganz, und die Ruhe der Nacht senkt sich herab auf das Land. Beim allerersten Grauen des Morgens — denn je früher am Tage man die furchtbare Lawinenrinne durchquert, um so geringer ist die Gefahr — verlassen wir die Hütte und steigen weiter über den Jäger-rücken hinauf. Ringsum herrscht Ruhe, und leise streicht ein eisiger Lufthauch über die Firne hin. Nach wenigen Minuten schon verlassen wir den Fels und betreten jene Firnkante, mit welcher der Jägerrücken aus dem Abhange entspringt. Bald ist auch dieser überschritten; wir stehen mitten in der Wand, gerade unter dem Gipfel des Nordend. Zwischen unserem Standpunkte und dem Monterosa unterbrechen zwei kleine dreieckige Felsen den Firnhang. Vor diesen liegt die berühmte Lawinenrinne. Auf den nächsten von den Felsen losgehend, traversieren wir die hier nicht übermäßig steile Eiswand schief nach links aufwärts und kommen bald an die Rinne heran, eine etwa 20 Meter breite und 5 Meter tief in das Eis eingerissene Steilschlucht. Ja sie ist es, aus der die Saligen Frauen hervorgestiegen sind, um uns zu grüßen! Drohend blicken aus Kilometerhöhe Schneewächten und Séracs in die Rinne herein; durch sie muss alles hinab, was von der Südostflanke des Nordend los-bricht. So rasch als nur möglich, mit Aufbietung aller Kräfte, haut der Vordermann Stufen, glashart aber ist hier das blank gescheuerte Eis, und langsam nur rücken wir vor. Nichts regt sich in der Höhe, und glücklich kommen wir hinüber. Aufathmend betreten wir den jenseitigen Firnhang, und bald ist nun auch der erste der Felsen gewonnen. Diesen entlang steigen wir stufenhauend gerade empor, gehen dann schief hinauf zu dem zweiten und an diesem vorüber, immer nach links ansteigend, auf eine kleine, stark zerklüftete Firnstufe zu, die etwas aus dem Hange hervortritt und deshalb vor Lawinen und Steinfällen ziemlich sicher ist. Immer stufenhauend, nähern wir uns langsam diesem sicheren Hafen, da saust etwas durch die Luft, und ein tischgroßer Stein schlägt einer Kanonen-kugel gleich vor uns in den Firn — alle mit einem Hagel von Eissplittern überschüttend. Hoch im Bogen stürzen andere Trümmer vorüber, wir sehen sie kaum, zu schnell ist ihr Fall, aber deutlich und laut tönt das Heulen ihres sausenden Fluges. Dicht an die Eiswand gekauert haben wir Deckung gesucht; jetzt ist's wieder ruhig, wir blicken empor; gerade über uns ragt der Felsgipfel des Monterosa auf, glühend im Morgenroth. An ihm hatten die ersten Strahlen der Sonne jene Steine losgelöst, von ihm kam dieser Morgengruß. Wir setzen die Arbeit fort und erreichen die Firnstufe. Hier wollen wir frühstücken und uns in der Morgensonne ein bisschen erwärmen. Nach längerer Rast setzen wir den Marsch fort. Mühsam zwischen den zum Theil von trügerischen Schneebrücken verdeckten Schründen durchlavierend, gewinnen wir den spaltenfreien Steilhang wieder und gehen über diesen gerade hinauf. Hier bedeckte eine hohe Lage von staubähnlichem Hochschnee das darunterliegende Eis und machte das Stufenhauen fast unmöglich. Wir laufen große Gefahr, an dieser Stelle eine Lawine loszutreten, und steigen, um diese möglichst zu verringern, in einer Fallinie an. Endlich ist der Schnee hinter uns, und leichter geht es jetzt über den blanken Firn hinauf. Wir befinden uns links unter dem Fuße der Gipfelfelsen und hauen nun schief nach rechts aufwärts Stufen. Das Eis ist an dieser Stelle sehr steil und ganz einzig der Blick über die jähe Firnwand hinab in die Tiefe. Wir gewinnen die Felsen und halten hier eine kurze Rast.

Der Gipfel des Monterosa besteht aus einer westöstlich verlaufenden Felsmauer, welche senkrecht zu dem hier südnördlich streichenden Hauptkamme gerichtet ist. Diese Felsmauer entspringt im Westen aus einem runden Firnrücken, steigt nach Osten ziemlich sanft, allmählich sich verschmälernd, zu der 4638 Meter hohen westlichen, höchsten Spitze an und erstreckt sich von dort über eine Scharte zu dem östlichen, 4651 Meter hohen — italienischen — Vorgipfel, um hier plötzlich abbrechend als steile Felsrippe nach Osten herabzuziehen. Am Ostfuße dieser Felsrippe, dort wo sie unter den Firn des Ostabhanges taucht, stehen wir. Die Felsen, brauner Gneis, sind zwar steil, aber ohne alle Schwierigkeit zu überklettern, und obwohl nimmer so frisch wie am Morgen — denn das zwölfstündige Stufenhauen, welches hinter uns liegt, war keine leichte Arbeit — kommen wir über dieselben doch rasch genug hinauf. Erst über die Schneide, weiter durch die Südwand, dann wieder über die Schneide. Ganz oben müssen einige Felsthürme überklettert oder umgangen werden. Heftige Windstöße nöthigen zu wiederholtem Aufenthalte. Endlich aber erreichen wir den italienischen Gipfel, klettern über eine glatte Platte von großer Steilheit zur Scharte hinab, umgehen noch einen kleinen Thurm,

Abb. 72. Der Monterosa vom Gornergrat.

arbeiten uns über die letzten Felsen empor und betreten den höchsten
Gipfel des Monterosa.

Schon nähert sich die Sonne dem westlichen Horizonte, die Alpenkette mit goldigem Abendlichte überschüttend. Zu unseren Füßen wallt
der große Gornergletscher zu Thal, und rings um ihn streben die herrlichen
Gipfel von Zermatt empor. Schwarzviolett ragt die felsige Spitze des
Matterhorn in den glühenden Abendhimmel, steil erhebt die Dent Blanche
— doch nein, kein Wort weiter! Wer wird das reine und wahrhafte
Glück, das uns nach solchem Aufstiege auf hohem Felsengipfel lächelt,
durch Detailbetrachtungen stören? — To puzzle one's brains at such moments
by seeking to recognise distant peaks, or to correct one's topographical
knowledge, or by scientific pursuits of any sort, appears to be sacrilege
of the most vicious sort — sagt Mummery. Auch ich sage so. Das stolze
Gefühl siegreich überwundener Schwierigkeiten und Gefahren vereinigt
sich mit dem Bilde des Monterosa-Panoramas im Abendroth zu einem
transcendentalen Gesammteindrucke, welcher aus allen Einzelheiten losgelöst, wie die Sonne zwischen Wolken hervorstrahlend, die Seele mit
einer Ahnung des Absoluten, mit freudiger Andacht erleuchtet und er-
wärmt. Wir spüren die Gottesnähe, und das ist das Glück.

Schon verschwindet die Sonne in dem goldenen Duftmeere, das im
Westen sich ausbreitet. Wir nehmen Abschied, klettern rasch über den
leichten westlichen Felsgrat hinunter, gewinnen den Firn und eilen über
diesen hinab. Aber schon ist es finstere Nacht, da wir unten am Gornergletscher anlangen. Mühsam stolpern wir über die höckerige Eisfläche

hin. Alle Augenblicke fällt der eine oder andere in eines der Wasser-
löcher, und die Laterne, die nützt nichts, im Gegentheile sie macht nur
»the darkness visible« wie Milton sagt. Endlich erreichen wir gegen
Mitternacht erst — das rechte Ufer des Gletschers und finden zu unserer
angenehmen Überraschung den Fußsteig, der zum Riffelhause hinaufführt.
Durchnässt, müde und hungrig langen wir um 1 Uhr früh dort an.
Alles ist überfüllt, nur im kleinen Telegraphenbureau noch Platz. Dort
werde ich einquartiert, bekomme etwas Thee und gehe zu Bett. Ich glaube
kaum eingeschlafen zu sein, als ein fortwährendes Ticken mich weckt.
Es ist schon Tag, ich aber fühle gar keine Lust zum Aufstehen und
schlummre nochmals ein — wieder das Ticken —, zum Teufel! kann man
keine Ruhe haben? Ah, der Telegraph! Na, mit dir werd' ich schon
noch fertig! Ich stecke einen Strumpf unter den Hebel des Morsé —
der Rest ist Schweigen.

Das Riffelhaus liegt auf einer ausgedehnten, sanft nach Westen gegen
Zermatt sich abdachenden Fläche, dem Riffelberge, 2560 Meter über dem
Meere. Es gehört, ebenso wie die älteren Hotels in Zermatt, der Familie
Seiler, womit gesagt sein soll, dass es nach jeder Richtung hin das höchste
Lob verdient. Die Südkante des in der Mitte aus Hornblendeschiefer und
am Rande aus Serpentin bestehenden Riffelplateaus (berges) ist erhöht,
und ihr entragen das 2931 Meter hohe Riffelhorn und weiter östlich der
eine Höhe von 3136 Metern erreichende Gornergrat. Auf dem letzteren
steht auch ein Hotel. Diese beiden Höhen sind vom Riffelhause leicht
auf guten Reitwegen erreichbar und bieten prächtige Aussichten auf die
Gipfel der Monterosa-Gruppe. Wir wollen nach der Lunch zum Gornergrat hinaufgehen, um dort die Topographie unserer Umgebung mit Muße
zu studieren. Reich belebt ist der Weg; zu Fuß und zu Ross wandern
Touristen hinauf und herab.

Wir erreichen die Höhe und betrachten die Rundschau. In weitem
Kranze umgeben die Gipfel der Monterosa-Gruppe unseren Standpunkt,
während zu unseren Füßen der mächtige Eisstrom des Gornergletschers
dahinzieht. Wir erkennen, dass jene Gipfel das hinter uns nach Norden
hinabziehende Zermatter Vispthal auf drei Seiten, im Osten, Süden und
Westen, umgürten.

Die Monterosa-Gruppe besteht aus der Hauptkammstrecke Tête
Blanche-Neu Weißthor und den von diesen beiden Punkten nach Nor-
den abgehenden Nebenkämmen: dem östlichen Dom- und dem westlichen
Weißhorn-Kamme.

Abb. 73. Die Monterosa-Gruppe von der Gemmi aus.

Die Tête Blanche
ist eine sanfte, in der
Mitte weit ausgedehnter
Firnfelder zu einer Höhe
von 3750 Metern auf-
ragende Schneekuppe.
Von ihr zieht der Haupt-
kamm erst in südöstlicher,
dann in östlicher Rich-
tung über den breiten Firnsättel des Col de Valpelline
(Abb. 66) und das Tiefen-

Abb. 75. Schwarzseehôtel, Breithorn und Lyskamm

mattenjoch, zuletzt jäh hinauf zur Dent d'Hérens, einem scharfen, überfirnten, 4180 Meter hohen Gipfel. Von hier streicht derselbe in Gestalt eines wild zersägten Felsgrates nach Osten hinab zu dem schmalen
Col du Lion, steigt jenseits als steile Felskante zum Matterhorn (4482
Meter; Abb. 73, 79) empor, senkt sich dann, gleichzeitig nach Südost umbiegend, ebenso rasch wieder zum Matterjoch und zieht in südöstlicher
Richtung, eine Höhe von 3200 — 3500 Metern beibehaltend, über den
Furggengrat, das Theodulhorn und den Theodulpass (3322 Meter) weiter,
um in dem nach Norden vorgeschobenen Breithorn (Abb. 74) wieder zu
4171 Metern anzusteigen. Von hier erstreckt sich der Kamm, eine sehr
bedeutende Höhe beibehaltend, über das Schwarzthor, die Zwillinge,
Pollux (4094 Meter), Castor (4230 Meter) und das zwischen beiden gelegene Zwillingsjoch zum Felikjoch am Südwestfuße des Lyskamm. Es
folgt nun der lange Firngrat des Lyskamm (Abb. 74), dessen höchster
Punkt 4538 Meter über dem Meere liegt, der nur wenig eingesenkte
Lyspass und endlich das Balmenhorn (4324 Meter). Der Kamm, welcher
bis hieher einen im ganzen westöstlichen Verlauf eingehalten hat, wendet

sich nun nach Norden und zieht über die nur wenig hervortretenden Gipfel im Hintergrunde des Grenzgletschers, Ludwigshöhe (4344 Meter), Parrotspitze (4443 Meter), Signalkuppe (4561 Meter) und Zumsteinspitze 4573 Meter), zum Culminationspunkte der ganzen Gruppe, der 4638 Meter hohen Dufourspitze oder dem Monterosa (Abb. 71, 72), empor. Scharf erhebt sich sein dunkler Felsgipfel über dem sanftgeneigten, reich gegliederten und von gewaltigen Schründen und Eisbrüchen durchsetzten Firnhang, welcher vom Silbersattel (4490 Meter) am Nordfuße des Monterosa herabzieht zu dem mächtigen, zu unseren Füßen ausgebreiteten Gornergletscher. Nach links hin erhebt sich der Kamm zu der nördlich vom Silbersattel aufragenden Pyramide des 4612 Meter hohen Nordend (Abb. 71), des zweithöchsten Gipfels der Gruppe. Weiter im Norden senkt sich der hier von einer mächtigen Firnmasse bekleidete Kamm erst allmählich und bricht dann mit einer steilen Felsstufe plötzlich ab. Nördlich von dem Abbruche ziehen die weit ausgedehnten Firnmassen des Gornergletschers ununterbrochen und sehr sanft ansteigend hinauf zu dem hier bloß 3500 bis 4000 Meter hohen Kamme, welcher, ohne bedeutendere Erhebungen aufzuweisen, über die uns schon bekannten Punkte Jägerjoch, Jägerhorn, Fillarjoch, Fillarkuppe, Alt Weißthor, Cima di Jazzi — auch diesen Namen führt man, ebenso wie den Namen Monte Moro auf die Saracenen zurück — und Mittelthor zum Neu Weißthor verläuft. Der Hauptkamm (Wasserscheide Po, Rhône) wendet sich hier nach Osten über die Fadhörner dem Monte Moro zu. Der östliche Nebenkamm der Monterosa-Gruppe, den wir oben als Dom-Kamm bezeichnet haben, und der im Neu Weißthor von dem Hauptkamme abzweigt, behält im allgemeinen dieselbe südnördliche Richtung bei, welche die Hauptkammstrecke Balmenhorn-Neu Weißthor besitzt: die letztere und der Dom-Kamm bilden zusammen eine orographische Einheit.

Vom Neu Weißthor erstreckt sich dieser Kamm bis Stalden an der Vereinigungsstelle des Zermatt- und Saasthales. Die Erhebungen desselben erscheinen als schmälere, zum Theile felsige Querkämme, welche von Südwest nach Nordost streichen und durch flache Firnsättel von einander getrennt sind. Vom Neu Weißthor (3012 Meter) steigt der Kamm erst allmählich, dann plötzlich mit steiler Felsstufe nach Norden zum Strahlhorn (4191 Meter) an, senkt sich in nordwestlicher Richtung allmählich zum Adlerpass (3798 Meter) herab und erhebt sich jenseits desselben in jäher Wandflucht zum Rimpfischhorn (4203 Meter; Abb. 81). Von hier erstreckt er sich erst in nördlicher Richtung über den Alladinpass

(3570 Meter) zum Allalinhorn (4094 Meter) — auch das sollen saracenische Namen sein —, dann weiter in nordwestlicher Richtung über das Alphubeljoch (3802 Meter) zum Alphubel (4207 Meter). Es folgen jenseits des Mischabeljoches (3856 Meter) die höchsten Gipfel dieses Kammes (Abb. 73, 81), das schlanke Täschhorn (4498 Meter) und der breite Dom (4554 Meter), der höchste ganz in der Schweiz gelegene Berg. In Gestalt einer Reihe wilder Felszacken setzt sich der Kamm von hier über das Nadelhorn (4384 Meter) nach Norden fort. Erst jenseits des 3802 Meter hohen Balfrinhorn sinkt er unter die Schneegrenze herab, um, wie erwähnt, bei Stalden zu enden.

Der westliche von der Tête Blanche (3750 Meter) abzweigende Nebenkamm, der Weißhorn-Kamm, zieht in nordostnördlicher Richtung zum Schwarzhorn und spaltet sich hier in zwei niedrige Rücken, welche bei Visp und Turtmann an der Rhônethalfurche enden. Zunächst erstreckt er sich als ein nach Ost steil abfallender und felsiger, nach West sich sanft abdachender und überfirnter Kamm, die Wandfluh, über den Col d'Hérens (3480 Meter) in nordostnördlicher Richtung zur schönen Dent Blanche (4364 Meter; Abb. 65, 73). Hier spaltet er sich. In der directen Fortsetzung des Wandfluhkammes verläuft der das Val d'Hérens vom Val d'Anniviers (Einfischthal) trennende Grat des Grand Cornier (3960 Meter) nach Norden, während der rechte Ast nach Osten sehr steil hinabzieht zum Col Durand (3474 Meter), um jenseits desselben zum Gabelhorn (4072 Meter) anzusteigen. Dieser Kamm wendet sich jenseits des Gabelhorn, in der Wellenkuppe — die vom Gornergrat viel bedeutender aussieht, als sie ist — wieder nach Nordostnord. Er zieht hinab zum Triftjoch (3510 Meter) und steigt dann über das Trifthorn zu dem schönen Felsgipfel des Rothhorn (4223 Meter) an. Dann folgt der 3793 Meter hohe Momingpass, das Schallhorn und das prächtige Weißhorn (4572 Meter; Abb. 73, 80). Jenseits desselben senkt sich der Kamm bedeutend und zieht nach Abgabe eines das d'Anniviers- vom Turtmannthale trennenden Kammes nach Nordwest über das Brunnegghorn und die Barrhörner zum Schwarzhorn.

Zusammen bilden diese drei das Zermatter Vispthal einfassenden Kämme einen 75 Kilometer langen, durchweg stark vergletscherten Gebirgszug. Die ausgebreitetsten Firnfelder liegen an der Zermatter Abdachung der Kammstrecke Breithorn-Rimpfischhorn.

Es sind das die Sammelgebiete des Gornergletschers, der südlich, und des Findelengletschers, der nördlich vom Gornergrat nach Westen

202

gegen Zermatt hinabzieht. Auch im Süden der Kammstrecke Breithorn-
Balmenhorn dehnen sich bedeutende, großentheils überfirnte Plateaux aus.
Die übrigen Theile des Gebirges aber sind schmal und die von ihnen
herabziehenden Gletscher verhältnismäßig klein. Zu den bedeutendsten
von diesen Eisströmen gehören der vom Brunnegghorn nach Nordwesten
ins Turtmannthal hinabziehende Turtmanngletscher, der vom Gabelhorn
nach Norden ins Zinalthal Abb. 78) hinabziehende Durandgletscher, der
von der Tête Blanche nach Nordwesten gegen das Val d'Hérens hinabziehende Ferpèclegletscher, der von der Wandfluh nach Osten ins
Zermatter Vispthal hinabziehende Zmuttgletscher, dann der Macugnagagletscher, den wir schon kennen, und die von der Kammstrecke
Neu Weißthor-Allalinhorn nach Nordosten ins Saasthal hinabziehenden
Schwarzenberg- und Allalingletscher.

Der größte von allen Eisströmen der Monterosa-Gruppe ist der zu
unseren Füßen vorbeifließende Gornergletscher. Alle Firnmassen, welche
sich auf den Nord- und Westabhängen der 17 Kilometer langen Kammstrecke Breithorn-Cima di Jazzi ansammeln, vereinigen sich zu diesem
Eisstrome, dessen Zunge, zwischen dem Riffelhorn und den Lychenbrettern
sich hindurchzwängend, eine kurze Strecke oberhalb Zermatt im Zermatter
Vispthale endet. Der Gornergletscher nimmt einen Flächenraum von
60 Quadratkilometern ein und hat von der Signalkuppe bis zu seinem
1840 Meter über dem Meere liegenden Ende eine Länge von 15 Kilometern. Er ist in Bezug auf den Flächeninhalt der zweitgrößte, in Bezug
auf die Länge der viertgrößte Gletscher der Alpen.

Schon senken sich die Schatten des Abends herab auf die Hochfirne, und noch stehen wir da, die Rundschau bewundernd; sie ist schön
und interessant, und dicht neben uns steht das jeden Comfort bietende
Hotel. Aber was ist dies alles im Vergleiche mit der Freude, die wir
neulich auf dem Gipfel des Monterosa genossen — nichts, rein nichts.
Dort durchzitterte die Seele ein transcendentaler Götterfunke; hier —
Diner à toute heure!

Nochmals übernachten wir im Riffelhause — nicht im Telegraphenbureau diesesmal — und wandern am nächsten Tage hinunter nach Zermatt. Auf halbem Wege steht waldumgürtet das Hotel Riffelalp (Abb.
75). Es ist — wir befinden uns mitten in der Reisezeit — wie alle diese
Hotels angefüllt mit Fremden bis zum Dachboden. Wir halten uns
dort nicht auf und erreichen, unseren Marsch fortsetzend, nun bald Zermatt, unser Ziel.

In der obersten,
eisfreien, 1620 Meter
über dem Meere gele-
genen Weitung des Zer-
matterVispthales dürften
schon im vierzehnten
Jahrhunderte deutsche
Einwanderer die frühe-
ren gallischen Bewohner
verdrängt haben. Diese
Deutschen bauten hier
mehrere Dörfer; eines
von diesen ist Zermatt.

Als um die Mitte
unseres Jahrhunderts die
Besserung des Ver-
kehrswesens den Besuch
der Alpen wesentlich
erleichtert hatte, reisten
Einzelne ins Hochge-
birge, um auf unbetre-
tenen Pfaden und an
jungfräulichen Gipfeln
jenen ritterlichen Thaten-
drang zu befriedigen, den
die hochcivilisierte und
dabei so schrecklich
kleinliche moderne Ge-
sellschaft innerhalb ihres
Bereiches stets zu unter-

Abb. 75. Hotel Riffelalp.

drücken bestrebt ist. Zertrümmert sind die Raubburgen, geendet die
Fehden und versunken die Pracht der Turniere. Der männliche Kampfes-
muth aber und die Freude an der Überwindung von Gefahren sind, Gott
sei Dank, noch geblieben, und die damals fast unbekannten Alpen mit
ihren ungewohnten Schrecken boten ein Object dar, an dem dieser Muth
erprobt und vielerlei Gefahren und Mühseligkeiten getrotzt werden konnte:
zum Kampfe gegen die verderbendrohende Hochregion zogen tapfere
Männer aus, zunächst Engländer.

12*

Kein Platz bot eine für diese Fehde günstigere Operationsbasis als Zermatt, und hier errichtete der alte Seiler ein bescheidenes Gasthaus, welches jenen Pionnieren des alpinen

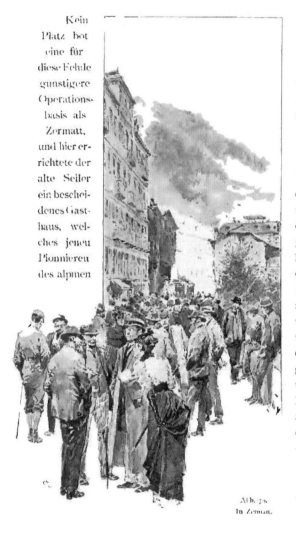

Alb. 75.
In Zermatt.

Sportes: Whymper, Tyndall und anderen, Unterkunft bot. Jahre hindurch frequentierte nur eine kleine, höchst gewählte alpine Gesellschaft das Seiler'sche Hotel, aber nach einiger Zeit begannen weitere Kreise sich für das Hochgebirge zu interessieren, und es kamen nun auch Leute hin, die nicht zu jener Kategorie tapferer Alpenkämpfer gehörten und die Berge, von deren Bezwingung sie gelesen, nur von unten betrachten wollten. Bald fasste das alte Gasthaus die Masse dieser Neugierigen nicht mehr; und als es endlich gar Mode wurde, Zermatt zu besuchen, sahen sich die wenigen Bergsteiger von der Hochflut jener zuströmenden Fremden, welche keine Spur eines Verständnisses für ihre alpinritterlichen Bestrebungen hatten, völlig erdrückt: immer neue Hotels mussten für die stets zunehmende Menge der Besucher gebaut werden. Da nur durch einen Theil des Vispthales Fahrstraßen führten, eine beträchtliche Strecke des Thalweges nach Zermatt aber zu Fuß oder im Sattel zurückgelegt werden musste, so blieben doch die Allerfaulsten immer noch diesem herrlichen Orte fern. Allein die Schweizer Hoteliers wollten auch diese heranziehen.

denn ihnen war es natürlich gleichgiltig, ob ihre Einnahmen von alpinen oder unalpinen Leuten herrührten, wenn sie nur recht groß waren: eine Eisenbahn wurde im Vispthale gebaut, welche Zermatt mit der Rhônethalbahn verband, und nun ergoss sich auch noch dieser Schwarm von Reisenden über das Thal. Völlig verschwunden sind die Hütten des Dorfes unter den riesigen Hotels, deren kasernenmäßige Bauten die herrliche Thalweitung entstellen.

Mit einem schweren Seufzer treten wir in den Trubel ein, der jetzt — gerade ist ein Zug angekommen — herrscht, wehmüthig zurückdenkend an die glücklichen Tage, die wir vor vielen Jahren in dem alten Zermatt verlebt.

Das älteste und kleinste von den Hotels, das Mont Rose, hat noch einen Schimmer der guten alten Zeit bewahrt: dort sammeln sich die Bergsteiger, die in der Masse der Fremden sonst völlig verschwinden, und dorthin lenken auch wir unsere Schritte.

Abb. 77. Bon voyage.

Abb. 78. Zinal.

2. Matterhorn und Weißhorn.

Der schönste von allen den zahlreichen Hochgipfeln des Bergkranzes, welcher die Zermatter Mulde umgürtet, ist das Matterhorn (Abb. 73. 79). Ja ich glaube, dass mir niemand widersprechen wird, wenn ich sage, dass das Matterhorn überhaupt der schönste Berg in den Alpen sei. Von den beiden Enden seines fast horizontalen, ostwestlich verlaufenden und am Ostende eine Höhe von 4482 Metern erreichenden Gipfelgrates gehen je zwei steil absetzende Felskämme ab, welche die Grenzen seiner vier Abhänge bilden. Diese Abhänge sind so steil, dass der Querschnitt des Berges tausend Meter unter seinem Gipfel bloß $1\frac{1}{3}$ Quadratkilometer einnimmt. Ihre Durchschnitts-Neigung beträgt 57^0. Dabei sind die Ost- und Südflanken in ihren obersten Partien senkrecht, unten aber weniger stark geneigt, während die Nord- und Westflanken umgekehrt unten steiler als oben sind. Das ist es, was unserem Berge seine charakteristische, hornartige Gestalt verleiht, mit welcher er anderthalb Kilometer hoch über die Firnfelder emporragt, die seinen Fuß umwallen. Nur wenig dauerndes Eis haftet am Matterhorn, denn gar bald entfernt die Sonne den zarten, weißen Schleier, mit dem jeder Schneefall seinen steilen Felsbau schmückt, wieder. Lange, nachdem schon alle Gipfel der Umgebung bezwungen waren, galt das Matterhorn immer noch für

unersteiglich. Tyndall war der erste, welcher dem Berge ernstlich zu
Leibe gieng, allein jahrelang vergebens. Dann machte sich Whymper
daran, und ihm gelang nach vielen vergeblichen Versuchen die erste Ersteigung am 14. Juli 1865. Unter Führung von M. Croz und Taugwalder
Vater und Sohn stiegen Whymper, Douglas, Hadow und Hudson von
Zermatt ausgehend über die Ostwand und den Nordostgrat zu der als
Schulter bekannten überfirnten Gratstufe und schließlich über den obersten Theil der Nordwand zum Gipfel empor. Beim Abstiege stürzten
Douglas, Hadow, Hudson und Croz in die Tiefe: bloß Whymper und die
beiden Taugwalder kehrten lebend nach Zermatt zurück. Drei Tage
später erkletterte Carrel das Matterhorn vom Val Tournanche aus über
den Südwestgrat — der eine noch viel auffallendere Schulter als der
Nordostgrat bildet — und den obersten Theil der Westwand. 1879 erreichte
Mummery mit Alexander Burgener und Venetz den Gipfel über den
als Zmuttarête bekannten Nordwestgrat und die oberen Theile der West-
und Nordwand. An demselben Tage gelang es Penhall mit F. Imseng,
die Spitze des Berges über den Westabsturz und den oberen Theil des
Nordwest- (Zmutt-) Grates zu erreichen. 1880 erstieg Mummery das
Matterhorn über den Südostgrat, den Ostabhang und den oberen Theil
des Nordabsturzes. Durch Seile und Strickleitern hat man den oberen Theil
des Süd- und durch Ketten den oberen Theil des Nord-Absturzes leichter
passierbar gemacht und überdies auf beiden Seiten des Berges mehrere
Hütten gebaut, wodurch die Ersteigung wesentlich erleichtert wird; sie
ist aber immerhin noch schwer genug, nach meiner Erfahrung schwerer
als jede andere Bergtour in der Monterosa-Gruppe.

Dass der Bergsteiger, wenn er zum erstenmale nach Zermatt kommt,
vor allem aufs Matterhorn gehen muss, ist so klar, dass wir kein Wort
darüber verlieren, sondern uns sofort an den Aufstieg machen wollen.
Wir wählen den gewöhnlichen Weg über den Nordostgrat und den
obersten Theil der Nordwand.

Der Nordostgrat zieht vom östlichen (höchsten) Matterhorngipfel erst
in Gestalt einer sehr steilen Felskante herab, ist weiter, in einer Höhe
von etwa 4290 Metern, auf eine kurze Strecke schwächer (bloß 30°) geneigt
und überfirnt — das ist die Schulter — und senkt sich dann mit einer
Neigung von 45° bis zu dem etwa 3200 Meter hoch liegenden Nordostfuße des Berges. Er setzt sich in einen Rücken fort, welcher vom
Nordostfuße des Berges erst schwach abfallend zum Hörnli (2893 Meter)
verläuft, hier etwas ansteigt und dann steil zu einem flachen Plateau absetzt, auf welchem zwei kleine Seen liegen — Schwarzseen. Auf dem

erhöhten Südrande dieses Schwarzsee-Plateaus steht in einer Höhe von 2580 Metern ein Hotel (Abb. 74). Zu diesem wollen wir zunächst hinauf, dort übernachten und dann das Matterhorn anpacken.

Nach der Lunch verlassen wir das Hotel Mont Rose und bummeln hinauf durch das Vispthal. Eine kurze Strecke oberhalb Zermatt vereinigen sich die Abflüsse des Gorner- und Zmuttgletschers. Wir übersetzen den vom letzteren herabkommenden Bach und genießen von der Brücke einen herrlichen Einblick ins Zmutthal, zwischen dessen waldigen Abhängen die unvergleichliche Pyramide des Matterhorn aufragt. Jenseits geht es erst durch Wald, dann über freundliche Matten hinauf zu dem frei auf einer Kuppe stehenden Hotel. Der östliche Theil des Schwarzsee-Plateaus besteht aus grünem, der westliche aus grauem, kalkhaltigem Schiefer. In der Mitte, zwischen dem Hotel und dem weiter westlich aufragenden Hörnli, wechseln diese beiden Schieferarten mehrmals mit einander ab.

Nach dem trefflichen Diner — auch dieses Hotel gehört der Familie Seiler — genießen wir noch den Anblick der großartigen Rundschau bei Mondschein, gehen dann aber gleich zu Bett, denn um Mitternacht schon soll man uns wecken. Zu kurz war die Ruhe; sehr unwillig stehen wir auf. Ich trete ans Fenster, wolkenlos wölbt sich der sternenfunkelnde Himmel über das Thal, und im silbernen Mondesglanze glitzern die Hochfirne. Meine leise Hoffnung, das Wetter möchte schlecht sein und mir den willkommenen Vorwand bieten, statt aufs Matterhorn hinauf zurück ins warme Bett zu steigen, ist gescheitert; seufzend kleide ich mich an. Schlecht mundet das Frühstück zu solcher Stunde, und flau in Kopf und Magen machen wir uns gegen ein Uhr auf den Weg. Zunächst geht es hinauf zum Hörnli, von wo man eine herrliche Aussicht, namentlich auf das gegen 1600 Meter über dasselbe aufragende Matterhorn gewinnt, dessen gewaltiger Felsbau jetzt im ungewissen Mondlichte finster drohend auf uns herabblickt. Jenseits des Hörnli folgen wir der nur schwach ansteigenden Gratkante, erreichen den Fuß des Berges und überschreiten einen kleinen Firnsattel. Hier steht die neue Matterhornhütte, an der wir jetzt vorüberkommen. Jenseits des Firnsattels verlassen wir das Schieferterrain und betreten den Arolla-Gneis, aus welchem der größte Theil des Gipfelbaues zusammengesetzt ist. Nun folgen wir nicht mehr der von hier steil zur Schulter hinaufziehenden Schneide, sondern klettern mehr oder weniger weit unterhalb derselben durch die Ostwand schief nach links hinauf. Hier findet sich nirgends eine schwierige Stelle, leicht und rasch kommen wir vorwärts. Vergessen ist die gedrückte Stimmung, in der wir aufgebrochen sind, und jubelnd begrüßen wir die Morgendämmerung, welche über dem Monterosa im Osten aufzusteigen beginnt. Wir erreichen die alte, jetzt verfallene und unbrauchbare Hütte, in der man früher zu übernachten pflegte, und halten hier Frühstücksrast. Immer heller wird's im Osten, plötzlich treffen die ersten Strahlen der steigenden Sonne die höchsten Gipfel: dunkelglühend leuchten sie auf, einer nach dem andern, und jetzt erglänzt auch die senkrechte, von Eiszapfen behangene östliche Gipfelwand des Matterhorn im Morgenroth.

Wir setzen den Marsch fort. Unten trafen wir nur wenig Firn an; hier oben aber müssen wir über einen längeren Eishang hinauf Stufen hauen. Dann folgen etwas weniger leichte Felsen, hierauf kommen wir wieder auf Eis; der Hang wird steiler; wir treten an einer Stelle auf den Grat hinaus und blicken über den furchtbaren Nordabsturz hinab zum Matterhorngletscher. Wieder geht es dicht unter der Gratkante schief nach links empor, und wir gewinnen, eine jähe Wandstufe überkletternd, das untere Ende jenes steilen Firnhanges, welcher von der Schulter nach Osten herabzieht. Nun heißt es wieder wacker Stufen schlagen, aber das dauert nicht lange, denn die Schneeverhältnisse sind heute hier ganz gut*): wir erreichen die Ecke der Schulter, den Grat, und gehen über diesen nach links auf den Gipfel zu, dessen steile Nordwand sich drohend vor uns erhebt. Dieser Absturz ist unten völlig schneefrei, aber stark vereist, und in den Kaminen hängen riesige Eiszapfen. Rasch ist der Fuß der Wand über den Firngrat der Schulter gewonnen; wir deponieren die Rucksäcke, nehmen einen Schluck und machen uns dann an die Felsen. Der untere Theil dieser Wand ist kaum 80 Meter hoch und wäre an sich so schwer nicht. Da er aber dem Norden zugekehrt und sehr steil ist, so bescheint die Sonne ihn fast gar nicht. Kalt sind die Felsen, überzogen mit Glatteis, und auf allen Vorsprüngen liegt staubiger Hochschnee. Vorsichtig und langsam klettern wir nach rechts hinüber in eine breite Rinne, dann durch diese hinauf und über eine senkrechte Wandstufe. Hier hängen die Ketten, sie starren aber von Eis und helfen nicht viel. Oberhalb nimmt die Neigung plötzlich ab, und über ein steiles, von einzelnen Felsköpfen unterbrochenes Schneefeld erreichen wir den stolzen Gipfel des Matterhorn.

Gewaltig ist der Blick hinab in die tiefe, fast 2¹⁄₂ Kilometer unter uns liegende, oberste Mulde des Val Tournanche. Wir blicken hinunter zu den Hütten von Breuil und hinaus durch das Thal zur Furche der Dora Baltea,

---

*) Nach Conway soll dies — bei ungünstigen Schneeverhältnissen — die schlechteste Stelle des ganzen Weges sein. Ich fand sie bei meiner Matterhornbesteigung viel leichter als das oberste Schneefeld.

jenseits welcher im Südwesten die schönen Gipfel der Grajischen Alpen
emporragen: Grand Paradis und Grivola. Ein langer und hoher, theilweise
zackiger Felsgrat begleitet im Westen das Val Tournanche, und dieser zieht
nach rechts hinauf zu der schönen, scharfen Pyramide der Dent d'Hérens.
Prächtig tritt an dem uns zugekehrten Ostabsturze dieses Kammes und
an den näheren, zum kleinen Hérensgletscher nach Südosten herabziehenden Felsgraten die nach Nord ansteigende Schichtung des dieselben zusammensetzenden Talgschiefers hervor. Den Fuß der Wand
entlang ziehen schmale, durch ihre Farbenunterschiede auffallende Bänke
von Arollagneis, grünen Schiefern und grauen Kalkschiefern, welche hier
die Unterlage des mächtigen Talgschiefers bilden. Ganz oben links vom
Gipfel tritt über dem Talgschiefer dunkelgrünes Gestein, wohl Serpentin
zu Tage. Über die Dent d'Hérens hinausblickend sehen wir die Masse
des Montblanc, steil abbrechend nach Süden. In langer Reihe schließen
sich rechts die Gipfel des nördlichen Theiles der Montblanc-Gruppe an,
und vor denselben erhebt sich die breite Pyramide des Grand Combin.
Jähe Eiswände ziehen vom Gipfel der Dent d'Hérens nach rechts herab
zum Tiefenmatten-Zuflusse des Zmuttgletschers im Norden. Aus der
Mitte eines weiten, fast ebenen Firnplateaus erhebt sich im Westnord-
westen kaum merklich die unbedeutende Schneekuppe der Tête Blanche,
von welcher der Stock-Zufluss des Zmuttgletschers nach Osten herabzieht.
Dieser Stockgletscher strömt durch eine breite Bresche in jener
langen, vom Tiefenmattenjoche bis zur Dent Blanche streichenden Wand
herab, deren nördlicher Theil als Wandfluh bekannt ist. Auch an dieser
Felswand tritt eine schöne Schichtung zu Tage. Im südlichen Theile
derselben sehen wir eine große, liegende, nach Süden offene Falte, dann,
jenseits der Bresche, fast horizontale Schichten: in reichem Wechsel
schmalere und breitere Bänder verschieden gefärbten Gesteins. Im Nordwesten steigt diese Wand zu der herrlichen Pyramide der Dent Blanche
an, deren uns zugekehrte, von Eisrinnen und Schneebändern durchzogene
Südostflanke in gewaltiger Steile zum Schönbühel-Zuflusse des Zmuttgletschers absetzt. Dieser den Fuß der Wandfluh bespülende Schön-
bühelgletscher strömt nach seiner Vereinigung mit dem Stockgletscher
gerade auf uns zu und wendet sich dann nach Aufnahme des Tiefenmatten-
gletschers gegen Osten. Rechts von der Dent Blanche blicken wir über
den tief eingeschnittenen Col Durand nach Norden hinaus ins Zinalthal,
über welchem in der Ferne der breite Rücken der Wildstrubel aufragt.
Herrlich, in formenreichen Felsgipfeln und Zackenreihen, steigt nach
rechts hin das Gebirge an der mittlere Theil des westlichen Neben-

Abb. 79. Das Matterhorn.

kammes der Monterosa-Gruppe — der breitere Felsbau des Gabelhorn, das scharfe Rothhorn und die prächtige Pyramide des Weißhorn. Über diesem schönen Bergkamme sehen wir in der Ferne Balmenhorn, Doldenhorn, Blümlisalp und Gspaltenhorn; dann rechts vom Weißhorn die Hauptgipfel des Berner Oberlandes, Jungfrau, Aletschhorn, Finsteraarhorn, und zu ihren Füßen den mittleren Theil des großen Aletschgletschers.

Nach Norden blicken wir hinab in das tief eingeschnittene Vispthal und zu dem Complex von Hotelbauten in Zermatt; selbst in dieser Entfernung sind sie unschön. Steil ziehen die Hänge nach rechts hinauf zu dem östlichen Nebenkamme; da steht das kleine Nadelhorn, die breite und hohe Pyramide des Dom, die schlanke Felsspitze des Täschhorn, der sanfte Rücken des Alphubel, die schmale Firnkuppe des Allalinhorn, die rechts plötzlich abbrechende, von Felsrippen unterbrochene Firnmauer des Rimpfischhorn, die breite und flache Schneepyramide des Strahlhorn.

Im Osten breitet sich ein flaches, etwas tiefer liegendes, undulierendes Firnfeld aus, von welchem links der Findelen-, rechts der Gornergletscher herabziehen. Zwischen diesen beiden schönen Eisströmen mit ihren Spaltensystemen und Moränen liegt der breite, nach links gegen den Gornergletscher steil abfallende Riffelberg. Keck tritt aus demselben an der Biegung des Gornergletschers das kleine Riffelhorn hervor. Rechts von der Depression, welche dieses große Firnfeld einnimmt, erhebt sich das imposante Massiv des Monterosa, bedeckt von den reichgegliederten, vielfach von Felsen unterbrochenen Firnmassen der südöstlichen und südlichen Zuflüsse des Gornergletschers, dem Grenz-, Zwilling-, Schwärze-, Breithorn- und Unter Theodulgletscher. Und über diese gewaltigen Eismassen erheben sich die Gipfel des Nordend, des Monterosa, der Zumsteinspitze, der Signalkuppe und der Parrotspitze, während rechts der scharfe Lyskamm, der Castor und das Breithorn dieselben einfassen.

Im Südosten breiten sich weite, vom Breithorn sanft gegen das Val Tournanche sich abdachende Firnplateaux aus, und über dieselben hinausblickend sehen wir, in der Ferne verschwimmend, die italienische Tiefebene.

Diese herrliche Rundschau vereinigt sich mit dem großartigen Blicke in die Tiefe zu einem Gesammtbilde, wie es schöner nicht gedacht werden kann.

Doch leider muss zu bald nur geschieden sein: wir schwenken die Hüte zum Abschied — ihr da unten hinter dem großen Fernrohre vor dem Riffelhause, die ihr uns beobachtet, glaubt ja nicht, dass euch dieser Gruß gilt! O nein, den Bergen gilt er, der Sonne, der herrlichen Welt.

Mit Vorsicht geht es durch das oberste Schneefeld hinab. Nur einer
bewegt sich auf einmal durch den weichen, trügerischen Schnee, während
die anderen auf den vom Schnee möglichst gesäuberten Felsköpfen fest
zu stehen suchen. Besonders gut ist der Halt, den man an diesen Felsen
hat, nicht, und die Situation — bei solchen Schneeverhältnissen, wie ich sie
antraf — recht peinlich. Unter anderen Umständen mag dieser Theil
des Abstieges wohl viel leichter sein, aber ein ›simple snowslope‹, wie
Conway ihn in seinem alpinen Reisehandbuche nennt, gewiss nie. Langsam
vorrückend erreichen wir den senkrechten Abbruch. Viel sicherer und
leichter geht es über diesen hinab: wir gewinnen die Schulter, nehmen
die Rucksäcke wieder auf und steigen in den beim Anstiege hergestellten
Stufen hinab. Bis unterhalb der alten Hütte folgen wir der Aufstiegsroute,
dann aber halten wir uns mehr rechts, näher der Mitte des Ostabsturzes,
wo die unterste Wandstufe vom Firn bedeckt ist; kommen bald in sanfter
geneigtes Terrain, fahren durch lange Schneerinnen ab, betreten den im
Osten des Matterhorn ausgebreiteten Furggengletscher, eilen über diesen
hinunter, umgehen das Hörnli und kommen wieder auf das Schwarzseeplateau hinaus. Mit schäumendem Champagner-Kelche in der Hand
begrüßt uns ein alter Freund an der Schwelle des Hotels. Die Fremden
mustern uns, und deutlich spiegeln sich die Gedanken in ihren Gesichtern.
Ein Schwarm von Pensionats-Mädchen betrachtet uns mit Scheu und
Bewunderung; einige Bergsteiger vom A.-C.[*] aber mit naserümpfender
Geringschätzung, denn sie finden, dass wir eine halbe Stunde länger
gebraucht, als nöthig gewesen wäre; biedere Landsleute zieht der Alpen-
vereinsstern auf unseren Hüten an und veranlasst sie zu einem Gespräche,
in welchem eine erstaunliche Unkenntnis über das Hochgebirge an den
Tag kommt; Führer endlich, alte Bekannte, reichen uns die Hand; —
und dann der Champagner-Freund, der einzige praktische von allen: er
allein errieth unseren Durst und stillte ihn mit dem edelsten Tropfen.

Doch wir wollen hier oben nicht bleiben, machen uns los von den
Fremden und laufen hinunter nach Zermatt — laufen, was wir können,
denn bei allen unseren Tugenden haben wir doch eine große Schwäche:
wir wollen wenn möglich nach jeder Partie zur Sechs Uhr-Table d'hôte
in Zermatt zurecht kommen — als ob man nicht auch ebenso gut oder
besser allein zu einer etwas späteren Stunde speisen könnte!

Ja, die alte Gemüthlichkeit ist aus Zermatt gewichen. Den nächsten
Tag — es soll ein Rasttag sein — müssen wir weit fortgehen, um ein

[*] Mitglieder des englischen Alpine-Club.

ruhiges Plätzchen zu finden, wo wir ungestört rauchen, faulenzen und
Pläne für die nächsten Tage schmieden können.

Hat man einmal das Matterhorn und den Monterosa gemacht, so
ist es einigermaßen schwer zu entscheiden, welcher von den Bergen in
der Umrandung des Vispthales als das nächste Angriffsobject gewählt
werden soll. Von den minder interessanten Gipfeln des östlichen Neben-
kammes absehend, haben wir da den Lyskamm: auf dem gewöhnlichen
Wege über den Grat leicht, erfordert aber eine endlose, ermüdende Schnee-
treterei und ist wegen der den Kamm krönenden Wächte gefährlich.
Dann die Zwillinge und das Breithorn; beide leicht, langweilig und ebenfalls wegen des langwährenden Gehens im Schnee recht ermüdend. Weiter
den Dent d'Hérens, durchaus nicht leicht und interessant genug, aber
sehr entlegen und besser geeignet, gelegentlich eines Jochüberganges
ins Valpelline mitgenommen zu werden, als zu einer Partie von Zermatt
aus und zurück, wie wir sie vor haben. Ferner die Dent Blanche, einen
der interessantesten und schwersten von diesen Bergen, eine lange, nur
bei guten Schneeverhältnissen zu unternehmende Tour. Gabelhorn und
Rothhorn, die nicht viel leichter sind und beide ungemein interessante
Stellen und prächtige Hochgebirgsbilder darbieten — das Panorama des
Gabelhorn halte ich für das schönste in den Alpen. Endlich das prächtige
Weißhorn, dessen Besteigung auf dem gewöhnlichen Wege über den herrlichen Ostgrat nicht allzuschwer ist und dabei auf Stunden hinaus die
großartigsten Scenerien entrollt. Welchen sollen wir wählen? Im Waldesschatten auf schwellendem Moospolster ruhend studieren wir die Karten,
den Climbers Guide, und berathen mit unserem getreuen Führer Alexander
Burgener. Schweigend hört er uns an, mit einem Lächeln auf seinem
breiten Gesichte, denn ihn freut unser Eifer. Ab und zu nimmt er die kleine
Pfeife, die er zu rauchen liebt, aus dem Munde, um sie frisch zu füllen,
spricht aber kein Wort. Wir neigen uns allmählich der Dent Blanche zu
und theilen Alexander den Plan mit. Verfluchte Dummheit bei dem
Schnee, sagt er jetzt. Das, lieber Leser, ist das Veto absolu, welches vor
hundert Jahren der König von Frankreich vergebens von seinem Parla-
mente verlangte. Dagegen gibt es keinen Protest, nicht einmal eine Discussion. Also vielleicht das Weißhorn. Meinetwegen, sagt unser Orakel.

Wir kehren zurück ins Hotel. Einige Bergsteiger, alte und junge,
haben sich an einem Tische zusammengefunden, und in dieser alpinen
Gesellschaft vergessen wir das wüste Treiben, das rings um uns herrscht.
Die leeren Weinflaschen häufen sich an, lebhafter wird die Unterhaltung,
selbst die A. C. Engländer — abgesehen von uns paar Deutschen, besteht

diese Gesellschaft ausschließlich aus solchen — thauen etwas auf. Da ruft jemand plötzlich: look at the Täschhorn. Die Gäste erheben sich tumultuarisch von den Tischen, eilen an die Fenster und hinaus auf die Straße. Auch wir blicken empor zu jener scharfen Felsspitze. Längst schon hat die Abenddämmerung das Thal in dunkle Schatten gehüllt, und über dasselbe erhebt sich jetzt wie eine leuchtende Feuersäule das im Abendroth glühende Täschhorn. Immer dunkler roth wird das Licht, es erlischt, und nur ein zarter fluorescierender Schimmer spielt noch auf den Firnen.

Am nächsten Morgen fahren wir auf der Eisenbahn hinab nach Randa, um von dort zur Weißhornhütte hinaufzugehen.

Gleich unterhalb Zermatt passieren wir jenen Kalkschiefer-Streifen, auf den wir schon am Schwarzseeplateau gestoßen sind, und der von hier bis zu dem vom Alphubeljoch nach Westen herabziehenden kleinen Wandgletscher reicht. Jenseits desselben kommen wir in den Glimmerschiefer hinaus, welcher den größten Theil der Nord- und Westabdachung der Penninischen Alpen bildet. Von dem erwähnten, im allgemeinen von Südwest nach Nordost verlaufenden Kalkschieferstreifen geht westlich von Zermatt ein Ast nach Norden ab, welcher einen deutlich ausgesprochenen, das Zermatter Vispthal im Westen begleitenden Gebirgsgrat bildet. Durch eine Bresche in diesem Kalk-Kamme zieht der vom Ostabhange des Rothhorn kommende Hohlichtgletscher herab. Südlich von der Bresche erhebt sich der Grat zum Mettelhorn, nördlich zum Schmalhorn; diese beiden Gipfel schließen die Pforte ein, durch welche die Zunge des Hohlichtgletschers südwestlich von Randa — zu Thal zieht. Zu dieser Gletscherpforte steigen wir durch Wald und über Alpenwiesen hinauf, traversieren den der Zunge des Hohlichtgletschers zugekehrten Südabhang des Schmalhorn in westlicher Richtung und erreichen hierauf, scharf nach Nordwesten ansteigend, die am Westabhange des Schmalhorn 2850 Meter über dem Meere gelegene Weißhornhütte.

Der Südwest- und der Ostgrat des Weißhorn schließen zusammen mit dem Schmalhorn eine nach Süden offene, im Norden vom Weißhorngipfel überragte Mulde ein, welche von dem Schallhorngletscher ausgefüllt ist. Schneerinnen und Felsrippen ziehen von diesem Gletscher nach Norden hinauf zu dem prächtigen Weißhorngrate, den wir morgen überklettern wollen. Im Süden breitet sich der schöne Hohlichtgletscher aus, gewaltig überragt von dem Ostabsturze des Rothhorn, während uns gegenüber im Westen der Mulde das breite Schallenhorn sich erhebt. Häufige Lawinen stürzen über die Abhänge des Weißhorn herab, die herrliche Hochmulde mit dumpfem Donner erfüllend.

In der Nacht noch wird aufgebrochen. Wir betreten den Schallengletscher und überqueren seinen östlichen Randtheil in nördlicher Richtung.
Die trügerischen Schneebrücken, welche die Schründe verdecken, vorsichtig überschreitend, marschieren wir bei dem schwachen Lichte der
Laterne auf einen großen Lawinenkegel zu, welcher aus dem unteren Ende
einer Schneerinne hervortritt. Wir erreichen ihn und stolpern nun mühsam
über die Schneeknollen der alten Lawinen hinein in die Schneerinne. Durch
diese geht es eine kurze Strecke weit hinauf, dann links in den durchaus
leichten Felsen empor zur Höhe des Ostgrates, den wir bei einem großen
Felsthurme erreichen. Hier wenden wir uns links -- schon ist es heller
Tag   und beginnen die prächtige Gratwanderung. Felsthurm folgt auf
Felsthurm. Dazwischen liegen schmale Schneescharten, gekrönt mit Wächten, die theils nach Süden, theils nach Norden über die gewaltigen Abstürze hinausragen, mit denen der Kamm nach beiden Seiten hin absetzt.
Alle Thürme müssen überklettert, alle Wächten überschritten werden, denn
mit dem Traversieren wäre es hier   bei der Steilheit der Abhänge —
nichts. Jeden Augenblick eine neue Situation: jetzt eine Platte, dann ein
Kamin, dann ein Balancieren auf freier Schneide. Schneearbeit unter den
Wächten durch oder über sie hin und dabei immer der herrliche Ausblick
hinaus nach den Bergen, die uns umgeben, und hinab zu den Gletschern
in der drohenden Tiefe.

Nicht weniger genussreich als diese prächtige Kletterei selbst ist es,
dem Alexander zuzusehen, wie er, scheinbar dem Gesetze der Schwere
enthoben, über die Felsen hin turnt. Wir erreichen den letzten Felsthurm:
vor uns zieht eine schmale Schneeschneide, von Wächten gekrönt, fast
horizontal hinüber zu dem obersten, beinahe ganz mit Eis bedeckten Gipfel
des Weißhorn. Diese Schneide dürfte etwa 150 Meter lang sein. Tyndall,
welcher im Jahre 1861 die erste Ersteigung des Weißhorn -- auf diesem
Wege - ausgeführt hat, schildert diese Schneide als das schlimmste Stück
des Weges. Und in der That, einladend sieht sie gerade nicht aus! In
furchtbarer Steilheit schießen die Firnhänge nach rechts und nach links hinunter, und die Schneide selber sieht so dünn, so zart und gebrechlich aus,
als müsste sie unter unserem Gewichte zusammenbrechen. Doch das ist
alles nur Täuschung. Ist man einmal darauf, so geht es ganz gut. Wir
treten große Stufen oder schlagen, wo das Eis der weicheren Schneedecke
entbehrt, solche mit dem Pickel und verankern uns bei jedem Schritte auf
das sorgfältigste; langsam, aber stetig rücken wir vor. Endlich erreichen
wir das Ende der Schneide, den Punkt, wo sie unvermittelt in eine
steil zum Weißhorngipfel emporziehende Firnkante übergeht. Über diese

217

geht es nun hinauf. Wacker muss der Erste Stufen schlagen, und furchtbar steil sind die Abhänge, namentlich der südliche. Längere Zeit geht es so fort, eine Eisspalte zwingt zum Verlassen der Schneide. Wir überwinden sie, indem Alexander als Brücke sich darüber legt. Bald kehren wir wieder zur Schneide zurück. Schon sinken ringsum die Berge tief und tiefer hinab, und immer neue Gipfel tauchen hinter ihnen empor; immer duftiger und entfernter erscheinen die eiserfüllten Thäler, in die ein Fehltritt uns stürzen müsste; immer schmaler und schlanker steigt die scharfe Eisnadel des Weißhorngipfels vor uns empor, einer sonnenbestrahlten Silberlanze gleich in den schwarzvioletten Himmel hineinragend. Siegeshoffnung beschwingt den Pickel-führenden Arm, rascher geht's vorwärts, und in wenigen Minuten ist der Gipfel gewonnen.

In der buchstäblich nadelscharfen Spitze vereinigen sich drei Firnkanten: unser Ostgrat, über den, wie erwähnt, Tyndall im Jahre 1861 die erste Ersteigung ausführte; der Nordgrat, über den 1871 Kitson von Osten (Biesgletscher) und 1870 Passingham vom Westen (Zinal) zuerst heraufgestiegen sind; und der Südwestgrat, über welchen vom Schallengletscher aus zum erstenmale 1877 Davidson, Hoare und Hartley die Spitze erreichten.

Das Großartigste an der Aussicht ist natürlich der Blick in die Tiefe: nach welcher Richtung immer man vom Weißhorngipfel einen Gegenstand herabfallen ließe, er würde mindestens 1500 Meter tief unaufgehalten hinabstürzen. Von den Gipfeln der Umgebung präsentiert sich die Dent Blanche am schönsten. Vor mir liegt eine Skizze derselben, die ich bei meiner Ersteigung im Jahre 1880 auf dem Gipfel des Weißhorn zeichnete. Fünfzehn Jahre sind seitdem verflossen, aber deutlich erinnere ich mich noch, wie ich damals dort skizzierte: den linken Arm um den tief in den Schnee gerammten Pickel geschlungen, mit Schneebrillen und dicken, wollenen Fäustlingen; unter mir die Tiefe und über mir der fast schwarze Himmel.

Kaum ist die Zeichnung vollendet und der Gipfelseet ausgetrunken — die erste machte ich allein, beim zweiten assistierte Alexander — so beginnen wir den Abstieg, ich voran, als letzter Alexander, immer das Gesicht gegen den Berg in unseren beim Aufstiege hergestellten Stufen. Über den Schrund wird hinabgesprungen. Große Vorsicht erfordert das horizontale Gratstück, denn schon ist es Nachmittag und der Schnee bedenklich erweicht. Glücklich aber kommen wir hinüber, und wieder geht es über die Felsthürme — langsamer jetzt, denn wir sind nicht mehr so frisch wie am Morgen. Wohl kann man den größten Theil dieses Grates vermeiden und gleich beim zweiten Thurm nach Osten hinunter — ein Weg, den ich gelegentlich eines früheren, missglückten Versuches aufs Weißhorn zurückgelegt habe — aber dieser Abstieg ist so schwierig und Lawinen-gefährlich, dass wir doch den Grat mit allen seinen Fels-thürmen und Schneewächten vorziehen.

Endlich ist der Punkt erreicht, wo wir beim Aufstiege den Grat zuerst betreten hatten. Hier wenden wir uns rechts und steigen in das Schneecouloir hinunter. Eine Strecke weit fahren wir ab; unten aber wird die Neigung zu gering; bis an die Hüften in den weichen, wässerigen Schnee einbrechend, können wir weder gleiten noch gehen und martern uns ab, ohne merklich vorwärts zu kommen. Doch Alexander weiß Rath. Er beginnt in einer Isohypse hin und her zu waten. Was hat er vor? Plötzlich verstehe ich ihn, ein dumpfes Rauschen ertönt, der Boden wankt unter uns; langsam gleitend setzt sich eine Lawine in Bewegung. Auf dieser fahren wir, fortwährend strampelnd, um uns auf ihrer Oberfläche zu erhalten, zu Thal. So wird rasch und bequem der Lawinenkegel erreicht. Wir überqueren wieder den Schallengletscher, kommen zur Hütte und laufen nun in der sinkenden Nacht hinunter nach Randa. Des andern Tages kehren wir zurück nach Zermatt, um von dort aus noch weiteres zu unternehmen.

Abb. 80. Das Weißhorn.

Abb. 84.
Der Dom-Kamm vom Saasthale.

3. Von Zermatt ins Saasthal.

Leider wird das Wetter schlecht, und tief herab hängt der Nebel. Wir warten von Tag zu Tag vergebens auf eine Besserung; alles grau, von keinem Berge etwas zu sehen und dabei kalt: nur beim lodernden Kamin ist's noch behaglich. Eines Morgens ist alles weiß, und immer noch schneit es. In eiliger Flucht verlassen die Fremden den Ort; nur wenige von ihnen bleiben mit der alten Bergsteigergarde in Zermatt zurück. Jetzt wird's wieder gemüthlich: mit Schneeballenwerfen und Schneemannbauen vertreiben wir uns die Zeit. Endlich hat das Wetter ein Einsehen, wieder wird's hell, und bald säubert die Sonne den Platz von dem Schnee.

Wir wollen — etwas Größeres lässt sich ja doch nicht mehr unternehmen — über den östlichen Nebenkamm hinüber ins Saasthal und dann durch dieses hinaus nach Visp an der Rhônethalbahn. Es gibt da eine ganze Reihe von Gletscherpässen, die alle ganz leicht sind, und mit deren Überschreitung die Besteigung des einen oder andern Gipfels verbunden werden kann. Wir wählen den Adlerpass und das südöstlich von demselben aufragende Strahlhorn.

13*

In Begleitung meiner Frau — denn wenn eine, so ist diese Tour eine Damenpartie — verlassen wir Zermatt bald nach Mitternacht und reiten hinauf durch das von Osten herabziehende Findelenthal. Der Weg bleibt durchaus auf der nördlichen Bergwand und führt zuerst durch Lärchenwald, dann über Wiesen und zwischen Felstrümmern hin, am Stellisee vorbei zur Fluhalp am rechten Ufer des Findelengletschers. Das Gestein ist hier meist grüner Schiefer. Nur ober dem Stellisee steht eine kleine Kalkbank und ober der Fluhalp ein Serpentinband zu Tage. Bei der Fluhalp — kaum beginnt es zu dämmern — sitzen wir ab und setzen zu Fuß unseren Weg fort: erst über die rechte Seitenmoräne, dann über den Gletscher. Zu unserer Linken ragt jene lange und hohe Felswand auf, welche im Osten den Südabsturz des Rimpfischhorn bildet und von hier, nach Westen verlaufend, den Findelengletscher auf seiner Nordseite begleitet. Der westliche Theil dieser Wand ist schieferig, der östliche aber und der Gipfel des Rimpfischhorn bestehen aus Serpentin.

Gemüthlich bummeln wir über den verschneiten Gletscher unter der Wand hin, da kracht es plötzlich über uns, und ein großer Stein stürzt zwischen uns herab — wer hätte auf diesem zahmen Wege an so etwas gedacht! Glücklicherweise ist keiner verletzt. Misstrauisch zur Rimpfischwänge — so heißt jene lange Felswand — hinaufblickend, setzen wir den Weg fort.

Der als Adlergletscher bekannte, nördlichste Firnzufluss des Findelengletschers zieht zwischen Rimpfisch- und Strahlhorn vom Adlerpasse herab. Über diesen Firnstrom steigen wir jetzt etwas steiler an und gewinnen, durch die oberste, nur wenige Meter hohe, jäh zum Sattel emporziehende Firnstufe hinauf Stufen schlagend, den Sattel. Hier begrüßt uns ein heftiger Nordoststurm, Schnee und Eisnadeln ins Gesicht uns schleudernd und in Gestalt einer flatternden Fahne über das Strahlhorn hinaus wehend. Mühsam gegen den Sturm ankämpfend, gehen wir über den sanft geneigten Firnrücken nach Südosten hinauf auf das Strahlhorn. Alexander zeigt sich hier von einer neuen Seite: alles, was ihm in die Hände kommt, wickelt er um meine Frau, um die Arme besser vor dem eisigen Sturme zu schützen. Bei besonders heftigen Windstößen stehen bleibend und uns duckend, dann wieder weiter gehend, nähern wir uns unserem Ziele und erreichen endlich halberfroren die Spitze.

Die Aussicht war ganz klar, und ich erinnere mich, dass besonders der herrliche Ostabsturz des Monterosa einen großartigen Anblick bot, aber wir konnten in diesem greulichen Sturme nicht auf dem Gipfel ver-

weilen und begannen sofort den Abstieg über den nach Nordosten hinab-
ziehenden Kamm ins Saasthal. Zunächst geht es über sanft geneigten
Firn mehr nach Norden hinab, dann rechts um das Fluchthorn herum zum
Inneren Thurm und über diesen und den Kamm selbst bis zu einem
Punkte, von wo aus man über den hohen Südostabsturz absteigen kann.
Hier verlassen wir das Eis und tauchen nun bald unter das Sturmniveau
hinab. Der Hang ist sehr steil und felsig, aber leicht genug passierbar.
Alexander, erfreut, dass meine Frau sich oben im Sturme so gut gehalten und hier so leicht fortkommt, meint sie geht wie eine Katze.
Der Fuß dieser Wand ist viel steiler als ihr oberer Theil, und da — es
steht hier eine kleine Scholle desselben Kalkschiefers zu Tage, den wir
drüben im Zermatthale mehrfach angetroffen haben — gibt es einige
ganz nette Kletterstellen. Rasch eilt die Frau durch dieselben hinab,
von der vorsorglich gebotenen Hilfe Alexanders keinen Gebrauch
machend. Er schüttelt den Kopf und brummt in den Bart sie geht wie
ein Gemsthier. Wir erreichen den Fuß der Wand und marschieren nach
links, die Zunge des Schwarzenberggletschers entlang, hinaus zum Mattmarksee.

Der Allalingletscher, dessen Firnbecken sich zwischen Strahl-, Rimpisch-
und Allalinhorn ausbreitet, entsendet seine Zunge in nordöstlicher Richtung ins Saasthal, dessen Boden sie erreicht und mit einem mächtigen
Eisdamme absperrt. Hiedurch wird der Thalbach zu dem Mattmarksee
gestaut, dessen Westufer wir jetzt entlang gehen. Hier befinden wir uns
schon im Gebiete des continuierlichen Gneises, welcher den ganzen südöstlichen Theil der Monterosa-Gruppe bildet und bis Saas (= Im Grund)
hinaus das Saasthal auf beiden Seiten einfasst.

Wir erreichen den Eisdamm, überschreiten ihn und gewinnen den
Saumpfad, der durch das Thal hinauf zum Mattmark-Hotel und weiter
zum Monte Morosattel führt. Bis Saas, wo wir übernachten wollen, sind
noch gegen 10 Kilometer zurückzulegen. Wir beginnen den Thalmarsch.
Leser, das kennst du: es geht schneller und schneller. Weit allen voraus
ist meine Frau. Ich bleibe bei Alexander im Nachtrabe; wie schnell wir
auch gehen, wir holen sie nicht ein. Ja, meint Alexander, sie geht
wie ein Teufel. Katze, Gemsthier, Teufel, das also ist der Zermatter
Führerausdruck für die Steigerung des Begriffes gut gehen: Katze
comparativ, Gemse superlativ und Teufel transcendental!

Schon beginnt es zu dämmern, und dunkle Schatten breiten sich in
dem schmalen, tief eingeschnittenen Saasthale aus; auf der Höhe aber
glänzt ein heller, weißlicher Schein, Schneesturm und Unwetter verkündend.

Wir betreten das Hotel (Abb. 81) und sitzen bald beim Diner, doch hat uns der Sturm so schläfrig gemacht, dass wir, kaum mit dem Essen fertig, ich schlief schon während desselben ein — ins Bett gehen. Es möge mir erlaubt sein, die Herren Mediciner auf dieses Schlafmittel besonders aufmerksam zu machen. Nie bin ich sonst nach einer Bergpartie schläfrig. Gibt es aber viel Sturm, so kann ich mich nach der Rückkehr ins Thal kaum wach erhalten. Chloral, Morphin und wie die bösen Dinger alle heißen, können gegen so einen richtigen, durch mehrere Stunden applicierten Hochgebirgssturm bei 10 bis 20 Grad Kälte nicht aufkommen.

Abb. 81. Stalden.

Die beiden wichtigsten Orte im Saasthale sind Saas im Grund, — wo wir übernachtet haben, und Saas-Fee, welches etwas weiter oben im Thale liegt. In beiden Orten finden sich vortreffliche Hotels, in denen aller Comfort geboten wird und überdies ein beträchtlicher Grad von Gemüthlichkeit herrscht. Auch den Namen Fee — es gibt auf der Höhe noch eine Fee--Alpe — hat man auf die Saracenen zurückgeführt und aus dem Vorhandensein desselben und der oben mehrfach erwähnten saracenisch klingenden Bezeichnungen benachbarter Berge und Pässe den Schluss gezogen, dass einstens Saracenen im Saasthale gehaust hätten. Der tiefer unten wachsende Wein

heißt Heidenwein, und die Weingärten, von denen er stammt, sollen
ursprünglich von Saracenen angelegt worden sein. Allein diese Ver-
muthungen haben der modernen Kritik nicht recht standgehalten, und
es scheint gegenwärtig kaum wahrscheinlich, dass sie begründet sind.

Am nächsten Morgen wandern wir durch das Thal hinaus nach
Stalden. Das Wetter hat sich gebessert, und wir genießen den prachtvollen Anblick des Dom und des Täschhorn, welche in gewaltiger Steile
nahezu 3 Kilometer hoch über das Saasthal aufragen. Eine Enge durchschreitend, erreichen wir den freundlichen Thalboden von Balen und
passieren jenseits desselben einen schmalen, das Thal quer durchsetzenden
Streifen von Casanna-Schiefer. Wieder nimmt eine Enge uns auf. Wir
kommen an einigen Wasserfällen vorüber und erreichen Huteggen. Hier
eröffnet sich ein herrlicher Ausblick auf das Bietschhorn jenseits der
Rhônefurche. Hinter Huteggen nimmt die Neigung der Thalsohle beträchtlich zu, und in wilden Cascaden stürzt sich der Thalbach, die Saaser
Visp, über die Stufen hinab. Volle 400 Meter absteigend, erreichen wir
das 802 Meter über dem Meere, an der Vereinigungsstelle des Zermatter
und des Saasthales gelegene Städtchen Stalden (Abb. 82).

Nuss- und Kastanienbäume gedeihen hier üppig, und an günstigen
Punkten wird Wein cultivirt. Im dreizehnten Jahrhunderte, ehe noch
die jetzige deutsche Bevölkerung von diesen Thälern Besitz ergriffen hatte,
wohnten dort Franzosen. Damals war das auf einer Terrasse oberhalb
Stalden gelegene Actum Morgie der Hauptort des Thales, und das Domcapitel von Valeria bezog zu jener Zeit den Weinzehent apud Vispiam
et Morgie. Dieses Morgie ist nicht mit dem heutigen Mörel im Rhônethale oberhalb Brieg zu verwechseln, wo nur ein Wustey Winegarto
erwähnt wird, von dessen Wein Thomas Platter anno 1572 schrieb: der
was gar grusam sur, dan es ist do gar wild und der obrest Win, der im
Land waxt. Solchen Wein hat ein Domcapitel sicher nicht bezogen!
Aber abgesehen hiervon kann ich aus eigener Erfahrung constatieren, dass
der Wein von Stalden, namentlich der berühmte Heidenwein, nichts
weniger als grusam sur ist.

Stalden liegt an der Zermatter Bahn (Abb. 83). Diese ist theils
Adhäsions-, theils Zahnradbahn und überwindet von Visp bis Zermatt,
bei einer Länge von 35½ Kilometern, eine Höhendifferenz von nahezu
1900 Metern.

Wir besteigen den Bahnzug, nehmen Abschied von dem herrlichen
Hochgebirge und fahren hinunter durch das üppig grünende Vispthal
nach Visp an der Mündung des letzteren in das Rhônethal. Heiß ist es

hier unten und staubig. Fliegen unsummen die Gläser, und die drückende Luft kündigt an, dass wir in das Tiefland zurückgekehrt sind, in das Tiefland mit seiner reichen Cultur, mit seinem wüsten Concurrenzkampfe und seiner platten Gewöhnlichkeit. Die herrliche Erinnerung an unsere Bergfahrten aber vermag das nicht zu trüben; nur um so heller erstrahlt sie, die Seele über alles Gemeine erhebend. Wenn wir mitdrängend in diesem Geist und Körper ertödtenden Kampfe erschöpft den Kopf hängen lassen und der Ekel vor der Dummheit und Gemeinheit uns zu überwältigen droht, dann erhebt ein Gedanke an die Berge das Gemüth und spornt uns zu erneutem Kampfe gegen diese modernen Drachen an. Dort an jenem Bergschrunde, an jener Felswand haben wir unsere Kräfte mit anderen Gewalten gemessen und gesiegt, gesiegt durch Kraft und Muth und deutsche Treue. — Und in hoc signo, auch hier unten, vinces!

Abb. 83. Im Vispthal.

VII.

AM VIERWALDSTÄTTER SEE.

Abb. 83. Die Kapellenbrücke in Luzern.

1. Von Zürich nach Luzern.

Der mittlere, weitaus größte Theil jener breiten Depression zwischen dem Hauptzuge der Alpen und der Vorfalte des Jura, auf welche ich schon oben (siehe Abschnitt Genfer See) hingewiesen habe, wird von der Aare entwässert. Der Stamm des reich entwickelten Systems dieses Flusses hat seine Quellen theils in der Gegend von Vallorbes im Jura, theils am Nordabhange jener unbedeutenden Hügelreihe nördlich vom Genfer See, welche einen Theil der Hauptwasserscheide von Europa (zwischen Mittelmeer und Nordsee) bildet.

Der aus der Vereinigung dieser Quellbäche hervorgehende Fluss ist die Ziehl (französisch Thielle), welche den Neuchâteler und Bieler See durchfließt und sich dann mit der Aare vereinigt. Der Stammfluss des Aare-Systems durchzieht den Nordwestrand der Depression dicht am Fuße des Jura in nordöstlicher Richtung, wendet sich hinter Ruppersweil links und erreicht schließlich, die inneren Juraketten durchbrechend, bei Waldshut den Rhein.

Die Gewässer, welche von der Südostabdachung des Jura und der Nordwestabdachung der langen, von den Diablerets bei Martigny

228

bis zum Kurfürsten am Walensee verlaufenden Strecke des Hauptzuges der Alpen herabkommen, sammeln sich in diesem Strome, dessen Gebiet also den ganzen nordwestlichen Theil der Schweiz einnimmt.

Während die nordwestlichen, aus dem Jura kommenden Zuflüsse klein und unbedeutend sind, erscheinen jene, welche aus dem Südosten vom Alpenzuge herabkommen, als große und wasserreiche Ströme, welche infolge der an den äußersten Nordwestrand der Depression gerückten Lage des Hauptstromes eine viel bedeutendere Länge erreichen. Die meisten von diesen südöstlichen Nebenflüssen, zu denen auch der Oberlauf der Aare selbst gehört, durchströmen Seen, in denen sie jenen feinen Schlamm deponieren, welchen die Gletscher, aus denen sie entspringen, ihnen mitgegeben haben: milchig trübe oberhalb dieser Wasserbecken, sind sie in ihrem Unterlaufe klar und rein. Da ist zunächst die von den Diablerets herabkommende Saane, welche bei Büren in den Hauptstrom einmündet. Dann der von dem Centralstocke der Berner Alpen, dem Nordabhange der langen Kammstrecke Wildhorn-Titlis gespeiste Hauptzufluss, die Aare, welche den Brienzer und Thuner See durchströmt und sich bei Oltingen mit der Saane vereinigt. Hierauf folgen einige unbedeutendere, nicht bis ins Hochgebirge hinaufreichende Zuflüsse, von denen die bei Solothurn ausmündende Emmen, dem Namen nach (Emmenthaler Käse) sehr bekannt, und die den Sempacher See durchströmende Suhr wegen der in ihrem Gebiete gelieferten Schlacht interessant ist. Weiter, unterhalb der altehrwürdigen, am rechten Aareufer gelegenen Habsburg, die am Gotthard entspringende Reuß, welche den Vierwaldstätter See durchströmt und unterhalb Brugg ausmündet. Endlich die nur eine kurze Strecke weiter unten mündende Limmat, deren Quellgebiet weiter östlich im Glarus liegt. Als Linth ergießt sich dieser Fluss in den Züricher See, durchströmt ihn und tritt als Limmat aus demselben hervor.

Die bedeutendsten Städte der Schweiz liegen in der innerhalb des Jurabogens ausgebreiteten Senkung: im Süden, am Genfer See Genf und Lausanne, dann weiter, im Aaregebiete am Neuchâteler See Neuchâtel, an der Saane Freiburg, an der Aare Bern, an der Reuß Luzern und an der Stelle, wo die Limmat aus dem Züricher See austritt, Zürich. Die uns Deutschen nächste und wohl auch die älteste von diesen Städten ist die letztgenannte.

Die in der Nachbarschaft aufgefundenen Reste von Pfahlbauten beweisen, dass schon in vorgeschichtlicher Zeit hier größere Ansiedlungen bestanden haben. Diese Pfahlbauten waren weit in den See hineingebaute, auf Pfählen ruhende Hütten, welche durch Stege mit dem Lande in Verbindung standen. Die Bewohner derselben befanden sich auf ziemlich hoher Culturstufe; sie oblagen nicht nur der Jagd, sondern trieben auch Viehzucht und Ackerbau. Während die ältesten Pfahlbauten der Steinzeit angehören, fand man in den jüngsten Geräthe, welche schließen lassen, dass diese noch zur Zeit der römischen Republik bestanden haben.

Im Jahre 58 v. Chr. kam die Nordwest-Schweiz in den Besitz der Römer, welche in Zürich an der Stelle, wo jetzt der Lindenhof steht, ein Castell — Turicum — erbauten. Es ist bekannt, dass die keltischen Eingeborenen, die Raeter, sehr bald die Sprache und die Sitten der römischen Eroberer annahmen. Als die deutschen Alemannen gegen Ende des vierten Jahrhunderts in diese Gegenden eindrangen, fanden sie hier ein bereits christianisiertes, lateinisch sprechendes, romanisch-keltisches, kraftloses Volk, welches ohne Schwierigkeit unterworfen, beziehungsweise verdrängt wurde. Die Alemannen verwandelten den Namen der römischen Stadt Turicum in Zürich. Später kam diese Gegend unter fränkische Oberhoheit. Im Jahre 853 gründete König Ludwig der Deutsche in Zürich ein Frauenkloster, dessen erste Äbtissin seine Tochter wurde; schon vorher war, vielleicht von Ludwigs Großvater Karl dem Großen, hier das Chorherrnstift zum Großmünster errichtet worden. Nach dem Aussterben der Zähringer, welche im zwölften Jahrhunderte die Herrschaft über die Stadt inne gehabt hatten, wurde Zürich reichsunmittelbar, und die Gewalt gieng in die Hände der Bürger über. Trotz mehrfacher mit den Nachbarn geführter Kriege, welche meist einen für Zürich sehr unglücklichen Ausgang nahmen, erblühte die Stadt zu immer größerem Ansehen, namentlich nachdem das Züricher Contingent im Burgunder Kriege so tapfer mitgefochten hatte. Wiederholt lehnte sich das unterthänige Landvolk des Züricher Gebietes gegen die tyrannische Herrschaft der Stadt auf, und es gelang ersterem, bedeutende Rechte zu erkämpfen.

Hierin sehen wir einen scharfen Gegensatz zwischen Zürich und Bern, dessen aristokratische Stadt-Regierung bis zur Zeit der französischen Revolution das ganze, weite Berner-Gebiet unumschränkt beherrschte und alle Macht in Händen behielt: der Berner Adel war regierungsfähiger als der Züricher.

Den durch die erwähnten Aufstände des Landvolkes entstandenen Wirren machte Zwingli ein Ende, welcher in Zürich eine ähnliche Rolle spielte wie später Calvin in Genf (s. d.). Zwingli war jedoch kein so

finsterer Sectierer wie Calvin. Wie letzterer kämpfte Zwingli für die
Reformation, und es gelang ihm, sowohl Zürich – wo er am Großmünster predigte – wie auch Bern für seine Lehre zu gewinnen. Die
Bestrebungen der Züricher, die neue Lehre noch weiter auszubreiten,
stießen auf den heftigen Widerstand, namentlich der katholischen Ur-
cantone. Es kam zum Kriege. Im Jahre 1531 wurden die Züricher
bei Kappel gänzlich geschlagen; Zwingli selbst fand auf dem Schlachtfelde den Tod. Die Leiche des großen Politikers und Reformators wurde
von den katholischen Siegern verbrannt. Sie streuten die Asche des
edlen Mannes in den Wind, sein Werk aber konnten sie nicht ver-
nichten; Zürich war und blieb den Lehren Zwinglis treu.

Von jeher war Zürich eine der hervorragendsten Stätten deutscher
Wissenschaft und Cultur; eine große Zahl hervorragender Gelehrter ist
aus dieser Stadt hervorgegangen, und gegenwärtig gehören das eid-
genössische Polytechnicum und die Universität in Zürich zu den hervorragendsten Hochschulen der Welt.

Herrlich breitet sich die Stadt über das sanft aufsteigende Ufer aus,
und prächtig spiegeln sich die Häupter der Alpen in dem klaren Wasser
des Sees.

Der Züricher See hat, wie der Genfer See, die Gestalt der Mondsichel; er ist von Südost nach Nordwest in die Länge gestreckt und
kehrt seine convexe Seite dem Südwesten zu. 40 Kilometer lang, aber
im Maximum bloß 4 Kilometer breit, erscheint er sehr schmal. Seine größte
Tiefe beträgt 143 Meter, und sein Spiegel liegt 409 Meter über dem Meere.

Wir wollen nun Zürich verlassen, um nach Luzern zu fahren, wählen
aber nicht den directen Weg über Cham, sondern den etwas weiteren,
aber viel interessanteren über Wädensweil und Aegeri. Bis Sattel benützen wir die Eisenbahn, dann bis Zug Straße und Dampfboot und von
Zug an wieder die Bahn.

Von dem im Norden der Stadt gelegenen Bahnhofe fahren wir zunächst in westlicher Richtung hinaus, dann nach links in weitem Bogen um
die Stadt herum und endlich in südöstlicher Richtung das Südwestufer
des Züricher Sees entlang bis Wädensweil. Diese Fahrt am Ufer bietet
fortwährend sehr hübsche Ausblicke über den See und die jenseits desselben aufsteigenden, reich cultivierten Höhen. In Wädensweil verlassen
wir den See und wenden uns rechts, in südlicher Richtung landeinwärts.
Die Bahn steigt durch das freundliche Hügelland an, und wir genießen

herrliche Rückblicke auf die in der Ferne aufragenden Gipfel des Kurfirsten und des Säntis. Bald erreichen wir das dem Züricher See parallel laufende Sihlthal, fahren um den Ostfuß des Hohen Rhonen herum und hinein in das von Südwesten herabkommende Thal der Biber, eines Nebenflusses der in die Sihl mündenden Alp. Die Bahn durchzieht den flachen Boden dieses Thales, dessen Torfcharakter zeigt, dass er vor nicht allzu langer Zeit von einem See ausgefüllt war. Wir erreichen Rotenturm und gelangen, die Wasserscheide übersetzend, nach Sattel-Aegeri im Steinen-Aathale. Hier steigen wir aus und fahren auf der Straße hinüber zu dem nördlich gelegenen Aegerisee. Bald ist die Höhe des Morgartenpasses hinter Schornen erreicht. Hier verlassen wir den Wagen und setzen zu Fuß unsere Wanderung fort. Rechts von uns erhebt sich der Rücken des Morgarten, und hier ragt die aus dem Morgartenberge vortretende Figlerfluh steil über der alten Straße auf. Das ist der Platz, wo die Vorhut der Schwizer am 15. November 1315 hinter ihren Steinbatterien auf den Feind lauerte, während rückwärts in Schornen ihre Hauptmacht stand.

Durch Spione über alle Bewegungen des Feindes wohl unterrichtet, wussten sie, dass Herzog Leopold mit seinem Ritterheere am Morgen jenes Tages von seinem Lager bei Zug aufgebrochen war, um über den Morgartenpass ins Schwizerland einzubrechen.

Sorglosen Marsches hatte das herzogliche Heer den Aegerisee passiert und rückte jetzt gegen die Anhöhe des Morgartenpasses vor. Da lassen die auf der Figlerfluh postierten Männer ihre Steinbatterien los, und verheerend stürzen die Felsmassen in die dichtgedrängten Reihen des Feindes, in dem engen Raume schreckliche Verwirrung hervorrufend. Bewehrt mit langen Hellebarten stürmt jetzt, diese Verwirrung benützend, die hinter der Passhöhe aufgestellte Hauptmasse der Schwizer — auch von Uri waren Leute dabei -- über die Höhe herab und in den Feind. Das Terrain war für die zu Fuß und ohne Panzer kämpfenden Schwizer ebenso vortheilhaft, wie ungünstig für die schwer gepanzerten Reiter des herzoglichen Heeres. Vergebens suchen die Ritter Ordnung in den Kampf zu bringen: die Verwirrung nimmt überhand, und alles drängt nach rückwärts. In wüthendem Getümmel wälzen sich die Fliehenden, Kämpfenden und Verfolgenden dem See zu. Viele fallen im Handgemenge, viele stürzen in den See, und nur wenigen gelingt es, mit dem Herzoge zu entkommen. Als es zum Kampfe kam, erzählt der Chronist Johannes von Wintertur, schrien die Schwizer einmüthig zu Gott, dass nicht ihr Vieh und ihre Weiber Beute der Feinde, ihr Land zur Wüste

und ihr Ruhm und ihre Ehre mit Schmach geschändet würden». Gott
hatte ihr Schreien erhört und ihnen die Kraft verliehen, einen glänzenden
Sieg zu erfechten. Interessant an diesem Gebete ist die Voranstellung
des Viehs — dann kommen die Weiber, dann der Ruhm und endlich,
ganz zuletzt, die Ehre!

Wir gehen hinab nach Morgarten, besteigen hier den Dampfer und
fahren in diesem über den kleinen, bloß 5½ Kilometer langen See nach
Unter-Aegeri. Eine gute Fahrstraße führt von hier durch das schluchtartig enge Aegerithal nach Norden hinab und dann nach links in westlicher Richtung hinüber nach Zug an der Nordostecke des Zuger Sees.

Der Zuger See (Abb. 86) ist von Süd nach Nord in die Länge
gestreckt, 14 Kilometer lang und 38 Quadratkilometer groß. Im Norden
und Süden ist er gegen 4 Kilometer breit, in der Mitte aber durch das
von seinem Westufer weit vorspringende Cap Kiemen stark eingeengt.
Der südliche Theil des Zuger Sees ist zwischen den hohen und steilen
Abhängen des Rigi im Westen und des Rossberg im Osten eingeklemmt;
im Norden bildet sanfteres Hügelgelände seine Ufer. In das Südende
des Zuger Sees mündet nur der kleine, das Rigiplateau entwässernde
Bach ein, während sich in seinen Nordrand die viel bedeutendere, vom
Aegerisee kommende Lorze ergießt. Die genannten Flüsse haben die
beiden Enden des Zuger See-Beckens mit Geröll ausgefüllt und an denselben Strandebenen gebildet. Auf der südlichen liegt Arth, auf der
nördlichen, viel größeren, Baar. Der Abfluss des Zuger Sees — auch
Lorze genannt — entspringt dicht neben der Einmündung des gleichnamigen, wasserzuführenden Flusses etwas weiter westlich aus dem See.
Das ist ein seltener Fall. In der Regel tritt bei Alpenseen der Hauptzufluss an dem einen — dem Hochgebirge zugekehrten — Ende ein,
während der Abfluss aus dem gegenüberliegenden Ende entspringt.

Diese Ausnahme von der Regel ist in dem vorliegenden Falle wohl
darauf zurück zu führen, dass früher der Zuger See über den Lowerzer
See mit dem Vierwaldstätter See im Zusammenhange stand und erst
später durch Bergstürze und Anhäufung von Alluvionen abgetrennt
wurde. Sein Spiegel liegt 417 Meter über dem Meere, 20 Meter tiefer
als der Spiegel des Vierwaldstätter Sees. Wären diese Seen verbunden,
so würde das Wasser des letzteren nicht, wie jetzt, über die 437 Meter
hohe Dammschwelle von Luzern in die Reuß, sondern über die bloß
117 Meter hohe Dammschwelle von Cham in die Lorze abfließen, so dass
dann die letztere der Abfluss des ganzen Sees wäre, während seine

Hauptzuflüsse nach wie vor in den gegenüberliegenden Südrand des Sees einmünden würden. Es ist wohl anzunehmen, dass in früheren Zeiten Ab- und Hauptzuflüsse sich in dieser Weise verhalten, sich also der Regel gemäß an den gegenüberliegenden Enden des Sees befanden haben.

Die zahlreichen dort gefundenen Pfahlbautenreste zeigen, dass der Zuger See in vorhistorischer Zeit schon bewohnt war. Im Mittelalter wurde an der Südecke der alluvialen Ebene von Baar, am Fuße des erratischen, in der Glacialzeit gebildeten Hügelterrains, welches den sanften Nordabhang des Rossberges bildet, das alte Zug erbaut. Diese mit Mauern und Thürmen bewehrte Stadt, welche heute noch einen mittelalterlichen Charakter trägt, breitete sich auf der Anhöhe aus. In neuester Zeit erst hat man den eigentlichen Seestrand verbaut, und ein Theil dieser Neustadt war es, welcher bei der Katastrophe von 1887 in den See versank. Vermuthlich war eine der darunterliegenden Gesteinschichten zu Schlamm aufgeweicht und von dem darauf lastenden Erdreiche in den See hinaus gequetscht worden. Die vorhistorischen Pfahlbauer sowohl, wie die mittelalterlichen Gründer der Altstadt waren diesem trügerischen Terrain klug ausgewichen, die intelligenten Leute der Neuzeit aber hatten es verbaut!

Wir verlassen Zug, fahren auf der Eisenbahn über die Baarer Ebene hinüber nach Cham und übersetzen den Wasser zuführenden Ober- sowie den Wasser abführenden Unterlauf der Lorze. Dicht vor Cham wird ein aus tertiärer Süßwasser-Molasse bestehender Hügel durchquert. Die Bahn wendet sich nach Süden, folgt in dieser Richtung eine Strecke weit dem Westufer des Zuger Sees und wendet sich dann rechts dem Reußthale zu, welches über einen flachen Sattel gewonnen wird.

Zwischen dem Zuger See und Luzern bildet das tertiäre, aus Nagel-fluhe, Meeres-Molasse und Muschelsandstein aufgebaute Land drei von Südwest nach Nordost streichende Bergkämme, zwischen denen und an deren Außenseiten in gleicher Richtung verlaufende Furchen liegen, vier an der Zahl. Die nordwestliche Randfurche ist das breite, von Alluvionen ausgefüllte Reußthal, dann folgt jene enge, bei Root mit dem Reußthale sich vereinigende Furche, in welcher der schmale Rothsee liegt; weiter die von Böschenroth am Zuger See nach Seeburg am Vierwaldstätter See verlaufende, vom Wurzenbache durchströmte Senkung; endlich die großentheils vom Greppener Arm des Vierwaldstätter Sees ausgefüllte, südöstliche Randfurche. Der Luzerner Arm des Vierwaldstätter Sees und die aus ihm hervorgehende Reuß durchbrechen dieses Bergsystem von Südost nach Nordwest. In der äußeren Randfurche angelangt, wendet

sich die Reuß nach rechts, um dann durch diese nach Nordwesten hinab
zu fließen. Die Bahn folgt der zweiten von diesen Furchen, jener des
Rothsees, und vereinigt sich, in der erwähnten queren Durchbruchs-
furche angelangt, mit der Centralbahn, welche durch letztere, die Terrainschwierigkeiten theilweise in Tunneln überwindend, hinaufführt nach
Luzern.

An der Stelle, wo die Reuß aus dem nordwestlichen (Luzerner)
Arme des Vierwaldstätter Sees austritt, zwischen den Höhen des Gütsch
im Südwesten und des Mussegg im Nordosten, errichteten im Jahre 740
die Mönche von Murbach das Kloster St. Leodegar, in dessen Umgebung
jene Ansiedlung sich bildete, aus welcher das heutige Luzern hervorgegangen ist. Rudolf von Habsburg, allzeit Mehrer seiner Macht, brachte
im Jahre 1271 die Stadt Luzern durch Kauf an sich. Allein die Luzerner
scherten sich sehr wenig darum, dass die Oberherrschaft aus den schwachen
Händen der Klostergeistlichen von St. Leodegar in die starke Faust der
Habsburger übergegangen war. Sie glaubten, ihren neuen Herren gegenüber dieselbe Unabhängigkeit bewahren zu können, die sie unter dem
geistlichen Regimente genossen hatten, und als die Habsburger, gestützt
auf ihr verbrieftes Recht, die Zügel der Regierung etwas straffer anzogen,
lehnten die Luzerner sich auf und schlossen im Jahre 1332 mit den
Waldstätten einen Bund. Sie blieben, nominell wenigstens, den Habs-
burgern zwar noch unterthan, aber es gab fortwährend Streitigkeiten und
Unruhen, bis es endlich zum Kampfe kam. Im Vereine mit den Waldstätten besiegten die Luzerner im Jahre 1386 ein Habsburgisches Heer
bei Sempach und erlangten vier Jahre später die Reichsunmittelbarkeit.
Hierauf breitete Luzern seine Machtsphäre immer weiter aus, und es
kam hier ebenso wie in den anderen schweizerischen Städten eine
aristokratische Regierung zustande.

Während Zürich und Bern die reformierte Lehre Zwinglis annahmen,
blieb Luzern streng katholisch und schloss mit den anderen katholischen
Orten der deutschen Schweiz einen Sonderbund, welcher der weiteren
Ausbreitung der neuen Lehre in der Schweiz scharf entgegentrat. Luzern
berief die Jesuiten und wurde dadurch zu einer Operationsbasis für alle
in jener Gegend unternommenen gegenreformatorischen Bestrebungen.

Die luzernische Adelsregierung, welche sich nicht wenig damit
brüstete, gegen die Habsburger die Freiheit erfochten zu haben, bedrückte
die Bewohner des ihr unterthänigen Gebietes derart, dass diese sich 1635
mit den Waffen in der Hand gegen die Hauptstadt erhoben. Das war der
Anfang des großen schweizerischen Bauernkrieges. Der Aufstand wurde

blutig unterdrückt, und bis zur Zeit der französischen Revolution behielt der Luzerner Adel alle Macht in Händen. Seitdem gibt es fortwährend Streitigkeiten zwischen der jetzt vorwiegend liberalen Stadt und dem sehr clericalen Landvolke. Das sind politische Dinge, die uns nur insofern interessieren, als sie die sogenannte schweizerische Freiheit in der Nacktheit ihrer brutalen Intoleranz zu zeigen geeignet sind — Gott bewahre uns vor solcher Freiheit!

Die geographische Situation von Luzern inmitten der Schweiz und die Häufung der Eisenbahnen in ihrer Nähe machen diese Stadt zu einem vortrefflichen Ausgangspunkte für größere und kleinere Ausflüge. Auch wir wollen uns hier einige Zeit aufhalten und die interessantesten Punkte in der Umgebung besuchen.

Die Lage von Luzern ist sehr schön. Vor der Stadt breitet sich der See aus, über welchem der Rigi und in weiterer Entfernung die Häupter der Urner und Engelberger Alpen aufragen. Mitten durch sie fließt die krystallklare, von vier Brücken überspannte Reuß. Hinter ihr erheben sich amphitheatralisch die noch jetzt von den Wachtthürmen der alten, 1385 erbauten Stadtmauer gekrönten Höhen. Zwei von den Brücken, die Kapellenbrücke (Abb. 84) und die Mühlenbrücke, stammen aus dem Mittelalter. Diese Brücken sind gedeckt. Neben der ersteren steht der alte Wasserthurm, welcher einstens als Leuchtthurm gedient und dessen Laterne (Lucerna) der Stadt den Namen gegeben haben soll. In der Stadt selbst ist außer den alten Bauten der Stiftskirche und des Rathhauses namentlich Thorwaldsens in einer künstlichen Grotte aufgestelltes Löwenmonument sehenswert. Dieser ‹Löwe von Luzern — so heißt er, und das ist er auch — wurde zum Andenken an die 1792 in Paris bei Vertheidigung der Tuilerien gefallenen Schweizer Garden errichtet. Sie waren das Opfer der Unentschlossenheit des französischen Königs, für den sie mit deutscher Treue ihr Leben hingaben. Napoleon, der diesem Kampfe zusah, meinte, sie würden siegen, hätten sie einen Führer, aber sie hatten eben keinen, und das kostete ihnen und Hunderttausenden von anderen das Leben. Im Monumente hält der zu Tode verwundete Löwe eine Pranke schützend über den bourbonischen Schild.

Nahe bei diesem ist ein anderes Denkmal zu schauen, eine glattgescheuerte Felspartie des marinen Molassensandsteins, auf welcher große Blöcke liegen, die aus Gesteinsarten bestehen, welche in der näheren Nachbarschaft nicht anstehen, sondern nur weit entfernt im Hochgebirge vorkommen. Sowohl diese Blöcke, wie auch der Grundfelsen sind an der Oberfläche stark zerkratzt. Die Kratzer des letzteren sind untereinander

14*

parallel. In dem Grundfelsen sind zahlreiche kreisrunde Schächte eingebohrt, von denen der größte 8 Meter breit und 9½ Meter tief ist. Auf dem Grunde dieser Riesentöpfe liegen kugelrunde, abgeriebene Steine. Das ist der Gletschergarten, ein Denkmal des Reußgletschers, welcher zur Glacialzeit das Becken des Vierwaldstätter Sees ausfüllte und seine Eismassen weit über Luzern und Zug hinaus vorschob. Oben im Hochgebirge fielen Gesteintrümmer auf den Reußgletscher und bauten auf seiner Oberfläche Moränen auf. Einige von diesen Felsblöcken stürzten dann auf seinem langen Wege nach Luzern an Stellen, wo der Gletscher über Thalstufen hinabstieg und dadurch zerklüftet wurde, in die Tiefe. Diese Blöcke wurden am Grunde des Eises als Grundmoräne fortgeschoben, gegen den Felsgrund gepresst und zerkratzt. Solche Trümmer sind es, die hier vor uns liegen. Derartige Grundmoränen-Blöcke waren es auch, welche, durch das sich bewegende Eis über den Grundfels, auf dem wir stehen, hingeschoben, die Kratzer an letzterem erzeugten; natürlich sind diese Kratzer der einstigen Bewegung des Gletschers parallel; sie geben uns deutliche Kunde von der Richtung seines Stromes. Die runden Schächte aber sind Riesentöpfe, welche durch die in Gletschermühlen von der Oberfläche des Eisstroms herabstürzenden Wassermassen ausgehöhlt wurden. Hiebei dienten die harten Steine, welche das Wasser mit sich brachte, gewissermaßen als Bohrer, das Wasser selbst aber nur als bewegende Kraft. Diese Bohr- oder Mahl-Steine wurden natürlich stark abgenützt und abgerundet; das sind die bis 1 Meter im Durchmesser haltenden Steinkugeln, die man am Grunde der Riesentöpfe findet.

Dass dieser berühmte, 1872 bloßgelegte Gletschergarten mit seinen Riesentöpfen unter dem Eise des Reußgletschers der Glacialzeit entstand und nicht etwa zum Theile (die Riesentöpfe) durch gewöhnliche Sturzbäche gebildet wurde, ist durch Heim mit Sicherheit festgestellt worden.

Der Vierwaldstätter See, an dessen Nordwestende Luzern liegt, zeichnet sich ebenso durch seine complicirte Gestalt, wie durch die reiche Abwechslung in dem landschaftlichen Charakter seiner Ufer aus. Diese Eigenthümlichkeiten verdankt er einerseits seiner Lage an der Grenze zwischen dem tertiären Terrain der großen Depression und den mesozoischen Ketten der Außenzone des Hauptzuges der Alpen und andrerseits der wirbelartigen Deflection, welche an dieser Stelle die Streichungsrichtung der Gesteine erfahren hat. Der See selbst, dessen Spiegel 437 Meter über dem Meere liegt und fast 113 Quadratkilometer groß ist, besteht aus einem ostwestlich in die Länge gezogenen Centraltheile, von dessen Enden vier Arme abgehen. Der Centraltheil selbst ist in seiner

Abb. 85. Der Urner See.

Längenmitte durch zwei vorspringende Caps, die Obere und die Untere Nase, in zwei Abschnitte zerlegt, von denen der östliche nicht in der Fortsetzung des westlichen, sondern weiter südlich liegt. Dem Ostende des Sees ist der große, nach Süden ziehende, als Urner See bekannte Arm angehängt. Von dem Westende gehen drei Anhänge ab: nach Nordosten der Greppener Arm, nach Nordwesten der Luzerner Arm und nach Südwesten der Alpnacher Arm, dessen als Alpnacher See bekannter Endtheil nur durch eine sehr schmale, von einer Brücke überspannte Enge mit dem eigentlichen Vierwaldstätter See zusammenhängt.

Die Grenze zwischen dem Tertiär und den mesozoischen Schichten zieht von Hergiswyl am Westufer des Alpnacher Armes nach Vitznau am Nordufer des Centraltheiles. Der Alpnacher See, der Urner Arm und der westlich von der Einschnürung gelegene Abschnitt des Centraltheiles sind ganz im mesozoischen, der Greppener und der Luzerner Arm ganz im tertiären Lande eingesenkt. Die Nord-, beziehungsweise Westufer des westlichen Abschnittes des centralen Theiles des Sees und des Alpnacher Armes sind tertiär, ihre Süd-, beziehungsweise Südostufer mesozoisch.

Das an den See stoßende mesozoische Terrain besteht aus hochgefalteten Schichten der Kreideperiode: Seewerschichten, Gault, Aptschichten, Schrattenschichten und Neocomien. Ganz am Rande bilden diese cretacischen Sedimente einen ihrer Streichungsrichtung entsprechend von Ost nach West laufenden Bergrücken, welcher den äußersten Wall der mesozoischen Außenzone des Alpenzuges bildet und von dem See an zwei Stellen durchbrochen wird. Diese Breschen sind die Engen des Centraltheiles und des Alpnacher Arms: die Obere und Untere Nase, welche die Einschnürung der Centralpartie des Sees verursachen, sowie der Lopperberg, welcher den Alpnacher See vom eigentlichen Vierwaldstätter See abschnürt, sind Theile dieses Außenwalles des Kreidegebirges.

Oben haben wir gesehen, dass der Greppener Arm dem Südostrande einer gefalteten Partie der tertiären Molasse parallel läuft, der Luzerner Arm aber diese quer durchbricht. Es sind demnach die verschiedenen Theile des Beckens des Vierwaldstätter Sees folgendermaßen aufzufassen: der westliche Abschnitt der Centralpartie ist ein an der Grenze zwischen Alpen und Voralpen liegendes Längsthal, ebenso der nordöstliche Theil des Alpnacher Armes; der Ostabschnitt des Centraltheiles ist ein Alpen-Längsthal; der Urner Arm, dessen Längenentwicklung senkrecht zur Streichungsrichtung des Gesteins steht, ist ein Alpenquerthal; der Alpnacher See ist ein Alpen-Längsthal; der Greppener Arm ist ein Voralpen-Längsthal und der Luzerner Arm ein Voralpen-Querthal.

In den Vierwaldstätter See münden vier größere Flüsse ein: bei Brunnen die von Osten kommende Muota, bei Flüelen die von Süden kommende Reuß, der wasserreichste von allen, bei Buochs ein ebenfalls von Süden kommender Fluss, der Aa heißt, und bei Stad ein von Südwesten kommender Fluss, der auch den Namen Aa führt. Den Abfluss bildet die in Luzern aus dem See entspringende Reuß. Früher dürfte, wie oben erwähnt worden ist, der Abfluss über den Zuger See und durch die Lorze erfolgt sein.

Der Name des Sees ist darauf zurückzuführen, dass die vier Waldstätte, die Cantone Schwyz, Unterwalden, Uri und Luzern, an seine Ufer grenzen.

Abb. 80. Am Zuger See.

Abb. 8. Rigi Kahlbad.

2. Pilatus und Rigi.

Der oben erwähnte äußerste Faltenwall des Kreidegebirges, welcher die Nasen und den Lopperberg bildet, erhebt sich im Westen, südlich von Luzern, zu der breiten Bergmasse des Pilatus, welcher mehrere Gipfel enttragen. Der höchste von diesen, das Tomlishorn, liegt 2132 Meter über dem Meere. Von Stad am Südende des Alpnacher Sees führt eine Zahnradbahn auf die Höhe des Pilatus. Mit Benützung dieser kühnsten und interessantesten von allen Alpenbahnen wollen wir auf den Berg hinauf.

Alpnach-Stad, den Ausgangspunkt dieser Bahn, kann man von Luzern aus sowohl zu Lande als zu Wasser erreichen. Wir wählen den Seeweg. Da kein Föhn droht und eine sanfte, schönes Wetter verkündende, nördliche Luftströmung, die sogenannte Bise, weht, wollen wir nicht im Dampfer, sondern in einem kleinen Segelboote dahin fahren.

Nichts ist schöner als so eine Seefahrt bei gutem Wetter und günstigem Winde. Freilich, mit einer Yachtfahrt auf dem Meere darf man sie nicht vergleichen!

241

Zunächst muss gerudert werden, denn oben im Luzerner Arme weht fast gar kein Wind; schlaff hängt bei der Abfahrt unser Segel herab. Aber sobald wir in den Centraltheil des Sees hinauskommen, wird's besser: kleine Wellenflecken trüben den Seespiegel, und jetzt erfasst auch unser Segel ein Hauch. Kräftiger wird der Wind, wir ziehen die Ruder ein und genießen, behaglich ausruhend, eine Hand am Steuer und eine an der Segelleine, die herrliche Fahrt. Allmählich nach Süden uns wendend, umfahren wir das waldreiche Vorgebirge von Spissenegg, welches den Luzerner Seearm von der Winkler Bucht, einer tiefen Einkerbung des Westufers des Alpnacher Armes, trennt. Bei Kastanienbaum berühren wir das Ufer dieses Landvorsprunges und steuern dann in gerader Linie auf die Alpnacher Seeenge, Stansstad, zu. Auf dieser Strecke haben wir den besten Wind und kommen rasch vorwärts. Wir kreuzen einen Dampfer; lustig schaukelt unser Boot in den langen, geraden Wellen, die sein Bugsprit aufwirft, während wir fröhliche Grüße mit den Passagieren austauschen. Bald ist nun Stansstad erreicht; wir rudern unter der Brücke durch, welche diese Enge übersetzt, und kommen in den nach Südwesten hinaufziehenden Alpnacher See hinaus. Prächtig erhebt sich vor uns im Westen der Felsbau des Pilatus, und munter am Wind hinsegelnd erreichen wir Alpnach-Stad, landen hier und gehen hinüber zu dem Hotel, bei welchem in einer Höhe von 441 Metern die Zahnradbahn beginnt.

Die obere Endstation dieser Bahn ist der 2000 Meter über dem Meere gelegene Pilatus Kulm. Die Höhendifferenz zwischen Stad und Kulm beträgt 1620 Meter, und die Bahn überwindet dieselbe bei der merkwürdig geringen horizontalen Längenentwicklung von bloß 4618 Metern. Ihre durchschnittliche Steigung beträgt also 100 in 283, mehr als 1 : 3. Die Maximalsteigung ist 100 in 208, das ist fast 1 : 2, die Steilheit eines mäßigen Kirchendaches! Wie andere Zahnradbahnen hat auch diese drei Schienen: zwei äußere, gewöhnliche (Spurweite 80 Centimeter) und eine mittlere, erhabene Zahnstange. Die letztere hat nicht oben die Zähne, sondern zu beiden Seiten, und die von der Locomotive bewegten Zahnräder — es sind deren zwei, eines an jeder Seite der Zahnstange — haben verticale Achsen. Sie fassen die Zahnstange zwischen sich und halten sie sehr fest: dies ermöglicht die Überwindung jener kolossalen Steigungen. Das hier in Anwendung kommende Princip der Einklemmung der Mittelschiene zwischen zwei seitlichen Rädern wurde zuerst von Fell am Mont Cenis benützt. Fell benützte aber glatte Räder. Locher setzte an Stelle dieser die Zahnräder und construierte die Locomotive, die uns jetzt zur Höhe des Pilatus hinaufschieben soll. Ich muss gestehen, dass diese Maschine mit dem davor angebrachten Sitzraume nicht sehr einladend aussieht, und wie wenig ich mich auch sonst vor den Bergen fürchte — bei dem Gedanken an die Pilatusfahrt überläuft mich ein Gruseln. Meine Eisaxt und die Kraft meiner Arme, die kenne ich, und ich weiß, was ihnen zuzutrauen ist; aber dieser kleine, naseweise, himmelstürmende Locher'sche Theetopf, dem würde ich mich nicht anvertrauen, wenn ich nicht wüsste, dass viele Tausende schon die Fahrt gemacht haben, und dass sich dabei noch niemals ein Unfall ereignet hat. Also fahren wir!

Zunächst geht es durch Obstgärten und Wald in nördlicher Richtung empor, dann hinein in die nach Osten absetzende Wolfortschlucht, welche auf kühner Bogenbrücke übersetzt wird. Jenseits derselben fahren wir an steilen Geröllhalden hin mit der Maximalsteigung (480 pro mille) und durch zwei Tunnel zur Ämsigenalp (1350 Meter). Hier wendet sich die Bahn nach links und folgt nun der Südwand einer waldigen Schlucht in westlicher Richtung bis zur Mattalp, dann schlägt sie eine nordwestliche Richtung ein und beginnt den eigentlichen Aufstieg durch die Südwand des Pilatus-kammes. Eine nach Süden vortretende Felsrippe, der Esel, wird an steilen Abstürzen und in Tunnel umfahren, und wir erreichen durch ein hohes Portal die Endstation Pilatus Kulm nach 1½ stündiger Fahrt. Nahe beim Bahnterminus steht das gleichnamige Hotel, von welchem aus gute Steige zu den wichtigeren Gipfeln des Pilatus-Stockes führen. Die schönste Rundschau bietet die 2122 Meter hohe Spitze des in wenigen Minuten erreichbaren Esels. Man hat die nördliche Alpen-kette vom Säntis bis zu den Diablerets vor sich. Der höchste sichtbare Gipfel ist das Finsteraarhorn. Sehr schön präsentiert sich der Vierwald-stätter See.

Wir übernachten oben in dem Hotel und gehen des andern Tages auf dem guten Fußsteige durch das Kriesiloch nach Norden hinab zum Hotel Klimsenhorn, von wo ein Saumpfad über die Gschwendalpe in östlicher Richtung nach Hergiswyl am Vierwaldstätter See hinunterführt. Hier besteigen wir den Eisenbahnzug und fahren den See entlang und weiter durch die flache Niederung von Horw, welche westlich von den Höhen des Spissenegg eingesenkt ist, zurück nach Luzern.

Wir wollen nun einen Ausflug nach dem Sempacher Schlachtfelde unternehmen. Mit der Luzern-Zofingen Eisenbahn fahren wir durch ein Stück des Reußthales und weiter über das Molasse-Hügelland von Roten-burg in nordwestlicher Richtung hinüber in das Gebiet der Suhr, steigen bei Station Sempach am Südostende des Sempacher Sees aus und gehen

Abb. 88. Auf den Pilatus.

über die alluviale Niederung hinüber nach Sempach und weiter hinauf in
das nordöstliche Hügelland. Hier – etwa ½ Stunde von Sempach –
stehen eine Kapelle und vier Kreuzsteine. Sie bezeichnen den Platz, auf
welchem am 9. Juli 1386 so erbittert gekämpft wurde.

Nachdem alle Versuche, eine friedliche Beilegung des Streites
zwischen den Waldstätten und ihren Habsburgischen Herren herbei-
zuführen, gescheitert waren, sammelte im Jahre 1386 Herzog Leopold
von Osterreich bei Willisau im Wiggerthale ein Heer und brach am
8. Juli mit demselben gegen Luzern auf, um die widerspenstigen Cantone
zu unterwerfen.

An demselben Tage noch erreichte er Sursee am unteren Ende des
Sempacher Sees und setzte am folgenden, den 9. Juli, den Marsch auf
der nördlich vom See hinziehenden Straße fort. Diese alte Straße verließ das Seegestade bei Eich und wendete sich hier in östlicher Richtung
landeinwärts.

Die Männer der Waldstätte, welche genaue Kunde von den Marsch-
bewegungen des herzoglichen Heeres hatten, sammelten sich bei Luzern
und rückten von hier aus den Herzoglichen entgegen. Beim Meierholz,
an der Stelle, wo wir stehen, stießen die beiden Heere zusammen. Das
Heer der Waldstätte war 1500 Mann stark, jenes des Herzogs schwächer.
Das unebene, von Wasserrissen und Hohlwegen durchzogene, sehr cou-
pierte Terrain war dem schweizerischen Fußvolke sehr günstig, für die
Entfaltung der herzoglichen Reiterei aber höchst unvortheilhaft. Ein
Theil der Ritter saß ab und nahm, als erstes Treffen formiert, den Kampf
zu Fuß auf, während ein anderer Theil mit dem Herzoge zu Pferde blieb
und ein zweites Treffen bildete. Die Städtebürger schlossen sich dem
ersten Treffen an.

Die Schweizer drangen in Keilform gegen die Phalanx der zu Fuß
kämpfenden Ritter vor, konnten aber trotz ihrer Tapferkeit keine Vor-
theile erringen. Sie erlitten große Verluste, und das Kriegsglück neigte
sich dem herzoglichen Heere zu. Um die Mittagszeit begann jedoch die
Widerstandskraft der Ritter zu erlahmen, welche — es war ein sehr
heißer Tag – in ihren schweren Panzern bei dem heftigen Kampfe in
dem dichten Gewühle derart von der Hitze litten, dass viele, noch un-
verwundet, erschöpft zusammensanken. Den Schweizern, welche ohne
Panzer kämpften, machte die Hitze nichts. Sie änderten jetzt, die Nutzlosigkeit der keilförmigen Schlachtordnung einsehend, ihre Formation und
griffen in breiter Fronte an. Da wendete sich das Kriegsglück. Das
österreichische Banner sank, und der Herzog stürzte sich mit einer kleinen

Schar auserlesener Ritter hinein in das Kampfgewühl, um die Fahne zu
retten. Es war unmöglich. Er focht, erzählt der Chronist, wie ein
Löwe, aber auch er erlag den Streichen der Eidgenossen. Da wandte
sich der Rest des herzoglichen Heeres zur Flucht; die Berittenen ent-
kamen, diejenigen aber, welche zu Fuß kämpften, wurden größtentheils
niedergemacht. Mehr als die Hälfte des herzoglichen Heeres, 676 Mann,
bedeckten als Leichen das Schlachtfeld. Alles war verloren außer der
Ehre; ungetrübt leuchtet der blanke Schild des Herzogs Leopold aus dem
Blut und Staub des Schlachtfeldes hervor, uns, die Epigonen, erhebend
und erfreuend.

Die Sieger warfen sich, wie der Chronist berichtet, rasch auf die
glänzende und reiche Beute, die ihnen auf dem Schlachtfelde winkte.
Sie bemächtigten sich der Harnische, der Kleider und der Kostbarkeiten,
welche die erschlagenen Ritter trugen, und ließen den Rest des herzoglichen Heeres unverfolgt entkommen. Drei Tage widmeten die Schweizer
dieser edlen Thätigkeit, dann erst gestatteten sie den Angehörigen ihrer
Feinde den Zutritt, und diese begruben nun die ausgeplünderten Leichen
des tapferen Herzogs und seiner Getreuen.

Später hat jemand die famose Legende vom Winkelried zu dieser
Schlacht gedichtet. Dieselbe taucht in ungewissen Umrissen 60 Jahre
nach der Schlacht auf und gewinnt dann gegen Ende des fünfzehnten
Jahrhunderts in dem großen Sempacher Liede bestimmte Form. Nach
der Legende soll durch Winkelrieds Selbstaufopferung jene denkwürdige
Wendung des Kriegsglückes, welche, wie erwähnt, um die Mittagsstunde
eingetreten ist, herbeigeführt worden sein. Dass die Winkelried-Legende
nicht die Spur einer thatsächlichen Grundlage hat, braucht wohl nicht besonders hervorgehoben zu werden. Es ist nur zu bedauern, dass die
Schweizer ihren schönen, glänzenden und historisch so bedeutungsvollen
Sempacher Sieg durch solch kindisches Zeug zu verhüllen beliebt haben.
Derselbe bedarf, wie der Schweizer Geschichtschreiber Johannes Dierauer
sehr treffend bemerkt, fürwahr keines solchen schmückenden Beiwerks;
die einfachen Thatsachen verkünden den Muth jener Sempacher Schweizer-
Helden viel lauter, als irgend eine Legende es kann.

Einmal noch blicken wir zurück zu der Kapelle, welche an der
Stelle steht, wo der Herzog fiel, verlassen dann die Wahlstatt und kehren
zurück nach Sempach und nach Luzern.

Der an die mesozoische Außenzone des Hauptzuges der Alpen an-
grenzende Innenrand des tertiären Gebirges besteht östlich von Luzern

aus hoch emporgefalteter Nagelfluhe. Er bildet dort zwei durch die tiefe
und breite Furche von Lowerz getrennte Bergmassen: den Rigi und den
Rossberg. Während der letztere durch das große Thal der Muota von
dem südlichen mesozoischen Gestein des Alpenzuges getrennt erscheint,
ist die Nagelfluhe des Rigi mit letzterem zu einer Masse verbunden,
welche ziemlich compact aus den sie umgebenden Tiefen aufragt. Zur
Zeit, als der Zuger, Lowerzer und Vierwaldstätter See noch miteinander
verbunden waren, muss diese Bergmasse als eine Halbinsel erschienen
sein, welche nur im Nordwesten durch die schmale Landenge von Küss-
nacht-Immensee mit dem Festlande in Verbindung stand, sonst aber allseitig von dem Wasser des Sees bespült wurde. Da jene nordwestliche
Landenge von Küssnacht ganz niedrig ist und die recenten Seeausfüllungen
von Goldau und Ingenbohl im Osten den Wasserspiegel natürlich ebenfalls
nur wenig überragen, so erscheint diese Bergmasse auch gegenwärtig als
eine völlig isolierte Pyramide. Dieselbe ist oben abgestutzt, und ihre Ter-
minalfläche erscheint als ein concaves, nach Osten sich abdachendes Plateau
mit stark erhabenem Nordwest-, Südwest- und Südrande. Der höchste
Punkt der ganzen Bergmasse ist das Ostende des nordwestlichen Plateaurandes: hier erhebt sich der 1800 Meter hohe Rigi-Kulm 1363 Meter
über den Spiegel des Vierwaldstätter Sees. Die westliche Ecke des
Plateaurandes ist der 1663 Meter hohe Rotstock, von welchem ein kleiner
Grat nach Westen zum Känzeli abgeht. In der Mitte der ganzen Bergmasse, am Südrande des Plateaus, liegt das 1648 Meter hohe Scheidegg
und weiter östlich eine andere Erhebung, die ebenfalls Rotstock heißt.
Der ganze mittlere und nordwestliche Theil des Rigi besteht aus der hier
nach Süd und Ost fallenden tertiären Nagelfluhe. Der südöstliche Theil
des Berges, der Vitznauer Stock, und der Urmiberg aber, welche das
Nordufer des östlichen Abschnittes des Centraltheiles des Vierwaldstätter
Sees bilden, sind aus dem der Kreideformation angehörigen Neocomien
aufgebaut. Auch hier fallen die Schichten nach Südost.

Sowohl im Norden wie im Süden finden sich Moränen und Gletscher-
schliffe aus der Eiszeit, welche stellenweise bis zu einer Höhe von mehr als
1500 Metern, 1100 Meter über den Seespiegel, reichen. Aus diesen glacialen Ablagerungen und Spuren ist zu entnehmen, dass zur Zeit der großen
Gletscherausbreitung der Rigi allseitig von den mächtigen Eismassen,
die vom Hochgebirge herabkamen, umflutet war. Einer kleinen Insel
gleich ragte damals seine Spitze etwa 300 Meter hoch aus dem Eise vor.

Von Arth, beziehungsweise Goldau im Nordosten und von Vitznau
im Südwesten führen Zahnradbahnen auf den Rigi; sie vereinigen sich

Abb. 89.
Auf dem Rigi-Kulm.

bei Station Rigi-Staffel, von wo die Hauptlinie auf den Kulm führt.
Von der Station Rigi-Kaltbad der Vitznauer Linie geht eine Zweigbahn
zum Scheidegg ab.

Der ganze Berg ist voll von Hotels. Das großartigste und eleganteste
ist wohl das 1441 Meter hoch gelegene Curhaus Rigi-Kaltbad (Abb. 87).

Wir verlassen Luzern, fahren im Dampfer hinüber nach Vitznau und
von dort mit der Zahnradbahn hinauf auf den Kulm. Diese Bahn ist
viel zahmer als die Pilatusbahn. Ihre Maximalsteigung beträgt bloß 1:4.
Auch das Terrain, durch welches sie führt, ist viel sanfter und weniger
steil als die wilden Felswände des Pilatus. Die Zahnstange dieser Bahn
hat die Zähne auf der Oberseite. Nach 80 Minuten langer Fahrt erreichen
wir die Spitze des Rigi, den Kulm (Abb. 89). Im Südwesten, Süden
und Südosten sieht man die Hauptgipfel des zwischen Säntis und Wildstrubel gelegenen Theiles der nördlichen Alpenkette. Nach Norden und
Westen blickt man hinaus auf das Tiefland der großen Depression zwischen
Alpen und Jura mit ihren zahlreichen Seen. Doch all dies liegt ziemlich
fern; viel schöner ist der Blick hinab zu dem Vierwaldstätter, Lowerzer
und Zuger See, welche sich an den Fuß des Rigi anschmiegen. Fern-
sichten wie jene des Rigi bieten Hunderte von anderen Punkten auch,
aber dieser Blick auf die reichgegliederten zunächstliegenden Wasserflächen ist einzig in seiner Art.

Beim Anblicke aller dieser Seen drängt sich einem unwillkürlich die Frage auf, wie sie wohl entstanden sein mögen. Einige haben behauptet, dass die großen Gletscher der Eiszeit diese Seebecken ausgegraben hätten. Die neueren Autoren sind jedoch dieser Theorie entgegengetreten und haben die Unhaltbarkeit derselben nachgewiesen. Wenn nun auch die Gletscher nicht direct jene Becken ausgehöhlt haben, so halte ich es doch für höchst wahrscheinlich, dass die Eisströme der Glacialzeit bei ihrer Bildung mitgewirkt haben. Ich stelle mir vor, dass diese Seebecken vor der Glacialzeit nicht bestanden haben, dass sie damals vielmehr Theile von gewöhnlichen Flussthälern waren, deren Boden ununterbrochenes Gefälle gegen das Meer besaßen. Dann trat die Eiszeit ein, und diese Thäler füllten sich mit alpinen Gletschermassen an. Während der Eisbedeckung mag nun infolge der fortschreitenden Alpenfaltung eine Niveauveränderung eingetreten sein, welche zu einer Unterbrechung des früher continuierlichen Gefälles der Sohlen dieser Thäler führte; ihre äußeren, nordwestlichen Theile wurden relativ gehoben, und so entstanden Becken, die immer tiefer wurden. Die durch und über dieselben hinziehenden Gletscher schützten diese Becken vor Ausfüllung durch Geröll, Sand und Schlamm und verhinderten die Ausgleichung der Gefällsgegensätze durch Erosion unterhalb derselben. Gerade weil die Gletscher den Thalboden nicht erheblich vertieften, erhielten sich diese Becken. Nun giengen die Gletscher zurück, die Becken füllten sich mit Wasser und wurden zu Seen. Sogleich begannen die zufließenden Gewässer dieselben mit Geröll etc. auszufüllen und die abfließenden ihr Niveau durch tieferes Einschneiden in den Boden herabzusetzen. Viele von ihnen sind dadurch schon ganz in trockene, von einem Flusse durchzogene Thalebenen umgewandelt worden. Bei anderen ist dieser Process noch nicht so weit gediehen, und bei diesen finden wir nur an den Enden, in welche die Flüsse eintreten, trockene Ebenen, während ihr übriger Theil noch See ist. Auch der Vierwaldstätter See war gleich nach der Eiszeit viel größer als jetzt. Damals bestanden die alluvialen Ebenen von Goldau, Ingenbohl, Baar, Horw, Stans, Alpnach und Altdorf noch nicht. Der Bürgenstock im Süden des westlichen Abschnittes des Centraltheiles des Sees und das Spissenegg südlich von Luzern waren Inseln, und der Rigi eine inselartige Halbinsel dieses Sees, welcher sich viel weiter in die Thäler der Lorze, Maota, Reuß und Aa hinauf erstreckte als gegenwärtig.

Wir verlassen den Rigi und fahren auf der anderen Seite desselben über das freundliche Klösterli hinab nach Goldau im Osten, auf der Wasserscheide zwischen dem Zuger und Lowerzer See. Der nördlich

249

über Goldau aufragende Abhang des Rossberges ist den Nagelfluhbänken, Thon- und Mergel-Schichten, aus denen er besteht, parallel, steil nach Süden abgedacht und erscheint somit als eine Schichtfläche. Im Herbste des außerordentlich nassen Jahres 1806 begann das unter dem Gnippen – einer Graterhebung des Rossberges — gelegene Terrain dieses Abhanges an den zu schlammigem Letten aufgeweichten Thonschichten hinabzugleiten. Es bildeten sich große, den Hang quer durchziehende Spalten, Rasentheile schoben sich übereinander, Baumwurzeln wurden abgerissen, und an einzelnen Stellen rutschten kleine Partien ab. Das dauerte so mehrere Tage fort, und am 2. September stürzte plötzlich das ganze gelockerte Terrain von einer nahezu zwei Quadratkilometer großen Fläche mit furchtbarer Schnelligkeit, rothe Staubwolken vor sich herwälzend, herab in das Thal. In vier Ströme zertheilt erreichte der Bergsturz dessen Sohle und begrub vier Dörfer unter seinen Trümmern. Ein Theil stürzte sich in den Lowerzer See, bis 20 Meter hohe Wogen in demselben aufwerfend, ein anderer übersetzte die ganze Thalsohle und prallte mit größter Gewalt an den gegenüberliegenden Fuß des Rigi, hausgroße Felstrümmer weit über denselben hinaufrollend. 457 Menschenleben fielen dieser grausen Katastrophe zum Opfer, denn bei der kolossalen Schnelligkeit des Sturzes konnte niemand sich retten — derselbe dauerte kaum vier Minuten, dann war alles vorüber.

Ein Augenzeuge, der Arzt Zay, dem wir eine gute Beschreibung dieses Bergsturzes verdanken, schildert die Katastrophe folgendermaßen: «Nun wird mit eins die Bewegung der Wälder stärker; ganze Reihen der vorher losgewordenen und sich senkenden Felsenstücke — ganze Reihen stolzer Tannenbäume, auf der obersten Felsenfluc, sonst so prachtvoll ruhend, stürzen in Unordnung übereinander und in die Tiefe nieder — alles Losgerissene und Bewegliche, Wald und Erde, Steine und Felsen gerathen jetzt in Hinglitschen, dann in schnelleren Lauf und nun in blitzschnelles Hinstürzen. Getöse, Gekrach und Prasseln erfüllt wie tief brüllender Donner die Luft, erschüttert jedes lebende Ohr und Herz und tönt im Wiederhall von tausend Bergesklüften noch grässlicher. Ganze Strecken losgerissenen Erdreiches — Felsstücke so groß und noch größer als Häuser — ganze Reihen Tannenbäume werden, aufrecht stehend, mit mehr als Pfeilesschnelle durch die verdickte Luft hingeschleudert. — Ein grässlicher, röthlichbrauner Staub erhebt sich in Nebel-Gestalt von der Erde, hüllt die mord- und zerstörungsschwangere Lawine in trübes Dunkel ein und läuft in düsterer Wolke wie vom Sturmwind gewirbelt vor ihr hin. Berg und Thal sind nun erschüttert — die Erde

bebt   Felsen zittern   Menschen erstarren beim Anblick dieser fürchter-
lichsten aller fürchterlichen Scenen — Vögel, in ihrem Flug gehindert,
fallen auf die Stätte der Verheerung nieder — Häuser, Menschen und
Vieh werden schneller als eine aus dem Feuerrohr losgeschossene Kugel
über die Erde hin und selbst durch die Luft fortgetrieben — die aus
ihrer Ruhe aufgeschreckte und wild gemachte Wasserflut des Lowerzer
Sees bäumt sich wie wilde Felsenwände auf und fängt im Sturmlauf auch
ihre Verheerung an. Das letzte Angstgeschrei der vom unvermeidlichen
Tode bedrohten Goldauer durchheult noch einen Augenblick die trübe
Luft und die dunkle Schreckensgegend. Ein großer Theil der zerstörenden
Masse erstürmt in ihrem Sturmlauf noch den steilen Fuß des Rigiberges,
und einzelne Bäume und Felsstücke fliegen noch höher an denselben
hinauf.   Und — o wehe! überschüttet ist das ehevor so fruchtbare
Gelände mit Schutt und Graus. — Umgeschaffen ist die ehevor para-
diesische Gegend in hundert und hundert wilde Todeshügel.

Weithin ist gegenwärtig der Thalboden von den Trümmern des
Sturzes bedeckt, und zwischen diesen liegen Tümpel klaren Wassers.
Deutlich erkennen wir, hinüberblickend zum Rossberg, die Fläche, über
welche der Bergsturz herabgekommen, und beklagen das Unheil, das diese
Katastrophe verursacht. Wäre ein Gewisser, den wir alle kennen, in
unserer Gesellschaft, er würde achselzuckend sagen: er war der erste
nicht. — Gewiss, schon oft, ehe noch civilisierte Menschen hier wohnten,
sind Bergstürze vom Rossberg herabgekommen. Sie waren es, welche
den Zuger vom Lowerzer See abtrennten: dieser Sturz von 1806 ist nur
der letzte einer ganzen Reihe. Ist er aber wohl der letzte? Hoffen wir,
dass er es wenigstens noch auf lange Zeit hinaus sein werde!

Von Goldau führen eine Eisenbahn und eine Straße über Seewen am
Ostende des Lowerzer Sees hinüber nach Ingenbohl und Brunnen am An-
fange des Urner Armes des Vierwaldstätter Sees. Die Bahn umgeht den
Lowerzer See im Norden, die Straße folgt seinem Südufer. Auf letzterer
wollen wir hinüberwandern nach Brunnen. Wir steigen zunächst etwas
an, überschreiten eine kleine, von Süden her vortretende Terrainnase
und gehen jenseits hinunter nach Lowerz. Rechts ziehen mäßig geneigte
Abhänge hinauf zum Rotstock am Rigi, links in der Tiefe breitet sich
das gewaltige Trümmerfeld des Bergsturzes aus. Wir erreichen den
kleinen, bloß 4½ Kilometer langen Lowerzer See (Abb. 90). Sein Spiegel
liegt 450 Meter über dem Meere, um 13 Meter höher als der Spiegel des
Vierwaldstätter und um 33 Meter höher als der Spiegel des Zuger Sees.
Im Norden schließt sich an denselben jene ausgedehnte, alluviale Ebene

Abb. 66
Lowerz und der Myten.

an, welche die dort einmündende Steinen-Aa aufgeschüttet hat, und welche
bei Seewen mit der Muotaebene zusammenhängt. Das Südufer des
Lowerzer Sees ist steil; hier tauchen die hoch aufgerichteten Schichten
der Nagelfluhe direct in den See, so dass die Straße dicht an die Strandlinie gedrängt wird. Prächtig ist die Wanderung auf diesem Wege. Die
klare Flut spiegelt den schönen Pyramidenbau des vor uns im Osten
emporragenden Großen Myten (Abb. 66) wieder, und aus ihrer Mitte
erhebt sich die kleine, mit den Trümmern einer alten Burg geschmückte
Schwaneninsel. Wir erreichen Seewen und gehen von hier hinüber nach
Schwyz, welches weiter östlich liegt. Schwyz, die Hauptstadt des gleichnamigen Cantons, ist die eigentliche Wiege des Schweizerstaates. Hier
wurde — am 1. August 1291 — die Urkunde des Bundes der Eidgenossen unterzeichnet, die noch heute als ein ehrwürdiges Denkmal in
dem Archive der Stadt aufbewahrt ist. Sie berichtet, wie die Männer
des Thales Uri, die Gesammtheit des Schwyzer Thales und die Gemeinde
der Leute von Nidwalden in Erwägung der Bosheit der Zeit und um sich
und das Ihrige besser vertheidigen und in gebürendem Stande halten
zu können, ihre alte Genossenschaft erneuernd, sich mit körperlichem
Eide verbunden haben, einander beizustehen mit Rath, That und Gunst,
mit Leib und Gut, innerhalb und außerhalb der Thäler, mit allem Können
und Vermögen, gegen jeden, der ihnen oder einem von ihnen Gewalt,

15*

Beschwer oder Unrecht zufügen wollte; um dem Angriff der Übelgesinnten zu widerstehen und das Unrecht zu rächen.

Schwyz ward der Mittelpunkt des Widerstandes gegen jegliche Fremdherrschaft; hier keimte das Reis der Eidgenossenschaft, welches bestimmt war, zu jenem mächtigen Baume emporzuwachsen, der, allen Stürmen Trotz bietend, seine knorrigen Äste schützend über das ganze Schweizerland und die zahllosen Flüchtlinge breiten sollte, welche, den politischen Wirren der Nachbarstaaten entronnen, in seinem Schatten gastliche Aufnahme und Schutz vor Verfolgung suchten und fanden.

Wir verlassen das freundliche alte Städtchen, überschreiten die Muota und erreichen bald Brunnen am Seestrande.

Abb. 91. Das Alphorn.

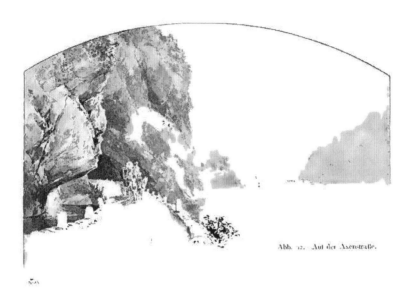

Abb. 12. Auf der Axenstraße.

3. Urner See und Titlis.

s ist oben darauf hingewiesen worden, dass der Urner Arm des
Vierwaldstätter Sees, der sogenannte Urner See (Abb. 85), ein von
Wasser ausgefülltes, in den Nordrand der Alpenkette fjordartig
eindringendes Querthal ist. Reich an Abwechslung, hoch und steil sind
dementsprechend die Berghänge, welche diesen schönsten Theil des Vierwaldstätter Sees einfassen.

Die Gotthardbahn und eine vorzügliche Straße, die berühmte Axenstraße (Abb. 92), führen das Ostufer dieses meridianal in die Länge ge-
streckten Wasserbeckens entlang von Brunnen nach Altdorf. Letzterer
Ort liegt in der alluvialen Ebene, welche die Reuß, die dort einmündet,
am oberen, südlichen Ende des Urner Sees aufgeschüttet hat. Auf dieser
Axenstraße wollen wir nach Süden wandern.

Gegenüber von Brunnen, dicht vor der vorspringenden Bergecke
zwischen dem Urner See und dem Centraltheile des Vierwaldstätter Sees,
erhebt sich aus der Flut ein schlanker, 25 Meter hoher Felsen, der
Mytenstein (Abb. 93), welcher die Inschrift trägt: Dem Sänger Tells

F. Schiller die Urkantones. Schön ist die
kurze Inschrift, schön der Stein, auf dem sie
steht, und herrlich die Umgebung! Dort
oben, links vom Mytenstein, liegt die berühmte Rütli-Wiese und vor uns im Süden
der Vorsprung des Großen Axen, wo der
Sturm den Landvogt überrascht haben soll.
Unsere Wanderung auf der Axenstraße
fortsetzend, erreichen wir das in den See
einmündende Riemenstaldenthal, an dessen
Ausgang Sisikon liegt. Der Thalbach hat eine tiefe Schlucht in die
cretacischen Felsen gegraben, aus
denen die Ostwand des Seebeckens
besteht. Jenseits Sisikon erreichen wir
bald den etwas vorspringenden Axenberg
und die »Tells-Platte«, auf welche Tell damals gesprungen sein soll. Eine daneben-

Abb. 93. Der Mytenstein.

stehende Kapelle soll zum Andenken an jenes Ereignis errichtet worden
sein. Alle Jahre wird dort eine Messe gelesen, welche Gelegenheit zur
Abhaltung eines Volksfestes gibt (Abb. 94). Sehr begeistert sind die
Einheimischen für ihren Tell und nicht sie allein, die ganze gebildete
Welt schwärmt für diesen Schweizer Helden par excellence, seitdem
Schiller ihn so schön dramatisiert hat. — Aber leider, leider, diese ganze
Geschichte vom Tell und der Gründung der Eidgenossenschaft, wie sie
in dem Tellenliede und der anno 1482 begonnenen Chronik des Melchior
Russ zuerst erwähnt, dann im »Weißen Buche« und im Urner Spiele --
letzteres stammt aus dem Jahre 1512 — weiter ausgeführt, endlich zu
Ende des sechzehnten Jahrhunderts von Gilg Tschudi zu einer zusammenhängenden Darstellung umgewandelt, von Johannes von Müller wieder-
gegeben und von Schiller so kunstvoll verwendet wurde, ist eitel Lug
und Trug! Nie gab es einen Tell in jener Gegend, nie einen Gessler
und überhaupt keine solchen grausamen Landvögte. Der Rütlischwur
ist Dichtung; und der famose Apfelschuss eine allgemein bei indo-
germanischen Völkern vorkommende Sage, welche ebenso wie hier auch
in Persien, Island, Dänemark und Norwegen angetroffen wird. Der
Held der isländischen Apfelschuss-Sage heißt Egil, der Held der
schweizerischen Tell: man sieht, bis zu den Namen herab herrscht Über-
einstimmung.

Ich bin
kein Freund
von der-
artigen, die
Geschichte
entstellen-
den Sagen
und kann es als Mann
der bloß nach Wahr-
heit ringenden Wis-
senschaft nicht unter-
lassen, diesen ganzen
Tellcultus als einen
unwürdigen Götzen-
dienst zu verurtheilen.

Abb. 54. An der Tells-Platte.

Der Dichtung freilich ist alles Lob zu zollen, aber sie ist doch nur ein
leerer, hohler Hut, und ich rufe mit Tell: «Was kümmert uns der Hut!
Komm, lass uns gehen», weiter an der schönen Felswand hin, die hier,
südlich von der Tells-Platte, aus Schrattenkalk besteht. Die Bahn unterfährt sie in langem Tunnel, die Straße ist in dieselbe eingesprengt.
Bald kommen wir wieder auf den Neocomien hinaus, der den größten
Theil des Fußes der Wand bildet, überschreiten eine Flyschzone und
erreichen die breite, alluviale Ebene von Altdorf.

Abb. 97. Das Telldenkmal in Altdorf.

Diese Ebene, durch welche seit dem Mittelalter die Gotthardstraße führt, ist reich an Ortschaften. Gleich am Ende des Axenstraßendéfilés, an der Südostecke des Urner Sees, liegt Flüelen, dann folgen am rechten Reußufer Altdorf, Bürglen (Abb. 98) und Schattdorf, am linken Ufer Seedorf und Attinghausen.

Dort, wo der von Osten herabkommende Schächenbach in das Reußthal einmündet, ist dieses am breitesten, und hier — auf dem Schuttkegel des Schächenbaches — steht das freundliche Altdorf, der Hauptort des Cantons Uri. Hierher verlegt die Sage die Apfelschuss-scene, und eine Tellstatue (Abb. 95) bezeichnet die Stelle, wo der Schuss gefallen sein soll.

In Altdorf nehmen wir einen Wagen und fahren hinauf nach Erstfeld an der Mündung des gleichnamigen, vom Titlisstocke im Westen herabkommenden Thales. Von hier aus wollen wir durch das Erstfelder Thal und über den Großen Spannort hinüber nach Engelberg, aber das Wetter ist schlecht, und so bummeln wir denn des andern Tags hinauf nach der Ruine Zwing Uri (Abb. 96), welche weiter oben im Reußthale bei Silenen liegt — dass das nicht die Zwing Uri der Tellsage ist, braucht wohl nicht hervorgehoben zu werden, denn erstens gab es überhaupt nie eine Burg Zwing Uri, zweitens wurde sie bekanntlich von denen, die sie bauten, wieder niedergerissen und drittens — genug, lieber Leser, du kennst die Geschichte von dem gebrochenen Kruge!

257

Abb. 91. Zwyg Uri.

Doch das Wetter hellt sich auf, wir rüsten zur Bergfahrt, der Schmied stählt und schärft die Pickelspitze, und emsig schlägt der Schuster neue Nägel in die Sohlen.

Ein breiter Streifen von Urgebirge, Granit, Gneis und altem Schiefer, erstreckt sich, das obere Rhonethal im Norden begleitend, in ostnordöstlicher Richtung vom Lötschenpasse bis zum Tödi. Die Mitte dieses Streifens bildet die Schieferzone, und dieser schließen sich der Gneis und der Granit an. Im Norden finden wir nur am äußersten Ende, ganz im Westen, eine kleinere Granitmasse, während der weitaus überwiegende mittlere und östliche Theil der nördlichen Zone aus Gneis besteht. Anders verhält sich die südliche Zone. Hier tritt nur im Westen Gneis zu Tage, während die größere, östliche Hälfte aus Granit zusammengesetzt ist. Im Süden steht dieser große Urgebirgsstreifen mit dem Urgebirge des Gotthard im Zusammenhange, im Norden aber stößt er unvermittelt an jene jungmesozoischen Schichten, welche die Außenzone des Alpenzuges bilden. Der centrale Schiefer und der südliche Granit erstrecken sich, wie gesagt, im Osten bis zum Tödi, der nördliche Gneis aber reicht nur wenig über das Reußthal hinaus und endet an der Linie Erstfeld-Golzerberg. Weiter im Westen — von dieser Linie bis zum Tödi — stößt das mesozoische Terrain des Claridenstockes an den alten Schiefer der Centralzone unseres Urgebirgsstreifens. Schließlich endet auch dieser, und südöstlich vom Tödi reichen die mesozoischen Schichten bis zum Granit der Südzone.

Südwestlich von der Aare, am Nordabhange des Finsteraarmassivs, sind die mesozoischen Schichten und der Gneis in merkwürdiger Weise durcheinander geschoben, so dass hier die Nordgrenze unseres Urgebirgsstreifens eine höchst unregelmäßige wird. Westlich von der Aare dagegen ist diese Grenze viel einfacher gestaltet und erscheint als eine nur in geringem Maße unterbrochene, fast gerade Linie, welche von Innerkirchen im Haslithale nach einem Punkte etwas nördlich von Erstfeld im Reußthale zieht. Die Furchen des Erstfelder- und Nessenthales bezeichnen diese wichtige geologische Grenzlinie; beide sind im Urgebirge etwas südlich von der eigentlichen, ihre Nordwände durchziehenden Grenzlinie eingesenkt.

In dem nach Westen hinaufziehenden Erstfelder Thale haben wir also zu beiden Seiten Gneis. Dieser Gneis reicht jedoch nur an dem Krönte-Jakobiger-Grate, welcher es im Süden begrenzt, bis zur Höhe des Kammes, während die höheren Theile des nördlichen Grenzkammes, Schlossberg-Sonnigstöcke, aus dem mesozoischen Gestein der oberen Juraformation bestehen.

Ziemlich steil führt der rauhe Pfad in dem schmalen Thale durch Matten und Wälder an einzelnen Gruppen von Sennhütten vorbei hinauf. Vor uns zieht der Glattenfirn zu den zackigen Kalkfelsen der Spannörter und des Schlossberges empor. Rechts, an der steilen Wand des Geisberg durchzieht ein weißes Dolomitband die dunklen Felsen. Wir erreichen den im innersten Boden, 1774 Meter über dem Meere gelegenen Faulensee und gehen nun steil nach links hinauf in ein südliches Nebenthal. In schönem Falle stürzt der Thalbach über eine hohe Stufe herab. Die Neigung nimmt ab, und wir kommen auf eine Hochmulde hinaus, in deren Boden ein zweiter See, der Obersee, liegt. Dicht bei letzterem steht in einer Höhe von etwa 2000 Metern die Krönte-Hütte, in der wir übernachten wollen.

Die oberste Stufe des Erstfelder Thales ist eine sanft gegen Nordosten sich abdachende Fläche; auf dieser breitet sich der Glattenfirn aus. Im Süden begrenzt der zahmere Gneisgrat des Krönte dieses Eisfeld, während es im Norden von dem mesozoischen Kalkwalle des Schlossberges eingefasst wird. Von dem nördlichen Kalkgebirge geht hier ein schmaler Ausläufer nach Süden ab; aus diesem bestehen die Spitzen des Großen und Kleinen Spannort, welche im Hintergrunde des Gletschers aufragen. Der Kalk ist hier dem Gneis aufgelagert. Zu beiden Seiten des Großen Spannort, welches in der Mitte der Thalschlusswand aufragt, liegen flache Einsattlungen; rechts im Norden das 2031 Meter hohe Schlossbergjoch, links im Süden, zwischen Großem und Kleinem Spannort, das 2929 Meter hohe Spannortjoch. Beim ersten Grauen des Morgens verlassen wir die Hütte und gehen steil über zerbröckelte Hänge zum Gletscher hinauf. Über diesen gewinnen wir, in südwestlicher Richtung ansteigend, das flachere Firnplateau, welches sich zwischen dem Großen Spannort und dem Zwächten ausbreitet. In sehr sanfter Neigung zieht dasselbe nach Osten hinauf zum Spannortjoch. Hier deponieren wir das Gepäck und steigen dann in nördlicher Richtung über steilere Schneehänge und Felspartien zu dem 3205 Meter hohen Gipfel des Großen Spannort hinauf. Ein glatter Felsblock bildet die höchste Spitze; hingestreckt auf diesem genießen wir nun die Rundschau. Gott sei Dank, hier sind wir endlich einmal wieder mit der Natur allein! Kein Gedränge schlaftrunkener Gestalten in grotesken Toiletten, die beim Sonnenaufgange da capo rufen, wie auf dem Rigi-Kulm; keine ängstlichen Dämchen mit zierlichen Stadtschuhen, die sich fürchten, dem Geländer zu nahe zu kommen, wie auf dem Eselsteige am Pilatus. Frei baden wir die Brust in Alpenluft und blicken in die Runde, hinaus nach den Bergen, hinab in die Thäler. Zu unseren Füßen im Westen liegt das freundliche Engelberg. Links davon erhebt sich der schöne Kalkgipfel des Titlis, und über die tiefe, südlich von ihm an der Grenze zwischen Ur- und Kalkgebirge eingeschnittene Kammsenkung des Thierberges hinausblickend, erkennen wir die Furche des Xessenthales, über welcher die Wetterhörner aufragen. Im Südwesten sehen wir die Gipfel des Finsteraarmassivs und links, näher die Masse des Sustenhorn, Rhône-, Damma- und Galenstock. Im Osten blicken wir hinab durch das Erstfelder Thal in die tief eingesenkte Furche der Reuß und hinüber zum Tödi, während im Norden die dem Weißen Jura angehörigen Felsbauten des Uri-Rotstockes mit ihren merkwürdigen hellen Felsbänken unsere Aufmerksamkeit fesseln. Lange bleiben wir oben, das herrliche Bild genießend, klettern dann wieder hinab zum Joche und beginnen den Abstieg in das von einer der verschiedenen Aa's dieser Gegend durchströmte Surenen- oder Engelberger Thal.

Ein kleiner, ziemlich steiler Gletscher zieht vom Joche nach Nordwesten hinab. Über diesen und weiter über steile Halden geht es, an der Spannorthütte vorbei, hinab nach Niedersurenen in der Thalsohle.

Eine keilförmige Flyschzone schiebt sich von Osten her in das jurassische Gebirge ein, welches den mehrfach erwähnten Urgebirgsstreifen Lötschenpass-Tödi im Norden begleitet. Dieser Flysch, welcher vom Reußthale bis Engelberg reicht, trennt die schmalen Kalkgrate des Schlossberges und Titlis von dem ausgedehnten nordwestlichen Kalkgebirge.

Diese Trennung ist nicht nur eine geologische, sondern auch, da der Flysch stark versenkt ist, eine orographische: das bei Seedorf ins Reußthal ausmündende Gitschenthal, der tiefeingeschnittene, im Hintergrunde des letzteren gelegene Surenenpass und der obere Theil des Engelberger Thales, welche den Uri-Rotstock von dem östlichen Theile der Titlisgruppe trennen, sind in diese Flyschzone eingegraben.

Vom Surenenpasse (2305 Meter) zieht das Engelberger Thal nach Südwesten herab, verlässt den Flysch, durchbricht den Jura von Nord nach Süd, tritt in den Gneis ein, zieht nahe dem Rande desselben eine Strecke weit in westsüdwestlicher Richtung hin, verlässt den Gneis wieder, durchbricht, nach Westnordwest sich wendend, nochmals den Jura, jetzt von Süd nach Nord, dann weiter auch den Flysch und erweitert sich zu einem breiten, flachen Boden, der 1010 Meter über dem Meere gelegenen Thalebene von Engelberg. Jenseits Engelberg durchströmt der Thalbach, die Aa, in enger Schlucht die dort anstehenden, unteren Liasschichten und wendet sich nach Norden, um quer durch die cretacische Außenzone die Ebene von Stans am Vierwaldstätter See zu erreichen und bei Buochs in den genannten See auszumünden.

Auf dem schönen Alpenwege, welcher sich durchaus auf dem rechten Ufer der Aa hält, marschieren wir hinaus und erreichen in guter Zeit den freundlichen Klosterort Engelberg (Abb. 97). Das große, stattliche Kloster wurde anno 1121 gegründet. Früh schon erlangte es die Reichsunmittelbarkeit und erwarb sehr ausgedehnte Besitzungen. Berühmt war die große Klosterbibliothek. 1729 brannte das Kloster theilweise nieder, um nur noch stattlicher neu zu erstehen. 1798 raubten die Franzosen den wertvollsten Theil der Bibliothek und beschnitten auch die Einkünfte des Klosters sehr bedeutend; aber trotzdem ist Engelberg heute noch reich an Besitzthum und Einfluss.

Engelberg mit seinen zahlreichen Hotels und Wirthschaften — es gibt dort sogar eine Bierhalp — ist ein rechtes Capua, und die dortigen Fremden pflegen nichts Größeres zu unternehmen, als ab und zu einmal den ¾ Stunden entfernten Fall des Tätschbaches zu besuchen, welcher oberhalb Engelberg von Nordwesten her in die Aa einmündet. Wir aber wollen so faul nicht sein, sondern den Titlis besteigen, welcher südlich von der Thalweitung aufragt.

Der Titlis ist ein nach Nordwesten sanft, nach Süden und Osten aber mit steilen Wänden abfallender Berg; der höchste, 3239 Meter über dem Meere gelegene Punkt erscheint als die Südostecke eines nach Nordost abgedachten Plateaus. Aus diesem schwach geneigten Nordostabhange

Abb. 47. Engelberg.

treten mehrere Grate hervor, von denen besonders zwei südost-nordwestlich
streichende auffallend sind. Diese Kämme sind nach Nordosten --
gegen Engelberg — sehr steil, nach Südwesten aber sehr sanft abgedacht, und zwischen ihnen breitet sich ein flaches Hochthal aus, in
dessen Sohle 1765 Meter über dem Meere ein See, der Trübsee, liegt.
Der Abfluss desselben ergießt sich unterhalb Engelberg in die Aa. Östlich
vom Trübsee steht ein Gasthaus, zu dem wir hinauf wollen, um dort
zu übernachten und des andern Tags den Titlis zu besteigen.

Wir verlassen Engelberg und gehen auf dem guten Reitwege über
die Gerschnialpe in südlicher Richtung hinauf zum Fuße der Pfaffenwand
— so heißt der steile Nordostabhang des östlichen von den beiden erwähnten Kämmen — und dann im Zick-Zack mühsam über diese hinauf
zu dem in einer kleinen Einsattlung der Kammhöhe, 1790 Meter über
dem Meere gelegenen Hause. Zeitlich am nächsten Morgen aufbrechend,
wandern wir in ostsüdöstlicher Richtung über diesen Kamm — dieser
Theil desselben heißt Laubersgrat — hinauf zum Stande, wo er sich
mit einem südnördlich herabziehenden Grate vereinigt; wenden uns hier
nach Süden und klettern an den steilen Schieferhängen über Geröll und
Felsen zur Rothegg empor. Hier, in einer Höhe von 2752 Metern,
betreten wir den Gletscher, welcher wohl von einigen Spalten durchzogen
wird, aber nicht die geringste Schwierigkeit bietet. Anfangs mäßig, dann

etwas steiler über denselben ansteigend, gewinnen wir ohne Mühe den als Nollen bekannten, eigentlichen Gipfel des Titlis.

Die Aussicht ist viel umfassender als die vom Spannort. Im Norden und Nordosten sehen wir, über den freundlichen Thalboden von Engelberg mit seinem stattlichen Klosterbau hinausblickend, die Gipfel des Uri-Rotstockes, dunkle, nach Nordwesten sanft abgedachte, nach Südosten steil abstürzende Felsbauten, durchzogen von merkwürdigen, hellen Kalk- und Dolomitbänken; dann im Osten die schönen Zinnen der Spannörter, darüber in der Ferne die breite Masse des Tödi und weiter rechts, hinter der Furche des Maderaner Thales, den Oberalpstock. Im Südosten erkennen wir das zum Reußthale hinabziehende Meienthal, von welchem steile Hänge nach rechts hinaufziehen zur schönen Pyramide des Fleckistockes. Nach Süden blicken wir über den gewaltigen Absturz hinunter zum Wenden-gletscher, über welchem der Brunnenstock aufragt. Weite Eisfelder breiten sich im Südwesten aus, und über diese schauen unsere alten Freunde, die Zermatter Berge, herüber. Deutlich erkennen wir die scharfe, steil nach Osten hinabziehende Felskante des Monterosa, Täschhorn, Dom, Matter-horn und Weißhorn. Dann folgen die Berner Alpen, die gewaltige Pyramide des Finsteraarhorn, Lauteraarhorn und Schreckhorn, endlich, steil nach Norden abbrechend, das Wetterhorn, über dessen Rücken Eiger, Mönch und Jungfrau herüberschauen. Näher, in derselben Richtung liegt das Nessenthal, aus dessen Boden das freundliche Gadmen zu uns heraufblickt. Auffallend tritt der Unterschied in dem geologischen Aufbaue der beiden Seiten dieses Thales hervor: links im Süden die von einem Anthracit-schieferbande durchzogenen, gleichmäßig geneigten Gneishänge; rechts im Norden die schön geschichteten, mit senkrechten Wänden abstürzenden Kalkfelsen. Im Westen sehen wir den kleinen Engstlensee und weiter die merkwürdigen, aus horizontal gefalteten jurassischen Schichten auf-gebauten Felsmassen des Graustock und Schwarzhorn, welche in dem Rigidalstocke oberhalb Engelberg ihre Fortsetzung finden.

Wir verlassen den Gipfel und kehren auf demselben Wege zurück, gehen über den Gletscher hinunter, erreichen die Rothegg, den Laubersgrat, laufen über die Pfaffenwand hinab nach Engelberg, nehmen dort einen flüchtigen Imbiss und fahren dann auf der vortrefflichen Straße durch das Thal hinaus nach Stans. Die erwähnte Enge unterhalb der Engelberger Thalweitung wird im Osten umgangen, indem die Straße einen Sattel hinter dem Wiederwellhügel übersetzt. Von hier zurückblickend, sehen wir noch einmal den Titlis mit seinem glänzenden Firnmantel, dann geht es hinunter in mehreren Schlingen zur Thalsohle, welche diesseits Grafenort erreicht wird. Weite Trümmerhalden bedecken die Seiten des schmalen Thales, durch dessen Boden Fluss und Straße dahinziehen. Wir passieren Wolfenschießen und kommen uun bald in die Stanser Ebene hinaus, welche sich zwischen dem Bürgenstock im Norden, dem Stanser Horn im Südwesten und dem Buochser Horn im Südosten ausbreitet. In dieser Ebene liegt Stans. Von hier führt eine Drahtseilbahn aufs Stanser Horn — leisten wir uns den Spaß, noch geht ein Zug. Des Morgens auf den Titlis, des Abends auf das Stanser Horn, warum nicht? Wir erreichen über die beiden Abschnitte der Drahtseilbahn die obere Endstation Hotel Stanser Horn, bestellen dort ein solennes Diner und gehen dann in ein paar Minuten hinauf zum Gipfel des Horns. Tiefe Schatten breiten sich schon in den Tiefen aus und lagern dunkel auf dem weiten Spiegel des Vierwaldstätter Sees; hell aber leuchten die Gletscherberge im Abendroth, und freundlich grüßt uns der Firndom des Titlis. Doch es dauert nicht lange, einer nach dem andern verlöschen die Gipfel   hinunter zum Hotel! Jetzt haben wir Toilette gemacht und sitzen beim Diner. Der Sect perlt in den Gläsern, und ausgelassen lustig wie Schulbuben, denen ein Streich gelungen, genießen wir die treffliche Mahlzeit. Die übrigen Gäste staunen über unser wunderliches Betragen, unseren Appetit und — unseren Durst. Ihr habt gut staunen, ihr lieben Leute, von euch war wohl keiner heut Morgen auf dem Titlis!

Abb. 68. Bürglen

VIII.

IM BERNER OBERLANDE.

Abb. 99. Freiburg.

1. Von Bern ins Kanderthal.

Die bedeutendsten Städte im südwestlichen Theile der großen Senkung innerhalb des Jurabogens sind Freiburg (Abb. 99) und Bern. Freiburg, die alte Hauptstadt des Uechtlandes, wurde in einer der vielen Schlingen der Saane auf einem leicht zu vertheidigenden Punkte im Jahre 1178 von Berthold IV. von Zähringen gegründet. Es war eine Festung, und heute noch steht ein Theil der alten Stadtmauern.

Weit wichtiger und besuchenswerter als Freiburg ist Bern, wohl eine der interessantesten Städte der Alpen.

Bern liegt an der Aare. Diese durchströmt den Thuner See und dann die von letzterem nach Nordwesten ziehende alluviale Thalebene: hierauf tritt sie in jenes diluviale Moränenland mit seinen tertiären Molassehügeln ein, welches die große Senkung einnimmt. Gewundenen Laufes, mit vielen kleinen, scharfen Krümmungen durchzieht sie, theilweise in tiefen Schluchten, erst nach Norden, dann nach Westen, endlich nach Nordosten strömend, dieses undulirende Terrain.

Die von den tief in das Terrain eingeschnittenen Windungen umschlossenen Halbinseln sind strategisch sehr feste Plätze. Eine von

16*

ihnen, diejenige, welche der Thuner Ebene zunächst liegt, erkor der
Rector der Burgunder, Herzog Berthold V. von Zähringen, nachdem
er den übermuthigen Adel von Lausanne und Grindelwald zu Paaren
getrieben hatte, anno 1161 zur Anlage einer die Umgegend beherrschen-
den Feste: er gründete hier die Burg Nydeck. Im Schutze derselben er-
stand, westlich an sie gelehnt, eine Stadt, welche urkundlich zum erstenmale 1208 Bern genannt wird.

Mit Berthold V. erlosch das Geschlecht der Zähringer, und Theile
ihrer weiten Besitzungen wurden bald darauf reichsunmittelbar, so auch
Bern. Erfolgreich vertheidigten sich die Berner, gestützt auf savoyische
und andere Allianzen, gegen die Grafen von Kyburg, welche den schweizerischen Antheil des Zähringer Gebietes geerbt hatten. Rasch wuchs
die Macht Berns, und bald bekamen die Nachbarn dies zu spüren; zunächst die Freiburger, welche 1298 von den Bernern besiegt wurden.
Durch Eroberung und Kauf brachte Bern um diese Zeit — Ende des
dreizehnten und Anfang des vierzehnten Jahrhunderts — immer neue
Ländereien unter seine Herrschaft. Dieses schnelle Emporblühen der
jungen Stadt erweckte in den benachbarten Adels-Dynastien solche Be-
sorgnisse, dass diese sich vereinigten und gemeinsam gegen Bern zu Felde
zogen. Die Berner aber, welche schon seit längerer Zeit mit den Waldstätten im Bunde waren, erfochten, von letzteren unterstützt, im Jahre 1339
bei Laupen einen glänzenden Sieg über ihre Feinde, welcher zu noch
weiterer Ausbreitung ihrer Machtsphäre führte. Die Waldstätte und Freiburg schlossen sich den Bernern an, und Bern war es, unter dessen
Führung der Burgunder-Krieg in der bekannten, glänzend erfolgreichen
Weise geführt wurde.

Nachdem Bern auch die Herrschaft über das Aargau an sich ge-
rissen und (1536) die Savoyer aus dem Waadtlande vertrieben hatte, beherrschte es nicht weniger als ein Drittheil der heutigen Schweiz.

Schon Haller und Manuel waren in Bern für das Evangelium eingetreten, und 1528 gelang es Zwingli, die Stadt zur Annahme der re-
formierten Lehre zu bestimmen. Bern ist seither ein Hort des Protestantismus geblieben, hat es aber glücklich vermieden, jenem finsteren
Fanatismus zu verfallen, welcher in Genf zur Herrschaft gelangte.

Die ursprünglich demokratische Verfassung verwandelte sich hier,
ebenso wie in anderen mächtigen Städten, allmählich in eine Oligarchie:
schließlich gerieth die gesammte Gewalt über Bern und dessen weites Gebiet in die Hände einiger dreißig Adels-Familien, welche alle die höheren,

Abb. 102. Bern.

einträglichen Ämter unter ihre Angehörigen vertheilten. Aber diese
Aristokratie regierte, wie Zeitgenossen bestätigen, sehr gut, so dass die
Stadt und das ihr unterthänige Gebiet zu immer höherem Wohlstande
gediehen und kein äußerer Feind einen Angriff auf das mächtige Bern
wagte. Innere Unruhen gab es freilich, aber diese wurden ohne Schwierigkeit strenge unterdrückt. In dem Unterschiede der politischen und religiösen Entwicklung von Genf und Bern von 1400 bis 1800 spiegelt sich
die Verschiedenheit des Nationalcharakters der überwiegend gallo-romani-
schen Genfer und der urdeutschen Berner wieder: dort Lockerung und
Vernichtung der aristokratischen Regierung und fanatische Intoleranz,
hier Festigung und Concentrierung der Adelsherrschaft und neben strenger
Gläubigkeit vernünftige Rücksicht auf Andersdenkende.

Wohlgefüllt waren zu Ende des achtzehnten Jahrhunderts die Staats-
cassen in Bern, und es lässt sich denken, mit welcher Begehrlichkeit das
bettelarme und überdies scharf antiaristokratische Directorium in Paris auf
diese Schätze blickte. Die Waadtländer wurden zur Insurrection auf-
gestachelt. Ein französisches Heer eilte ihnen zu Hilfe, erdrückte die
heldenmüthig sich vertheidigenden Berner durch seine Übermacht und —
nahm den Staatsschatz. Also geschehen im Jahre 1798. Später wurde
ein großer Theil seiner Besitzungen Bern entrissen und daraus eine Anzahl
neuer Cantone gemacht. Bern behielt nur die Herrschaft über den einen,
gleichnamigen Canton. Seit 1846 herrscht dort eine demokratische Verfassung. 1848 wurde Bern der Sitz der Schweizer Bundesregierung.

Die Stadt (Abb. 100) dehnt sich auf dem langgestreckten, von der
Aare-Schlinge eingeschlossenen Plateau aus. Prächtige Bauten zieren die
reich belebten Straßen, und überall schmückt das Wappenthier, der Bär,
die Façaden und Monumente. Eines der alten Stadtthore (Abb. 101) mit
einer berühmten, kunstvollen Uhr — bei welcher auch die Bären die
Hauptrolle spielen — steht noch, und zwar jetzt inmitten der Stadt
(zwischen Markt- und Kram-Gasse), welche neuerlich weit über ihre alten
Confinen hinausgewachsen ist. Herrlich ist die Aussicht, die man von
allen freien Plätzen, namentlich von den in Spaziergänge umgewandelten
alten Schanzen, genießt: da erheben sich in langer Reihe die Gipfel des
Berner Oberlandes über die waldreichen Vorberge. Rechts das Doldenhorn und die breite Blümlisalp, links Schreckhorn und Wetterhorn und
in der Mitte das scharfe Finsteraarhorn und die drei schönen Gipfel Eiger,
Mönch und Jungfrau. — Doch zu lange schon haben wir uns in Bern
aufgehalten, wir wollen die Stadt verlassen und durch das Aarethal
hinauffahren zum Thuner See.

Bern-Thun
singt der
Schaffner.
Das ist unser
Zug; wir stei-
gen ein, und
fort geht es,
zunächst auf
hoher Brücke
über die Aare,
dann im wei-
ten Bogen
östlich um die
Stadt herum
und nach
Südosten ins
Aarethal hin-
ein. Bei Mün-
singen steigt
die Eisenbahn
in die alluviale
Thalebene
hinab, und
über dieselbe
südöstlich hin-
ausblickend
sehen wir vor

Abb. 101.
Der Zeitglockenthurm.

Das
hübsche,
alter-
thümliche
Städt-
chen liegt
ganz in
der Ebene
am Fuße
des aus
tertiärer
Nagel-
fluhe auf-
gebauten
östlichen
Grüsis-

uns die Gletscherberge
von Grindelwald. Bald
erreichen wir Thun, wel-
ches an der Aare, dicht
bei ihrem Austritte aus
dem Thuner See liegt.

berges. Über
demselben ragt das
thurmartige, 1182 er-
baute Zähringen-Ky-
burger Schloss (Abb. 102)
auf. Von Thun führt eine

Eisenbahn das Südwestufer des Thuner Sees entlang über Spiez nach
Interlaken. Wir wollen aber Spiez, unser nächstes Ziel, lieber zu
Wasser erreichen, da die Seefahrt viel schöner und angenehmer als die
Landfahrt ist.

Der Thuner See ist von Südost nach Nordwest in die Länge gestreckt, 18½ Kilometer lang und 3 Kilometer breit. Die Maximaltiefe des Sees beträgt 343 Meter, und sein Spiegel liegt 560 Meter über dem Meere. Die Senkung, die er ausfüllt, ist ein in die hier südwest-nordöstlich streichenden Randketten eingeschnittenes Querthal, so dass die Berghänge, die zu seinen Seiten aufragen, interessante geologische Profile darbietende Querschnitte durch die Außenzone des Hauptzuges der Alpen sind. Der nordwestliche Theil des Nordufers besteht aus derselben tertiären Nagelfluhe, welche wir schon bei Thun angetroffen haben,

Abb. 102.　Das Zähringen-Kyburger Schloss in Thun.

dann folgen steil aufgerichtete Schichten von Neocomien, mitteleocänem Hohgantsandstein und Unterem Flysch. Auf den sanfteren Abhängen liegen Reste von Moränen des alten Aaregletschers, welcher zur Glacialzeit die Becken des Brienzer und Thuner Sees ausfüllte und seine Eismassen bis Bern vorschob. Das Südwestufer des Sees besteht im Nordwesten aus quaternären Glacialbildungen, aus denen kleine Schollen jurassischen und cretacischen Gesteins hervorschauen, während im Südosten die Kreide (Bergschichten) in geschlossener Masse von Südwest her an den See herantritt. Am oberen Seeende breitet sich der flache Schuttkegel des von Norden herabkommenden Lombaches aus, den See hier abschließend und die in ihn einmündende Aare ganz nach Süden drängend.

Die prächtige Aussicht auf die im Süden und Südosten aufragenden Gletscherberge genießend, fahren wir im Dampfer an dem mit Villen und Gärten geschmückten Nordostufer hin. Wir berühren Oberhofen und Gunten und fahren dann quer über den See hinüber nach Spiez an seinem Südwestufer. Hier wollen wir landen, um einen Ausflug nach dem südlichen Kanderthale zu unternehmen.

Das mesozoische Gebirge der Alpenaußenzone ist westlich vom Thuner See stark verbreitert. Dort, zwischen dem Genfer und Thuner See schiebt sich dasselbe in bogenförmigen Falten gegen die große nordöstliche Depression vor und besteht nicht, wie weiter im Osten, bloß aus einer äußeren cretaeischen und einer inneren jurassischen Zone, sondern aus einer ganzen Reihe von abwechselnd dem Flysch, der Kreide, dem Jura und der Lias angehörigen Schichten, welche mehrere Systeme von Bergkämmen bilden. Der äußerste von diesen Höhenzügen ist das Flyschgebirge der Schupfenfluh westlich von Thun. Dann folgt der bedeutende, sehr reich gegliederte, aus dicht zusammengedrängten Jura-, Lias- und Kreide-Schichten bestehende Gebirgsbogen, der von Villeneuve am Genfer See nach Wimmis südlich vom Thuner See zieht, und dem eine große Anzahl felsiger, über 2000 Meter hoher Gipfel entragen. Südwestlich von diesem Gebirge dehnt sich eine breite, tiefer liegende Flyschzone aus. In dieser sind das obere Saanen- und das große Simmenthal eingeschnitten. Dann folgt jener, wieder aus Jura, Lias und Kreide aufgebaute, hohe und stark vergletscherte, von St. Maurice im Rhônethale nach Kandersteg streichende Gebirgszug, dem die Diablerets, das Wildhorn, die Wildstrubel und das Balmenhorn angehören. Die höchsten Gipfel dieses Zuges bestehen aus Kreidefelsen. Im Süden stößt dieses mesozoische Gebirge an die azoischen und palaeozoischen Schiefer von Sitten im Rhônethale.

Wir haben oben gesehen, dass östlich von Leuk das Urgebirge über die Rhônefurche tritt und einen mächtigen Streifen bildet, der vom Lötschenpasse bis zum Tödi streicht. Das Westende dieses Streifens ist an einer von Niedergampel im Rhônethale nach dem als Gasterenthal bekannten obersten Theile des Kanderthales ziehenden, süd-nördlich verlaufenden Linie von dem mesozoischen Gebirge abgegrenzt. Der obere Theil des Gasterenthales selbst ist in jenen Granit eingesenkt, welcher das Westende der nördlichen Zone des Urgebirgsstreifens bildet. Im Norden stößt an letzteren — hier im Kanderthalgebirge — ein aus Lias- und Jura-Kalk aufgebauter Gebirgskamm an, welcher in einer gewaltigen Felswand nach Südwesten gegen das am Rande gesenkte Urgebirge absetzt. In dieser Urgebirgs-Randdepression liegen die oberen Theile des

Gasteren- und des Lauterbrunnenthales, in deren höheren Partien sich die großen Firnströme des Kander- und Tschingelgletschers, welche im Tschingeljoche mit einander zusammenhängen, ausbreiten.

Dem erwähnten, an die Urgebirgsdepression angrenzenden, nach Südost steil abstürzenden, nach Nordwest aber sanfter sich abdachenden Gebirgszuge entragen das Doldenhorn, die Blümlisalp und das Gspaltenhorn. Im Westen und Osten wird dieses Blümlisalp-Gebirge vom Kander- und Lauterbrunnenthale abgeschnitten; nach Nordwesten geht von ihm ein Nebenkamm ab, welcher das Kanderthal von seinem östlichen Nebenthale, dem Kienthale, trennt. Nahe seiner Ursprungsstelle an der Blümlisalp senkt sich dieser Nebenkamm zu dem 2700 Meter hohen Dünden- oder Hohtürlisattel herab, auf welchem die Frauenbalmhütte steht. Zu dieser Hütte wollen wir durch das Kienthal hinaufgehen, dann von dort aus den höchsten Punkt der Blümlisalp besuchen und durch das Kanderthal nach Spiez zurückkehren.

Wir fahren von Spiez über den niederen, aus quaternärem Geschiebe bestehenden Rücken nach Südwesten hinüber ins Kanderthal. Rechts in der Tiefe breitet sich die alluviale Thalebene von Wimmis aus, und wir blicken hinauf in das von Südwesten herabkommende Simmenthal, welches sich hier in Wimmis mit dem Kanderthale vereinigt. Dann geht es durch eine schluchtartige Enge um den Ostfuß des Niesen, eines berühmten Aussichtspunktes, herum nach Reichenbach. Gleich oberhalb dieses Ortes mündet von links her das Kienthal in das Kanderthal ein. Wir verlassen den Wagen und marschieren auf schlechtem Fahrwege durch ersteres hinauf. Zunächst geht es durch eine in den Flysch eingegrabene Schlucht, doch bald erweitert sich das Thal zu einem herrlichen, alpenreichen Boden, über welchen wir die Tschingelhütten gewinnen. Jenseits derselben betreten wir jurassisches Terrain: über Terrassen geht es nun steiler aufwärts und durch den rechten Thalhang, immer in südöstlicher Richtung, hinein nach Steinenberg. Hinter den Steinenberghütten wenden wir uns nach rechts, übersetzen den Thalbach und gehen den kleinen Bundbach entlang in südlicher Richtung zum Dündenjoche hinauf. Herrlich entfaltet sich vor uns der Ausblick auf den Blümlisalpgletscher, der an uns vorbei nach Westen zu Thal zieht. Aus der Mitte desselben ragen der 3219 Meter hohe Blümlisalpstock und zu seinen Seiten im Norden die Wilde Frau (3250 Meter) und im Süden das Rothhorn (3300 Meter) auf. Das Firnfeld des Blümlisalpgletschers zieht nach Südosten empor zur Kammhöhe, und aus dieser erheben sich das Morgenhorn (3625 Meter), die Weiße Frau (3661 Meter) und der Culminationspunkt des ganzen Stockes, das 3670 Meter

hohe Blümlisalphorn. Diese
ganze Bergmasse besteht aus
jurassischem Kalk; nur am
Fuße der Südwand tritt liassi-
sches Gestein zu Tage.

Wir genießen, vor der
Hütte liegend, einen herrlichen
Abend, gehen dann zu Bett
und machen uns zeitlich am
anderen Morgen auf den Weg
nach dem Horn. Gleich nach
Verlassen der Hütte betreten
wir beim ersten Tagesgrauen
den Gletscher und gehen über
seinen nordöstlichen Arm zwi-

Abb. 19. Das Blümlisalphorn von Oeschinensee.

schen Blümlisalpstock und Wilder Frau hinauf. Keine Wolke trübt den
Himmel, beinhart gefroren ist der Firn, und in froher Stimmung wandern
wir über die Schneeflächen hin. Wir erreichen den Fuß des eigentlichen
Berges, und steiler geht es nun über Felsen und durch Schneerinnen
hinauf, aber von ernstlicheren Schwierigkeiten ist keine Rede. Immer
herrlicher entfaltet sich die Rundschau; die bekannten Gipfel von Zermatt
und Grindelwald tauchen nach einander auf; wir betreten die Spitze.

Jetzt erst blicken wir frei hinaus nach Osten und Süden. Tief unter
uns sehen wir den großen Kandergletscher, jenseits dessen der lange
Firnkamm des Petersgrat nach links hinaufzieht zum Tschingel- und
Breithorn. Hinter dem Petersgrat erhebt sich die schöne Pyramide
des Bietschhorn aus dem tief eingeschnittenen Lötschenthale, durch dessen
Endtheil wir nach Süden hinausblicken ins Rhônethal. Hoch ragen
über dem letzteren die Walliser auf. Wir blicken hinein in die Thalfurche

von Zermatt. Zu deren Seiten stehen Weißhorn und Dom, in ihrem
Hintergrunde das Breithorn und die Zwillinge. Weithin erstreckt sich
nach Westen das Hochgebirge, Gipfel an Gipfel, Matterhorn, Dent
Blanche; dann ferner Grand Combin und Montblanc. Dicht bei uns
ragt im Südwesten der westliche Eckpfeiler des Blümlisalpgrates, das
Doldenhorn auf, steil abstürzend nach links ins Gasterenthal. Und darüber
hinausblickend sehen wir jenseits der Thalsenkung die Masse der Wildstrubel, das Wildhorn und die Diablerets, an welche sich rechts im Westen
das ausgedehnte mesozoische Gebirge zwischen Thuner und Genfer See
anschließt. Zu unseren Füßen liegt westlich der Oeschinensee, gegen
welchen die Firnfelder des Nordwestabhanges des zum Doldenhorn ziehenden Kammes convergieren. Im Norden sehen wir den Thuner See und
das Bergland der Mittel-Schweiz, aber den Glanzpunkt der Aussicht bildet
der Blick nach Osten. Da erblicken wir zunächst, dicht bei uns, das wilde
Gspaltenhorn; dann weiter Wetterhorn, Eiger, Mönch und Jungfrau, die
mit gewaltigen Steilwänden nach links gegen die Scheideggfurche ab-
setzen; endlich Finsteraarhorn und Aletschhorn und die zahlreichen Firngipfel, welche das Lötschenthal einfassen.

Die Sage führt den merkwürdigen Namen Blümlisalp darauf zurück,
dass einstens der jetzt vom Blümlisalpgletscher überflutete Abhang eine
blumenreiche Alpenmatte gewesen sei. Natürlich kann davon keine Rede
sein, dass in historischer Zeit dieser Abhang jemals eisfrei war.

Noch einmal blicken wir in die Runde, nehmen Abschied von den
Bergen und beginnen den Abstieg. Wir gehen auf demselben Wege,
den wir beim Anstiege eingeschlagen, zur Hütte zurück und wandern
dann von hier über die Oeschinenalpe hinunter zum Oeschinensee. Ein
Kahn bringt uns über denselben an sein Westufer. Herrlich ist der
Rückblick zum Blümlisalphorn (Abb. 103), welches seine Firnmassen über
jene Felswand erhebt, die den See im Osten umgürtet. Der Spiegel
des Oeschinensees liegt 1592 Meter über dem Meere, mehr denn 2 Kilometer tiefer als das Blümlisalphorn.

Der Oeschinensee verdankt einem großen Bergsturze seine Entstehung, welcher von der untersten Terrasse des im Süden aufragenden
Doldenhorn herabgeglitten ist, sich über die Sohle des Thales ausgebreitet hat und den Thalbach abdämmte. Wir überschreiten diesen
breiten Damm und steigen dann in westlicher Richtung steil hinab durch
das Oeschinenthal nach Kandersteg.

Dieser an der Ausmündung des Oeschinenthales ins Kanderthal,
1169 Meter über dem Meere gelegene, mit vortrefflichen Hotels aus-

gestattete Ort bietet trotz seiner Lage an dem stark frequentierten Jochwege über die Gemmi ins Rhônethal einen sehr angenehmen und gemüthlichen Aufenthalt. Doch wir können diesesmal nicht länger hier verweilen und treten nach einem Rasttage die Rückreise zum Thuner See an.

Eine gute Straße führt von Kandersteg durch das Kanderthal nach Spiez. Auf dieser fahren wir nun hinaus durch das von Süden nach Norden herabziehende Thal; zunächst über den Schuttkegel des Oeschinenbaches, dann durch eine kurze Enge, welche einer von Osten her vortretenden jurassischen Terrainnase ihre Entstehung verdankt, und endlich steiler in Serpentinen hinab nach Mittholz. Oberhalb Mittholz haben wir links cretacisches, rechts jurassisches Gestein, unterhalb ist das Thal ganz in cretacisches Terrain eingeschnitten. Vielfach bedecken quaternäre Bildungen und alte Moränen das Grundgestein. Wir kommen an den Ruinen Felsenburg und Tellenburg vorüber und erreichen Frutigen. Hier mündet das von Südwesten kommende Engstligenthal ein. Vor Reichenbach übersetzen wir die Kander und genießen einen prächtigen Rückblick durch das Kienthal auf die Blümlisalp, kommen nach Reichenbach, und nun geht's auf der uns schon bekannten Straße hinaus nach Spiez am Thuner See.

Hier besteigen wir wieder den Dampfer und fahren über den See hinauf nach Interlaken. Hoch oben an dem steilen Südufer sehen wir die kunstvoll angelegte Straße. Am südöstlichen Seende angelangt, dampfen wir in einen Canal ein und landen dann in Interlaken.

Abb. 104. Ruine Unspunnen bei Interlaken.

Abb. 105.
Der Hoheweg in Interlaken.

2. Interlaken und Grindelwald.

Die Schuttkegel des schon erwähnten Lombaches und der viel bedeutenderen, aus dem südlichen Hochgebirge kommenden Lütschine haben hier das einstens gewiss continuierliche Thuner-Brienzer Seebecken ausgefüllt und eine inter lacus gelegene alluviale Ebene gebildet, auf welcher im Jahre 1130 das Kloster Interlaken gegründet wurde. In der Umgebung desselben erstanden die Ortschaften Aarmühle, Matten und Unterseen. Das Kloster wurde im sechzehnten Jahrhunderte aufgehoben, und die Klostergebäude werden jetzt als Spitäler, Gefängnisse u. dgl. verwendet. Die schöne Lage und das milde Klima zogen frühzeitig schon, bevor es noch eine Alpinistik in unserem Sinne gab, Reisende nach diesem Orte, zu deren Unterkunft Hotels gebaut wurden, immer mehr und immer stattlichere. Jetzt ist Interlaken, wie das Reisehandbuch sagt, ein Curort ersten Ranges, d. h. es gibt da allen Comfort, eine aus allen

279

Erdtheilen stammende internationale Gesellschaft, elegante Toiletten und vor allem hohe Preise, sehr hohe Preise.

Die Hotelstadt durchzieht der Länge nach der theilweise von alten Nussbäumen beschattete Höheweg (Abb. 105).

Östlich von Interlaken breitet sich der Brienzer See — der wie erwähnt einstens mit dem Thuner See zusammenhieng — aus. Der Brienzer See (Abb. 111) ist etwas kleiner als der Thuner See, bloß 14 Kilometer lang und 2½ Kilometer breit. Er ist bis 262 Meter tief, und sein Spiegel liegt 566 Meter über dem Meere, 6 Meter höher als der Spiegel des Thuner Sees. Er ist nicht wie letzterer ein mit Wasser ausgefülltes Querthal, sondern ein Längsthal: seine Längsachse und seine Strandlinien sind der Streichungsrichtung der die Ufer bildenden Gesteinsschichten parallel, von Südwest nach Nordost gerichtet. Die zum See hinabziehenden Berghänge sind dementsprechend auch durchweg aus dem gleichen Gesteine zusammengesetzt: sein Südostufer besteht ganz aus jurassischem, sein Nordwestufer aus cretacischem Gestein, an dessen Fuß quaternäre und recente Bildungen sich anlehnen.

Am Nordwestufer des Brienzer Sees liegen mehrere Ortschaften, Ringgenberg, Niederried, Oberried, Ebligen und nahe dem nordöstlichen Seende Brienz. Eine dem Strande folgende Straße verbindet diese Orte miteinander und mit Interlaken. Von Brienz führt eine Zahnradbahn auf das 2351 Meter hohe Rothhorn, eine Erhebung jenes Kammes, welcher den See im Nordosten begleitet; und eine andere Bahn durch die östlich an den Brienzer See sich anschließende alluviale Thalebene hinauf nach Meiringen. Auch das Südostufer entlang zieht eine Straße, doch diese endet bei Iseltwald. Von hier führt ein Fußweg über Gießbach zum nordöstlichen Seende. Angenehmer aber als auf diesen Wegen zu fahren, beziehungsweise zu gehen, ist es, den Dampfer zu benützen, welcher die wichtigsten Punkte anläuft.

Wir besteigen das Boot und fahren durch den Canal hinaus in den See. Rechts mündet die trübes Gletscherwasser führende Lütschine in denselben ein, links sehen wir die Burgruine von Ringgenberg (Abb. 111). Der Dampfer hält bei Bönigen am Südufer, fährt hinüber nach Ringgenberg und dann das Nordostufer entlang nach Niederried. Von hier geht's nach Iseltwald am anderen Ufer, wo eine kleine in den See vorspringende, nach Osten umgebogene Landzunge eine hübsche Bucht bildet; Schatzkästlein für Maler und Poeten heißt's im Reisehandbuch — nichts für uns Photographen und Naturforscher! Der Dampfer fährt von hier wieder hinüber ans Nordwestufer nach Oberried unter dem Augstmatthorn und

Abb. 107.
Schüleransflug: Rückkehr vom Faulhorn.

dann zurück nach Gießbach am Südostufer. Hier stürzt der vom Faulhorn herabkommende Gießbach in mehreren Cascaden über den 300 Meter hohen Steilhang, welcher den See einfasst, herab. Daneben steht auf einer Terrasse, 44 Meter über dem Seespiegel ein großes Hotel (Abb. 107), zu dem eine Drahtseilbahn hinaufführt; alles höchst elegant; jeden Abend bengalische Beleuchtung des Falles; die reinste Schändung der Natur! Der Dampfer fährt hinüber nach Brienz und kehrt dann auf derselben Route nach Interlaken zurück.

In früheren Zeiten endete der damals zusammenhängende Thuner-Brienzer See nicht in Kienholz bei Brienz, wo gegenwärtig das obere Ende des Brienzer Sees liegt, sondern reichte in östlicher Richtung noch 12 Kilometer weiter hinauf ins Haslithal bis Meiringen. Jetzt ist die Strecke Kienholz-Meiringen von dem Geröll ausgefüllt, welches die Aare vom Hochgebirge herabbringt; sie erscheint als eine

breite Thal-
ebene. In künst-
lich angelegtem
Canale durchzieht
die Aare dieses
Schwemmland.

Wir haben oben
gesehen, dass die Thuner-
Brienzer Furche von Thun
bis Interlaken ein Quer-
thal, von hier bis Brienz
aber ein Längsthal ist. Die

Abb. 107. Vor dem Hotel Gießbach.

Strecke nun von Brienz bis Meiringen ist wieder ein Querthal. Es durchbricht jenen vorwiegend jurassischen Gebirgszug, welcher, den mehrfach
erwähnten Urgebirgsstreifen Lötschenpass-Tödi im Nordwesten begleitend,
von Kandersteg im Kanderthale nach Altdorf am Urner See zieht.

Die Nordwestgrenze dieses jurassischen Kalkgebirges geht über
Brienz und Lungern. Südöstlich von dieser Grenzlinie ist in dem jurassischen Gebirge der tiefe, bloß 1035 Meter über dem Meere liegende
Brünigpass eingesenkt. Dieser verbindet das Gebiet des Vierwaldstätter
Sees (Reuß) mit der Thuner-Brienzer Thalsenkung (Aare), und über ihn
führt außer der alten Straße eine Zahnradbahn (Abb. 109) von Meiringen
nach Lungern, Sarnen und Luzern.

Interessanter noch als die beiden Seen, welche wir jetzt kennen gelernt
haben, sind die Aussichtspunkte im Süden von Interlaken, welche zum
Besuche einladen.

Reich gefaltete, südwest-nordöstlich streichende Juraschichten mit
geringfügigen cretacischen Einlagerungen bilden südlich vom Brienzer See
mehrere der Streichungsrichtung des Gesteins entsprechend von Südwest

Abb. 108. Gartenconcert in Interlaken.

nach Nordost verlaufende Bergkämme, welche zusammen als eine durch die
Scheidegg-Furche vom Finsteraarmassive abgetrennte Gebirgsgruppe erscheinen. Die Scheidegg-Furche ist eine annähernd gerade Einsenkung im
mesozoischen Gebirge, welche nahe an der Grenze desselben gegen das
Urgebirge, und dieser Grenze parallel, von Südwest nach Nordosten
streicht. Während ihr mittlerer Theil außerordentlich regelmäßig ist,
finden sich gegen ihre Enden hin Unterbrechungen. Die beiden Termini
dieser Furche haben wir schon kennen gelernt: in ihrem Südwestende
liegt der Oeschinensee, in ihrem Nordostende die Thalebene von Engelberg. Der mittlere, ununterbrochene Theil der Scheidegg-Furche, welcher
durch die Linie Sefinenthal-Matten (im Lauterbrunnenthale) — Trümleten-
thal — Klein-Scheidegg (2069 Meter) — Wergisthal — Grindelwald —
Groß-Scheidegg (1961 Meter) — Reichenbachthal — Meiringen bezeichnet
wird, trennt das Hochgebirge von dem niedrigeren Berglande südlich
vom Brienzer See. Einer der Gipfel des letzteren, das 2683 Meter hohe
Faulhorn, ist ein vortrefflicher Aussichtspunkt, von welchem aus man den
Absturz des Finsteraarmassivs gegen die Scheidegg-Furche sehr gut überblickt. Diese Höhe wollen wir besuchen. Von Interlaken fahren wir mit
der Grindelwalder Bahn zunächst in südlicher Richtung über den Schuttkegel der Lütschine hinauf. Am oberen Ende des letzteren, am Eingange
in die Thalenge, bei Wilderswyl-Gsteig, steigen wir um und setzen mit

der zur Schynigen Platte
hinaufführenden Zahn-
radbahn unsere Fahrt
fort. Es geht über den
Bach im Bogen bergan,
durch einen Tunnel und
weiter in Buchen- und
Tannenwald über Breit-
lauenen zu dem Grate
hinauf, in einem Tunnel
unter diesem durch und
weiter über den Süd-
abhang empor zu der 1970
Meter über dem Meere gelegenen Schynigen Platte. Nahe
dem Terminus der Zahnradbahn
steht ein Hotel; in diesem halten
wir uns aber nicht auf, sondern beginnen gleich den Anstieg aufs Faulhorn. Der vortreffliche Reitweg führt durch
den Südabhang hin, dann über
den Grat und hinunter in den
Boden des nach Südwesten hinabziehenden Sägisthales, weiter durch
dieses hinauf an dem kleinen Sägissee
vorüber und über das Winteregg zum

Abb. 101. Am Brünig.

Gipfel. Im Vordergrunde fesseln die nach Nordwest ansteigenden und
dann steil gegen das Gießbachthal abbrechenden Höhen, welche das Faulhorn mit dem Schwarzhorn verbinden, unsere Aufmerksamkeit. Die sanften
südöstlichen Böschungen sind Schichtflächen, während an den nordwestlichen Abstürzen die Schichtköpfe zu Tage treten. Der ganze Faul-
Schwarz-Horn-Grat besteht aus dem unteren Jura, während die tiefer
liegenden Theile des zum Brienzer See hinabziehenden Abhanges größtentheils aus dem oberen, weißen Jura zusammengesetzt sind. Aber viel interessanter als dies ist der gewaltige Nordabsturz des Finsteraarmassivs. Da
erhebt sich die prächtige, jurassische Kalkwand des Eiger mit ihrer schönen
Schichtung — der Eiger besteht ganz aus Kalk — dann rechts der Mönch
und die Jungfrau, deren höchste Gipfel aus Gneis zusammengesetzt sind.

17*

während ihr Unterbau aus demselben jurassischen Kalk besteht wie der
Eiger — der uralte Gneis liegt auf dem viel jüngeren jurassischen Kalk.
Links vom Eiger sehen wir das scharfe Finsteraarhorn; hier steht unten
Protogin, oben Amphibolit zu Tage. Dann folgt das trotzige Schreckhorn,
dessen Gneisgipfel über die jurassische Kalkwand emporragt, die den
unteren Theil des Nordabhanges des Mettenberges bildet; endlich die
schöne, vom Scheitel bis zur Sohle aus geschichtetem Jurakalk bestehende
Wand des Wetterhorn und des Wellhorn. Eingefaltet unter die gewaltigen jurassischen Kalkwände, mit welchen das Gebirge nach Nordwesten
abbricht, ist ein schmaler Streifen von Flysch und eocenem Sandstein.
Dieser zieht, an Breite abnehmend, von Meiringen bis unter den Eiger,
am Fuße der Wand der Scheidegg-Furche entlang. Hier ist also der
ganze Schichtencomplex umgekehrt; ganz unten liegt sein jüngstes Glied,
das Eocen, darüber folgt der ältere Jurakalk, und die höchsten Spitzen bestehen aus seinen ältesten Gliedern, dem Hornblendeschiefer und dem Gneis.

Gerne würden wir noch länger diesen ebenso großartigen wie
interessanten Anblick genießen, aber Wolkenhauben hängen sich an die
Gipfel und breiten sich rasch wachsend über die Wände aus.

Dicht beim Gipfel steht ein Gasthaus. Hier nehmen wir ein leichtes
Mittagessen, marschieren dann wieder hinunter zur Schynigen Platte und
kehren per Bahn nach Interlaken zurück.

Des Abends, wenn die Terrassen der Hotels und der Höheweg hell
erleuchtet sind, glaubt man sich hier in Interlaken in einer Großstadt zu
befinden, so zahlreich sind die Spaziergänger, so reich die Toiletten.

Eben dieses großstädtische Treiben ist es, was Interlaken unangenehm
macht. In den Bergen suchen wir etwas anderes als das gewohnte Stadt-
leben, nicht aber das gleiche gesellschaftliche Treiben, das wir dort zurückgelassen. Aller städtischen Dinge ledig, wollen wir uns an der gewaltigen
Urwüchsigkeit des Hochgebirges erfreuen, nicht aber Parfüme einathmen
und welsche Sänger hören. Fort von hier, fort aus dieser verweichlichenden
Cultur, fort in die Berge!

Grindelwald ist unser Ziel. Man kann von Interlaken auf zwei verschiedenen Eisenbahnrouten dahin gelangen: direct durch das Lütschen-
thal oder über Lauterbrunnen und das Klein-Scheidegg. Wir wählen
den letzteren, zwar weiteren, aber viel interessanteren Weg. Von Interlaken geht es über den Schuttkegel und weiter durch das enge Thal
der Lütschine erst in südlicher, dann südöstlicher Richtung hinauf nach
Zweilütschinen, wo sich das von Osten herabkommende Grindelwalder
Thal der schwarzen Lütschine mit dem von Süden herabkommenden

Lauterbrunnenthale der weißen Lütschine vereinigt. Durch ersteres führt die Thalbahn nach Grindelwald. Wir folgen dem letzteren bis Lauterbrunnen. Von hier führt eine Bergbahn rechts hinauf nach Mürren, eine andere links zum Klein-Scheidegg. Auf letzterer wollen wir unsere Fahrt fortsetzen, vorher aber noch durch das Lauterbrunnenthal hinaufgehen zum Staubbach (Abb. 110), einem über eine 300 Meter hohe, oben überhängende Wand von der östlichen Thalseite herabstürzenden Bache, der schleierartig in feine Tröpfchen aufgelöst den Thalboden erreicht.

Wir kehren nach Lauterbrunnen zurück und beginnen die Bergfahrt. Die Bahn —

Abb. 110. Der Staubbach.

Zahnradbahn — führt von Lauterbrunnen (700 Meter) im Bogen über die weiße Lütschine und dann steil hinauf nach Wengen (1277 Meter). Hier stehen mehrere Hotels auf baumreicher Matte. Wengen ist ein vielbesuchter Luftcurort. Die Bahn, welche von Lauterbrunnen bis hieher einer nordöstlichen Richtung folgte, wendet sich nun nach Südosten und zieht unter dem Tschuggen-Lauberhornkamme hinauf nach Wengernalp (1877 Meter). Auch hier steht ein Hotel. Wengernalp ist bloß 4 Kilometer von dem Jungfrau-Eigerkamme entfernt, während die Höhendifferenz zwischen jenem Punkte und den Gipfeln dieses Kammes

286

Abb. 111. Ringgenberg am Brienzer See.

2 Kilometer übersteigt, so dass ihr Elevationswinkel über Wengernalp
bei 30° beträgt. Den Jungfraugipfel sieht man nicht, um so deutlicher
aber Schneehorn, Mönch und Eiger. Die Bahn wendet sich wieder nach
Nordost und zieht in dieser Richtung zur Höhe des Klein-Scheidegg-
sattels (2060 Meter) empor. Wieder ein Hotel. Vor uns sehen wir jetzt
die breite Thalmulde von Grindelwald, aus welcher im Osten die Wetter-
hornwand aufragt. Nun geht es in nordöstlicher Richtung durch das
Wergisthal, immer unter den Wänden des Eiger hin, erst sanft, dann
steiler abwärts nach Grindelwald (Bahnhof 1041 Meter).

Die grosse Thalmulde von Grindelwald (Abb. 113), welche einen Theil
der Scheidegg-Furche bildet, ist grösstentheils von Schutt und Bergsturz-
Resten ausgefüllt. In der Mitte derselben steht eine kleine Scholle tertiärer
Meeresmolasse zu Tage. Durch Breschen im südöstlichen Kalkwalle
treten von Südosten her die Zungen des Oberen und des Unteren Grindelwaldgletschers in diese Mulde ein, während im Westen die schwarze
Lütschine aus derselben abfliesst. Sanftes Gelände zieht aus der Grindelwalder Mulde nach Nordwesten und Südwesten empor zum Grossen und
Kleinen Scheidegg. Im Süden ragt die gewaltige Eiger-Wand bis zu einer
Höhe von 3975 Metern, nahezu 3 Kilometer, über dieselbe empor, während
sich im Osten das nach links, gegen die Scheidegg-Furche fast senkrecht
abfallende Wetterhorn (Abb. 112) erhebt. — Diesem soll unser erster
Besuch gelten.

Abb. 112. Das Wetterhorn.

3. Wetterhorn und Schreckhorn.

Das Gebirge zwischen Grindelwald und dem Rhônethale, dem die Jungfrau und das Wetterhorn angehören, culminiert im Finsteraarhorn. Ich nenne es daher Finsteraarmassiv. Dasselbe besteht im wesentlichen aus einem Plateau, welches mit einer gewaltig hohen und steilen Wand gegen die Scheideggfurche im Nordwesten absetzt, nach Südwesten, Südosten und Nordosten aber sanfter abgedacht ist.

Die Hauptwasserscheide Europas (Mittelmeer—Nordsee) durchzieht dieses Plateau. Sie verläuft im westlichen Theile desselben vom Breithorn bis zum Mönch am nordwestlichen Plateaurande: hier ziehen keine größeren Gletscher vom Plateau nach Nordosten hinab. Weiter östlich liegt die Wasserscheide in der Mitte des Plateaus: hier finden sich, wie erwähnt, in dem Nordrande desselben zwei Breschen, durch welche die auf dem nordöstlichen Theile des Plateaus sich ansammelnden Firnmassen hinabströmen in die Mulde von Grindelwald. Zwischen diesen beiden Gletscherpforten steht der Mettenberg, und der Grat, welcher diesen mit dem südöstlich aus der Hauptwasserscheide aufragenden Schreckhorn

verbindet, trennt die beiden Firnbecken des Unteren und Oberen Grindelwaldgletschers, welche in den erwähnten Breschen ihre Abflüsse finden.
Der Untere Grindelwaldgletscher liegt südwestlich, der Obere nordöstlich
vom Schreckhorn. Der Kamm nun, welcher den letzteren im Nordosten
begrenzt, und welcher über dem Lauteraarsattel mit dem Schreckhorn in
Verbindung steht, erhebt sich an seinem Nordwestende zu der breiten,
von einem Schneeplateau gekrönten Bergmasse der Wetterhörner. Dieses
Schneeplateau ist die oberste Stufe des kleinen, nach Nordosten herabziehenden Schwarzwaldfirns. Die westlichen und südlichen Ränder dieses
Plateaus sind erhöht. Ersterem entragt das eigentliche, 3703 Meter hohe
Wetterhorn oder die Hasli-Jungfrau, letzterem das 3708 Meter hohe
Mittelhorn. Der Schwarzwaldfirn ist ein kleiner, die schöne Nordostwand
des Wetterhorn krönender Hängegletscher, dessen Eismassen über die
Felsen hinabstürzen und unten zu zwei kleinen Gletschern zusammen-
sintern, von denen einer auf einer Stufe, der andere am Fuße der Wand
im obersten Reichenbachthale liegt. Auch nach Westen, gegen die
Pforte des Oberen Grindelwaldgletschers, stürzt das Wetterhorn stufen-
förmig in steilen Felswänden ab, auf denen nur kleine Firnfelder,
der Hühnergutz- und Krinnegletscher, zur Ausbreitung Raum finden.
Anders verhält es sich im Süden und im Osten: hier reichen continuierliche Firnfelder hoch hinauf, stellenweise bis zum Rande des obersten
Plateaus. Das südliche Firnfeld zieht hinab zum Oberen Grindelwaldgletscher, das östliche zu dem gegen das Reichenbachthal hinabströmenden Rosenlauigletscher. Östlich von letzterem liegt das Urbachthal,
welches ebenso wie das Reichenbachthal in das Haslithal einmündet.

Wir wollen nun von Grindelwald aus auf das Wetterhorn hinaufgehen
und über den Rosenlauigletscher und durch das Urbachthal ins Haslithal
absteigen. Am Südwestabhange des Wetterhorn, oberhalb der Zunge des
Oberen Grindelwaldgletschers und unterhalb des Krinnefirns, liegt in einer
Höhe von 2345 Metern die Gleecksteinhütte. Zu dieser wollen wir zunächst hinauf und dann am nächsten Tage unseren Berg anpacken.

Nach einem opulenten Frühstück im Bären machen wir uns, wohl-
ausgestattet mit Proviant, in Begleitung eines Trägers auf den Weg.
Sehr belebt von Fremden ist der Pfad, über den wir jetzt hinaufwandern
nach dem unterhalb der Zunge des Oberen Grindelwaldgletschers am
Wege zum Groß-Scheidegg gelegenen Hotel Wetterhorn.

Dort angelangt wenden wir uns rechts, gehen hinab zum Gletscher-
ende und an dessen Westseite hinauf zur Chalet Milchbach. Jetzt wird
der Pfad schon alpiner. Über Leitern, Treppen und in den Fels gehauene

Stufen geht es durch die Milchbachschlucht hinauf bis oberhalb des unteren Eisbruches, dann quer über den hier ganz schmalen Gletscher und jenseits über Platten, durch Krummholz und Gras hinauf zur Hütte. Sehr schön ist der Ausblick, den man von hier über den Gletscher auf den jenseits desselben aufragenden Schreckhornkamm genießt.

Beim ersten Morgengrauen verlassen wir des anderen Tags diese Hütte, die auch den stolzen Namen Hotel Weißhorn trägt, und beginnen den Anstieg. Zunächst geht es über die mit riesigen Felstrümmern übersäte Halde, auf welcher die Hütte steht, in östlicher Richtung hinauf zum

Abb. 113. Grindelwald und das Wetterhorn.

Krinnefirn, über diesen zu dem Fuße des obersten Absatzes der Südwestwand und über letztere empor zum Wettersattel zwischen Mittelund Wetterhorn. Die Kletterei ist ganz leicht, aber infolge der massenhaft herumliegenden Flaschenscherben und Sardinenbüchsen — es ist das ein sehr stark begangener Weg — nicht ungefährlich. Wir gewinnen den Sattel und wenden uns links jenem schönen Firnrücken zu, welcher mit immer zunehmender Steilheit zum Gipfel emporzieht. Je nach der Beschaffenheit des Schnees ist dieser letzte Anstieg leichter oder schwerer. Wir haben es gut getroffen: der Schnee hat gerade die richtige Consistenz, und ohne große Mühe erreichen wir den aus einem dachfirstartigen,

290

von Ost nach West streichenden Grat bestehenden Gipfel. Wallende Nebel beschränken die Fernsicht, und bald hüllen sie uns auch selber ein. Vergebens warten wir auf ein Schwinden der Wolken, nur ein kurzer Blick hinab in den tief unter uns ausgebreiteten Boden der Grindelwalder Mulde ist uns vergönnt.

Wir gehen wieder zum Sattel hinunter, nehmen die dort zurückgelassenen Rucksäcke auf und steigen dann über mäßig geneigten Firn nach Osten zu der als Wetterkessel bekannten obersten Stufe des Rosenlauigletschers ab. Hier sind wir unter dem Nebelniveau und gewinnen hinreichend freien Ausblick zur Orientierung. Es ist windstill und merkwürdig warm. Die Überschreitung des fast ebenen Schneefeldes macht uns viele Mühe, denn infolge der herrschenden hohen Temperatur ist der Schnee so erweicht, dass wir bei jedem Schritte tief einsinken. Endlich ist der Fuß des im Nordosten aufragenden Dossenhorn gewonnen; wir steigen zur Grathöhe an und erreichen die hier in einer Höhe von ungefähr 2700 Metern erbaute Dossenhütte.

Immer tiefer herab senken sich die Nebelmassen, immer schwüler wird's und finsterer. Keinen Augenblick halten wir uns bei der Hütte auf, sondern beginnen sogleich den Abstieg ins Urbachthal. Der Steig führt in südwestlicher Richtung über die Fläschen-, Enzen- und Illmensteinalpen hinab zur Schrätternalpe im Thalboden. Doch ehe wir letztere erreichen, beginnt es schon zu regnen. Wir stehen eine Zeit lang unter, da aber keine Aussicht auf besseres Wetter vorhanden ist, setzen wir im strömenden Regen unseren Weg fort. Nichts sehen wir von der interessanten zickzackförmigen Grenzlinie zwischen dem Jurakalk und dem Gneis, welche die westliche Bergwand durchzieht, nichts von jener Kalkbank, welche auf der gegenüberliegenden östlichen Thalseite zwischen dem Gneis eingeklemmt ist. In dichte Nebel gehüllt sind die schlanken Engelhörner, die zur Linken aufragen, und das Hangendgletscherhorn im Thalhintergrunde. Wir gewinnen den flachen Boden, marschieren durch diesen hinaus und erreichen endlich triefend nass Hof (Innertkirchen) im Haslithale.

Das vom oberen Ende der Thuner Sees über Meiringen, Innertkirchen und Guttannen nach Osten und Südosten hinaufziehende, von der am Unteraargletscher entspringenden Aare durchströmte Haslithal ist wohl eines der schönsten Alpenthäler.

Eine gute Straße führt durch dasselbe hinauf und über den Grimselpass ins Rhônethal, wo sie sich mit der Furkastraße vereinigt. Besonders sehenswert auf dieser Strecke ist der Aarefall bei Handegg (Abb. 114).

Durch mehrere Tage blieb das Wetter schlecht. Alle Höhen sind umnebelt, düsteres Halbdunkel breitet im Thalgrunde sich aus, und der

Abb. 113. Bei Handegg im Haslithale.

Regen rauscht fast ununterbrochen herab. Endlich beginnt sich das Wetter zu bessern. Ein heller Schein auf der Höhe zeigt an, dass oben Neuschnee gefallen; gegen Abend wird es empfindlich kalt: klar

und wolkenlos steigt der nächste Morgen empor. In glänzend weißem Schneekleide prangt jetzt der herrliche Zackengrat der Engelhörner, welcher, links das Urbachthal begleitend, vom Dossenhorn in nordöstlicher Richtung nach Innertkirchen herabzieht.

Lebhaft wird's unter den zahlreichen Fremden, die das schlechte Wetter der letzten Tage im Hotel festgehalten hat. Allgemein rüstet man zum Aufbruche — nur die Allerfaulsten bleiben unthätig zurück. Auch wir verlassen Im-Hof, um über die Große Scheidegg nach Grindelwald

Abb. 115. Der Reichenbachfall.

zurückzukehren. Die Thalstraße rechts lassend, wandern wir auf schmalem Pfade in westlicher Richtung hinauf zum Kirchet, einem jurassischen Felsriegel, der hier das Thal absperrt und von der Aare in enger Klamm durchbrochen wird. Jenseits der Höhe dieses bewaldeten, von Felstrümmern übersäten Hügels gehen wir ein wenig abwärts, passieren das an Obstgärten reiche Dorf Geissholz und marschieren dann hinein in das Reichenbachthal. Der von der Großen Scheidegg herabkommende Reichenbach bildet vor seiner Mündung in die Aare bei Meiringen eine Reihe von Fällen; besonders der oberste von ihnen (Abb. 115) ist sehenswert.

293

Diese Fälle rechts lassend führt der Pfad anfangs oben an der Berglehne, hoch über der Thalsohle hin, nähert sich dann allmählich der letzteren und setzt, nachdem er sie erreicht hat, auf das linke Ufer des Reichenbaches über. Hier, bei der Gschwandenmadalp, genießen wir einen herrlichen Ausblick über die dunklen Tannen des Thalgrundes auf den reinweißen, zwischen dem Wellhorn und den Engelhörnen zu Thal ziehenden Rosenlauigletscher. Bald darauf erreichen wir das 1330 Meter über dem Meere gelegene Rosenlauibad, ein großes Hotel, welches an der Vereinigungsstelle des Rosenlauigletscherabflusses und des Reichenbaches am Nordrande jenes eocenen Sandsteines liegt, der vom Kirchet bis unter den Groß-Scheideggsattel die Südostwand der Scheideggfurche durchzieht. Dieser eocene Sandstein ist unter die aus oberem und mittlerem Jura bestehenden Wände des Engel- und Wellhornes eingefaltet, während im Norden unter demselben ältere Jurakalke zu Tage treten. Das am linken Ufer des Reichenbaches liegende Rosenlauibad ist die einzige Stelle, wo der eocene Sandstein auf die nördliche Thalseite übergreift; abgesehen hievon besteht die nordwestliche Thalwand ganz aus älteren jurassischen, vielleicht zum Theil auch liassischen Kalken. Oberhalb Rosenlauibad lagern diesem Grundgestein recente Trümmerhalden auf. Durch diese führt der Weg thalauf. An mehreren Alpen und dem Schwarzwaldgletscher-Hotel (1530 Meter) vorüber erreichen wir die Thalschlusswand und, steiler jetzt über diese ansteigend, die Große Scheidegg (1961 Meter). Auch hier steht ein Hotel. Sehr schön ist der Ausblick nach Westen, welcher hier sich plötzlich vor uns aufthut. Über die freundliche Mulde von Grindelwald und die Kleine Scheidegg hinausblickend sehen wir die Blümlisalp und das Gspaltenhorn und links, gewaltig über die Mulde aufragend, die unvergleichliche Eigerwand, den Mettenberg und das Wetterhorn. An der Südseite des Sattels tritt der hier sehr schmale, aus Taveyannazsandstein bestehende Flyscheocenstreif zu Tage. Seine Nordgrenze durchzieht den Sattel selbst, den wir jetzt überschreiten. Durch das sanft abfallende Gelände wandern wir jenseits hinunter gegen Grindelwald, dessen stets sichtbarer Kirchthurm unser Directionsobject ist. Wir kommen am Hotel Wetterhorn vorüber und betreten bald darauf unser Standquartier im Bären‹.

Viel interessanter als das Wetterhorn ist das ebenfalls dem östlichen Theile der Finsteraargruppe angehörige Schreckhorn. Das Wetter scheint günstig, und der gefallene Neuschnee wird bis übermorgen wohl ziemlich abgeschmolzen sein; versuchen wir also diesen Gipfel!

Das 4080 Meter hohe Schreckhorn (Abb. 116) ist der höchste Punkt jenes südost-nordwestlich streichenden Kammes, welcher den Unteren Grindelwald-Gletscher im Nordosten begrenzt. Gewaltige, von Schneecouloirs durchfurchte Felswände senken sich vom Schreckhorngipfel nach Süden und Westen herab zu den steilen Schreck- und Kastensteinfirnen, welche hier zu dem im Südwesten vorbeiströmenden Unteren Grindelwaldgletscher hinabziehen. Am unteren Ende des aus dem Schreckhornabhang hervortretenden und den Kastensteinfirn im Nordwesten begrenzenden Schwarzenegg-Grates steht in einer Höhe von 2500 Metern die Schwarzenegghütte. Zu dieser wollen wir hinaufgehen, dort übernachten und dann das Schreckhorn erklettern.

Wir verlassen Grindelwald des Vormittags und gehen auf dem guten Wege in südlicher Richtung hinauf zum Bäregg, einem kleinen Gasthause am Ostufer des Unteren Grindelwaldgletschers. Im Zickzack steigen wir über den steilen Abhang links von der Eiszunge an. Es regt sich kein Hauch, heiß brennt die Sonne herab, und flimmernd lastet ihr Glanz auf den Matten und Feldern, den Häusern und der Kirche im Thalgrunde. Stolz erheben sich über die blumenreiche Alpenmatte, durch welche der Weg hinzieht, die gewaltigen Felswände des Eiger- und Mettenberges, und in der Tiefe gähnt die wilde Schlucht, durch deren Grund der Gletscher seine geborstenen Eismassen zu Thal schiebt. Mit jedem Schritte entfaltet sich der Hintergrund desselben großartiger: das breite, von mächtigen Spalten durchzogene Firnmeer und die seinem Rande entragenden Eisberge.

Wir erreichen das Bäregg und steigen von hier auf großen Leitern über die von dem einst viel mächtigeren Gletscher glatt gescheuerten Felsen zu seiner linken Seitenmoräne hinab. Leicht geht es nun über den hier fast ebenen, nur von unbedeutenden Rissen durchzogenen Gletscher in südlicher Richtung thalauf. Links sehen wir deutlich die südlich vom Bäregg durch den Abhang hinaufziehende Grenze zwischen dem Jurakalk (im Norden) und dem Gneis (im Süden). Vor uns erhebt sich der theilweise mit Alpenweiden bedeckte Zäsenberg inselgleich aus dem Eise. Zu beiden Seiten desselben ziehen große Firnströme herab, die sich an seinem Nordfuße vereinigen. Die Moränen der einander zugekehrten Seiten dieser beiden Gletscherarme bilden eine schöne, vom Zäsenberg herablaufende Mittelmoräne. Wir wenden uns dem linken, vom Osten herabkommenden Gletscherarme zu, und plötzlich taucht der gewaltige Bau des Schreckhorn vor unseren erstaunten Augen auf. Zwei kleine Schneeflecken, die Täubchen, krönen den dunklen rothbraunen, mit Erkern, Nischen und Schneerinnen gezierten Felsbau.

Der Gletscherarm, dem wir folgen, stürzt sich über eine das Schreckhorn mit dem Zäsenberg verbindende Thalstufe — vermuthlich einen subglacialen Felsriegel — hinab und wird dadurch so zerklüftet, dass man diese Stufe gar nicht oder doch nur sehr schwer und mit großem Zeitverluste am Eise selbst passieren könnte. Um dem Gletscherbruche auszuweichen, wenden wir uns dem Zäsenberge zu, betreten ihn und gehen an den elenden Zäsenberger Alphütten vorbei über diesen hinauf. Die Stufe, welche den Gletscherbruch verursacht, setzt sich über diesen hinaus zum Zäsenberg fort und erscheint hier als eine ziemlich steile Felswand, über die wir nun hinaufklettern. Das ist die sogenannte Enge, wo im Gegensatze zu dem übrigen, aus Gneis bestehenden Theile des Zäsenberges Topfstein zu Tage tritt. Wir müssen, auf der Höhe angelangt, hoch über dem furchtbar zerschründeten Gletscher traversieren, und es sind da einige für schwer bepackte Leute wie wir nicht sonderlich angenehme Stellen zu passieren. Endlich kommen wir wieder an das Eis heran und klettern nun dicht am Rande desselben durch die Wand weiter, bis es endlich möglich wird, den Gletscher selbst zu betreten. Durch die obersten Séracs uns durchwindend, überqueren wir ihn und erreichen die jenseits am Fuße des Schwarzenegg-Grates liegende Schutzhütte.

Rasch haben wir die durchschwitzten Unterkleider mit trockenen vertauscht und machen uns nun mit Ernst und Sorgfalt an die Bereitung des Diners. Bald ist es fertig, und vortrefflich mundet es hier oben mitten in der Gletscherwildnis. Der herrliche Abend verkündet treffliches Wetter für den morgigen Tag. Vor dem Schlafengehen treten wir noch einmal vor die Hütte: in funkelnder Pracht wölbt sich der Sternenhimmel über uns, und ein ungewisser, geisterhafter Schimmer spielt auf den Firnen, das Aufgehen des Mondes verkündend.

Noch stritt das Mondlicht mit der zunehmenden Morgendämmerung, als wir die Hütte verließen und den Aufstieg begannen. Wir überschreiten die Moräne und gehen dann über den gleich oberhalb der Hütte in den Eisstrom des Unteren Grindelwaldgletschers einmündenden Kastensteingletscher hinauf. Vor uns zieht ein breites Schneecouloir empor. Diesem streben wir zu, klettern aber, an dem Fuße desselben angelangt, nicht durch das lawinengefährliche Couloir selbst, sondern rechts davon durch die Felsen hinauf und erreichen, immer rechts uns haltend, den spaltenreichen Firnhang, welcher steil zur obersten Stufe des Schreckgletschers emporzieht. Unter gegenseitiger Hilfeleistung übersetzen wir den Bergschrund und wenden uns dann den Felsrippen und Firnhängen zu, welche rechts vom großen Couloir zum Grate emporziehen.

Abb. 119. Das Schreckhorn von der Schwarzenegghütte.

Abwechselnd über Fels und Eis — in letzterem wegen des Abstieges
große Stufen hauend — dringen wir vor. Das ist eine mühsame,
langwierige und nicht ungefährliche Arbeit, denn man ist bei derselben
sehr oft fallenden Steinen ausgesetzt. Endlich wird der letzte zum
Kamm hinaufziehende Firnhang erreicht und über diesen eine Einsattlung im Schreckhorngrate gewonnen. Gewaltig steil zieht von dieser
der Grat in nordwestlicher Richtung zum Gipfel empor. Hier am Sattel,
wo uns die Sonne mit wohlthuendem, erwärmendem Strahle begrüßt,

strecken wir uns zur Rast aus und genießen einen Imbiss. Doch mit
dem Essen geht es nicht recht: Aufregung und Anstrengung lassen
keinen ordentlichen Appetit aufkommen; mühsam zwängen wir einige
Bissen hinunter. – wir merken es deutlich, noch sind wir gar nicht in
training! Hier am Sattel lassen wir alles Überflüssige zurück und setzen
dann den Anstieg fort. Zunächst geht es hinüber auf die Ostseite des
Berges und dort über steiles, von dünner Schneekruste verdecktes Eis
empor. Dies ist der Ort, wo Elliot abstürzte. Kräftig haut der Vordermann Stufen, und mit leisem Klirren sausen die losgebrochenen Eisstücke
an uns vorüber, die gewölbte Firnfläche hinunter, um endlich im Bogen
weit hinausspringend lautlos in der Tiefe zu verschwinden. Sie bezeichnen
den Weg, den der arme Elliot genommen, und auf den auch uns ein
Fehltritt hinabsenden müsste zum Lauteraargletscher. Immer steiler wird
die links zur Grathöhe emporziehende Wand, unter welcher wir schief
nach aufwärts durchgehen. Drohend hängen die verwitterten, scheinbar
nur durch geringen Eiskitt zusammengehaltenen Felsen über unseren
Pfad herein. So geht es eine Weile fort; endlich erblicken wir über uns
eine Gratscharte und steigen über den steilen Firnhang gerade zu dieser
hinauf. Eine förmliche Stiege muss hier ausgearbeitet werden, und dies
kostet viel Arbeit und Zeit. Wir gewinnen die Scharte und klettern nun
über Felstürme und steile Platten den Grat entlang weiter. Herrlich
ist der Blick über die Abstürze zu beiden Seiten unseres luftigen Grates
hinab zu den in der Tiefe ausgebreiteten Firnmassen des Unteren Grindel-
wald- und des Lauteraargletschers, welche den Fuß des Schreckhorn
umgürten. Die Neigung des Grates nimmt ab, wir erreichen den Gipfel.

Die Aussicht ist von seltener Großartigkeit und Wildheit. Kein
freundlicher Thalblick unterbricht die leblosen Eiswüsten, die ringsum
sich ausbreiten, und nur in der Ferne sehen wir zahmere Landschaften,
die Seen der Nordwestschweiz. Prächtig erhebt sich im Norden der
Westabhang des Wetterhorn über der Zunge des Unteren Grindelwaldgletschers. Im Osten sehen wir den vom Wetterhorn über den Bergli-
stock, das Ewigschneehorn und den Hühnerstock zum Juchli hinabziehenden Kamm, welcher das Firnbecken des Oberen Grindelwald- und Unter-
aargletschers einfasst. Im Süden ragt der stolze Bau des Finsteraarhorn
auf und die gewaltige, diesen Gipfel mit dem Mönch verbindende Firnwand, welche den Unteren Grindelwald- vom Fiescher- und Aletschgletscher trennt. Im Westen erheben sich Eiger, Mönch und Jungfrau
aus dem weiten Firnbecken des Aletschgletschers, ersterer ein nackter
Felsbau, letztere bedeckt mit Eis und mit Schnee. Und hinter diesen

298

Gipfeln ragt in der Ferne das formenreiche Gewimmel der Spitzen des
südlichen Zuges der Alpen auf.

Die erste Ersteigung des Schreckhorn wurde 1861 von Leslie Stephen
mit C. und P. Michel und Ulrich Kaufmann ausgeführt. Später hat man
ein Maximum- und Minimumthermometer oben deponiert — doch wer
wird sich die Freude, auf solch stolzem Gipfel zu stehen, durch Thermo-
meterablesungen und dergleichen beeinträchtigen lassen — jedenfalls ich
nicht. Mir genügt zu wissen, dass es jetzt auf dem Gipfel warm genug,
ziemlich windstill und ganz gemüthlich ist.

Doch leider können wir so lange nicht oben bleiben, als wir gerne
möchten, denn noch haben wir den schwierigen und lawinengefährlichen
Abstieg vor uns und möchten nicht, wie seinerzeit Fräulein Brunner,
hoch oben in den Felsen die Nacht zubringen. Also wieder hinunter!
Bald ist das oberste Gratstück überklettert. Vorsichtig und langsam
geht es, mit dem Gesichte gegen die Wand, von der Gratscharte hinunter und zurück zum Sattel. Bis hieher gibt es keine Lawinengefahr,
bei dem weiteren Abstiege durch die Westwand aber müssen wir uns
derselben aussetzen.

Jetzt ist es an dieser Wand nicht mehr so ruhig wie in der Morgen-
kühle. Alle Augenblicke stürzen Felstrümmer und Schneemassen über
dieselbe hinab. Der Firn in den Couloirs ist erweicht, und jeder Schritt,
den wir in denselben thun, droht eine Lawine in Gang zu setzen. Alle
die stürzenden Massen vereinigen sich in dem großen Hauptcouloir, durch
welches jetzt ein fast continuirlicher Strom von Schnee, Eis und Fels
hinabgleitet. Dumpf poltern die an Klippen zerschellenden Steinmassen,
und fast unaufhörlich tönt das Rauschen und Donnern der Lawinen an
unser Ohr. Rasch springend durchqueren wir die gefährlichen Rinnen,
unter überhängenden, schützenden Felsen dann wieder Athem schöpfend.
Stellenweise müssen neue Stufen geschlagen werden. Das ist das
Schlimmste, so exponiert in einer Rinne warten zu müssen, bis der
Vordermann mit dem Hacken fertig ist. Eile braucht man da nicht anzurathen. Der Erste arbeitet, so schnell er kann, aber trotz aller Schnelligkeit dünkt uns jede solche Verzögerung eine Ewigkeit.

So geht es fort, bis wir den Bergschrund erreichen. Wir über-
setzen ihn und eilen hinab zum ebeneren Firn, wo endlich außerhalb des
Bereiches der Schreckhorngeschosse längere Rast gehalten werden kann.
Dann geht es weiter links durch die Felsen unter dem Abbruch des
Schreckgletschers hin, denn dem unteren Couloir dürfen wir jetzt, am
späten Nachmittage, natürlich nicht nahe kommen. Drohend hängen die

Séracs des Gletscherbruches über die Felswand herein, durch welche wir
hinklettern. Solche Séracs pflegen immer viel schlimmer auszusehen, als
sie sind; jeden Augenblick, glaubt man, müssten sie stürzen, sie stürzen
aber nicht; und so auch hier: mit heiler Haut erreichen wir die Felsrippe, über die wir am Morgen heraufgeklettert sind. Über diese absteigend, gewinnen wir das untere Ende des großen Couloirs, betreten
die Moräne und erreichen die Hütte wieder. Schon ist es spät; abend-
liche Schatten breiten sich über den Gletscher aus; aber gleichwohl
wollen wir hier oben nicht bleiben und setzen ohne Aufenthalt den
Marsch fort. Wieder wird der Gletscher überquert, durch die Enge
hinabgeklettert und im raschen Laufe der Fuß des Zäsenberges gewonnen.
Aber es ist schon völlig finster, als wir den ebenen Gletscher betreten.
Am Bäregg taucht ein Schein auf, wie das Licht eines Leuchtthurmes
hinausstrahlend über das Firnmeer. Diesem steuern wir zu, erreichen
den Fuß der Bäreggwand und steigen über die Leitern schweigend und
mühsam hinauf. Dieser letzte Anstieg plagt uns nicht wenig. Gerne
möchten wir, wenn wir uns nicht vor einander schämten, in halber Höhe
rasten und verschnaufen, doch wir thun es nicht. In einem Zuge wird
die Höhe gewonnen, und im Dauerlauf geht es dann hinab nach Grindelwald. Mit der Befriedigung unserer leiblichen Bedürfnisse beschäftigt,
halten wir bis nach Mitternacht den Kellner in Athem.

Abb. 117. Die Eigerwand vom Mettenberg.

18*

IX.

IM FIRNREICHE
DES FINSTERAARHORN.

Abb. 118. Die Jungfrau von der Kleinen Scheidegg.

1. Die Jungfrau.

Ein Rasttag in Grindelwald! Wir haben ihn redlich verdient. Erst gegen Mittag kommen wir zum Vorschein, nehmen eine ausgiebige Lunch — denn zum eigentlichen Frühstücke ist es schon zu spät — und suchen dann ein stilles Plätzchen auf, wo wir, im Waldesschatten hingestreckt, faulenzen, rauchen und weitere Pläne schmieden können.

Einen diesen edlen Zwecken entsprechenden Ort haben wir schon vorgestern nicht weit von Grindelwald am Bäreggwege gesehen, da gehen wir hin. Zwischen den alten Wettertannen durch blickt die helle Kalkwand des Eiger zu uns herab, und aus der Schlucht herauf tönt das Rauschen der Lütschine. An uns vorbei zieht der reich belebte Pfad. Behäbige Herren und Damen, trotz der Sonnenschirme schmachtend vor Hitze, jugendliche Gecken in merkwürdigen Touristencostümen, Mädchen mit breiten Strohhüten und lachenden Gesichtern gehen vorüber, alle mit dem gleichen, langsamen Schritte.

Neue Gestalten tauchen an der Wegbiegung auf. Pickelklingen glänzen im Sonnenlichte, und das Klirren der am Rucksacke befestigten

Eisen begleitet das Knirschen der Schuhnägel bei jedem ihrer weit aus-
greifenden Schritte. Ja, das sind Leute von anderem Schlage als die
große Masse der Touristen. Wir richten uns auf. — Richtig, wir kennen
sie. Halloh, wohin?» »Zur Schwarzenegghütte und morgen aufs Schreckhorn   und ihr?»   Wir sind heute von Grindelwald hier heraufgestiegen
und beabsichtigen, sobald wir uns von dieser Anstrengung erholt haben,
wieder nach Grindelwald hinab zu gehen.   Oh, ihr Faulenzer, und habt
ihr denn noch gar nichts gemacht?   Gewiss, vor drei Tagen sind wir
über die Große Scheidegg gegangen.   Schämt euch, lebt wohl!   Glück
auf! Moralisch entrüstet ob unserer Trägheit setzen unsere Freunde
kräftigen Schrittes den Weg fort - na, die werden schauen, wenn sie
morgen unsere Karten auf dem Schreckhorngipfel finden! Jetzt kommt ein
junges Paar des Weges, die Gesichter strahlend von Glück und von
Freude   möget ihr stets, ihr Lieben, so eng vereint des Weges ziehen;
möge euer Lebenspfad allzeit so schön sein und so hell von der Sonne
bestrahlt wie der, auf welchem ihr jetzt dahinwandelt! Spottet nur, ihr
pessimistischen Unken, euere sogenannte Realistik ist nichts als Lug und
Trug — denn noch lebt die alte Treue, und sie wird ewig leben in
unseren deutschen Landen! Viele noch ziehen vorüber, doch wir dürfen
auf diese so verschiedenartigen Spaziergänger nicht länger achten, müssen
uns vielmehr dem Studium der Topographie des Centralstockes der Finsteraargruppe zuwenden und unsere weiteren Unternehmungen feststellen.

Es ist oben erwähnt worden, dass diese Gebirgsgruppe ein nach
Nordwesten plötzlich abbrechendes, nach den anderen Richtungen sanfter
sich abdachendes Plateau ist. Den nordöstlichen Theil der Massenerhebung,
die Schreck- und Wetterhörner, haben wir schon kennen gelernt, ebenso
die Blümlisalp, welche sich westlich an dieselbe anschließt. Ihrem centralen Theile wollen wir jetzt uns zuwenden. Dieser besteht im wesentlichen aus zwei südwest-nordöstlich streichenden Kämmen, von denen der
erstere den Nordwestrand des Plateaus bildet, während der letztere dem
südöstlichen Plateaurande genähert ist. Beide sind im Südwesten continuierlich, im Nordosten aber mehrfach unterbrochen. Diese beiden Längskämme, denen alle Hochgipfel des centralen Theiles der Finsteraargruppe
angehören, sind durch zwei wasserscheidende, die großen Gletscher-
becken trennende Querkämme mit einander verbunden. Der nordwestliche Kamm zieht vom Lötschenpasse (2605 Meter) in nordöstlicher Richtung über das Schilthorn (3297 Meter) und den Petersgrat (3205 Meter)
zum Tschingelhorn (3581 Meter), dann weiter in östlicher Richtung über
die Einsattelung der Wetterlücke (3150 Meter) zum felsigen Breithorn

(3783 Meter). Hier wendet er sich nach Ostnordost und zieht in dieser Richtung über das Großhorn (3765 Meter) und Mittaghorn (3887 Meter) zum Gletscherhorn (3982 Meter). Im Gletscherhorn wendet sich dieser Kamm nach Norden, sinkt im Lauinenthor zu 3700 Metern herab und steigt jenseits über das Rotthalhorn (3946 Meter), etwas nach Westen ausbiegend, zu der 4167 Meter hohen Jungfrau (Abb. 118, 120), seinem höchsten Punkte, an. Er senkt sich dann, wieder eine nordöstliche Richtung einschlagend, zu dem etwa 3380 Meter hohen Jungfraujoch und zieht, diese Richtung beibehaltend, über den Mönch (4105 Meter) zum Eiger (3975 Meter) (Abb. 121). Von hier aus setzt er sich, von den uns schon bekannten Breschen, durch welche die Zungen des Unteren und Oberen Grindelwaldgletschers hinabziehen, unterbrochen, über den Mettenberg und das Wetterhorn (Abb. 112, 113) zum Wellhorn fort.

Der südöstliche Kamm beginnt bei Gampel an der Mündung des Lötschenthales ins Rhônethal und streicht von hier, das Lötschenthal von den zur Rhône herabziehenden Querthälern trennend, in nordöstlicher Richtung über das Bietschhorn (3953 Meter) und das Schienhorn (3807 Meter) zum Sattelhorn (3746 Meter). Hier wendet er sich nach Osten, steigt zu dem 4108 Meter hohen Aletschhorn empor und zieht jenseits über das Dreieckhorn (3822 Meter) zu dem Aletschgletscher, der ihn durchbricht, hinab. Jenseits dieser Bresche erhebt er sich im Groß Grünhorn zu 4047 und im Finsteraarhorn (Abb. 127), dem höchsten Berge der ganzen Gruppe, zu 4275 Metern Höhe.

Zwei Querkämme verbinden diese Längskämme miteinander; der eine zieht vom Sattelhorn über die Lötschenlücke und den Auen Grat zum Mittaghorn; der andere vom Finsteraarhorn in einem nach Nordost convexen Bogen über das Plateau der (Grindelwalder) Fiescher Hörner zum Mönch. Vom Fiescherhörnerplateau, dessen höchster Punkt, das Groß Fiescher Horn, 4049 Meter über dem Meere liegt, geht ein Zweigkamm nach Südostsüd zum Grünhorn ab.

Der mittlere Theil des zwischen den beiden Längskämmen eingeschlossenen Raumes wird von den Firnfeldern des großen Aletschgletschers ausgefüllt. Im Südwesten werden dieselben von dem Querkamme Sattelhorn-Mittaghorn und im Nordosten von dem Grünhorn-Fiescher Horn-Mönchkamme begrenzt. Die in dieser weiten Mulde sich sammelnden Firnmassen fließen durch die Bresche im südöstlichen Längskamme zwischen Dreieck- und Grünhorn nach Süden und Südwesten ins Aletsch- oder Massathal hinab. Südwestlich von dem Sattelhorn-Mittaghorn-Querkamme zieht der Lötschengletscher (theilweise auch Anengletscher genannt) nach

Südwesten hinab ins Lötschenthal. Nordöstlich vom Grünhorn-Fiescher Horn-Zweigkamme fließt der Walliser-Fiescher-Firn nach Südosten und Süden herab ins Fiescher Thal. Nördlich vom Mönch-Fiescher Horn-Finsteraarhorn-Querkamme sammeln sich die Eismassen des nach Norden in die Grindelwalder Mulde hinabziehenden Unteren Grindelwaldgletschers, dessen moränenüberschüttete und wild zerklüftete Zunge dicht vor uns liegt. Die Firnfelder aller dieser großen Gletscher breiten sich auf der Höhe des Plateaus zwischen dem nordwestlichen und dem südöstlichen Kamme aus. Die Nordwestabdachung des nordwestlichen Kammes ist sehr steil und wenig vergletschert. Nur im Westen, am Nordabhange des Petersgrates finden wir einen bedeutenderen Gletscher, den nach Südwesten nach Gasteren im obersten Kanderthale hinabziehenden Kandergletscher. Dieser reicht bis zum Tschingelhorn herauf, und der vom Tschingelhorn nach Nordwesten abgehende wasserscheidende Rücken trennt ihn von dem ins Lauterbrunnenthal nach Nordosten hinabströmenden Tschingelfirn. An das Breithorn lehnt sich im Norden der Breithorngletscher, an das Gletscherhorn im Nordwesten der Rotthalgletscher und an die Kammstrecke Jungfrau-Eiger auf dieser Seite der Gießen-, Guggi- und Eigergletscher an, lauter unbedeutende Hängegletscher, welche dem Gebiete der weißen Lütschine (Lauterbrunnenthal) angehören.

Der sanfteren Abdachung des Plateaus nach Südosten entsprechend sind die vom südöstlichen Längskamme nach Südosten herabziehenden Gletscher größer als die vom nordwestlichen nach Nordwesten herabziehenden. Da haben wir den östlich vom Bietschhorn nach Süden ins Baltschiederthal herabziehenden Baltschiedergletscher und den südwestlich vom Aletschhorn zur Zunge des Großen Aletschgletschers nach Südosten herabziehenden Ober-Aletschgletscher.

Auf der Nordostabdachung des Plateaus, nordöstlich vom Finsteraarhorn, breiten sich die Firnfelder des Oberaar-, Unteraar-, Gauli-, Rosenlaui- und Obergrindelwaldgletschers aus. Die Abflüsse der vier erstgenannten ergießen sich in nordöstlicher Richtung in die Aare, jener des letztgenannten ist die Quelle der nach Westen fließenden schwarzen Lütschine.

Die Finsteraar-Gebirgsgruppe stellt die bedeutendste Massenerhebung in den europäischen Alpen dar, indem das Plateau, dem ihre Gipfel entragen, eine Länge von 45 und eine Breite von 17 Kilometern erreicht. Um den Centraltheil dieser gewaltigen Gebirgsmasse kennen zu lernen, wollen wir von Grindelwald über das Mönchjoch die Jungfrau besteigen, zur Concordiahütte am Aletschgletscher hinabgehen, von dort aus das

Finsteraarhorn besuchen und endlich nach Süden hinunter ins Rhônethal. Das Mönchjoch ist nordöstlich vom Mönch in den einen Theil der Hauptwasserscheide Europas bildenden Querkamm Mönch-Fiescher Horn eingesenkt. Dem westlichen zum Mönch emporziehenden Grindelwald-Fiescher-Firn entragt eine Felsrippe, auf welcher in einer Höhe von 3299 Metern die Berglihütte steht. Zu dieser wollen wir zunächst hinauf und dann von dort aus über das Mönchjoch zur Jungfrau.

Schon breiten sich im freundlichen Thale die Schatten des Abends aus, aber hell glänzen die Gipfel noch im Sonnenschein. In Scharen kehren die Touristen zurück vom Bäregg, auch wir machen uns auf und schlendern hinunter nach Grindelwald zur Table d'Hote beim Bären.

Nach einem kräftigen Frühstück verlassen wir am nächsten Morgen Grindelwald, um zur Berglihütte hinaufzugehen, wandern auf dem bekannten Wege hinauf zum Bäregg, gehen von dort über die Leitern hinunter und betreten das Eis. Während wir uns das letztemal dem linken, nach Osten hinaufziehenden Gletscherarme zugewendet haben, steuern wir heute auf den rechten, nach Westen hinaufziehenden Arm, den Grindelwald-Fiescher-Firn, zu. Wir kommen an dem Walchiloche, einer großen Gletschermühle, in die sich ein ziemlich wasserreicher Bach stürzt, vorüber und erreichen das jenseitige westliche Gletscherufer. Vor uns zieht der mit einer reichen Alpenflora geschmückte Kalliberg empor, über welchen wir nun ansteigen, um dem steilen Endtheile des Grindelwald-Fiescher-Firns auszuweichen. Unter dem grünen Blätterschmucke leuchten große Erdbeeren hervor, ein köstliches Labsal bei diesem Anstiege in der Hitze. Es gibt keine andere Frucht auf der Erde, die ein so feines Aroma hätte wie die alpine Erdbeere. Es ist die gleiche Pflanze wie die gewöhnliche Walderdbeere, aber auf den Höhen gewinnt ihre Frucht bedeutendere Größe und unvergleichlich besseren Geschmack und Geruch als im Tieflande. Erdbeeren pflückend und essend steigen wir langsam an, keuchend unter schweren Bündeln, denn wir müssen nicht nur allen Proviant, sondern überdies noch Brennholz mitschleppen. Und wer je — so mancher meiner Leser wird das schon gethan haben — einen tüchtigen Holzbund die 1600 Meter vom Bäregg zur Berglihütte hinaufgetragen hat, der wird mir zugeben, dass das ein hartes Stück Arbeit ist. Wir erreichen die nach Süden vortretende Felsnase am oberen Ende des Kallihanges, traversieren sie — an einer schwierigeren Stelle, dem Kallitritte, ist eine Leiter angebracht — und betreten das Eis. Nun geht es am Rande des Gletschers über Schnee und Fels weiter bis zu einer Stelle, wo das letzte Wasser angetroffen wird. Hier halten wohl die meisten Berglihüttenfahrer Rast. Auch wir machen es so und erfreuen uns während der Einnahme eines leichten Mittagessens an der herrlichen Umgebung dieses bekannten Ruheplatzes.

Nach längerem Aufenthalte beginnen wir den Aufstieg über den Gletscher. Den riesigen dolinenartigen Einbrüchen ausweichend, queren wir im Bogen die vor uns liegende Firnterrasse und streben der hohen, jenseits zum Mönchjoche steil emporziehenden Eiswand zu.

Von gewaltigen Klüften in ein Gewirr von Eisblöcken zerspalten, zieht dieser Firnhang zu jenem kleinen Felsgrate, dem bösen Bergli, empor, an welchem die Berglihütte wie ein Schwalbennest klebt. Rechts über uns schiebt der Kalligletscher seine Eismassen über eine senkrechte Wandstufe vor, und wiederholt stürzen gewaltige Lawinen über dieselbe herab. Mühsam ist es und zeitraubend, sich durch die Klüfte des Berglihanges hindurchzuwinden. Uns hilft glücklicherweise ein Ariadnefaden durch dieses Labyrinth: die Trasse, welche frühere Partien in dem Firn zurückgelassen, zeigt uns den Weg an. Dieser folgend und die Schneebrücken mit Vorsicht überschreitend, kommen wir an den großen, den ganzen Eishang durchziehenden Bergschrund. Seine Bergseite überragt an der Stelle, wo der gähnende Schlund durch Lawinenreste und Eistrümmer überbrückt ist, die Thalseite um mehrere Meter. Von dem Zweiten unterstützt, hackt der Erste in dieser senkrechten Eiswand eine Stiege aus, schwingt sich, am Rande angelangt, über die Kante, und die anderen folgen am Seil. Dann sind noch weitere Spalten zu überwinden, die im weiten Bogen umgangen werden müssen, aber endlich gewinnen wir die Felsen und betreten die Hütte (Abb. 119). Mit einem Seufzer der Erleichterung entledige ich mich meines schweren Rucksackes und des Holzbündels. Der Hüttenraum ist beschränkt, dunkel und kalt. So viel Holz haben wir nicht, um ihn entsprechend zu heizen. Nur ein bescheidenes Feuer wird angemacht, Schnee wird aufgesetzt, die Conserven werden erhitzt. Dicht um das Feuer gescharrt, wärmen wir uns die Hände und warten auf die Vollendung des Mahles. Endlich ist's fertig; es wird gegessen und noch ein steifer Grog getrunken — gemüthlich aber wird es nicht. Tritt man aus der Hütte hervor, so muss man sich anseilen, um nicht in der Dunkelheit hinabzustürzen. Auch das ist ungemüthlich — wenigstens ist das Wetter gut — gehen wir schlafen!

Weißblaues Silberlicht goss der Mond über die Hochfirne, als wir zeitlich am nächsten Morgen, angeseilt und alpin gerüstet, die Hütte verließen. Es ist völlig windstill und die Kälte kaum fühlbar. Wir klettern um die Hütte herum auf die Westseite der Felsen, betreten

das Eis und gehen dann
über einen Firngrat zum
Joche hinauf. Dahin ist
es gar nicht weit, eine
starke halbe Stunde ge-
nügt, um das 3630 Me-
ter hohe Untere Mönch-
joch zu erreichen. Be-
zaubernd ist der Blick
von hier hinab über die
ungeheueren, im Mond-
lichte flimmernden Firnflächen
des zum Aletschgletscher im
Süden hinabziehenden «Ewigen
Schnees». Aber von Süden her
weht es eisig kalt über das Joch hin, schnell
müssen wir uns von diesem schönen Anblicke losreißen und weitergehen; zum Ste-
henbleiben ist es viel zu kalt.

Ein ziemlich steiler Eishang zieht vom
Joche zu dem flachen Firn im Süden herab.
In den Stufen einer früheren Partie — wir
brauchen sie nur ein bisschen auszubessern —
geht es hinab einer Schneemasse zu, die
unterhalb des Joches den südlich daran vor-
beiziehenden Bergschrund überdeckt. Wir
überschreiten diese jetzt ganz fest gefrorene

Abb. 211. Die Berghütte.

und sichere Brücke und gehen nach rechts quer über den flachen Firn zu
jenem Eishange hinüber, welcher im Südwesten zu dem Oberen Mönchjoche hinaufzieht. Während das Untere Mönchjoch eine wichtige Einsattlung im Hauptkamme ist, über welche einstens ein regerer Verkehr
zwischen Grindelwald und Wallis gegangen sein soll[*], ist das Obere
Mönchjoch nur eine Einsattlung in jenen kurzen Bergsporn, der, vom
Hauptkamme nach Süden abzweigend, mit dem Trugberge mitten im
Firnbecken des Aletschgletschers endet. Wir gehen über den Eishang
hinauf, gewinnen das Obere Mönchjoch und steigen jenseits hinab in die

---

[*] Der Sage nach sollen sogar kleine Kinder von Wallis über das Untere Mönchjoch zur
Taufe nach Grindelwald getragen worden sein. Richter hat die Grundlosigkeit dieser an sich
schon ganz unglaublichen Legende nachgewiesen.

breite Mulde des Jungfraufirns. Diese Mulde haben wir nun in südwestlicher Richtung zu überqueren. Unser Directionsobject ist der südlich vom
Jungfraugipfel in den Hauptkamm eingesenkte Rotthalsattel. Anfangs abwärts, dann eben, endlich wieder aufwärts wandernd, streben wir diesem
Ziele zu. Wir stoßen auf Spalten. Diese werden so zahlreich und bös,
dass wir, nach links ausbiegend, uns dem südlich vom Sattel aufragenden
Rotthalhorn zuwenden müssen. Immer heller wird es im Osten, wir
erreichen den Bergschrund und überschreiten ihn, noch weiter nach Süden
ausbiegend, auf gewaltigen Eisblöcken, welche von seinem oberen Rande
herabgestürzt sind und ihn hier überbrücken. Jetzt trifft der erste roth-
flammende Sonnenstrahl den Jungfraugipfel, und rasch ergreift das Tageslicht die Herrschaft über die Hochfirne. Vor ihm flüchtet der matte
Schimmer des Mondes. Noch hält er sich kurze Zeit an den schattigen,
westlichen Abhängen des Trugberges, dann schwindet er ganz, und die
Sonne übergießt die Eisfelder mit hellerem Glanze. Es ist ein herrliches
Farbenspiel, das uns umgibt; schwarz gähnt unter uns der scheinbar
bodenlose Bergschrund; und dunkelviolettblau, im Contrast zu den glänzenden Firnflächen auch fast schwarz erscheinend, wölbt sich über uns der
Himmel. Wir erreichen bald den oberen Bergschrund und gewinnen,
auch diesen überschreitend, die Kammhöhe und den Rotthalsattel. Vor
uns liegt das wilde Rotthal mit seinem kleinen Gletscher, der im Westen
sich volle 800 Meter unter uns ausbreitet. Ein jäher Grat zieht nach
Norden zum Gipfel der Jungfrau empor. Links gegen das Rotthal
stürzt er sehr steil, theilweise sogar in überhängenden Platten, ab, von
deren oberen Rändern Fransen von Eiszapfen herabhängen. Nach rechts
ziehen jähe Eis- und Felshänge hinab zum Jungfraufirn. Den größtentheils überfirnten Grat entlang steigen wir nun hinauf. Immer kleiner
wird das vor uns liegende Firndreieck, und jetzt treten wir auf die scharfe
Eisspitze der Jungfrau hinaus. (Abb. 120.)

Vom Jungfraugipfel zieht ein Grat – das ist der, über welchen wir
heraufgekommen sind – nach Südostsüd zum Rotthalsattel, während ein
anderer, die Fortsetzung des letzteren, in nordostnördlicher Richtung,
mehrfach gestuft (Abb. 118), zum Jungfraujoch absetzt. Nach Osten senken
sich steile Wände hinab zum Jungfraufirn; nach Westen zieht ein theilweise überfirnter Rücken hinab zu dem 3705 Meter hohen Silberhorn.
Nördlich von diesem liegt der wildzerklüftete Gießengletscher, welcher in
nordwestlicher Richtung steil zum Trümletenthale hinabfließt, während
südlich von ihm das Rotthal eingesenkt ist, von welchem Felswände
mit steilen Graten und Schneerinnen nach Norden und Osten zum Silber-

311

Abb. 120. Die Jungfrau von Norden.

horn, der Jungfrau und dem Rotthalsattel hinaufziehen. Der Südwest-
absturz der Jungfrau gegen das Rotthal besteht oben und unten aus
Gneis. In halber Höhe wird er von einer breiten, von Norden her in den
Gneis eingefalteten Bank jurassischen Kalkes durchzogen.

Im Jahre 1811 versuchten die Herren J. R. und H. Meyer mit zwei
Walliser Jägern den Gipfel der Jungfrau vom Aletschgletscher aus über
den Jungfraufirn, den Rotthalsattel und den Südostsüdgrat zu erreichen.
Zwar behaupteten sie, den Gipfel erklommen zu haben, allein man glaubte
ihnen nicht recht, und auch mir scheint es zweifelhaft, ob sie die Ersten
oben waren.

Böse gemacht durch die Zweifel, welche über diese Ersteigung ausgesprochen wurden, beschloss im darauffolgenden Jahre Gottlieb Meyer,
der Sohn des einen jener beiden, die Ersteigung zu versuchen, und dieser
hat auf dem angegebenen Wege den Gipfel der Jungfrau am 3. September 1812 erreicht. Zweifellos also gebürt einem aus jener Meyer-
Familie die Ehre, die erste Ersteigung der Jungfrau ausgeführt zu haben.
Jetzt noch ist diese Meyer-Route über den oberen Jungfraufirn und
den Südostsüdgrat der leichteste und am meisten begangene Jung-
frauweg. Man erreicht den oberen Jungfraufirn entweder, wie wir, von
Grindelwald aus über die Mönchjöcher oder auch (noch leichter) von
Süden her über den Aletschgletscher und die Concordiahütte, zu welcher
wir hinabgehen wollen.

1862 erklomm Thioly mit zwei Führern den Gipfel der Jungfrau direct
vom Jungfraufirn über die Ostwand, ohne den Rotthalsattel zu berühren.

1863 erreichte zum erstenmale eine Dame, Frau Winkworth, den
Jungfraugipfel auf dem gewöhnlichen Wege vom Aletschgletscher aus.

Von Nordwesten her, aus dem Lauterbrunnenthale, wurde die Hauptkammstrecke, welcher die Jungfrau entragt, zuerst im Lauinenthor, im
Hintergrunde des Rotthales, südlich von der Jungfrau 1860 von Tyndall
und Hawkins; dann im Jungfraujoch, im Hintergrunde des Guggigletschers,
nordöstlich von der Jungfrau 1862 von Leslie Stephen, Hardy und anderen
erreicht.

1864 gelang die erste Ersteigung der Jungfrau vom Rotthal den
Herren Leslie Stephen, R. S. Macdonald, Crauford und Grove mit M.
und J. Anderegg und Bischoff. Sie brachen in der Nacht von Lauterbrunnen auf, stiegen zum Rotthalgletscher hinauf und kletterten dann
durch ein großes, sehr steiles und lawinengefährliches Schneecouloir zum
Rotthalsattel empor, von wo aus der Gipfel über den gewöhnlich begangenen Südostsüdgrat erreicht wurde.

1865 erstiegen die Herren Young und George mit zwei Führern die Jungfrau von Norden. Sie giengen von Wengernalp über den wildzerklüfteten Guggigletscher zu einem Bivouacplatz in den Felsen hinauf, welche diesen Gletscher im Südwesten einsäumen, brachten hier die Nacht zu und erreichten am nächsten Morgen das Firnplateau, welches sich im Norden der Jungfrau zwischen dieser, dem Silberhorn und dem Schneehorn ausbreitet. Von hier wurde zu der Silberlücke, dem Sattel zwischen Jungfrau und Silberhorn, angestiegen und über den Kamm eine höhere

Abb. 124. Der Eiger von Mürren.

Firnstufe und dann über leichte Felsen der höchste Gipfel der Jungfrau gewonnen.

1871 erreichte der berühmte, dem Fräulein Brevoort gehörige Hund Tschingel die Jungfrau von der Nordseite.

1873 wurde die Jungfrau zum erstenmale in einem Tage vom Klein Scheidegg zum Eggishorn — von Herrn Moore — traversiert.

1874 bestieg Herr Coolidge mit seiner Tante, dem Fräulein Brevoort, die Jungfrau im Winter (am 22. Jänner).

1881 erkletterte Dübi die Jungfrau direct aus dem Rotthale über den westlichen Grat, und 1885 gelang es von Almen mit mehreren Führern, einen anderen, besseren, directen Felsenanstieg aus dem Rotthale aufzufinden.

Wie leicht heutzutage die Jungfrautour bei guten Schneeverhältnissen ist, ersieht man daraus, dass im Jahre 1892 ein Schweizer Tourist von der

Concordiahütte aus Jungfrau und Mönch in 11 Stunden (hin und zurück) gemacht hat.

Für das Panorama des Jungfraugipfels ist der Contrast zwischen dem Ausblicke über das Tiefland im Norden und Westen und der großartigen Firnlandschaft im Osten und Süden charakteristisch, ein Contrast, welcher durch die Lage der Jungfrau im erhöhten Nordwestrande der großen Massenerhebung der Finsteraargruppe bedingt ist. In der dämmernden Tiefe, fast 3½ Kilometer unter uns, zieht am Fuße des Berges der Silberfaden der Lütschine durch das dunkle Lauterbrunnenthal hinab nach Norden. Darüber hinausblickend, sehen wir im Westen, coulissenartig hintereinander aufragend, die nach Nordost streichenden Kämme des mesozoischen Gebirges zwischen dem Thuner und Genfer See, dann die große Senkung und jenseits derselben, im Dufte der Ferne verschwimmend, den Jura. Weithin nach Nordwesten, Norden und Nordosten erstreckt sich diese an Städten und Ortschaften, Seen und Flüssen so reiche, von jungtertiären und quaternären Bildungen ausgefüllte Depression, über welche ein fahler Schleier trüben Dunstes sich breitet. Ungehemmt schweift der Blick über dieselbe hinaus bis zum Schwarzwald. Die tertiären Vorberge und das mesozoische Gebirge diesseits der Senkung, Rigi, Pilatus, Faulhorn etc. etc., wie tief liegen sie alle unter unserem Standpunkte, wie unbedeutend erscheinen ihre Gipfel und wie undeutlich ihre Contouren! Stolz und frei erhebt sich der scharfe, untadelige Firngipfel der Jungfrau über dieses nirgends zu seiner Höhe ansteigende, verworrene Land. Ganz anders aber ist es im Süden und im Osten; scharfe Contouren, weißglänzende Schneemassen und dunkle Felsen. Wie schön reihen sich die Gipfel des nordwestlichen Plateaurandes vom Mönch bis zum Wetterhorn aneinander; wie gewaltig ist ihr Nordwestabsturz in die Mulde von Grindelwald, während über ihrem sanfteren Südostabhang ungeheure Firnmassen in sanften Wellen zu Thal ziehen. Stolz ragen über diese allmählich nach Süden sich senkenden Firnfelder die herrlichen Gipfelbauten des Aletschhorn und Finsteraarhorn auf. Und überall blicken zwischen den Gipfeln des Vordergrundes ferne Gletscherberge zu uns herüber; der ganze südliche Alpenzug vom Ötzthale bis zum Montblanc.

Doch auch hier wollen wir den Gesammteindruck nicht durch Details uns beeinträchtigen lassen. Weder bemühen wir uns, die einzelnen Hotels in Interlaken, welche zwischen den glänzenden Spiegeln des Thuner und Brienzer Sees zu uns heraufgrüßen, mit dem Fernrohre zu erkennen, noch die dicht gedrängten Aiguilles rechts vom Montblanc zu entwirren; unbeirrt durch solche Einzelheiten lassen wir das herrliche Bild in seiner Totalität auf uns einwirken. Es erhebt uns zu jener Götternähe, aus welcher wir nicht nur körperlich, sondern auch seelisch hinabblicken auf das weit ausgebreitete Flachland und hinüber zu den gewaltigen Gletscherbergen der Alpen.

Wir nehmen Abschied von unserer Hochwarte, steigen über den Grat und die Schründe zum Jungfraufirn hinab und gehen über diesen hinaus, zwischen Trug- und Kranzberg durch, zu jener Firnebene, in welcher der Jungfrau-, der Große Aletsch-, der Ewig Schnee- und der Grünhornfirn zusammenfließen. Wir überqueren diese als Concordiaplatz bekannte Eisfläche in südöstlicher Richtung und erreichen die am Fuße des Faulberges, 2870 Meter über dem Meere gelegene Concordiahütte, wo wir die Nacht zubringen wollen.

Kühl senkt sich der Abend herab auf die unvergleichliche Gletscherlandschaft, die uns umgibt; blauer werden die Schatten und dunkler und immer rosiger das Licht der scheidenden Sonne, welches die Gipfel der Berge umspielt. Eigentliches Alpenglühen kommt heute Abend nicht zustande; allmählich verblassen die Lichter auf den Höhen, und die Schatten der Nacht breiten sich über die Tiefen aus.

Wir kehren ins Innere der Hütte zurück, nehmen noch etwas Thee und legen uns dann gleich schlafen, denn morgen steht uns noch scharfe Arbeit bevor, die Ersteigung des Finsteraarhorn.

Abb. 127. Der Gipfel der Jungfrau.

316

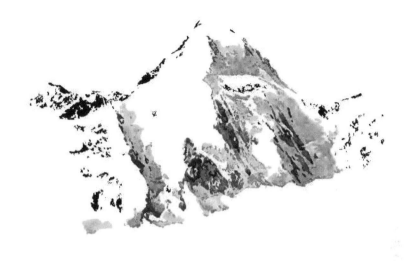

Abb. 103. Das Aletschhorn vom Trugberg.

2. Der Aletschgletscher und das Finsteraarhorn.

Beim Scheine des Mondes verlassen wir zeitlich am nächsten Morgen die Concordiahütte und steigen über den Nordabhang des Faulberges hinab zum Grünhornfirn. Hier sind wir tief im Schatten und müssen uns der Laternen bedienen, was stets unangenehm ist. Doch es dauert nicht lange. Wir betreten das Eis und kommen wieder in das Mondlicht hinaus. Die grotesken Felszacken des vom Faulhorn zum Kamm hinaufziehenden Grates rechts über uns machen, kohlschwarz aus dem matt vom Monde erleuchteten Himmel ausgeschnitten, einen ganz eigenthümlichen Eindruck. Rasch steigen wir in ostnordöstlicher Richtung zu der 3305 Meter hohen, im Hintergrunde des Grünhornfirns eingesenkten Grünhornlücke empor und erblicken, die Jochhöhe betretend, plötzlich das im Nordosten aufragende Finsteraarhorn. In gewaltiger Steile zieht die uns zugekehrte, volle 1200 Meter hohe Südwestwand des Berges von dem zackigen Gipfelgrate herab zu dem flachen Firnboden des Walliser Fiescher Firns, der zu unseren Füßen nach Südosten hinabströmt. Links vom Gipfel ist in dem Grate der Hugisattel eingesenkt. Zu diesem

müssen wir zunächst ansteigen, um dann von dort aus über den Grat
zum höchsten Gipfel emporzuklettern. Unter dem Ostabhange der Grün-
hörner durchgehend, steigen wir zum Firnboden hinab, überqueren ihn
und beginnen den Anstieg. Leicht geht es zunächst über das jetzt am
frühen Morgen noch fest gefrorene Blockwerk hinauf und weiter, über
eine dem Firnpanzer entragende Felsrippe zu dem auf einer Stufe der
letzteren gelegenen berühmten Frühstücksplatze. An dieser Stelle haben
die Führer aus Felsplatten Bänke und sogar eine Art Tisch aufgebaut.
Hier rasten wir, transferieren einen beträchtlichen Theil des Inhaltes
unserer Rucksäcke in unser Inneres, erfreuen uns an den ersten wärmenden Strahlen der Sonne und genießen den herrlichen Ausblick, den
dieser 3700 Meter über dem Meere gelegene Punkt auf die den Walliser
Fiescher Firn im Westen begrenzenden Berggipfel bietet. Wir deponieren
das überflüssige Gepäck, umgehen eine Felsnase und betreten ein steil
zum Hugisattel emporziehendes Firnfeld. Kleine Stufen genügen hier:
rasch kommen wir vorwärts und erreichen den Hugisattel. Wir wenden
uns rechts, dem thurmartig aufstrebenden Gipfelbaue zu. Nach links
gegen den Finsteraarfirn stürzt derselbe mit senkrechten, theilweise sogar
überhängenden Platten ab, während der zum Walliser Fiescher Firn nach
rechts hinabziehende Südwesthang aus einer steilen, von zahlreichen
parallelen Felsrippen unterbrochenen Firnwand besteht.

Wilde Felszacken und Scharten trennen uns von dem Gipfel. Die
Thürme werden theils rechts umgangen, theils überklettert, mit Vorsicht
die wächtengekrönten Scharten, zu welchen furchtbar steile Schneerinnen
heraufziehen, überschritten. Der letzte Felskopf ist überwunden, und wir
betreten die Spitze.

Der 4275 Meter hohe Gipfel des Finsteraarhorn (Abb. 127) ist der
Culminationspunkt der Berner Alpen und liegt im östlichen Theile des als
Finsteraarmassiv zu bezeichnenden centralen Abschnittes derselben. Er
gehört zwar dem südöstlichen Hauptlängskamme an, ist aber durch die
tiefe Mulde des Walliser Fiescher Firns von dem südwestlich benachbarten, durch das Grünhorn repräsentierten Theile desselben abgeschnitten.
Von dem Gipfel des Finsteraarhorn gehen drei Grate ab: einer nach
Nordwesten zum Agassizhorn, einer nach Osten zum Studerhorn und
einer nach Südwesten zum Rothhorn. Die beiden ersteren sind Theile
der Hauptwasserscheide Europas, der letztere ein unbedeutender, mit
dem Rothhorn endender Felsgrat. Südwestlich vom Finsteraar-Agassiz-
und Finsteraar-Rothhorn-Kamme breitet sich der Walliser Fiescher Firn
aus. Im Südosten, zwischen den vom Finsteraarhorn zum Rothhorn und

zum Studerhorn ziehenden Kämmen liegt der Studerfirn. Auf der Nord-ostseite endlich zwischen dem Agassiz- und dem Studerhornkamme breitet sich der Finsteraarfirn aus. Der Walliser Fiescher und der Studerfirn vereinigen sich am Südfuße des Rothhorn zum Fiescher Gletscher, welcher nach Süden in das bei Fiesch ins Rhônethal ausmündende Fiescher Thal hinabzieht. Der Finsteraarfirn zieht nach Nordosten hinab, vereinigt sich am Ostfuße des Abschwung mit dem Lauteraarfirn und strömt dann als Unteraargletscher nach Osten hinab ins Aarethal.

Nach allen Seiten hin fällt der Gipfel jäh ab, und die obersten Theile der in demselben sich vereinigenden drei Kämme sind zackige und wilde, steil aufstrebende Felsgrate.

Der höchste Gipfel selbst besteht aus einem etwa 20 Meter langen, fast horizontalen, nur wenig nach Südosten sich senkenden Grate.

Die Ersteigung des Finsteraarhorn wurde im Jahre 1812 von G. Meyer, dem Bezwinger der Jungfrau, mit vier Führern versucht. Die Gesellschaft stieg über den Oberaar- und Studerfirn zum Südostgrate empor und kletterte über diesen hinauf bis zu einer Gratstufe. Herr Meyer und einer der Führer blieben hier zurück. Die drei übrigen Führer, Volker, Bartes und Abbühl, aber kletterten weiter und erreichten den Gipfelgrat, an dessen Südostecke sie eine Fahne aufpflanzten. Meyers Behauptung, dass die drei genannten Führer den höchsten Gipfel des Finsteraarhorn bestiegen hätten, ist von vielen Seiten angezweifelt worden, und eine Anzahl von alpinen Autoren hat die Meinung ausgesprochen, dass der von Meyers Führern erreichte Punkt n i c h t der Gipfel des Finsteraarhorn gewesen sei. Blezinger jedoch, welcher 1883 das Finster-aarhorn ebenfalls über den Südostgrat erstieg, ist für die Richtigkeit der Angaben Meyers eingetreten, und es ist ihm gelungen, alle Ein-würfe gegen dieselbe in befriedigender Weise zu entkräften; jetzt wird wohl kaum noch jemand daran zweifeln, dass jene drei Führer in der That anno 1812 die erste Ersteigung des Finsteraarhorn über den schwierigen Südostgrat ausgeführt haben.

Die zweite Ersteigung des Berges wurde 1829 auf dem von uns begangenen, viel leichteren Wege über den Walliser Fiescher Firn und den Nordwestgrat von Leuthold und Währen, zwei Führern Hugis, aus-geführt; Hugi selbst war am Grate zurückgeblieben.

Der erste T o u r i s t, welcher den Gipfel erreichte, war Herr Sulger, dem die Ersteigung auf unserem Wege im Jahre 1842 gelang.

1862 betrat zum erstenmale eine Dame, Fräulein Walker, den Gipfel des Finsteraarhorn. 1868 erreichte Herr Forster die Spitze vom Finster-

aarfirn über das Agassizjoch und den Nordwestgrat. Dieser Weg, sowie
jener über den Südostgrat sind selten wiederholt worden; über den
Walliser Fiescher Firn und den Nordwestgrat aber wird das Finsteraarhorn
recht häufig bestiegen.

Die höchsten Gipfel der Montblancgruppe und der Penninischen
Alpen sind die einzigen Berge, welche das Finsteraarhorn an Höhe
übertreffen, und diese sind fern. Völlig unbeschränkt ist dementsprechend
die Aussicht: alle Gipfel von den Ötzthalern bis zum Montblanc, ja sogar
einige Spitzen der Grajischen Alpen sind sichtbar. Dieser großartigen
Hochgebirgslandschaft gegenüber treten die kleinen Stücke des nördlichen
Tieflandes, welche zwischen den Eisbergen zu uns heraufblicken, ganz
zurück. Weit interessanter als all die zahllosen fernen Berge ist aber die
nähere Umgebung, jener große, vom Lötschenpasse zum Tödi ziehende
Urgebirgsstreifen, auf dessen höchster Felsenzinne wir stehen.

Wir erkennen, dass dieses ganze Urgebirge, dessen Kern das
Finsteraarmassiv ist, aus südwest-nordöstlich streichenden, hochgefalteten,
azoischen Schichten besteht, in deren Nordwestrand Jurakalke eingreifen.
Aus dem Jurakalke sind die am äußersten Nordwestrande des Finsteraarmassivs aufragenden Gipfel des Eiger, Wetterhorn und Wellhorn
zusammengesetzt. Dann folgt der graue Gneis, aus welchem die im
Westen aufragende Jungfrau, der Mönch, der näher, zwischen Aletsch-
und Jungfraufirn liegende Trugberg, die Grindelwalder Fiescher Hörner
und dann das breit und trotzig im Norden sich erhebende Schreckhorn
aufgebaut sind. Auch der höchste Gipfel des Finsteraarhorn selbst besteht
aus einer dem Amphibolit eingefügten Bank dieses grauen Gneises. Südöstlich schließt sich an den nordwestlichen Gneis die phyllitische Mittelzone
der krystallinischen Schiefer an, welche als breite synclinale Falte in
wechselnder Ausbildung die Mitte des Massivs durchzieht. Ihr gehört die
herrliche, im Südwesten jenseits der Concordiabresche aufragende, eisgepanzerte Pyramide des Aletschhorn (Abb. 123) an, dann das eine östliche
Vorstufe des letzteren bildende Dreieckhorn, das Schönbühlhorn und das
Lauteraarhorn, welches im Norden, rechts vor dem Schreckhorn, aufragt.

Mitten in diesen mächtigen, so abwechslungsreichen theils glimmerigen, theils sericitischen, theils chloritischen und theils thonigen Schiefern
liegt in gleichem Fallen und Streichen ein Amphibolitzug. Dieser streicht
über das Sattel- und Grünhorn zum Finsteraarhorn. Hier, wo er seine
größte Mächtigkeit erlangt, tritt derselbe mehr schieferig auf, abwechselnd
mit Lagern eines schönen Dioritschiefers und Partien von grauem Gneis.
Aus einer solchen besteht, wie erwähnt, auch der höchste Gipfel. Das

schöne, jenseits des Studerfirn im Osten aufragende Oberaarhorn, sowie das Scheuchzerhorn gehören ebenfalls diesem Amphibolitzuge an.

Im Centrum des Schieferfächers und durch den Amphibolit von ihm getrennt, erhebt sich die Zone des Granitgneises oder Protogins. Aus diesem Gestein besteht die schlanke Felsspitze des Bietschhorns im Südwesten und das Groß Nesthorn. In seinem weiteren Verlaufe zieht der Protogin unter dem grünen Schiefer der Phyllitzone, welcher den Aletschhorngipfel und das Dreieckhorn bildet, durch, streicht zum Faulhorn, geht unter dem Finsteraarhorn durch und tritt im Nordosten, jenseits desselben, am »Abschwung« wieder zu Tage. Die Südostabdachung des Gebirges, die Bergkämme, welche die langen Zungen des Aletsch- und Fiescher Gletschers einfassen, bestehen aus Gneis. Die ganze Kette des Rieder- und Eggishorn ist aus dem von Eggenberg im Rhonethale zur Grimsel streichenden glimmerigen Augen- oder Grimselgneis zusammengesetzt. Dieselbe Gesteinsart steht nördlich vom Märjelensee am Fuße der Walliser Fiescher Hörner, welche jenseits des großen Walliser Fiescher Firns im Südwesten aufragen, zu Tage. An diesen mächtigen Gneiszug schließen sich im Südosten andere Gneisarten, Amphibolitstreifen und endlich Verrucanodolomit, Rauchwacke und die jurassischen Sedimente von Gampel-Raron an.

Die in merkwürdiger Weise zusammengefalteten und verquetschten, zwischen den krystallinischen Schiefern eingekeilten Kalkschichten des Resti- und Faldumhorn bilden am Westrande des großen Urgebirgsstreifens die Verbindung der nordwestlichen und südöstlichen mesozoischen Kalkablagerungen.

Doch genug von diesen geologischen Dingen! Blicken wir noch einmal in die Runde, Herz und Auge an dem herrlichen Bilde erfreuend, schauen wir noch einmal hinüber zu dem Doppelgipfel der Wildspitze, der so heimatlich wohlbekannt herübergrüßt aus dem östlichen Vaterlande, zu dem stolzen Felsbau des Eiger, der in unnahbarer Plattenflucht emporsteigt über dem Grindelwalder Fiescher Firn, und zu der einzig schönen Eispyramide des Weißhorn! Wir nehmen Abschied von unserer Hochwarte, hinunter geht es wieder über den Grat zum Hugisattel. Rasch eilen wir über den Firnhang hinab, nehmen am Frühstücksplatze unsere Sachen wieder auf, gewinnen den Firnboden und — ja sollen wir jetzt wieder zur Concordiahütte zurück und über den Aletschgletscher zum Eggishornhotel oder über den Fiescher Gletscher hinunter und auf diesem Wege zum Eggishorn oder hinaus nach Fiesch im Rhonethale? Beide Wege sind sehr schön, der letztere der interessantere. Aber einige unserer

Sachen, die wir nicht einbüßen möchten, sind in der Concordiahütte zurückgeblieben. Deshalb, und weil wir jedenfalls zum Hotel Jungfrau am Eggishorn und nicht nach Fiesch wollen, der Anstieg vom Fiescher Gletscher über den Märjelensattel zu diesem aber hoch und mühsam ist, wählen wir den Weg über die Concordiahütte und den Aletschgletscher. Nicht ohne zu seufzen, machen wir uns daran, über den jetzt ganz weichen Schnee die 200 Meter zur Gränhornlücke anzusteigen — so ein das Bergabgehen unterbrechender Anstieg ist immer etwas Abscheuliches.

Unseren Ärger möglichst verschluckend, waten wir langsam hinauf, erreichen endlich die Lücke und gehen jenseits hinab über den Gränhornfirn und weiter über die Felsen hinauf zur Hütte. Eine Partie, welche, von der Jungfrau kommend, vor uns die Hütte erreicht hatte, war in derselben installiert und mit dem Kochen einer Suppe beschäftigt, deren kräftiges Aroma uns aus der geöffneten Thüre entgegenquoll. ‹Dürfen wir den Herren einen Löffel Suppe anbieten?› ruft uns jemand zu. ‹Gewiss dürfen Sie das — unser Proviant ist schon alle!› Die Suppe mundete vortrefflich, bei solchem Appetit, wie wir ihn hatten, kein Wunder. In Fällen, wie dieser war, muss man stets trachten, selbst am letzten bedient zu werden, und zwar aus folgenden drei Gründen: erstens erfordert das die Höflichkeit, zweitens verbrennen sich dann die anderen an dem anfangs zu heißen Dinge den Mund, und drittens ist der Bodensatz immer das Beste. Diesem schon von Whymper aufgestellten Grundsatze getreu, bemühte ich mich mit größter Höflichkeit, der letzte zu sein; es gelang mir, und sehr zufrieden war ich mit dem Erfolge. — Nachher erzählte ich den anderen die Ursache meiner staunenswerten Höflichkeit und — lief davon, hinab über die Felsen und über die Moräne auf den Gletscher. Doch die Strafe blieb nicht aus: bald war ich in den zahlreichen Randklüften des Gletschers verwickelt und blieb weit hinter den anderen, deren Führer einen viel besseren Weg fanden, zurück. Erst nach einiger Zeit kam ich aus diesem Spaltensysteme heraus: wir erreichten die an Klüften arme Gletschermitte und marschierten — nun wieder versöhnt und vereint — über diese hinab.

Wolken hatten sich im Süden angesammelt, und diese zogen nun über den Gletscher herauf, alles in einen grauen Mantel einhüllend. Doch das ficht uns nicht an: die Führer kennen den Weg zu genau, um sich in diesem gar nicht dichten Nebel zu verirren. Das abnehmende Licht mahnt an den kommenden Abend, und recht monoton erscheint uns nach der Aufregung des Tages diese Wanderung über die wolkenumflutete, unheimlich weiß blinkende Eisfläche. Da plötzlich sehen wir

hoch, hoch über uns im Süden eine rothglühende Laazenspitze durch die
grauen Nebelballen leuchten. Größer wird der Riss in den Wolken, und
jetzt erkennen wir in jener scharfen Spitze den herrlichen Gipfel des
Weißhorn im Abendstrahle erglühend. Doch die Nebel schließen sich
wieder zusammen und verdecken dies Bild. Rasch nimmt die Dunkelheit
zu. Wieder kommen wir in Spalten, wenden uns links und gewinnen
den Berghang oberhalb des Märjelensees. Ein Kahn bringt uns hinüber,
nun erübrigt noch der letzte Aufstieg über die Matten in völliger Dunkelheit. Wir erreichen den Fußsteig und auf diesem die Höhe. Rasch geht
es jenseits bergab. Lichter schimmern durch den Nebel, und jetzt betreten
wir das Hotel Jungfrau. «Sind unsere Sachen da?» «Bitte, oben in Ihren
Zimmern! Richtig, alles in Ordnung. Ungewohnte Luxusgegenstände,
Haarbürsten, Rasiermesser, weiße Hemden entquellen dem bauchigen
Koffer. Bad und Toilette und die Briefe aus der Heimat. Dann hinab
zum Diner — solche Höflichkeit wie oben in der Concordiahütte brauche
ich hier nicht mehr zu üben.

Regen und Nebel, Nebel und Regen, das ist das Programm am
nächsten Tage. Triefend nass kommen Thalbummler an, nachmittags auch
eine Partie, die das Mönchjoch überschritten. In dicht geschlossener Reihe
sitzen junge Engländerinnen vor dem lodernden Kamin, die Füße zum
Feuer ausstreckend, ein höchst anziehender Anblick; die Behauptung,
die Engländerinnen hätten plumpe Füße, ist eine elende Verleumdung!
Im Gegentheile, nette Schuhe, reizende Knöchel, tadellose Strümpfe
und aber o murther I dare not go further wie Lever sagt. Mit
Essen, Rauchen, Faulenzen und Briefschreiben bringen wir den Tag hin,
und abends amüsieren wir uns prächtig mit den Damen, welche bald ihre
Scheu vor unseren gletscherverbrannten Gesichtern überwinden. Ja sie
haben ihren Spaß daran, wenn wir beim Lachen der schmerzenden Lippen
halber die Gesichter verziehen: ihr Bedauern ist bloße Heuchelei. Das
ärgert mich. Ich lehne alles Mitleid ab, denn, sage ich, das einzige,
wozu ich meine Lippen brauchen möchte, darf ich doch nicht thun. And
what is that? fragt eine. Darauf gibt es nur eine Antwort, und die
kann ich mit meinen Lippen nicht geben — hol's der Teufel!

Viel mehr als die Trockenheit der Luft sind es die dort bedeutend
intensiveren ultravioletten Strahlen des Sonnenlichtes, welche in der
Hochregion jene als Gletscherbrand bekannte Entzündung der Gesichtshaut verursachen. Diese mit dem Auge nicht wahrnehmbaren, aber
chemisch höchst wirksamen ultravioletten Strahlen werden von der Luft
und dem in derselben aufgelösten Wasserdampfe aufgehalten. Die dicke,

das Tiefland bedeckende Luftschicht durchdringen dementsprechend nur die schwächer brechbaren und weniger wirksamen von diesen Strahlen und selbst diese sehr geschwächt. Im Hochgebirge aber, wo uns eine viel dünnere Luftschicht von der Sonne trennt, gelangen die chemisch wirksamsten Strahlen mit viel größerer Kraft auf die Erdoberfläche herab. Hier bräunen sie in kurzer Zeit das Holz der Hütten, und hier veranlassen sie im subcutanen Gewebe chemische Zersetzungen, welche dann eine Entzündung und das Abschälen der Haut verursachen. Gleichen Entzündungen sind die Arbeiter in jenen Fabriken ausgesetzt, wo Metallstücke durch starke elektrische Ströme erhitzt und zum Verschweißen gebracht werden; das überaus intensive elektrische Licht, welches hiebei zur Entwicklung kommt, ist ebenso wie das Sonnenlicht im Hochgebirge außerordentlich reich an ultravioletten Strahlen.

Auf die Augen wirken dieselben noch schlimmer ein als auf die Gesichtshaut, und es ist bekannt, dass Augenentzündungen und zeitweilige Blindheit eintreten, wenn man bei Wanderungen im Hochgebirge jene Strahlen nicht durch dunkle Schneebrillen von den Augen abhält. Auch die Arbeiter in den elektrischen Schweißöfen müssen Schneebrillen tragen.

Noch ein Regentag, doch wir befinden uns ganz wohl dabei. Endlich gegen Abend beginnt es sich aufzuheitern, und über Nacht wird es schön. Am nächsten Morgen pilgern wir alle miteinander hinauf zu dem 2934 Meter hohen Eggishorn, dem höchsten Punkte des östlichen Grenzkammes südlich vom Märjelensee, auf dessen Südabhang, 741 Meter tiefer, das Hotel «Jungfrau» steht. Sehr schön ist das Panorama von diesem berühmten Aussichtspunkte an einem so klaren Tage, wie der heutige ist. Frischer Neuschnee flimmert an den Hochgipfeln, und wolkenlos spannt sich der dunkelblaue Himmel über uns aus.

Über den weit ausgedehnten Firnfeldern des großen Aletschgletschers erhebt sich im Nordwesten der scharfe Eisgipfel der Jungfrau. Rechts, durch eine tiefe und breite Einsattlung von demselben getrennt, ragt der massige Mönch auf, dann der Trugberg und die steile Südostwand des Eiger (Abb. 124). Im Norden blicken wir hinab zu dem dicht vor uns liegenden Märjelensee mit seinen schwimmenden Eisblöcken, aus welchem der über das Wannehorn zum Kamme streichende östliche Grenzkamm des Aletschgebietes sich erhebt. Stolz schaut die scharfe Felsenspitze des Finsteraarhorn über diesen Kamm herüber. Rechts weiter sehen wir einen Theil des Fiescher Gletschers, aus dessen Hintergrunde die untadelige Schneepyramide des Oberaarhorn aufragt. Nach Nordosten blicken wir hinauf durch die Furche des Rhônethales; coulissenartig stehen hier die

von Südosten zur Rhône hinabziehenden, die Querthäler trennenden Bergkämme hintereinander nach rechts hin ansteigend zum Binnenhorn und
Strahlgrat. Wir sehen das freundliche Aernen im Rhônethale und blicken
hinauf durch das Binnenthal. Im Süden erhebt sich das breite Firnplateau
des Monte Leone. Steiler und höher werden die Berge nach rechts hin,
Weißmies und Fletschhorn auf der Ostseite des Saasthales, dann der
Monte Rosa, Täschhorn, Dom, das Matterhorn und das unvergleichliche
Weißhorn, welches sich wegen seiner nach Norden vorgeschobenen Lage
von allen Aussichtspunkten an der Südostabdachung der Berner Alpen aus
besonders hoch und stattlich präsentiert. So schön wie neulich vom
Aletschgletscher sieht es heute freilich nicht aus. Nach Westen hin zieht
die lange Gipfelreihe der Penninischen Alpen und der Montblancgruppe:
deutlich treten aus diesem Gewirre von Bergspitzen der Grand Combin
und der Montblanc hervor. Nach rechts hinauf zieht ein wild zersägter
Felsgrat zum Rothhorn und weiter zum Aletschhorn, unter dessen steilen
Gipfelwänden das Firnfeld des Mittel-Aletschgletschers sich ausbreitet.
Gerade uns gegenüber fließt dieser Gletscher über eine Stufe herab zu
dem das Thal ausfüllenden Strome des Großen Aletschgletschers. Kaum
wird es in den Alpen ein schöneres Bild geben als das Aletschhorn vom
Eggishorn, seine scharfe Spitze, das von wilden Felsgraten eingefasste,
reichgegliederte Firnfeld des Mittelaletsch und der ungeheure Eisstrom in
der Tiefe im Vordergrunde.

Den Glanzpunkt der Aussicht bildet dieser im ganzen 24 Kilometer
lange Eisstrom des gewaltigen Aletschgletschers, welcher mit seinen
Spaltensystemen, Moränen und Schmutzbändern an unseren Füßen vorüber zieht (Abb. 124).

Hier oben auf dem Eggishorn, mit einem solchen Demonstrations-
objecte vor Augen und einem Kreise so hübscher Zuhörerinnen ist es
ein hoher Genuss, einen Vortrag über die Bildung und Gestaltung der
Gletscher im allgemeinen und speciell dieses unseres großartigsten Firn-
stromes zu halten. Der Aletschgletscher, dessen Eismassen am Eggishorn
vorüberziehen, ist der größte Gletscher in den europäischen Alpen. Sein
Gebiet ist oval, von Nord nach Süd in die Länge gestreckt und auf der
Westseite etwas eingekerbt. Der Bergkamm, welcher vom Hotel Belalp
etwas westlich, ganz nahe bei der Zunge des Aletschgletschers —
nach Norden hinauf zum Sparrhorn zieht, sich hier nach Westen zum
Unterbächhorn wendet und von da in nordwestlicher und dann in westlicher Richtung über das Groß-Nesthorn zum Breithorn streicht, weiter
die vom Breithorn in nordöstlicher Richtung zum Sattelhorn verlaufende

Strecke des südöstlichen Hauptlängskammes des Finsteraarmassivs, dann der Querkamm Sattelhorn - Anen Grat - Mittaghorn und die Strecke Mittaghorn - Mönch des nordwestlichen Hauptlängskammes bilden die Westgrenze des Aletschgletschergebietes. Seine Nordgrenze wird durch den als Fiescher Grat bekannten, zwischen Mönch und Fiescher Horn gelegenen Abschnitt des Querkammes Mönch - Grünhorn gebildet. Seine Ostgrenze stellt die Querkammstrecke Fiescher Horn - Grünhorn und der lange, als südliche Fortsetzung des letzteren erscheinende, über das Schönbühl-, das Wanne- und Eggishorn in einem nach Ost convexen Bogen zum Rieder Horn östlich von der Gletscherzunge herabziehende, von der Märjelensee-Depression unterbrochene Kamm dar.

Die von diesen Grenzkämmen umschlossene Mulde hat eine Ausdehnung von ungefähr 200 Quadratkilometern. Von Westen her, vom Sattelhorn, ragt die Strecke Sattelhorn - Dreieckhorn des südöstlichen Hauptlängskammes weit in dieses Becken hinein und theilt dasselbe in eine nördliche und eine südliche Hälfte. In der ersteren breiten sich die nur von kleinen, inselartigen Felsen unterbrochenen, zusammen ein riesiges, etwa 75 Quadratkilometer grosses Firnmeer bildenden Ewigschnee-, Jungfrau-, Grossaletsch- und Grünhornfirne aus, welche sich am Concordia-Platze, nordöstlich vom Dreieckhorn, vereinigen. Die hier zusammenströmenden Firnmassen finden ihren Abfluss durch die Bresche des südöstlichen Hauptlängskammes zwischen Dreieckhorn und Faulhorn. Zu einem kaum 1¾ Kilometer breiten Gletscher zusammengepresst durchströmen sie diese Pforte und fliessen dann, der dicht an der Ostgrenze des Beckens hinlaufenden Furche folgend, im weiten Bogen nach Südost, nach Süd und endlich nach Südwest thalab. Der vom Concordia-Platze (2780 Meter) herabziehende und in der Nähe der Belalp, 1382 Meter über dem Meere, endende Gletscherstrom behält in seinen oberen zwei Drittheilen die ursprüngliche Breite von 1¾, 2 Kilometer bei, dann spitzt er sich allmählich zu der schmalen, in tiefer Schlucht endenden Gletscherzunge zu. Er hat eine Länge von 16½ Kilometern und bei einer Oberfläche von 29½ Quadratkilometern einen Rauminhalt von 10.800 Millionen Cubikmetern. Ein aus dem Eise des Aletschgletschers (unter der Schneegrenze) hergestellter Ring von 25 Metern Breite und 10 Metern Dicke würde sonach die ganze Erde umfassen, was uns eine Vorstellung von der kolossalen Masse des Eises, die hier an uns vorbeiströmt, gibt.

Auf dem Südabhange der Kammstrecke Sattel-Dreieckhorn, welcher auch das Aletschhorn enträgt, finden sich zwei bedeutende Gletscher: der uns gegenüber liegende Mittel- und weiter links der Ober-Aletschgletscher. Die Zunge des ersteren vereinigt sich gerade vor uns, gegenüber dem Märjelensee, mit dem Hauptstrome des Großen Aletschgletschers, während die Zunge des letzteren denselben gegenwärtig nicht mehr erreicht.

Die Hälfte des ganzen Aletschgletscher-Gebietes, eine Fläche von ungefähr 100 Quadratkilometern, liegt mehr als 2750 Meter über dem Meere. In diesen Höhen ist die Temperatur eine so niedrige — die mittlere Jahrestemperatur beträgt in unserer Gegend in einer Höhe von 2750 Metern 2°8′ unter Null — dass der hier im Laufe des Jahres fallende Schnee durch Schmelzen und Verdunsten nicht mehr entfernt werden kann; jedes Jahr bleibt ein Schneerest zurück, und dieser nimmt mit zunehmender Höhe an Mächtigkeit ebenso zu, wie die Temperatur mit zunehmender Höhe noch weiter abnimmt. Der über der 2750 Meter-Linie, der sogenannten ‹Schneegrenze›, fallende und dort von Jahr zu Jahr sich anhäufende Schnee wächst nicht in den Himmel, wie es geschehen würde, wenn er ganz starr wäre und fest an seiner Unterlage haftete, sondern strömt, sei es rasch in Gestalt von Lawinen, sei es langsam in Gestalt von Gletschern, in die Tiefe unter die Schneegrenze hinab, wo er dann schmilzt.

Der Schnee, welcher in der weiten Hochmulde zwischen Aletschhorn, Jungfrau und Grünhorn fällt, bleibt ruhig liegen. Nur in geringem Maße wird derselbe durch Schmelzen und Verdunsten entfernt, und er häuft sich daher dort immer mehr an. Jener staubige, trockene Hochschnee aber, welcher auf den steileren Abhängen der diese Mulde umgebenden, beziehungsweise in sie hineinragenden Berggipfel und Kämme fällt, gleitet theils in kleinen Staublawinen herab in die Mulde, theils wird er vom Winde in dieselbe hinabgeweht; vorzüglich an ihrem Rande häuft er sich an; auch dieser Schnee trägt zum Anwachsen der Firnmassen in der Mulde bei.

Wäre die Mulde allseitig geschlossen, so müsste sie dieserart bald ganz von Schnee ausgefüllt werden, einem Seebecken gleich, welches statt Wasser Schnee enthält. Es ist aber, wie mehrfach erwähnt, diese Mulde nicht ringsum abgeschlossen: ihr Südostrand wird durch die Bresche zwischen Dreieck- und Faulhorn unterbrochen. Hier an der Bresche tritt dem Schnee kein Widerstand entgegen. Da derselbe nicht eine starre Masse bildet, sondern in gewissem Grade plastisch ist, so fließt er langsam durch diese Bresche ab. Die Masse des abfließenden Schnees hält der Masse des Zuwachses derart die Wage, dass das Niveau des Schnees in der Mulde ziemlich unverändert bleibt. Kalte schneereiche Jahre vermögen dasselbe allerdings etwas zu erhöhen und warme schneearme Jahre es zu vertiefen;

Abb. 124. Aletschgletscher mit Jungfrau, Trugberg und Mönch vom Eggishorn.

aber diese Niveauveränderungen des Firns werden durch eine Beschleuni-
gung, beziehungsweise Verlangsamung des Abflusses im Laufe der Jahre
immer wieder ausgeglichen.

An warmen, sonnenhellen Tagen schmilzt der Schnee an der Oberfläche. Das Schmelzwasser hat 0° und friert beim Eindringen in die
tieferen Schneeschichten gleich wieder. Hiedurch sowie durch den Druck
der immer neu an der Oberfläche abgelagerten Schneemassen wird die
Luft, welche anfänglich in großer Menge zwischen den kleinen Eis-
krystallen, aus denen der Schnee besteht, enthalten ist, immer mehr entfernt und durch gefrorenes Schmelzwasser ersetzt; der anfangs staubige
Hochschnee verwandelt sich in festeren Firn.

Der Firn besteht aus kleinen, rundlichen Körnern soliden, durch-
sichtigen Eises, in denen einzelne Luftblasen eingeschlossen sind. Wegen
seiner größeren Durchsichtigkeit erscheint der durch terrestrischen und
kosmischen Staub mehr oder weniger verunreinigte Firn weniger rein
weiß als der Hochschnee. Oft sind demselben außer dem Staube noch
geflügelte Pflanzensamen und erfrorene Insecten in großer Zahl aufgelagert, beziehungsweise eingebettet. Die einzelnen Firnkörner, welche
durch das Ansetzen von Eis an die Reste halbgeschmolzener Schnee-
sternchen entstehen, sind anfänglich hirsekorngroß. Sie wachsen aber
fortwährend durch Eisumlagerung, die einen auf Kosten der anderen,
und erreichen im Laufe vieler Jahre Erbsen-, ja Haselnussgröße. Schließlich verschmelzen die einzelnen Firnkörner zu einer soliden Eismasse, die
sich durch das Thal hinabwälzt bis weit unter die Schneegrenze. Die
ganze, aus festem Eis bestehende, unter der Schneegrenze liegende Zunge
des Gletschers ist nichts anderes als der allmählich schmelzende Abfluss
des in der großen Mulde über der Schneegrenze sich anhäufenden Schnees.

Der Gefrierpunkt des Wassers wird durch Druck herabgesetzt.
Unter einer Belastung von 1000 Atmosphären friert Wasser und thaut
Eis bei einer Temperatur von $-7^\circ3$. Eisstücke, welche die dem auf
ihnen lastenden Drucke entsprechende Gefrier- oder Thautemperatur haben,
frieren, wenn sie einander berühren, geradeso zusammen, wie zwei bis
nahe dem Schmelzpunkte erhitzte Eisenstücke mit einander verschweißen.
Dieses Schweißen, die sogenannte Regelation (Faraday), spielt bei der
Bildung und Bewegung des mit einer Temperatur von 0° ausgestatteten
und unter schwankendem, stellenweise sehr hohem Drucke stehenden
Gletschereises die allerwichtigste Rolle. Wo das Eis stark gedrückt
wird, schmilzt es. Das Schmelzwasser wird aus der gedrückten Stelle
hervorgepresst und gefriert — da es infolge der Wärmebindung beim

Schmelzen des Eises eine Temperatur von weniger als 0° hat   in dem
Augenblicke des Hervorquellens aus der Druckarea wieder. Dies vor
allem bedingt die Plasticität des Eises und ermöglicht sein Hinabströmen
durch das sanft geneigte Thal.

Obwohl das Eis eine beträchtliche Druckfestigkeit besitzt, so ist es
doch gegen Zug sehr wenig resistent. Bei dem Hinabströmen über die
so vielfach gekrümmten, von vorragenden Felsen unterbrochenen, höchst
ungleich stark geneigten Hänge wird naturgemäß vielerorts nicht nur
ein Druck, sondern auch ein Zug auf das Gletschereis ausgeübt. Hält
eine Klippe an einer Stelle den Firn zurück und begünstigt eine steile,
glatte Fläche nebenan die Bewegung, so muss zwischen den über und
neben der Klippe liegenden Eismassen, von denen nur die letzteren unaufgehalten zu Thal strömen können, ein sehr starker Zug entstehen:
die eine Eismasse hängt mit ihrem kolossalen Gewichte gewissermaßen
an der anderen. Solchem Zuge vermag das Firneis nicht zu widerstehen:
es zerreißt und bildet klaffende Spalten, welche dann, selber Wirkung
des Fließens, ihrerseits wieder die Bewegung der einzelnen Theile des
Gletschers aneinander vorüber sehr erleichtern und so eine raschere Bewegung des ganzen Gletschers ermöglichen werden. Die Spalten, welche
in den höheren Firnpartien angetroffen werden, sind zweierlei Art: Bergschründe und gewöhnliche Spalten. Wir müssen annehmen, dass der
Firn an den höchsten Steilhängen, welche er nur in verhältnismäßig
dünner Lage überkleidet, angefroren ist. Dieses Festsitzen des Eises
am Grundfels, wie wir es am Jungfraugipfel antreffen, verzögert die
Bewegung desselben nach abwärts derart, dass dieser am Grunde fest-
angefrorene Hochfirn hinter dem beweglicheren Firn der Mulde zurück-
bleibt. Hiedurch entstehen die Bergschründe, wie wir solche unter
dem Rotthalsattel angetroffen haben. Diese Bergschründe durchziehen in
Isohypsen die Steilhänge auf lange Strecken, zumeist dort, wo letztere
in den flacheren Firnboden übergehen. Die gewöhnlichen Spalten der
Hochregion verdanken den Convexitäten des Felsgrundes ihre Entstehung.
Sie sind unregelmäßig, häufig sehr breit, aber stets viel kürzer als die
Bergschründe. Diese verschiedenartigen Spalten charakterisieren die Firn-
region. Sie sind, weil sie über der Schneegrenze liegen, stets mehr oder
weniger mit trügerischen Schneebrücken bedeckt und bereiten dem
Gletscherwanderer auf den Höhen die größten Schwierigkeiten und
Gefahren.

Die Spalten, welche in den unter der Schneeregion liegenden Theilen
des Gletschers auftreten, sind im allgemeinen viel regelmäßiger als jene

Schründe der Hochfirne. Nur wo der Gletscher über steile Thalstufen herabstürzt, wird er in getrennte Séracs, Thürme und Blöcke zerrissen. Abgesehen von diesen Gletscherbrüchen kommen in der Gletscherzunge regelmäßige Systeme von Spalten durch die Verschiedenheiten in der Geschwindigkeit der Bewegung der mittleren und der seitlichen, durch Reibung aufgehaltenen Randpartien des Eises zustande. Die so gebildeten Randspalten erstrecken sich vom Gletscherrande schief nach innen thalaufwärts. Sie werden dann wegen der rascheren Bewegung der Gletschermitte oft derart gedreht, dass sie sich immer mehr quer stellen und schließlich als Querspalten erscheinen. Dicht unterhalb der Bresche kommen solche Randspalten zur Ausbildung, und weit hinab begleiten sie, theilweise quergestellt, den Eisstrom.

Diese Gletscherspalten entstehen unter knallendem Geräusch und zwar da die unveränderliche Gestalt des Felsgrundes ihre Bildung veranlasst, — stets an derselben Stelle. Sie sind anfangs meist haarfein, erweitern sich am ersten Tage zu mehreren Centimetern und nehmen, solange der Zug, der ihre Bildung veranlasste, anhält, an Breite zu. So breit wie die Spalten der Firnregion, namentlich die Bergschründe, werden sie nie. Ist die Stelle, wo die Bodenbeschaffenheit Spaltenbildung veranlasste, passiert, so schließen sie sich allmählich wieder.

Bäche, welche sich an der Oberfläche des unter der Schneegrenze liegenden Theiles des Gletschers bilden, fallen natürlich in die erste Spalte, an die sie herankommen, und erweitern diese local — da ihr Wasser über 0° ist — durch Abschmelzen der Spaltenwände zu einem verticalen Schachte, durch den sie dann zum Gletschergrunde hinabstürzen. Das sind die Gletschermühlen, wie wir eine drüben am unteren Grindelwaldgletscher gesehen haben. Auch sie finden sich stets ungefähr an derselben Stelle.

Bei der wiederholten Bildung und Schließung von Spalten wird das Gletschereis derart umgeknetet, dass die letzten Luftblasen aus demselben herausgepresst und die Firnmassen in solides Eis umgebildet werden. So verwandelt sich allmählich im Laufe mehrerer Jahrhunderte der leichte, zarte Hochschnee, den der Bergwind über die Grate fegt, in schweres, solides, blaues Eis. Je steiler sein Bett und je größer seine Mächtigkeit, umso rascher fließt der Gletscher zu Thal. In der Mitte hat er eine Geschwindigkeit von 0·1—0·4 Meter im Tage; das ist ungefähr dieselbe Geschwindigkeit, mit der sich die Spitze des Stundenzeigers einer Taschenuhr bewegt. Ein Schneetheilchen braucht zu seiner Reise vom Gipfel der Jungfrau bis zum Ende des Aletschgletschers etwa 450 Jahre. Viel schneller als die Gletscher der europäischen Alpen bewegen sich die Eisströme in Grönland, langsamer dagegen allem Anscheine nach die Gletscher in Neuseeland. Am raschesten fließt der Aletschgletscher im Mai und im Juni, am langsamsten im November.

Unterhalb der Schneegrenze ist der jährliche Schneezuwachs geringer als der jährliche Verlust; hier wird jedes Jahr nicht nur aller Schnee abgeschmolzen, sondern auch ein Theil des Gletschers selbst und zwar ein umso größerer, je tiefer er hinabsteigt. In erster Linie wird der Gletscher von oben her, dann aber auch von den Seiten und vom Grunde her abgeschmolzen. Unter fortwährenden — am Grunde auch im Winter andauernden — Verlusten schreitet der Gletscher vor, bis nichts mehr von ihm übrig ist: wir sind am Ende des Eisstromes, an der Gletscherstirne angelangt. Unter ihr quillt der Gletscherbach hervor, der das Schmelzwasser durch das Massathal hinabführt und oberhalb Brig in die Rhône einmündet.

Solange die klimatischen Verhältnisse sich nicht ändern, bleibt auch der Gletscher in allen seinen Theilen gleich. Änderungen des Klimas aber bewirken, dass auch der Gletscher sich ändert. Eine Reihe kalter, schneereicher Jahre verursacht eine unbedeutende Erhöhung des Firnniveaus in der großen Mulde oberhalb der Concordiabresche, und diese bewegt sich, einer positiven Welle gleich, thalab. Ebenso gibt eine Reihe warmer, schneearmer Jahre Anlass zur Bildung einer Senkung der Gletscheroberfläche, einer negativen, gleichfalls thalabwärts sich fortpflanzenden Welle. Erstere, die Verdickungswelle, bewegt sich etwas schneller, letztere, die Verdünnungswelle, etwas langsamer als der Gletscher.

Den größten Ausschlag geben diese Veränderungen an der Gletscherstirne: eine kleine Verdickungswelle verursacht hier eine starke Vorschiebung derselben, eine kleine Verdünnungswelle einen bedeutenden Rückzug.

Leicht übersieht man diese Wellen, und so geschieht es, dass scheinbar ohne Warnung die Gletscherstirne plötzlich vorzurücken beginnt, loses Gestein vor sich herschiebend und den blühenden Thalboden aufschürfend. Bäume und Hütten werden abgebrochen, und der wachsende Gletscher schiebt sie, vermischt mit Schutt und Geröll, vor sich her. Dieses Wachsen des Gletschers dauert so lange, bis der Kamm der Verdickungswelle, welche es veranlasste, die Gletscherstirne erreicht hat; dann zieht sich die letztere wieder zurück.

In den letzten 50 Jahren sind die meisten Gletscher stark zurückgegangen. Neuerlich beginnen einige wieder zu wachsen. In früheren

20*

Zeiten, im Mittelalter und bis zum sechzehnten Jahrhunderte, sollen die Gletscher der europäischen Alpen viel kleiner gewesen sein als heutzutage. Eine Reihe von Hochpässen, welche gegenwärtig stark vergletschert und infolgedessen schwer passierbar sind -- von diesen ist das Mönchjoch, das wir überschritten haben, einer -- sollen damals leicht gangbare und viel frequentierte Verkehrswege gewesen sein. Auch manche Sagen weisen auf ein Vorrücken der Gletscher in den letzten Jahrhunderten hin. Gewichtige Autoritäten, namentlich Richter, haben aber in überzeugender Weise die Unrichtigkeit dieser Annahmen dargethan, und es steht jetzt wohl ziemlich fest, dass größere Änderungen in dem Grade der Vergletscherung der europäischen Alpen in historischer Zeit nicht stattgefunden haben. In vorhistorischer Zeit freilich hat es solche zweifellos gegeben. Zur Eiszeit bedeckten ungeheure Firnmassen die ganze Alpenkette, und es gab mehrere Eiszeiten, zwischen denen das Klima relativ milde war – wärmer als gegenwärtig (vergleiche Bd. II., p. 30).

Das Gestein der schneefreien Steilhänge, welche der großen Mulde entragen, wird durch die täglichen Temperaturschwankungen -- dies gilt namentlich für die der Morgensonne ausgesetzten Ost-Abstürze, wie jene der Jungfrau und des Mönch -- gelockert und zersprengt. Schmelzwasser dringt in die feinen Spalten ein, friert dort und erweitert sie. So werden größere und kleinere Blöcke losgebrochen, die dann durch die eigene Schwere oder, von Lawinen mitgerissen, hinabstürzen auf die Ränder der Firnfelder, welche sich in der Hochmulde ausbreiten. Schneelagen und Lawinenkegel bedecken diese Felstrümmer immer wieder, so dass man an der Oberfläche kaum etwas von ihnen sieht; es sind aber die an schneefreie Hänge anstoßenden Randtheile des Firns in ihrer ganzen Mächtigkeit von solchen Trümmern durchsetzt. Der Firn trägt diese in ihm eingebetteten Trümmer hinab zum Concordiaplatze und hinaus durch die Bresche. Unterhalb der Schneegrenze nun, wo das Eis von der Oberfläche her abgeschmolzen wird, treten die in demselben eingebetteten Felstrümmer zu Tage, eine desto größere Anzahl von ihnen, je weiter der Gletscher vorrückt, und je mehr Eis von seiner Oberfläche durch Abschmelzen entfernt wird. Als schmale Reihen von Trümmern treten diese Moränen zuerst an der Schneegrenze, am Concordiaplatze, auf. Beim Durchtritte des Gletschers durch die Bresche lassen sich fünf verschiedene Trümmerreihen, Moränen, auf seiner Oberfläche unterscheiden. Dem jenseitigen Rande des Gletschers sitzt die rechte (westliche) Seitenmoräne auf. Diese besteht aus dem Materiale, welches vom Nordabhange des Sattel-Aletsch-Dreieckhorn-Kammes auf den großen Aletschfirn herabstürzt. Dann sehen wir drei Mittelmoränen. Die westliche von diesen entsteht aus der Vereinigung der vom Kranzberge nach Süden auf den Aletschfirn und nach Norden auf den Jungfraufirn herabstürzenden Trümmer. Die mittlere kommt in gleicher Weise durch die Concrescenz der Trümmerreihen zustande, welche vom Trugberge nach Westen auf den Jungfraufirn und nach Osten auf den Ewigschneefirn herabstürzen. Die östliche Mittelmoräne ist aus dem Materiale aufgebaut, welches von dem Grüneck auf den Ewigschneefirn im Nordwesten und den Grünhornfirn im Südosten herabfällt. Die linke (östliche) Seitenmoräne endlich, welche dicht an unseren Füßen vorbeizieht, wird von dem Materiale genährt, welches vom Faulberg und vom Kamm nach Norden auf den Grünhornfirn herabstürzt.

Die Intervalle zwischen diesen Moränen lassen die relative Größe der von jedem einzelnen dieser vier Firnströme dem Gletscher zugeführten Eismassen deutlich erkennen. Die von den Moränen eingefassten Eisstreifen, welche vom Ewigschnee-, Jungfrau- und Aletschfirn herabkommen, sind viel breiter als jener, welcher vom Grünhornfirn stammt; der größte Theil des Eismaterials, aus dem die Zunge des Aletschgletschers zusammengesetzt ist, wird also von den drei erstgenannten Firnfeldern geliefert.

Nach unten hin nehmen alle diese Moränen an Größe zu. Bei den Mittelmoränen ist dieser Zuwachs ausschließlich der fortschreitenden Freilegung des an den betreffenden Verticalebenen eingebetteten Gesteinsmaterials zuzuschreiben. Die beiden Seitenmoränen hingegen erhalten außer diesem noch von außen her, von den Berghängen, welche die Gletscherzunge einfassen, stetigen Zuwachs.

Im Sommer schmilzt ein Theil des oberflächlichen Schnees auch über der Schneegrenze, und der mit demselben vermischte Staub bildet eine feine Sedimentschichte auf der Oberfläche des unaufgethaut bleibenden Schneerestes. Es ist dementsprechend der Firn der Mulde aus Schnee zusammengesetzt, welcher, abgesehen von dem diffus darin zerstreuten Staube, continuierliche, durch die jährlich restierenden Schneeschichten getrennte Staublagen enthält. Wenn nun dieser Firn mit seinen horizontalen Staublagen unter die Schneegrenze herabrückt, so werden beim Fortschreiten der oberflächlichen Abschmelzung diese Staubschichten nacheinander bloßgelegt und bilden an der Gletscheroberfläche überall, wo keine Spaltung die ursprüngliche Schichtung gestört hat, eine Reihe von colonnenartig hintereinander liegenden Schmutzbändern. Solche treten unterhalb des Concordiaplatzes, namentlich auf dem vom Aletschfirn stammenden Eisstreifen in

Gestalt von zahlreichen in gleichen Intervallen liegenden, thalabwärts convexen Bogen auf. Diese Schmutzbänder sind den Jahresringen der Bäume vergleichbar. Man könnte sie die Jahresringe des Gletschers nennen. Am Gletscherbuge beim Märjelensee enden diese Schmutzbänder. Die dort auftretende stärkere Zerklüftung des Eisstromes verwischt sie.

Der kleine, vom Grünhornfirn herabziehende Eisstreifen keilt sich schon oberhalb des Märjelensees aus. Auch die vom Mittelaletschgletscher dem Hauptstrome zugeführte Eismasse ist eine kleine; zwei Kilometer unterhalb seiner Einmündungsstelle endet das von diesem Gletscher stammende Eis. Der vom Ewigschneefirn herabkommende Eisstreifen keilt sich zwischen den ihn begrenzenden Moränen weit unten erst, drei Kilometer oberhalb des Gletscherendes, aus. Der Endtheil des Gletschers selbst besteht ausschließlich aus dem vom Jungfrau- und vom Aletschfirn stammenden Eise.

Fünf Kilometer oberhalb des Gletscherendes treten zwei neue Mittelmoränen in dem vom Aletschfirn stammenden Streifen zu Tage. Diese rühren von den Felsspornen der Ebnefluh und des Gletscherhornes her. Sie waren von den unterhalb ihrer Bildungsstätten accumulierten Schneemassen bisher bedeckt; erst hier sind sie durch die fortschreitende oberflächliche Abschmelzung bloßgelegt worden.

Viele von den die Moränen zusammensetzenden Blöcken stürzen durch die Gletscherspalten hinab und gelangen zum Theile bis an den Gletscherboden. Solche Trümmer sind es, welche die Grundmoräne zusammensetzen. Fest in den Gletscher eingefroren, werden die Grundmoränenblöcke am Felsgrunde hingeschoben, und ihre Friction gegen diesen ist, da das ganze Gewicht des Gletschers auf ihnen lastet, eine sehr starke; sie schleifen den Grund aus und werden dabei selber abgeschliffen; viele von ihnen werden ganz zu feinem Schlick zerrieben. Dieser ist es, welcher, vom Gletscherbache fortgeführt, dem Wasser des letzteren die bekannte milchige Trübung — Gletschermilch heißt es — verleiht.

An der Gletscherstirne vereinigen sich die Oberflächenmoränen mit den Resten der Grundmoräne zu der Endmoräne. Bei solchen Gletschern, die wie der Aletsch in enger Schlucht eingekeilt enden, kommt die Endmoräne nicht recht zur Ausbildung, denn der Bach reißt alles Material, das sich unter anderen Umständen dort anhäufen würde, gleich fort.

Dicht bei unserem Standpunkte, nördlich vom Eggishorn, ist der östliche Grenzkamm durch eine tiefe Depression unterbrochen. Der Aletschgletscher müsste, wenn er etwas an Mächtigkeit gewänne, zum

335

Theile über diese Einsattlung hinüberströmen ins Fiescher Thal. In der That sandte, wie eine alte Moräne 120 Meter über dem tiefsten Punkte des Sattels zeigt, der Eisstrom einstens einen Gletscherarm da hinüber.

In dieser Depression liegt, hier zu unseren Füßen, vom Aletsch gletscher abgedämmt, der Märjelensee (Abb. 125). Normaler Weise findet dieser See einen Abfluss unter dem Aletschgletscher ins Massathal. Wenn aber, was gar nicht selten geschieht, der subglaciale Abflusscanal geschlossen wird, dann steigt das Niveau dieses Sees an, bis es die Höhe der Wasserscheide gegen das östliche Fiescher Thal erreicht hat. Von diesem Augenblicke an fließt das Seewasser in das Fiescher Thal ab. Das dauert gewöhnlich eine Zeit lang an, dann bildet sich ein neuer Canal unter dem Aletschgletscher, und der ganze, vorher bis zur Höhe der Wasserscheide angeschwollene See entleert sich, oft sehr plötzlich, durch diesen, große Überschwemmungen im Massathale und im oberen Rhône- thale verursachend. Die Verheerungen, welche von diesen Seeaus- brüchen angerichtet werden, sind sehr bedeutende, denn der See enthält, wenn er voll ist, bei einer Maximaltiefe von 50 Metern 10 Millionen Cubikmeter Wasser, welche in kurzer Zeit abfließen. Bei dem Ausbruche von 1878 dauerte der Abfluss 30½ Stunden, jedoch so, dass anfangs der Seespiegel nur langsam sank, dann aber, nachdem der subglaciale Canal gehörig erweitert worden war, sehr rasch: in den letzten 9 Stunden flossen 7·7 Millionen Cubikmeter ab. Die Rhône stieg infolge dieses Ausbruches in Brig um 150, in Sitten um 90 Centimeter. Neuerlich soll durch einen unter die Höhe durchführenden Tunnel der Märjelensee ins Fiescher Thal abgeleitet und so sein verderbliches Anwachsen unmöglich gemacht werden.

Da das Wasser des Sees eine Temperatur von mehr als 0° hat, so löst es das ihn auf einer Seite begrenzende Eis des Aletschgletschers auf. Der wasserbedeckte Theil des Eisablanges wird immer steiler, senkrecht und überhängend. Einzelne größere und kleinere Eisblöcke lösen sich vom Gletscher ab, stürzen in den See und schwimmen als kleine Eisberge in demselben herum. Diese Eisberge verleihen dem Märjelensee einen ganz eigenthümlichen Reiz.

So schön, so warm und so gemüthlich ist es, dass wir beschlossen haben, hier oben auf dem Eggishorn zu lunchen. Ein Träger, welcher Plaids und dergleichen für die Damen heraufgetragen hatte, ist mit der nöthigen Weisung hinabgesandt worden zum Hotel, und jetzt, da ich meinen Vortrag beendige, kehrt er mit zwei Kameraden schwer beladen wieder. Hin- gestreckt auf Mänteln und Plaids genießen wir da eine prächtige Mahlzeit. Der Sect perlt in den Gläsern — ein Hoch den schönen Bergen und den Gletschern, ein Specielles dir, du stolzes Finsteraarhorn, und euch, ihr schimmernden Juwelen an den Ufern der Visp! Ein Hoch den schönen Augen unserer Damen; und our noble selves dafür, dass wir diese herrliche Rundschau mit Verständnis zu genießen im Stande sind.

Wir kehren zurück zum Hotel, bringen dort noch eine Nacht zu und machen uns dann auf den Weg, um ins Rhônethal hinabzusteigen.

Abb. 1.2. Der Märjelensee.

Der östliche Grenzkamm des Aletschgletschers schlägt südlich vom Märjelensee eine südwestliche Richtung ein und läuft von hier bis zum Rieder Horn dem Rhônethale parallel. Der zu letzterem herabziehende Südostabhang dieses Kammes wird von einer breiten Terrasse durchzogen, auf welcher zahlreiche kleine Seen liegen. Das Hotel Jungfrau steht am Nordostende dieser Stufe, und sie erstreckt sich von hier bis zum Rieder Horn 8 Kilometer weit in südwestlicher Richtung. Nicht auf dem kurzen Wege zu dem gerade unter dem Hotel in der Sohle des Rhônethales gelegenen Fiesch, sondern über diese Terrasse, die Zunge des Aletschgletschers und das Hotel Belalp wollen wir gehen und erst bei Brig am Terminus der Eisenbahn in das Rhônethal hinabsteigen. Hiezu bewegt uns weniger die zweifellos große Schönheit dieser Route als die Thatsache, dass die Damen diesen Spaziergang machen wollen.

Der Aufbruch verzögert sich in unglaublicher Weise, aber endlich ist die Colonne marschfertig, und wir machen uns auf den Weg. Voran die Infanterie, die jungen Mädchen mit ihren hellen Kleidern, Strohhüten und Sonnenschirmen, und wir mit unsren schweren Rucksäcken, Eisen, Seilen und Eispickeln, dann die Cavallerie, diverse beleibte, nichts weniger als hohe Schule reitende Mütter und Tanten; endlich der Gebirgstrain, drei Tragthiere mit Koffern, über welche verschiedene Mäntel und Plaids gehängt sind und nach allen Richtungen Bergstöcke mit Gemskrickeln, Schirme u. dgl. hervorragen. Es ist eine merkwürdige Karawane. Militärisch gebildete Leser werden finden, dass die Cavallerie voraus hätte sein sollen. Auch ich dachte so, weniger aus militärischen als aus anderen Gründen, aber ich behielt diesen Gedanken für mich.

Die Wanderung an der Höhe hin ist wirklich sehr hübsch. Über den Kühboden unter dem Bettmer Horn durchgehend, kommen wir allmählich und sanft absteigend zur Bettmer Alp. Hier liegt, rechts vom Wege, der größte von den Seen dieses Plateaus, der fischreiche Bettmer See (1991 Meter). Jenseits der Bettmer Alp treten wir dicht an die Kante der Terrasse heran, passieren eine kleine Waldpartie — nach langer Zeit die ersten Bäume — und erreichen bald darauf die Rieder Alp (1933 Meter). Hier wenden wir uns etwas rechts, einem breiten und tiefen Sattel in dem Kamme, der Rieder Furke, zu, überschreiten diesen und gehen jenseits über den steileren Nordwestabhang durch den Aletschwald hinab zum Gletscher. Hier wird die Cavallerie wohl absitzen müssen! Wir kümmern uns nicht um sie, denn wir haben beim Abstiege einen großen Vorsprung gewonnen und wollen nicht warten. Der Gletscher wird 1 Kilometer oberhalb seines Endes betreten. An der Übergangsstelle hat er außer den zwei Seiten- drei Mittelmoränen: die Kranzberg-, Gletscherhorn- und Ebnefluhhorn-Moräne. Etwas von der richtigen Route abweichend, finden wir einige Spalten und steile Eisböschungen. Die steilsten suchen wir aus und hacken regelrecht Stufen über dieselben, was im harten Eise Arbeit genug macht. Unsere Damen werden angeseilt und mit aller Vorsicht über die Stufen geführt. Da erreicht die Cavallerie den Gletscherrand. Die alten Damen sehen uns mit den Pickeln hantieren und ihre Schützlinge mit Hilfe des Seiles über die Spalten führen — und da sollen sie hinüber! Kein Wunder, dass es ihnen etwas unheimlich zumuthe wird! Doch die Pferdeführer zeigen ihnen den richtigen

Abb. 130. Brig.

Weg — jedenfalls sind sie ungefährdet und ohne unsere Hilfe hinüber gekommen.

Jenseits geht es nun eine kurze Strecke über die Bergwand hinauf und dann nach links zur Kante des Aletschbord, auf welcher das Hotel Belalp steht.

Dieses am Ostrande der Terrasse der Lüsgenalp 2137 Meter über dem Meere gelegene vortreffliche Hotel bietet herrliche Ausblicke sowohl nach Nordosten auf den großen Aletschgletscher, wie nach Süden zur Furche des Rhônethales und den jenseits derselben aufragenden Bergen. Tyndall, einer der besten Kenner der Schweizer Alpen, hatte diesen Platz zum Baue seiner Alpenvilla ausgewählt. Daraus schon lässt sich schließen, dass Belalp einer der schönsten Punkte der Schweiz ist.

Wir verbringen hier einen äußerst angenehmen Abend, gehen aber früh zu Bett, da wir am nächsten Morgen das Aletschhorn besteigen wollen, dessen 4198 Meter hoher Gipel vom Hotel Belalp ohne besondere Schwierigkeit in 7 Stunden zu erreichen ist. Als wir um Eins in der Nacht geweckt werden, ist der Himmel dicht bewölkt, kein Stern sichtbar. Dennoch kleiden wir uns an und machen uns auf den Weg. Bei Laternenschein traversieren wir die vom Aletschgletscher nach Westen hinaufziehenden Hänge und erreichen den Ober-Aletschgletscher.

Eine riesige Endmoräne bedeckt die Stirne dieses Gletschers, von welcher eine ganze Menge von Mittelmoränen und zwei breite Seitenmoränen hinaufziehen. Zwischen den Blöcken der rechten Seitenmoräne stolpern wir hin. Heftige Windstöße löschen die Laterne aus. Obwohl es schon Zeit für die Dämmerung wäre, ist es sehr finster. Zwischen zwei Blöcken setzen wir uns nieder: hier wollen wir das Tageslicht erwarten und sehen, wie das Wetter sich macht. Endlich fangen die Nebel an etwas heller zu werden, aber gleichzeitig fährt ein neuer Windstoß heulend über die Moränen hin. Schließlich beginnt es zu regnen. Wir warten noch, bis es heller Tag wird. Aber völlig hoffnungslos bleibt das Wetter. Zurück, es geht wahrhaftig nicht anders! Langsam marschieren wir wieder hinaus auf dem Wege nach Belalp. Der Regen nimmt zu; nass und missmuthig erreichen wir das Hotel, trocknen unsere Sachen und frühstücken.

Das Wetter wird immer schlechter. Der Regen verwandelt sich in Schnee. Vergebens warten wir noch einen Tag, alles flüchtet, auch wir. Wieder marschiert unsere Karawane, wie letzthin; aber heute sind wir nicht so fröhlich wie neulich. Tief herab hängt der Nebel. Es ist unfreundlich und kalt, und überdies regnet es ab und zu. Der Weg ist schlecht, steinig und stellenweise sehr schmutzig. Über die Eggenalpe ziemlich steil hinabgehend, kommen wir nach Platten und steigen dann durch das Kelchbachthal nach Naters und Brig (Abb. 126) an der Rhônethalbahn ab.

Hier nehmen wir Abschied von den Bergen, die ihre Wolkenschleier nicht lüften wollen, steigen in den Zug und fahren hinaus durch das Thal und zurück in die liebe Heimat.

Abb. 127. Das Finsteraarhorn.

X.

DIE RHÔNE UND DER RHEIN.

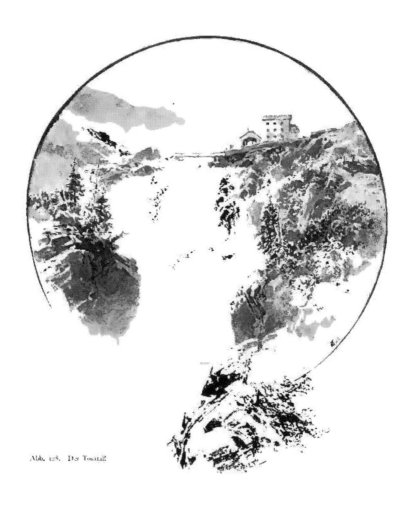

Abb. 128. Der Tosafall.

1. Vom Genfer See zur Oberalp.

er mittlere und südwestliche, gebirgige Theil der Schweiz wird von einer großen, von Westsüdwest nach Ostnordost verlaufenden Furche durchzogen, welche sich von Martigny am Rhôneknie bis Chur am ersten Buge des Rheins über 200 Kilometer in die Länge erstreckt. Die höchsten Punkte dieser Furche sind die wasserscheidenden Pässe der Furka (2436 Meter) und der Oberalp (2052 Meter). Die Strecke der Furche, welche zwischen diesen beiden Pässen liegt, wird von zwei

Quellarmen der Reuß durchflossen, welche sich im tiefsten Punkte dieses Abschnittes derselben, bei Andermatt 1444 Meter, vereinigen, von wo die Reuß dann in nördlicher Richtung dem Vierwaldstätter See zuströmt. Der nordöstlich vom Oberalppasse gelegene Theil der Furche wird vom Rheine, der südwestlich von der Furka gelegene Theil derselben von der Rhône durchflossen.

In ihrem mittleren und östlichen Theile ist diese Furche eine der Streichungsrichtung der sie einfassenden Gesteinsschichten parallele Längsfurche. Ihr westlicher Endtheil, von Sitten bis Martigny, nimmt immer mehr den Charakter einer die Außenzone der Alpenkette schief durchbrechenden Querfurche an. Bei Martigny endlich geht diese Furche in ein Erosionsthal über, welches fast senkrecht zum Streichen der Schichten nach Nordwesten in die große Senkung zwischen Alpen und Jura hinabzieht.

Weit hinauf in dieses die azoischen, paläozoischen und mesozoischen Schichten quer durchbrechende Thal erstreckte sich einstens der Genfer See. Seit dem Ende der Eiszeit haben die von der Rhône herabgebrachten Geschiebe diesen ganzen südöstlichen Zipfel desselben ausgefüllt; jetzt nimmt eine flache alluviale Ebene, den Boden des unteren Theiles dieses Thales von Villeneuve bis zur Thalsperre von St. Maurice ein.

Am Rande dieser Deltaebene mündet die Rhône in den Genfer See. Der Spiegel des letzteren liegt 374, St. Maurice 420 Meter über dem Meere. In der 21 Kilometer langen alluvialen Ebene, welche von St. Maurice zum Genfer See herabzieht, hat die Rhône also nur ein Gefälle von 46 Metern, das ist 1:456. Viel stärker ist das Gefälle oben in der Erosionsschlucht zwischen St. Maurice und Martigny. Hier fällt die Rhône in 12 Kilometern 56 Meter, das ist 1:214, also mehr denn doppelt so viel als unter St. Maurice.

Die vom Genfer See bis nach St. Maurice sich erstreckende Thalebene wird von zwei Eisenbahnen durchlaufen: die eine führt von Villeneuve (am Genfer See) am rechten, die andere von Bouveret (ebenfalls am Genfer See) am linken Rhôneufer nach St. Maurice. Die erstere übersetzt die Rhône vor St. Maurice und vereinigt sich dort mit der letzteren. Von St. Maurice zieht die Bahn dann hinauf nach Martigny und weiter durch die große Furche bis Brig.

Villeneuve, das Pennilucus der Römer, ist eine kleine, noch heute mauerumgürtete Stadt. Sie liegt in der Nordostecke der Ebene, am südöstlichsten Punkte des Genfer See-Strandes.

Noch einmal baden wir in der klaren Flut des Sees, in welche sich weiter westlich das trübe graue Gletscherwasser der Rhône ergießt, verlassen dann Villeneuve und fahren auf der Bahn hinein in das Thal. Dicht an dem die Thalebene im Osten einfassenden Berghange hin und um die Ecke des von links vortretenden Mont d'Arvel herum fahrend, kommen wir nach Aigle an der Mündung des von Nordosten herabkommenden Ormontthales. Eine Straße führt durch dieses und über den Col de Pillon nach Gsteig im Saanethale.

Die unteren Theile der Berghänge sind mit Weingärten bedeckt:

Abb. 120. Winzer des Rhône-Thales.

hier, nahe bei Aigle, liegt Yvorne, einer jener vielen weinbauenden Orte, deren Namen von den Weinhändlern so arg missbraucht werden. Der ausgedehnte Missbrauch, der mit diesem Namen getrieben wird, gibt sichere Kunde von der Vortrefflichkeit des wirklichen Yvorner Weines.

Unsere Fahrt fortsetzend, kommen wir an einem inselartig mitten in der Ebene aufragenden, aus liassischem Gestein zusammengesetzten Hügel vorüber, auf dessen waldigem Gipfel ein alter, von den Burgundern erbauter Wartthurm steht. Wir übersetzen den Gryonnebach und kommen nach Bex, einem am Südfuße des Montethügels auf dem Schuttkegel des von Osten herabkommenden Avançon gebauten Flecken. Weiter oberhalb im Avançonthale, am Ostfuße des Montet, befindet sich ein großes Salzlager. Das Salz kommt gemischt mit Lehm vor und wird, ähnlich

Aus den Alpen. I. 21

wie bei Hall, durch Auslaugen gewonnen (vergleiche Bd. II, p. 27). In Bex gibt es großartige Curanstalten, Solbäder, Traubencur etc., sowie schöne Spaziergänge.

Gleich oberhalb Bex endet die Thalebene, und wir treten in eine enge Schlucht ein, welche die Rhône durch den das Thal dort quer absperrenden Neocomien-Felsriegel gegraben hat, übersetzen den Fluss und erreichen St. Maurice (Abb. 130). Dieser den Engpass beherrschende Ort ist der Schlüssel des Rhônethales und hat als solcher hohen strategischen Wert. Schon die Römer erbauten hier einen festen Platz — Agaunum. Im fünften, vielleicht schon Ende des vierten Jahrhunderts, wurde in St. Maurice eine Augustinerabtei errichtet, die erste im Norden der Alpenkette. Im sechsten Jahrhunderte vom Könige Sigismund von Burgund reich beschenkt, gelangte dieselbe bald zu hohem Ansehen. Sie besteht heute noch; der Abt führt den Titel eines Bischofs von Bethlehem (i. p.). Die römischen Inschriften an der Kirchhofsmauer und dem Thurme des Klosters bezeugen das hohe Alter der Abtei.

Oberhalb St. Maurice drängt der große Schuttkegel der kleinen, von den im Südwesten aufragenden Dents de Midi herabkommenden Barthélemitorrente Bahn, Straße und Fluss an die östliche Thalwand. 1835 überschüttete eine von diesem Wildbache herabgebrachte Muhre die Sohle des Rhônethales weithin mit Schlamm und Felstrümmern. Die schmale Barthélemischlucht bildet einen Theil der Südostgrenze des mesozoischen Gebirges; südöstlich, jenseits des Schuttkegels, bei Evionnaz, steht an beiden Seiten des Thales Gneis zu Tage. Es durchschneidet hier nämlich das Rhônethal das Nordostende jenes Gneisstreifens, welcher die Chamonixfurche im Nordwesten begleitet. Jenseits Evionnaz, bei Vernayaz, treten paläozoische Schichten, dann der Gneis des Mont Arpille und endlich, bei Martigny, Liasschichten an das Rhônethal heran. Mitten durch diese in der merkwürdigsten Weise durcheinander geschobenen und gefalteten azoischen, paläozoischen und mesozoischen Schichten hat die Rhône sich Bahn gebrochen. Die Configuration der Thäler in der Umgebung von Martigny ist, den großartigen geologischen Störungen dieser Gegend entsprechend, eine sehr ungewöhnliche; die Rhône selbst verlässt hier die breite, nach Westsüdwest ziehende Furche, um sich, etwa 100 Grad von ihrer bisherigen Richtung abweichend, plötzlich nach Nordwestnord zu wenden; und die Drance, welche bei Martigny in die Rhône einmündet, durchläuft ein Thal, welches erst als Längsthal vier Kilometer weit zwischen dem Arpillegneis und dem Montblancmassiv, den nordöstlichen Theil der nordwestlichen Grenzfurche des letzteren bildend, hinaufzieht und sich dann plötzlich um etwa 135 Grad nach Westen wendet. Als Querthal erstreckt es sich von diesem scharfen Buge hinauf nach Sembrancher, wo der durch den nordöstlichen Theil der südwestlichen Grenzfurche des Montblancmassivs herabfließende Drancearm in dasselbe einmündet.

Das zwischen Vernayaz und Martigny von Südwesten her an die Rhône herantretende Gneismassiv des Arpille wird im Nordwesten von paläozoischen, im Südosten von mesozoischen Schichten eingefasst. Beide treten als schmale Streifen zu Tage, welche, stark versenkt, zur Bildung zweier tiefer, den

Abb. 130. Die Rhônebrücke von St. Maurice.

Arpilleberg begrenzender Furchen Anlass gegeben haben; durch diese führen Straßen hinüber nach Chamonix.

Der von dem am Nordabhange des Montblancmassivs ausgebreiteten Trientgletscher kommende Trientbach fließt in nordwestnördlicher Richtung durch die südöstliche von diesen Furchen herab, durchbricht den Arpillegneis und strömt dann, nach Nordost sich wendend, in der nordwestlichen von diesen Furchen hinab nach Vernayaz, wo er in die Rhône einmündet.

Die der südöstlichen Furche folgende von den erwähnten zwei Straßen führt von Martigny durch das untere Stück des Drancethales und dann in zahlreichen Windungen hinauf zum Col de la Forclaz (1523 Meter). Jenseits geht es hinab in den oberen queren Theil des Trientthales. Hier theilt sich der Weg. Geradeaus führt ein Saumpfad

21*

hinauf zum Col de Balme (2202 Meter) und weiter, immer in der
südöstlichen Furche, nach Argentière. Die Fahrstraße selbst biegt
rechts in das Trienttal ein und vereinigt sich nach Umgehung der
Tête Noire bei Châtelard mit der zweiten, der nordwestlichen Furche
folgenden Straße. Die letztere zieht von Vernayaz durch das Trienttal,
den Bach wiederholt übersetzend, nach Salvan und weiter in zahlreichen
Windungen über Triquent hinauf nach Finhaut (Abb. 131), dann eine Zeit
lang hoch oben an der Berglehne fast eben fort und endlich etwas abwärts nach Châtelard, wo die andere   viel bessere   Straße in sie
einmündet. Von hier geht es   immer in der nordwestlichen Furche
durch das Eau Noiretal in südwestlicher Richtung über Valorcine hinauf
zum Col des Montets (1415 Meter) und jenseits hinab nach Argentière. In
Argentière vereinigen sich diese beiden Furchen zu einer: der Chamonixfurche. Dementsprechend treffen hier die denselben folgenden Wege über
die Cols des Montets und Balme zusammen. Von Argentière führt eine
Straße durch die Thalebene hinaus nach Chamonix.

Auch in der Gegend von Martigny wird viel Wein gebaut. Die
dortigen Lagen Coquempey und Lamarque waren schon zur Zeit der
Römer als gute Weine liefernde Districte bekannt.

Von Martigny bis hinauf nach Visp behält das Rhônethal den
gleichen Charakter bei: eine 1 2 Kilometer breite, flache Thalebene,
welche an beiden Seiten von ziemlich hohen und steilen, ganz unvermittelt aus der Thalsohle aufsteigenden Bergwänden eingefasst ist. Alle
die zahlreichen, in diese Strecke des Rhônethales einmündenden Nebenflüsse kommen aus engen Schluchten heraus: nirgends erstreckt sich die
Rhônethalebene in die Seitenthäler hinein. Hoch an den Abhängen hin
ziehen alte glaciale Moränen, ein Beweis, dass zur Eiszeit das ganze
Rhônethal von einem gewaltigen Gletscher ausgefüllt war.

Von Visp bis Martigny hat die Rhône auf eine Länge von 67 Kilometern ein Gefälle (Martigny 476, Visp 659 Meter) von 183 Metern, das
ist 1 : 366, mehr als unter St. Maurice, aber weniger als in der Strecke
Martigny—St. Maurice. Der Boden dieses Abschnittes des Rhônethales
ist eine alluviale Geröllebene. Jedenfalls wird anzunehmen sein, dass, ehe
dieses Geröll abgelagert wurde, der Thalboden relativ tiefer lag als gegenwärtig. Wahrscheinlich hob sich, nachdem das Rhônethal gebildet war,
das Terrain nordwestlich von Martigny. Hiedurch wurde das Gefälle
verringert, vielleicht sogar die Rhône zu einem See gestaut, und es
lagerten sich nun Gerölle in der Thalsohle ab, diese stetig erhöhend. Vermuthlich fand diese Hebung   ebenso wie jene, welche zur Bildung der

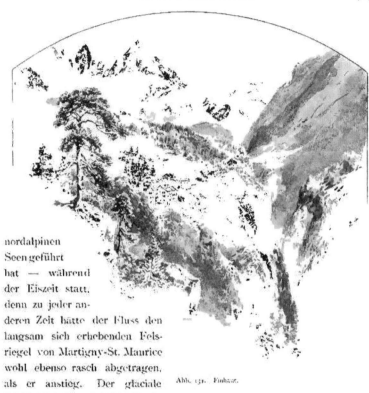

nordalpinen
Seen geführt
hat — während
der Eiszeit statt,
denn zu jeder an-
deren Zeit hätte der Fluss den
langsam sich erhebenden Felsriegel von Martigny-St. Maurice
wohl ebenso rasch abgetragen,
als er anstieg. Der glaciale
Rhônegletscher konnte hier die
erodierende Wirkung des Flusses

Abb. 131. Finhaut.

aber umso weniger ersetzen, als sicherlich ein großer, vielleicht der größte
Theil desselben nach Südwesten in die Chamonixmulde und nicht nach
Nordwesten über St. Maurice abfloss.

Von Martigny aufwärts bestehen die das Thal einfassenden Berghänge aus Urgestein: hier durchfließt die Rhône eine Furche zwischen
den nordöstlichen Endtheilen des Arpillegneises und des Montblanc-
Glimmerschiefers. Bei Saxon bilden mesozoische Gesteine beide Thalwände. Im Norden reicht das mesozoische Gestein bis nach Conthey, im
Süden aber treten alsbald phyllitische und paläozoische Schiefer an seine
Stelle, und diese bilden von hier bis nach Biel hinauf die südliche Thalwand. Die nördliche Thalwand besteht von Conthey hinauf bis Siders
ebenfalls aus diesen Gesteinen; weiter dann, bis Raron, wieder aus mesozoischen Bildungen und jenseits Raron aus dem südöstlichen Gneiszuge

des großen Urgebirgsstreifens Lötschenpass-Tödi.

Bahn und Straße ziehen
von Martigny in schnur-
gerader Linie nach Riddes.
Die Rhône bleibt bis hieher

Abb. 13. Langsdorgne.

links, im Nordosten. Jenseits Riddes übersetzt die Bahn den Fluss und folgt dann bis Leuk dem rechten Ufer. Zwischen Riddes und Sitten wird die Rhône an den Fuß der südlichen Bergwand gedrängt, weil in dieser Thalstrecke viel zahlreichere und bedeutendere, Schuttkegel auf-thürmende Nebenflüsse von Norden als von Süden her in das Rhönethal einmünden. Der östlich von Sitten von Süden her aus dem Val d'Hérens hervortretende Borgnebach hat aber durch seine bedeutenden Geröllmassen Fluss, Bahn und Straße ganz an den Nordrand der Thalebene gedrängt. Hier, wo der Fluss, den Boden quer durchziehend, das Thal absperrt und die Straße das enge Défilé zwischen der Rhône und der nördlichen Berg-wand passiert, errichteten die Römer auf einer den Engpass beherr-schenden Terrainnase die Burg Sedunum. Im Mittelalter wurde auf diesem Hügel das Schloss Valeria gebaut, und man erstellte auf anderen nahe gelegenen Höhen weitere Schlösser (Tourbillon, Majoria). Im Schutze dieser jetzt theilweise in Trümmer gesunkenen Festen entwickelte sich die ursprünglich römische Ansiedlung Sedunum zu dem heutigen Sitten (Abb. 133), der Hauptstadt des Cantons Wallis. Mitten durch die Stadt fließt der von Norden kommende, durch Mauern eingedämmte und mit Balken überbrückte Sionnebach. Von Sitten führt eine Straße durch das von der Borgne durchströmte Val d'Hérens über Vex nach Evolena. jenem Capua, in welchem, wie der Leser sich erinnert, wir seinerzeit von unseren Wanderungen im wilden Bagnesthale ausgeruht haben. An dem schluchtartig verengten Ausgange des Val d'Hérens liegt der viel-besuchte Wallfahrtsort Longeborgne (Abb. 132).

An einzelnen Ortschaften und kleinen, aus dem Thalboden aufragen-den glacialen Schutthügeln vorbei, kommen wir nach Siders in einer von alten Moränen theilweise ausgefüllten Weitung des Rhönethales. Hier mündet das vom Süden kommende Anniviers-(Einfisch-)thal, durch welches hinaufblickend man — von höheren Standpunkten — das Roth-horn bei Zermatt sieht. Jenseits Siders durchfährt die Bahn die glacialen Trümmermassen, und wir kommen wieder in das flache alluviale Terrain hinaus. Diese alten Moränen von Siders bilden die Sprachgrenze zwischen dem westlichen, von französisch redenden, und dem östlichen, von deutsch redenden Leuten bewohnten Theile des Rhönethales. Bald erreichen wir Leuk mit seinem schönen alten Schlosse. Dieser Ort liegt, ebenso wie Sitten und Siders, am Fuße der nördlichen Thalwand. Der Fluss und die Verkehrswege werden hier durch den ungeheuren Schutt-kegel der kleinen, von Süden herabkommenden Illtorrente an die rechts-seitige Bergwand gedrängt. Von Leuk führt eine Straße nach links

Abb. 133. Sitten.

hinauf durch das von Norden herabziehende Dalathal, in dessen Hintergrunde, 1411 Meter über dem Meere, Leukerbad liegt. Die dortigen warmen, gipshaltigen Quellen sind sehr heilsam. In den Gesellschaftsbädern, heißt es im Reisehandbuche, «werden Zuschauer zugelassen (Hut ab! Beitrag pour les pauvres in die vorgehaltene Sammelbüchse). Es überrascht, die Badenden, mit wollenen Mänteln und Halskragen bekleidet, in geräuschvoller, meist französischer Unterhaltung zu sehen.»

Nordwestlich vom Leuker Bade ist in dem die Rhône-Rheinfurche im Norden begleitenden Bergkamme der 2329 Meter über dem Meere liegende Gemmipass eingesenkt. Über diesen führt ein sehr interessanter Weg aus dem Dalathale, in welchem das Leuker Bad liegt, hinüber nach Kandersteg im Kanderthale. Während der Nordabfall des Gebirges hier ein verhältnismäßig sanfter ist, erscheint der Südostabfall als eine ungemein steile, von über 500 Meter hohen Felswänden eingeschlossene Schlucht. Durch diese führt der Saumpfad vom Thale aus zur Passhöhe empor. Der 1½ Meter breite Weg ist in die Felsen, an welchen er in Windungen emporzieht, eingesprengt. Namentlich an den Kehren musste man bedeutende Sprengungen vornehmen, um den nöthigen Raum zu gewinnen. Dieser Jochweg wurde in der ersten Hälfte des achtzehnten Jahrhunderts angelegt. Von einer Terrainnase dicht an der Passhöhe gewinnt man einen herrlichen Ausblick auf die Monterosagruppe (Abb. 73). Jenseits des Passes geht es allmählich in nordostnördlicher Richtung durch ein breiteres Hochthal hinab, an dem Daubensee und der Spitalmatte vorüber, hinaus nach Kandersteg.

Östlich von der Gemmi erheben sich die Rinderhörner, das Balmhorn und der Altels. Von der genannten Berggruppe zieht der Altelsgletscher gegen den Gemmiweg in nordöstlicher Richtung herab und endet oberhalb der Hütten der Spitalmatte. Dieser Eisstrom liegt auf einer stark geneigten Felsplatte. Im Jahre 1895 brach der Endtheil desselben los und stürzte in Gestalt einer gewaltigen Eislawine herab, die Spitalmatte mit seinen Trümmern bedeckend, Hirten und Herde vernichtend. Die abgestürzte Eismasse war 20 25 Meter dick und hatte eine Flächenausdehnung von ¼ Quadratkilometer. Nach dem Sturze bedeckte die Lawine eine viermal so große Fläche mit einer 5 6 Meter dicken Lage fest zusammengefrorener Eistrümmer. Der große Luftdruck, der Wind, den die Lawine erzeugte, riss kleinere Fragmente weit fort; einige von diesen flogen über den 300 Meter hohen, gegenüberliegenden Berggrat hinaus, an dessen Fuß die eigentliche Eislawine zum Stehen

kam. Die ganze Felswand am Uschinengrate war mit verwehten Eis-
stücken bestreut. Beim Niederfahren schürfte die Lawine den Boden
nicht auf; es scheint, dass die stürzenden Eismassen durch eine Luftschichte
von demselben getrennt waren; der Rasen, über den sie geglitten, erschien
nach dem Sturze intact und war mit Eisstaub bestreut.

Durch das Rhônethal weiter hinauffahrend, übersetzen wir die
Rhône und passieren dann die Mündungen des von Süden herabziehenden Turtmann- und des von Nordosten kommenden Lötschenthales. Die Thalebene wird schmaler, wir erreichen Visp an der Mündung des gleichnamigen, nach Süden hinaufziehenden Thales. Von Leuk
bis Visp verläuft das Rhônethal genau westöstlich. In Visp nimmt
es wieder eine ostnordöstliche Richtung an und behält diese von hier
bis zur Furka bei. Hinter Visp verschmälert sich das Thal, erweitert sich
vor Brig aber wieder etwas; dann verengt es sich nochmals und nimmt
endlich bei Mörel, oberhalb Brig, den Charakter einer schmalen Schlucht an.

In Sitten und an anderen Stellen im Rhônethale gefundene römische
Meilensteine, sowie namentlich eine in Vogogna bei Domo d'Ossola ent-
deckte Felsinschrift vom Jahre 196 bezeugen, dass die Römer eine Straße
vom Genfer See durchs Rhônethal herauf nach Brig und von hier
über den Simplon ins Thal von Domo d'Ossola erbaut haben. Mit dem
Sturze des weströmischen Reiches gerieth diese, ebenso wie die anderen
römischen Alpenstraßen in Verfall, und anderthalb Jahrtausende lang
führte nur ein schlechter Saumweg über den Simplon. Erst in den
Jahren 1800—1806 wurde - von Napoleon — eine neue Kunststraße
von Brig über den Simplon nach Domo d'Ossola angelegt. Dieselbe zieht
vom Postamte in Brig (708 Meter) in südöstlicher Richtung über die
Bergwand hinauf, wendet sich dann nach ihrer Vereinigung mit der von
Glis heraufkommenden Straße nach Nordost, umgeht in weitem Bogen
mit mehrfachen Windungen das Lingurnmplateau, kehrt, eine südwestliche
Richtung einschlagend, zur Saltineschlucht zurück und läuft dann hoch
an der Nordostwand der letzteren thaleinwärts. Hierauf wendet sich die
Straße nach Osten und zieht fast eben hinein in das Ganterthal, übersetzt
den Ganterbach (die Brücke liegt 1407 Meter über dem Meere) und steigt
dann in Serpentinen an dem Südabhange des Ganterthales schief in westlicher Richtung über Berisal (1520 Meter) nach Rothwald (1751 Meter)
empor; hier wird das Saltinethal nochmals erreicht. Nun zieht sie wieder
hoch am östlichen Abhange des letzteren thalein, durch das in die Felsen
gesprengte Kapfloch zum Schallbettschutzhause (1934 Meter) und weiter,
den östlichen Quellarm der Saltine in weitem Bogen umgehend, in

westlicher Richtung zum Simplonpass (2009 Meter). Diese Strecke ist
bei Schnee und Sturm die gefährlichste. Vielerorts sind Lawinengallerien
angebracht, welche — die Simplonstraße wird auch im Winter befahren
— die exponiertesten Stellen schützen.

Nun geht es über eine Hochfläche sanft abwärts zu dem Hospiz und
dann steiler hinunter in das Krummbachthal und hinaus nach Simpeln
(1479 Meter), von wo aus die östlich vom Saasthale aufragenden Gipfel,
das Laquinhorn (4020 Meter) und das Fletschhorn (4001 Meter), bestiegen
werden können. Von Simpeln führt die Straße durch die wilde, klammartig enge Gondoschlucht, welche den oberen Theil des Vedrothales bildet,
an einer Stelle den Fels durchtunnelnd, hinunter nach Gondo (858 Meter);
dann weiter in westlicher Richtung durch das Vedrothal hinab nach Cre-
vola im Antigoriothale und durch letzteres hinaus nach Domo d'Ossola,
dem Terminus der italienischen Bahn.

Vielfach wird von einer Durchtunnelung des Simplon und der Her-
stellung einer Bahnverbindung zwischen Brig und Domo d'Ossola, dem
Rhônethale und Italien gesprochen. Die großen, mit diesem Baue verbundenen technischen Schwierigkeiten, namentlich die hohe Temperatur,
welche voraussichtlich in dem Haupttunnel herrschen würde, haben aber
bisher die Ausführung dieses Projectes verhindert. Ja, es ist behauptet
worden, dass es leichter sein würde, eine Bahn unter dem Montblanc durch,
vom Aosta- ins Chamonixthal zu bauen, als diese Simplonbahn. Freilich
dürfte hier die Tunneltemperatur (Erdwärme) noch höher sein.

Die Furkastraße, auf welcher wir unsere Fahrt fortsetzen
wollen, übersetzt bei Brig die Rhône und bleibt dann bis oberhalb Mörel
am rechten Ufer. Dicht hinter Naters, welches gegenüber Brig an der
Nordseite des Thales liegt, kommen wir an jener großartigen Schlucht
vorüber, aus welcher der Abfluss des Aletschgletschers, die Massa, hervorbricht. Bei Mörel treten wir in eine Felsenenge ein, doch bald wird das
Thal wieder etwas breiter, wenngleich von Mörel bis hinauf nach Bodmen
der Thalboden nirgends eine alluviale Ebene ist; in dieser Strecke lagert
die Rhône kein Gerölle ab, sondern sägt sich immer tiefer in den Felsgrund ein. Dass dem so sein muss, ist schon aus dem Gefälle ersichtlich.
In der 16 Kilometer langen Strecke von Visp (659 Meter) bis Mörel
(780 Meter) beträgt dasselbe 1 : 132; in der 16 Kilometer langen Strecke
von Mörel bis Bodmen (1290 Meter) aber 1 : 31.

Diese Thalstrecke ist recht monoton, und die Steigung der Straße,
dem großen Gefälle entsprechend, eine beträchtliche. Wir passieren die

Mündung des von Osten herabziehenden Binnenthales und erreichen Fiesch (1071 Meter) an der Ausmündung des gleichnamigen, vom Fiescher Gletscher im Norden herabziehenden Thales. Die Fahrt fortsetzend, kommen wir nach Biel (1318 Meter). Kurz vor Biel liegt die kleine Häusergruppe Bodmen, wo sich das Thal unter plötzlicher Abnahme des Gefälles wieder zu einer, allerdings schmalen, Alluvialebene erweitert. Von Bodmen bis hinauf nach Oberwald (1361 Meter) hat es auf einer Strecke von 16 Kilometern ein Gefälle von bloß 1 : 225. Dementsprechend hat hier der Fluss Gerölle abgelagert. Die Ursache der Entstehung dieser Ebene wird wohl die gleiche sein wie jene, welche die Bildung der großen Thalebene zwischen Martigny und Visp veranlasst hat: Emporhebung einer Thalstrecke (in diesem Falle der Strecke von Bodmen abwärts) während der Eiszeit. Durch diese Thalebene hinauffahrend, kommen wir an einer Reihe von Ortschaften vorbei und erreichen Ulrichen, von wo ein Jochsteig durch das Eginenthal und über den vergletscherten Griespass (2446 Meter) in das südliche Formazzathal, den obersten Theil des Antigoriothales, und nach Domo d'Ossola führt. Die dieses Thal durchfließende Tosa bildet hoch oben im Gebirge mehrere schöne Fälle (Abb. 128).

Schon bei Ulrichen tritt am Fuße der nordwestlichen Bergflanke ein kleiner Fleck liassischer Schichten zwischen dem Gneis, welcher von Fiesch aufwärts beide Thalwände bildet, zu Tage. Weiter, bei Obergestelen, treffen wir wieder dieses Gestein an; es bildet einen schmalen Streifen, der von Ulrichen mit nur geringen Unterbrechungen in nordöstlicher Richtung, die große Furche entlang, bis Andermatt im Reußthale zieht. Bei der Fahrt durch diesen obersten Boden des Rhônethales genießen wir fortwährend den schönen Rückblick auf das fern im Südwesten über die Thalsohle aufragende Weißhorn (Abb. 134). Bald erreichen wir Oberwald, wo das von Südosten herabkommende Gerenthal in das hier nach Norden sich wendende Rhônethal einmündet. In Windungen geht es nun durch den Tannenwald, welcher die nördliche Thalwand bekleidet, hinauf, und wir treten in eine Schlucht ein, durch deren Grund die junge Rhône tosend hinabstürzt. Den Fluss wiederholt übersetzend, erreichen wir die Thalstufe im Gletsch (1761 Meter), wo die Grimselstraße in die Furkastraße einmündet. Hier steht das große Hôtel du Glacier du Rhône. Die Grimselstraße führt von hier über den Grimselpass (2104 Meter) ins Aarethal nach Guttannen und Meiringen.

Nicht weit vom Gletsch liegt das Ende des vom Egg-, Rhône- und Galenstock herabkommenden Rhônegletschers (Abb. 135), ein weder besonders großer noch besonders schöner Gletscher, der aber wegen seiner

Lage dicht an der Straße sehr bekannt und ganz ungebührlich berühmt ist. Der Rhônegletscher nimmt einen Flächenraum von nicht ganz 24 Quadratkilometern ein (der Aletschgletscher hat 120 Quadratkilometer) und ist 10½ Kilometer lang. Sein Ende liegt 1777 Meter über dem Meere.

Mit Hilfe von langen Querlinien und großen Kreisen, welche auf der Gletscheroberfläche durch angemalte Steine bezeichnet wurden, dann durch Aufstellung von Stangen und Pfählen, deren Lage jedes Jahr genau trigonometrisch bestimmt wird, hat man die Details der Bewegung des Rhônegletschers sehr genau ermittelt. Die am schnellsten strömende Gletschermitte bewegt sich mit einer mittleren Geschwindigkeit von

Abb. 134.

Im oberen Rhônethale: das Weißhorn von Obergesteln.

98½ Metern im Jahre. 100 Meter vom Westrande beträgt die mittlere annelle Bewegung 13 Meter, 100 Meter vom Ostrande 60½ Meter. In den letzten Decennien ist der Rhônegletscher stark zurückgegangen, neuerlich beginnt er aber wieder zu wachsen.

Die Rhône entspringt nicht, wie gewöhnlich angenommen wird, an der Stirne des Rhônegletschers, sondern an dem vom Muttenhorn im Süden der Furka herabkommenden Gratschluchtgletscher. Sie fließt von hier — unter dem Namen Muttbach — nach Nordwesten hinab, wendet sich dann nach Westen und strömt unter der Zunge des Rhônegletschers durch, mit dessen Schmelzwasser vereint sie endlich als Rhône aus dem Gletscher hervortritt. Weiterhin nimmt sie die drei theilweise warmen

Abb. 130. Rhône- und Galen-Stock vom Gletsch.

Rotten- oder Rhodanquellen auf — diese sollen dem ganzen Strome den Namen Rhodanus, Rhône, gegeben haben — und tritt ihre weite Reise nach dem Golfe von Lion an.

Die Straße führt vom Gletsch in Windungen an der südlichen Bergwand empor, dann oberhalb der Rhônegletscherstirne an jener in westlicher Richtung hin, übersetzt den Muttbach und steigt an der nördlichen Thalwand neben dem Gletscher in Schlingen empor, wendet sich endlich rechts und zieht quer durch den Hang in westlicher Richtung zum Furkapasse (2436 Meter) hinüber. Ausgedehnte neue Befestigungswerke krönen die Passhöhe, und dicht vor derselben steht das große Furkahotel.

Prächtig ist der Ausblick, den man von hier aus gewinnt. Wir blicken hinab in das Rhônethal zu den flachen Böden von Gletsch und Obergestelen. Coulissenartig liegen die die Nebenflüsse der Rhône trennenden Kämme hintereinander, und stolz erhebt sich über dem Hauptthale die unvergleichliche Schneepyramide des Weißhorn. Links von ihr sehen wir die Zermatter Berge; am meisten imponieren die uns zunächst liegenden Gipfel des Mischabelkammes: Täschhorn und Dom. Nach rechts hinauf ziehen die Hänge zu den Firnbergen des Finsteraarmassivs, und da ist es vor allem das Finsteraarhorn selbst, welches seinen gewaltigen Gipfelbau hoch über alle anderen Spitzen erhebt.

Die lohnendste unter den vom Furkahotel aus zu unternehmenden Bergpartien ist die Besteigung des 3597 Meter hohen Galenstockes, des südlichsten der Hochgipfel, welche dem den Rhônegletscher im Osten

Abb. 136. Auf der Furka im Schneesturme.

begrenzenden, nordsüdlich verlaufenden Kamme entragen. Diese Spitze
wollen wir besuchen.

Wir übernachten im Furkahotel und machen uns zeitlich am nächsten
Morgen dahin auf den Weg. Auf der Furkastraße bis zum Beginne der
Windungen zurückgehend, kommen wir bald aus dem mesozoischen
Terrain, in welches der Furkasattel selbst eingesenkt ist, heraus und betreten den Gneis des Südrandes des großen Urgebirgsstreifens Lötschenpass-Tödi. Wir verlassen die Straße und traversieren den Westabhang
des vom Galenstock nach Süden ziehenden Galengrates. Auch der Gneis-
streifen ist nur schmal: bald haben wir ihn überschritten und den Protogin
erreicht, aus welchem das Centralmassiv des Galen- und Rhonestockes
besteht. Etwas absteigend betreten wir die Stufe des Rhonegletschers
oberhalb des berühmten Eisbruches. Nun geht es am Ostrande des
Gletschers fort bis unter die südlich von unserem Gipfel eingesenkte
Galenscharte. Mäßig steile Schneefelder ziehen zu dieser empor. Wir
halten Rast und beginnen dann den Anstieg. Mühsam ist es, aber leicht,
die Scharte zu erreichen. Hier angekommen, wenden wir uns links und
steigen über die den Grat bildenden Felstrümmer in nördlicher Richtung
an. Dann folgt eine Kletterpartie, endlich ein Schneegrat, und wir sind
auf der Spitze (Abb. 135). Die Höhendifferenz zwischen dem Furkahotel
und dem Galenstockgipfel beträgt nicht einmal 1200 Meter, so dass man

Abb. 137. Hospenthal.

trotz des mit dem Absteigen zum Rhônegletscher verbundenen Höhenverlustes ganz bequem in vier Stunden hinauf kommt.

Jedem alpinen Manne, welcher die Furka passiert, sei diese Partie aufs wärmste empfohlen: sie ist für erfahrene Bergsteiger leicht und gefahrlos und doch nichts weniger als langweilig. Der Gipfel bietet eine herrliche Rundschau, denn er ist rings von Firnbergen umgeben: im Norden Dammastock und Titlis, im Westen das Finsteraarmassiv, im Südwesten die Monterosagruppe, im Süden Lecki- und Rothhorn, im Osten Piz Blas und Camadra und im Nordosten der Tödi. Der Blick nach Ostnordost durch die lange Furche über Andermatt und den Oberalppass hinaus ins Rheinthal ist ganz einzig in seiner Art, und auch der im Westen zu unseren Füßen ausgebreitete, in allen seinen Theilen sichtbare Rhônegletscher sehenswert.

Wir steigen auf demselben Wege, auf dem wir gekommen, ab und erreichen zu Mittag das Furkahotel wieder. Nach kurzem Aufenthalte setzen wir unsere Fahrt durch das Reußthal hinunter fort. Der obere, an die Furka heranreichende Theil desselben heißt Garschenthal. Weiter unten, zwischen Realp und Andermatt, heißt das Thal Urserenthal. Zunächst geht es hoch über der Reuß durch die nordwestliche, zum Bielenstock hinaufziehende Bergwand fort und dann in großen Windungen hinab in den Thalboden. Wir erreichen Realp (1542 Meter), übersetzen

die Reuß und fahren von nun an immer in der Thalsohle bleibend —
über Hospenthal (Abb. 137) hinaus nach Andermatt (1444 Meter).

Der Phyllit, welcher, an einzelnen Stellen von paläozoischen Schichten
unterbrochen, von Sitten bis Brig die Südostwand der Furche bildet und
von Brig noch einen schmalen Streifen durch den Thalboden hinaufsendet nach Mörel, tritt nordöstlich von der Furka wieder zu Tage und
erstreckt sich von hier, stets den Furchenboden bildend, bis hinter Disentis
und weiter, dort wieder von paläozoischen Schollen unterbrochen, bis
Chur. Dieser phyllitische und paläozoische Streifen wird zwischen Andermatt und der Furka im Nordwesten von einer schmalen Zone mesozoischen,
liassischen Gesteins begleitet, welch letztere sich, wie wir gesehen haben,
im Grunde der Furche noch über das Ende des Phyllits hinaus nach
Westsüdwest bis Ulrichen erstreckt. Der Weichheit dieses phyllitischen
und paläozoischen Gesteins, dem Umstande, dass dasselbe den erodierenden
Kräften einen geringeren Widerstand entgegensetzt als die benachbarten,
viel härteren, älteren (Gneis-) und jüngeren (mesozoischen) Gesteine, verdankt die große Furche ihre Entstehung; der weitaus größte Theil derselben ist in dieses phyllitische und paläozoische Gestein, und nur die
kleine Strecke von Mörel bis zur Furka im Gneis, beziehungsweise im Lias
eingeschnitten.

Besonders scheint die Combination des Lias mit dem Phyllit zwischen
Furka und Andermatt die Bildung einer breiten, von weniger steilen
Hängen flankierten Thalfurche begünstigt zu haben, denn gerade dieser
Theil der großen Furche, das Urserenthal, zeichnet sich durch eine größere
Sanftheit der Formen aus.

Andermatt selbst liegt am unteren Ende des Urserenthales, am Ostrande einer kleinen, flachen Thalebene, an der Stelle, wo die Reuß die
große Furche verlässt, um durch eine von ihr quer durch das Gebirge
gegrabene Erosionsschlucht nach Norden hinabzufließen. Hervortretend
aus der wilden Reußschlucht oder herabkommend von den unwirtlichen
Höhen der drei Pässe, der Furka, des Gotthard und der Oberalp, über
welche Jochstraßen dahin führen, begrüßt der Wanderer die lachenden Gelände des Beckens von Andermatt mit doppelter Freude. Aus des Lebens
Mühen und ewiger Qual möcht' ich fliehen in dieses glückselige Thal,
sagt der Dichter — ja, wenn nur die Hotels nicht so überfüllt wären
und wir mit unseren Eisäxten nicht wie Pickel-Hausierer von Thür zu
Thür wandern müssten, bis uns endlich Aufnahme zutheil wird!

Das Becken von Andermatt bildet gewissermaßen das Centrum und
das Herz der Schweiz, denn hier kreuzen sich die wichtigsten Alpen-

straßen: die Gotthardstraße mit der Furka-Oberalpstraße. Die vom Vierwaldstätter See im Norden durch die Erosionsschlucht der Reuß heraufkommende Gotthardstraße mündet in Andermatt in die Furkastraße ein und ihre zum Gotthard emporziehende Fortsetzung zweigt bei Hospenthal von der Furkastraße ab. Gerade unter Andermatt durch — in einer Tiefe von etwas mehr als 300 Metern — geht der große Gotthardtunnel.

Aus diesen Gründen hat das Andermatter Becken für die Schweizer eine sehr hohe strategische Bedeutung, und sie haben dasselbe durch starke Festungsbauten geschützt. Einige von diesen Werken beherrschen das Défilé der Reußschlucht (nördlicher Zugang), andere stehen auf den drei Hochpässen der Furka, des Gotthard und der Oberalp, über welche die Straßen von Nordosten, Südwesten und Südosten in diese Thalmulde hineinführen. Die Schweizer haben sehr recht gethan, diese Festungen zu bauen, die Wälle derselben mit Stahl zu panzern und auf diese ihre von den stolzen Erinnerungen an Sempach und Murten umwehten Banner aufzupflanzen: mögen jene Friedensschwätzer, die immer mit Neutralität und dergleichen flunkern, daraus ersehen, was ein friedliebendes Volk zu thun hat, um die Neutralität und den Frieden zu sichern!

Aber auch in weiterem Sinne ist das Thal von Andermatt ein Herz und ein Centrum, indem von dem Bergkamme, welcher dieses Quellgebiet der Reuß einfasst, vier bedeutende, nach verschiedenen Richtungen fließende Ströme entspringen. Hierauf bezieht sich die bekannte Strophe jenes Bergliedes, der ich oben schon ein Citat entnommen:

> Vier Ströme brausen hinab in das Feld,
> Ihr Quell, der ist ewig verborgen;
> Sie fließen nach allen vier Straßen der Welt,
> Nach Abend, Nord, Mittag und Morgen,
> Und wie die Mutter sie rauschend geboren,
> Fort fliehn sie und bleiben sich ewig verloren.

Die vier Ströme sind die Reuß, die Rhône, der Tessin und der Rhein. Verborgen sind ihre Quellen keineswegs, auch strömen sie nicht nach Abend (West), Nord-, Mittag (Süd) und »Morgen« (Ost), sondern nach Westsüdwest (die Rhône), Südost (der Tessin) und Ostnordost (der Rhein). Bloß bei der Reuß stimmt es, die verlässt die Mulde von Andermatt in nördlicher Richtung. Damit, dass sie sich ewig verloren bleiben, hat es auch einen Haken, denn die Reuß vereinigt sich mit dem Rheine, im übrigen aber ist richtig, dass Rhein, Rhône und Tessin ihre Gewässer verschiedenen Meeresabschnitten zuführen: ersterer der Nordsee, die Rhône dem westlichen Mittelmeere und der Tessin der Adria. Die licentia poetica ist ja ein schönes Ding, aber man sollte doch nicht mehr lügen, als unbedingt nothwendig ist!

Das alte Andermatt wurde durch eine Lawine zerstört. Das jetzige Dorf ist an sicherer Stelle gebaut und wird überdies durch einen Bannwald vor Bergstürzen u. dgl. geschützt. Da große Scharen von Zugvögeln den Gotthard und wohl auch die beiden anderen Pässe überfliegen, dieser Andermatter Bannwald aber der letzte Wald unter den Pässen ist, so pflegen viele Vögel in demselben Station zu machen; besonders im Herbste, zur Zeit des Südfluges, wimmelt es dort häufig von nordischen Gästen.

Wir übernachten in Andermatt und fahren am nächsten Tage hinauf zum Oberalppass. Gleich bei dem Orte beginnen die Windungen, mit denen die nach Nordost, links vom Oberalpbache, ansteigende Straße die Höhe der Thalstufe gewinnt. Dann geht es durch das Thal fort zum Oberalpsee und links von diesem hinauf zu der 2052 Meter über dem Meere gelegenen Höhe des Oberalppasses mit seinen ausgedehnten Festungswerken.

Abb. 138. In Bex.

Abb. 130. In Lindau.

2. Das Rheinthal.

Der Oberalppass liegt am Südostrande der flachen, torfreichen Mulde des Oberalpsees: steil senkt sich von hier das phyllitische Terrain — der See liegt am Nordrande des Phyllits — nach Südosten hinab in eine Schlucht, in welche die Straße mit zahlreichen Windungen hinabsteigt. Der kleine, klare Bach, welcher durch den Grund dieser Schlucht hinabplätschert, ist der Rhein. Wir grüßen dich, du liebes Kind, hier an deiner Wiege! Die Milch der Gletscher des Ravetsch und der Camadra wird dich nähren, die Zuflüsse aus dem Albulagebirge und dem Rätikon werden dich stärken, und in dem weiten Becken des Bodensees wirst du ausruhen von deiner rauhen Alpenreise. Hier wirst

Abb. 150. Der Rheinfall.

du deine Spielzeuge, den Sand und die Alpengerölle, welche du bisher mitgeführt, zurücklassen, um rein und klar in männlicher Jugendkraft hinauszutreten in die deutschen Gaue. Mächtig tönt dein Schritt an ihrer Schwelle bei Schaffhausen, und blinkend im Sonnenglanze begrüßest du den dunklen Schwarzwald und die freundlichen Fluren des wiedergewonnenen Elsass.

Ragende Münster und Dome spiegeln sich in deiner Flut, trotzige Burgen und freundliche Rebengelände. Gerne leihst du etwas von der Fülle deines Wassers zur Deckung der alten Bollwerke, welche dich und uns schützen vor dem rauflustigen Nachbar. — Sorge dich nicht, so wahr uns Gott helfe und unser deutsches Schwert, soll kein Feind dir nahe kommen, du bist und bleibst ein deutscher Strom. Mein liebes Kind, magst ruhig sein, fest steht und treu die Wacht am Rhein!

Freilich, auch du wirst alt und behäbig werden und gemächlichen Schrittes die niederländische Ebene durchziehen. Aber neu stärkt dich die salzige Flut. Mächtige Arme streckt sie dir entgegen, und du wälzest deine Wassermassen hinaus in das Meer.

Abb. 141. Die Lukmanier Straße.

So fließe dahin! Grüße die deutschen Brüder da draußen, rufe sie auf zu muthiger That in der Stunde der Gefahr, erhebe sie zu edlen Gedanken im Frieden!

Bei der Alpe Milez wendet sich das Thal nach Ostnordost. Etwas unterhalb mündet der von dem kleinen Thomasee herabkommende Quellenarm des Rheins in den Bach, dessen Nordufer die Straße folgt, ein. Bald erreichen wir Tschamut (1640 Meter). Im Reisehandbuche heißt es, dass Tschamut wahrscheinlich das höchste Dorf in den Alpen ist, wo Roggen wächst. Von hier geht es nun, immer an der nördlichen Bergwand, durch das Thal hinaus, dessen Sohle im allgemeinen die Südgrenze des Phyllits bezeichnet. Wir erreichen die kleine Thalweitung von Sedrun (1308 Meter) und fahren dann durch Wald und Wiesen, meist hoch oben an der nördlichen Berglehne hin, thalaus. Plötzlich öffnet sich vor uns die Mulde von Disentis mit ihrem stattlichen Klosterbau. Dieses Kloster (Abb. 142) — eine Benedictiner-Abtei — wurde im siebenten Jahrhundert gegründet. Von hier aus ist Graubünden christianisiert worden, und im Mittelalter war der Abt von Disentis einer der mächtigsten Dynasten in Rätien.

Disentis liegt an der Stelle, wo der von Süden kommende Mittelrhein mit dem von Westsüdwest herabkommenden Vorderrheine sich vereinigt,

Abb. 142. Dsentis.

1150 Meter über dem Meere. In beiden genannten Ästen des Rheinthales ziehen Straßen hinauf: durch das Mittelrheinthal jene über den Lukmanier in das Blenio- und Tessinthal, durch das Vorderrheinthal jene über den Oberalppass nach Andermatt, auf welcher wir gekommen sind.

Obwohl man bei Castro im Bleniothale eine große Menge, an 3000, römische Münzen aus dem dritten Jahrhunderte gefunden hat und auch alte Wegspuren vorhanden sind, so scheint es doch unwahrscheinlich, dass die Römer eine Straße über den Lukmanier gebaut hätten. Die jetzige Straße über diesen Pass (Abb. 141) ist ganz neu, erst 1878 eröffnet. Sie zieht durch die wilde Schlucht, welche den Ausgang des Mittelrhein- oder Medelserthales bildet, hinauf nach Curaglia (1332 Meter). Auf dieser Strecke ist sie größtentheils in den Fels eingesprengt und passiert elf Tunnel. Vor Curaglia erweitert sich die Schlucht zu einem freundlichen Thalboden mit zahlreichen Dörfern. Bei Platta (1380 Meter) verlassen wir das phyllitische Terrain, in welches der untere Theil des Thales eingeschnitten ist, und erreichen den Gneis. In Acla, wo der Mittelrhein einen herrlichen Fall bildet, wendet sich das Thal nach Südwest und bildet bis Perdatsch hinauf die Grenze zwischen dem im Süden anstehenden Protogin und dem nördlichen Gneis. Hier bei Perdatsch mündet von links das wegen seiner Wildheit und seiner Wasserfälle berühmte Cristallinthal ein. Die Straße steigt in einer großen Schlinge, eine Strecke weit ins Cristallinthal hinaufziehend, nach St. Gion (1615 Meter) empor. Dann geht es durch ein ödes, trümmererfülltes Hochthal allmählich aufwärts zum Hospiz Sancta Maria (1842 Meter). Von dieser Sancta Maria in loco magno hat der Pass (Lukmanier) den Namen. Jenseits zieht die Straße durch das Hochthal weiter zu der 1917 Meter über dem Meere gelegenen Passhöhe hinauf. Auf der anderen Seite geht es dann in südöstlicher Richtung quer durch gefährliches Rutschterrain und weiter hoch an der linken Berglehne hin, endlich steiler hinunter zu dem im Grunde des Thales dahinfließenden Brennobache. Von hier führt die Straße in östlicher Richtung hinaus nach Olivone (892 Meter) in dem von Nord nach Süd hinabziehenden Bleniothale und weiter durch dieses nach Biasca an der Gotthardbahn im Tessinthale.

Unsere Fahrt durch das Rheinthal hinab fortsetzend, kommen wir an interessanten Straßenaufmauerungen vorbei und über eine gedeckte Holzbrücke nach Somvix und Truns (860 Meter). Recht monoton geht es weiter durch die gerade, schmale Sohle des Rheinthales hinab. Wir befinden uns hier im Gebiete jenes ausgedehnten paläozoischen Schichtencomplexes, welcher von Truns bis in die Gegend von Flims die Abhänge des Rheinthales bildet. Bei Ilanz (718 Meter), der ersten Stadt am Rhein, mündet das von Süden herabkommende Lugnetzthal in das Rheinthal ein. Der südwestlich von der Stadt aufragende Piz Mundaun (2065 Meter) bietet einen herrlichen Ausblick auf den Tödi und die von demselben nach Osten streichende, das Rheinthal im Norden begrenzende Bergkette.

Eine Strecke unterhalb Ilanz ist die Furche, durch welche der Vorderrhein nach Ostnordost hinabfließt, zu einer breiten Mulde erweitert. Am Ostende dieser Erweiterung mündet der von Süden kommende Hinterrhein in die Furche ein, um sich — bei Reichenau — mit dem durch die Furche herabkommenden Vorderrheine zu dem eigentlichen Rheine zu vereinigen, welch letzterer dann durch die Furche weiter in ostnordöstlicher Richtung nach Chur hinabfließt.

Die große muldenförmige Erweiterung der Furche oberhalb der Hinterrheinmündung wird im Westen und Süden von paläozoischen, im Norden von mesozoischen Berghängen eingefasst.

Der mächtige, zur Eiszeit durch die große Furche herabkommende Gletscher staute sich an dem ebenfalls sehr großen, durch das Hinterrheinthal von Süden herabkommenden Eisströme und thürmte infolgedessen hier in dieser Mulde ungeheure Grundmoränen auf, welche die ganze Thalweitung erfüllten und in ihrer Mitte einen förmlichen Berg bildeten. Die höchsten Punkte dieses jetzt grossentheils bewaldeten Schuttberges liegen 700 Meter über dem Muldenboden.

Seit Rückgang der glacialen Gletscher hat der Vorderrhein eine schmale, gewundene Schlucht durch diesen Schuttberg gegraben. Die Straße folgt nicht dieser Schlucht, sondern theilt sich und umgeht den Schuttberg im Norden und im Süden: von Ilanz am rechten Ufer des Vorderrheins führen zwei Straßen nach Reichenau, eine über Valendas und Versam am Südrande, die andre über Laax, Flims und Digg am Nordrande der Mulde. Wir folgen der letzteren. Sie steigt von Ilanz (718 Meter) allmählich an der linken Thalwand empor und wendet sich, am Muldenrande angekommen, nach links. Steiler geht es nun in nördlicher Richtung, an dem in den Schutt tief eingerissenen Laaxer Tobel vorbei, hinauf nach Laax (1023 Meter). Von hier fahren wir in dem anmuthigen Wiesenthale, welches die waldigen Höhen des Schuttberges von der gleichfalls bewaldeten Westwand der Mulde trennt, in nordöstlicher Richtung hinauf, dann nach rechts hinüber durch die Niederungen des welligen Waldterrains nach Flims (1102 Meter). Auf dem Schuttberge liegt — südlich von Flims — der klare, warme Caumasee, welcher, ausgestattet mit trefflichen Badeanstalten und umgeben von herrlichen Nadel- und Laubholzwäldern, zum Verweilen uns ladet: bleiben wir einige Tage in dem großen Curhotel Waldhaus-Flims!

Von Flims zieht die Straße in östlicher Richtung nach Digg und weiter durch die Nordwand des Rheinthales, welches hinter Digg wieder erreicht wird, nach Tamins gegenüber der Mündung des Hinterrheins. Bei der Vereinigung des Hinterrheines mit dem Vorderrheine bei Reichenau übersetzen zwei Brücken den Strom: die eine den Hinterrhein — über diese führt die Straße nach Bonaduz und ins Hinterrheinthal; die andere den aus der Vereinigung des Vorder- und Hinterrheines hervorgehenden eigentlichen Rhein über diese führt die Straße das Rheinthal hinab nach Chur.

Das Hinterrheinthal zieht von Reichenau in südostsüdlicher Richtung nach Thusis. Der Endtheil desselben ist eine ziemlich schmale, zwischen den Abhängen des westlichen Heinzenberges und des östlichen Domleschg eingeklemmte Schlucht. Bei Rothenbrunnen erweitert sich das Hinterrheinthal zu der ziemlich breiten Thalebene, an deren Südende Thusis liegt.

Von Reichenau führt eine Straße über die Vorderrheinbrücke, Bonaduz und Rhäzins das linke Ufer des Hinterrheins entlang nach Thusis; hier spaltet sie sich: links geht es hinauf durch das Albulathal, ein östliches Nebenthal des Hinterrheinthales, nach Tiefenkasten; geradeaus und dann rechts, weiter durch das Hinterrheinthal nach Splügen und zu den dortigen Alpenpässen. Wir wollen das Hinterrheinthal bei späterer Gelegenheit kennen lernen, jetzt aber durch das Rheinthal selbst weiter fahren nach Chur. Die Straße durchzieht — am rechten Rheinufer bleibend — die Mitte der breiten, nach Ostnordost sich erstreckenden Rheinthalebene.

Die cretacischen und Flysch-Schichten der Außenzone der Alpenkette treten in zwei Zügen auf, einem breiteren, nordwestlichen, äußeren und einem schmaleren, südöstlichen, inneren. Ersterer trennt die jurassischen und triassischen Bergketten im Südosten von den tertiären Voralpen und erstreckt sich weithin an der Außenseite des Alpenbogens: im Südwesten bis nach Marseille am Mittelmeerstrande, im Osten bis Wien an der Donau. Viel unbedeutender ist der innere Zug. Dieser läuft als schmaler, mehrfach unterbrochener Streifen von Grindelwald durch die Scheideggfurche und über Engelberg, nahe dem Nordwestrande des Urgebirgsstreifens Lötschenpass-Tödi, nach Altdorf im Reußthale. Hier, am oberen Ende des Urner Sees, steht er mit dem äußeren Kreidezuge in Verbindung, wendet sich dann ostwärts und streicht in dieser Richtung, stetig an Breite zunehmend, bis zu der großen, nordsüdlich verlaufenden Bruchlinie Grubenpass-Klosters. Diesem inneren Kreide- und Flyschzuge können auch die unbedeutenden cretacischen Vorkommnisse südwestlich bei Leuk im Rhônethale, dann östlich bei Tarrenz (nördlich von Imst), Achenkirchen, Kufstein, Lofer etc. zugezählt werden. Nirgends aber ist derselbe so mächtig entwickelt wie im Westen des erwähnten Bruches, zwischen Klosters und Maienfeld.

Dort, wo die große Furche, durch welche wir von Martigny nach Chur gereist sind, auf jene breite Partie des inneren Kreide-Flyschzuges stößt, endet sie. Das Rheinthal wendet sich an dieser Stelle nach Norden, durchbricht den inneren Kreide-Flyschzug, weiter die hier ganz schmale Jurazone, endlich den breiten äußeren cretacischen Schichtencomplex und mündet in das tertiäre Gelände der großen präalpinen Depression aus. Nordwestlich von dieser Thalmündung ist jene Depression zum Becken des Bodensees vertieft; in dieses ergießt sich der Rhein.

An der Stelle, wo die große Furche endet und das Rheinthal, von Ostnordost nach Nord sich wendend, aus einem Längsthale zu einem

Abb. 113. Chur

372

Querthale wird, münden das von Osten kommende Schanfigg- und das
von Süden kommende Rabiosathal in das Rheinthal ein. Die Verkehrswege, welche durch diese herabkommen, vereinigen sich hier mit der
Rheinthalstraße. An diesem Wegknotenpunkte gründeten die Römer
nach der Eroberung Rätiens eine feste Stadt — Curia Raetorum —, von
welcher aus die benachbarten Gebiete regiert wurden. Vor dem Unter-
gange des weströmischen Reiches noch dürfte diese Curia ein Bischofs-
sitz geworden sein; jedenfalls wird sie schon im Jahre 351 urkundlich als
solcher erwähnt. Bald gelangten die dortigen Bischöfe zu hohem Ansehen, und während sie ihre Machtsphäre weithin, bis nach Tirol und
ins Veltlin ausdehnten, entwickelte sich die Stadt, in welcher sie ihren
Sitz aufgeschlagen hatten, zu dem mächtigen Chur (Abb. 143). Nach
längeren Streitigkeiten erlangten die Bürger von Chur ihre Unabhängigkeit vom Bischofe, und 1489 ward die Stadt reichsunmittelbar. Im
Jahre 1848 wurde sie die Hauptstadt des Cantons Graubünden, welcher
bis dahin aus sechsundzwanzig unabhängigen Republiken zusammengesetzt war.

Die interessantesten Bauten der alten Stadt sind das bischöfliche
Schloss und der St. Luciusdom. Zwei noch aus der Römerzeit stammende
Thürme, der Marsoel (Mars in oculis) und Spinoel (Spina in oculis)
bilden die Nordecken des Hofes der Bischofspfalz. Von Chur aus sind
zahlreiche kleine lohnende Ausflüge nach den umliegenden Höhen zu
unternehmen, zum Lürlibad, zur Luciuskapelle (Abb. 148) etc. Von Chur
führen eine Straße und die Eisenbahn durch das Rheinthal hinab nach
Norden; eine Straße nach Westsüdwesten, Rhein-aufwärts; eine nach
Süden, über Churwalden und Lenz ins Oberhalbstein und Oberengadin;
und eine nach Osten ins Schanfiggthal. In der Station Landquart zweigt
von der nördlichen Eisenbahn eine Zweigbahn nach Osten ins Prätigau
und nach Davos ab. Diese Bahnlinien wollen wir benutzen, um den
letztgenannten Ort zu besuchen.

Wir verlassen Chur und fahren am Rheine hinab. Gleich unterhalb
der Stadt ist das Rheinthal ziemlich eng, erweitert sich aber bald wieder
zu einer breiten Ebene, in welche von Osten her der Landquartbach
eintritt. Die von letzterem herabgebrachten, in der Ebene abgelagerten
Schuttmassen drängen den Fluss an die westliche Berglehne. Dicht vor
der Brücke über den Landquartbach liegt die gleichnamige Station. Hier
steigen wir um und setzen auf der Davoser Zweigbahn unsere Fahrt fort.

Die Bahn überquert die Rheinebene in östlicher Richtung und tritt
in jene schmale Schlucht ein, aus welcher der Landquartbach hervorbricht.

Das Flysch-
terrain erscheint
hier zwischen dem
Rheinthale und
der Bruchlinie
Klosters-Gruben-
pass in Gestalt
einer Reihe nord-
südlich streichen-
der Bergrücken,
welche von dem
von Südost nach
Nordwest herab-
fließenden Land-
quartbache quer
durchbrochen wer-
den. Der letzte
von diesen Durch-
brüchen, durch
den westlichsten,
hier die östliche
Einfassung des
Rheinthales bil-
denden Berg-
kamm ist sehr eng.
Das Prätigau —
so heißt das Land-
quartgebiet —
wird durch diese
als Klus bekannte
Thalenge, in
welche wir jetzt
einfahren, von der

Abb. 144. Ferporta.

Rheinebene getrennt; die Prätigauer Straße muss dieses Défilé passieren.
Für unternehmende Ritter, welche es liebten, ihren Zoll von Waren-
zügen und Reisenden zu erheben, war dieser Engpass sehr günstig. Um
sein Räuberhandwerk bequemer und sicherer betreiben zu können, baute
einer von jenen Rittern in diesem Défilé oberhalb der Straße, unter über-
hängendem Felsen eine Burg — Ferporta — (Abb. 144), deren Trümmer

wie ein Uhuhorst in dem Felsenloche stecken. Das muss zu jener Zeit
ein herrliches Leben gewesen sein in diesen Raubburgen — wie beneide
ich die Altvordern um das Vergnügen! Freilich hatte es auch seine
Schattenseiten: einen von den Rittern da oben in Ferporta, der ein
Mädchen geraubt hatte, erschoss ihr Bräutigam von der gegenüberliegenden
Thalwand aus mit der Armbrust. Aber im ganzen, welch ein Genuss:
nach muthigem Kampfe die festliche Tafel, keinen Herrn über sich und
niemand zu fürchten als Gott. Ja diese alten Raubritter die wussten,
was Freiheit ist — welch elende, von Gesetz, Gewohnheit, Gesellschaft
und Mode geknechtete Sclaven sind wir im Vergleiche mit ihnen! Und
den kleinen Rest der göttlichen Gabe der Freiheit, den wir noch gerettet,
wollen die socialistischen Weltverbesserer uns nehmen; zehnmal lieber
wär' ich der letzte Knecht so eines Raubritters als ein Bürger ihres
wohlgeordneten utilitarischen Zukunftstaates; in dem . . . . . doch wohin
komme ich! In meiner raubritterlichen Begeisterung habe ich ganz
übersehen, dass wir schon aus der Schlucht herausgekommen sind. Ein
flacher Thalboden liegt vor uns, durch welchen der Landquartbach, zwischen mächtigen Dämmen eingezwängt, ruhig und geradlinig herabfliesst.
Armer Bach, dir geht's wie uns. Auch du möchtest gerne deine Fluten
ungebändigt über die Fluren wälzen, aber du darfst es nicht. Ebenso
wie wir musst auch du der allgemeinen Nützlichkeit die eigene Freiheit
opfern!

Hinter Schiers wendet sich das Thal nach rechts, nimmt aber bald
seine ursprüngliche, südöstliche Richtung wieder auf. Wir kommen nach
Jenaz und treten bald in eine zweite Enge ein: eine prächtige Waldschlucht, beherrscht von den Burgen Castels und Strahlegg. Bei Luzein
erweitert sich das Thal wieder; immer bergan und schliesslich hoch an
der Berglehne hinschreitend, erreichen wir Klosters.

Klosters liegt an der Südostecke des Flyschterrains. Östlich —
in der Linie Klosters-Grubenpass — grenzt, durch schmale Streifen
triassischen und paläozoischen Gesteins von ihm getrennt, der Gneis und
Glimmerschiefer der Silvretta an den Flysch; südlich — in der Linie
Klosters-Chur — höchst verworren gefaltetes, von Gneis-, Porphyr- und
Diorit-Inseln unterbrochenes, triassisches, paläozoisches und phyllitisches
Terrain.

Von Klosters zieht eine wohl ausgesprochene Furche in südwestlicher Richtung quer durch dieses verworrene Terrain nach Tiefenkasten.
Der höchste Punkt dieser Furche, der Wolfgangpass (1633 Meter), ist nur
4 Kilometer von Klosters (1125 Meter) entfernt. Der nordöstlich von

Abb. 145. Davos.

diesem Passe gelegene Theil der Furche ist dementsprechend eine kurze, steile Schlucht. Durch sie fließt der Stützbach nach Klosters hinab. Der weitaus größere, südwestlich vom Passe gelegene Theil der Furche, das Davos, hat ein sanftes Gefälle; durch ihn fließt der Landwasserbach hinab nach Schmitten, in dessen Nähe er sich mit der von Südosten her in die Furche eintretenden Albula vereinigt. Letztere verlässt nach ihrer Vereinigung mit dem von Süden kommenden Oberhalbsteiner Rheine bei Tiefenkasten die Furche und wendet sich nach Nordwesten, um bei Thusis in den Hinterrhein auszumünden.

Von Klosters aus ersteigt die Bahn in langer Schlinge mit Kehrtunnel eine beträchtliche Höhe und folgt dann der Stützbachschlucht bis zur Passhöhe von Wolfgang. Jenseits geht es hinab zu dem großen Davoser See (1562 Meter) und sein Ostufer entlang nach Davos-Dorf und weiter durch das Thal nach Davos-Platz. Von Davos-Dorf führt eine Straße durch das von Südosten herabkommende Flüelathal und über den Flüelapass (2388 Meter) nach Süs im Innthale. Von Davos-Platz führt die der Davoser Furche folgende Straße in südwestlicher Richtung thalaus nach Tiefenkasten.

Davos-Platz, der Hauptort des Davoser Thales (Abb. 145), ist einer der vielbesuchtesten klimatischen Alpencurorte. Von hohen Bergen gegen die Nord- und Ostwinde geschützt, hat es trotz seiner hohen Lage von 1550 Metern ein verhältnismäßig mildes Klima. Die Luft ist sehr rein und das Wetter, namentlich im Winter, vorherrschend schön. Gneis, Glimmerschiefer, triassischer Dolomit und phyllitische Casannaschiefer bilden, bunt durcheinander geworfen, die bewaldeten Berghänge, welche die freundlichen Matten, die alten Häuser und neuen Hotels und Curanstalten in der Thalsohle umgeben. Ähnliche klimatische Verhältnisse wie in Davos werden wohl auch in anderen, gleich hoch und gegen Norden geschützt liegenden alpinen Ortschaften zu finden sein, in Davos aber sind außerdem noch großartige Hotels und Curanstalten vorhanden, welche allen Comfort bieten. Aus diesen Gründen suchen wohlhabende Kranke mit besonderer Vorliebe Davos auf, während es niemandem einfällt, andere, klimatisch vielleicht geradeso heilkräftige oder noch heilkräftigere Orte, wo freilich auf den Luxus und die Gesellschaft verzichtet werden müsste, zu Heilzwecken zu besuchen. Im Winter nach Davos zu gehen, ist Mode geworden, während nach Kasern z. B. um diese Jahreszeit wohl kaum ein Fremder kommt.

Ein Jochsteig führt von Davos in westlicher Richtung über den Strelapass (2367 Meter) nach Langwies im Schanfiggthale, und von dort dann eine Fahrstraße durch das genannte Thal nach Chur. Das ist die kürzeste Verbindung zwischen Chur und Davos. Unser Plan, über diesen Pass nach Chur zu gehen, scheitert an dem schlechten Wetter, und so fahren wir denn mit der Eisenbahn, auf dem Wege, den wir gekommen, zurück nach Landquart im Rheinthale.

Während hier auf der Ostseite des Rheinthales das Terrain aus Flysch besteht, stehen auf der Westseite desselben Schrattenkalk und Neocomien zu Tage. Diese Schichten bilden den Grat und den Ostabhang des hier dem Rheinthale parallel laufenden Bergrückens des Calanda, dessen höchster Punkt, der Weibersattel, 2808 Meter über dem Meere liegt. Dieser die Thalebene von Chur im Nordwesten hoch überragende Calandaberg wird von dem westlichen Gebirge durch eine tiefe, südwestnordöstlich verlaufende Furche getrennt, deren höchster Punkt, der Kunkelspass, an ihrem Südwestende, nahe bei Tamins im Rheinthale liegt. Von dem Kunkelpasse fließt der Görbsbach nach Nordosten durch die Furche herab. Dieser vereinigt sich bei Vättis mit der hier von Westen her in die Furche eintretenden Tamina, welche dann durch die Furche weiter hinabströmt nach Ragaz, um dort in den Rhein zu münden.

Das Taminathal ist recht schmal, theilweise sogar, wie namentlich oberhalb Bad Pfäfers, klammartig verengt. Das ist die bekannte Taminaschlucht (Abb. 146).

Die Rheinthalbahn führt von Landquart am rechten Rheinufer nach Maienfeld und übersetzt dann den Fluss knapp unter der Einmündungsstelle der Tamina. Jenseits der Brücke liegt die Bahnstation Ragaz, wo wir aussteigen, um die Tamina entlang hinüberzufahren nach dem am Fuße der westlichen Bergwand vor der Mündung des Taminathales gelegenen Ort Ragaz. Es ist das ein Badeort ersten Ranges und macht, am Rande der freundlichen Rheinebene gelegen, mit seinen stattlichen Hotelbauten, überragt von den schönen Gipfeln des Alvier, einen sehr angenehmen Eindruck (Abb. 147).

Abb. 146. In der Tamina-Schlucht.

Eine Straße führt von Ragaz durch den schluchtartigen Endtheil des Taminathales hinauf nach Bad Pfäfers, und von hier ein Fußsteig durch die enge Klamm der Taminaschlucht zu den warmen Quellen, in deren Wasser die Curgäste von Pfäfers und Ragaz sich baden. Ein Tunnel bringt uns von dem Klammwege zu einer Höhle, in deren Grund die wasserreiche Quelle hervorsprudelt. Diese hat eine Temperatur von 38° und ist fast frei von Mineralbestandtheilen. Das Wasser wird von hier nach Pfäfers und Ragaz hinabgeleitet, wobei es sich um einige Grade abkühlt.

Aus den Alpen. I. 23

Abb. 117. Der Alvier von Ragaz.

Von Ragaz führt eine Drahtseilbahn hinauf nach Wartenstein, einem
Hotel, welches auf einer die Rheinebene um 230 Meter überragenden
Terrasse am Nordende des Calandarückens liegt. Prächtig ist der Aus-
blick über die Rheinebene, den man von hier aus gewinnt.

Unsere Fahrt durch das Rheinthal hinab fortsetzend, kommen wir
nach Sargans. Von hier zieht eine breite Terrainfurche in nordwestlicher
Richtung zum Walensee. Diese Furche bildet die Grenze zwischen dem
nordöstlich von ihr zu Tage tretenden Jurakalk des Alvier und dem süd-
westlichen, paläozoischen Terrain. Der höchste Punkt dieser Furche, die
Ebene von Mels, liegt nahe ihrem Südostende dicht beim Rheinthale.
Von dieser sehr sanft gegen die Rhein- und Seezebene sich abdachenden
Hochfläche fließt die Seez nach Nordwest hinab zum Walensee, und eine
Eisenbahn führt über dieselbe von Sargans nach Urnen am westlichen
Ende des Walensees.

Wie erwähnt, ist der Jura-Triaszug, welcher die äußere von der
inneren Kreide-Flyschzone trennt, hier am Rheinthale sehr schmal; er
wird nur durch den jurassischen Alvierkalk repräsentiert. Jenseits des
Alvier, bei Buchs befinden wir uns schon im Gebiete des äußeren Kreide-
zuges, in welchem wir nun bis Altstätten bleiben. Der nördlich von
Altstätten von Westen her in die Rheinebene hineinragende Bergsporn

gehört schon den tertiären Voralpen an. Wir umfahren dieses Vorgebirge: plötzlich liegt die weite Fläche des Bodensees vor uns. Die Bahn wendet sich nach Westen und wird durch die Ausläufer des tertiären Gebirges hart an den See gedrängt, dessen Südufer entlang fahrend wir nach Rorschach kommen.

Abb. 148. Die Lacius-Kapelle bei Chur.

Abb. 140. Am Walensee.

3. Säntis und Tödi.

Von Rorschach gehen vier Bahnlinien ab: eine, die, auf der wir gekommen, nach Osten ins Rheinthal; eine in nordwestlicher Richtung das Südwestufer des Bodensees entlang nach Romanshorn und Constanz; eine, eine kurze Zweigbahn, in südöstlicher Richtung hinauf nach Heiden; und endlich eine in südwestlicher Richtung nach St. Gallen, Appenzell etc. Außerdem legen natürlich auch die Bodenseedampfer hier an, so dass Rorschach ein wichtiger Knotenpunkt des Verkehrs und zur Reisezeit sehr belebt ist.

Da wir den Bodensee bei späterer Gelegenheit (siehe Bd. II, p. 68) genauer kennen lernen wollen, halten wir uns diesmal in Rorschach nicht auf, sondern fahren gleich weiter nach St. Gallen. Die Bahn übersetzt den von Südwesten herabkommenden Goldachfluss und steigt jenseits über das hügelige Terrain in westlicher Richtung an. Auf dieser Strecke genießen wir herrliche Rückblicke über den weiten Spiegel des Bodensees. Wir erreichen bei Mörschwyl den ebenfalls von Südwesten herabkommenden Steinachbach und fahren nun durch den geröllreichen Boden des tief eingeschnittenen Steinachthales in südlicher und dann in südwestlicher Richtung hinauf nach dem 673 Meter über dem Meere im oberen Theile des Steinachthales gelegenen St. Gallen.

Als zu Anfang des siebenten Jahrhunderts der irische Missionär Columban diese Gegenden wegen des seinen Bekehrungsversuchen hier entgegengesetzten Widerstandes sammt seinen Schülern verließ und nach Italien reiste, erkrankte einer von der Gesellschaft und musste zurückbleiben. Das war Gallus. Von seiner Krankheit wieder genesen, beschloss dieser, in der Gegend zu bleiben und sein Leben der Einsamkeit und Beschaulichkeit zu widmen. Im Arbonerwalde, dort, wo die Steinach einen kleinen Fall bildet, errichtete er - um 614 - eine Einsiedelei und begann die umwohnenden Heiden zu bekehren. Dies gelang ihm besser als seinem Meister Columban. Letzterer war viel zu scharf ins Zeug gegangen und hatte die Leute durch Verschütten ihres Opferbieres und andere Gewaltthat gegen sich aufgebracht. Gallus ließ den Alemannen ihr Bier und gewann, langsam und vorsichtig operierend, ihre Seelen. «Die Schlangen weichen, die Dämonen ziehen sich wehklagend zurück», berichtet der Chronist, und bald war in dieser Gegend das Christenthum so fest gegründet, dass an die Errichtung eines Stiftes geschritten werden konnte. Gallus ward heilig gesprochen, und das Stift, welches sich aus seiner Einsiedelei entwickelte, nach ihm St. Gallen genannt. Dasselbe war ganz nach dem Muster der irischen Klöster geregelt und blieb bis zu Anfang des achten Jahrhunderts den strengen Columbanischen Vorschriften, welche jede weltliche Regung verpönten und mit einer gehörigen Tracht Prügel ahndeten, treu.

Im achten Jahrhunderte führte der Abt Othmar die mildere Benedictinerregel in St. Gallen ein, erweiterte die Baulichkeiten des Stiftes und errang die Gunst und den Schutz der fränkischen majores domus. Von allen Seiten erhielt das Kloster reiche Schenkungen — durch welche die Geber frühere Missethaten sühnen zu können glaubten — und gelangte so zu immer größeren Besitzthümern und immer weiter reichendem Einflusse. Nicht wenig trug zur Hebung des Ansehens von St. Gallen die Gründung einer Bibliothek und Klosterschule daselbst bei. Ludwig der Fromme befreite St. Gallen aus seiner bis dahin bestandenen Abhängigkeit von Constanz und stattete es mit großen Vorrechten aus, worauf im Jahre 830 der Abt Gozbert sich daran machte, das Kloster im größten Maßstabe neu aufzubauen. Um die das Centrum bildende Kirche gruppierten sich nicht nur Wohnräume, Schlafsäle, Speisesäle, Kleiderkammern und Küchen, sondern auch eine Bäckerei, eine Brauerei, eine Mühle, Schmiede und andere Werkstätten für Tischler,

Gerber etc., Stallungen und dann die Gasthäuser für Fremde und Pilger, die Schulzimmer und Schreibsäle: das neue Stiftsgebäude war ein Mikrokosmos, eine Stadt im kleinen.

Während der finsteren Zeiten des neunten und zehnten Jahrhunderts, als fast niemand noch schreiben konnte, als Magyaren und Normannen die deutschen Gaue mit Raub, Mord und Verwüstung heimsuchten, strahlte von St. Gallen das ruhige Licht der Bildung mit hellem Glanze über die wüsten Brandruinen des barbarischen Landes. Die Mönche schrieben Classiker und Kirchenväter ab und studierten sie, trieben Mathematik und Astronomie und beschäftigten sich mit der Heilkunde. Sie componierten kirchliche Gesänge, die ersten musikalischen Productionen des deutschen Volkes, und übten sich mit Erfolg in der Kleinmalerei und Schnitzkunst. Am wichtigsten aber waren die literarischen Arbeiten der Äbte und Mönche jener Zeit: Notker I. schrieb ein Leben Karls des Großen, Ratpert eine Klosterchronik von St. Gallen, Salomon III. sogar ein Conversationslexikon (Glossarium) alles Wissenswerten. Ekkehard I., der Oheim jenes Ekkehard, welchen Scheffel besungen hat, verfasste das lateinische Walthariuslied; und Ekkehard IV., der berühmteste von jenen alten Schriftstellern von St. Gallen, gab eine neue, verbesserte Auflage des Waltharliedes, liber benedictionum, eine Sammlung von Gesängen, sowie eine Fortsetzung der Ratpert'schen Klosterchronik heraus. Das letztgenannte Werk schildert das damalige St. Gallener Klosterleben in sehr anschaulicher Weise. Im allgemeinen bedienten sich jene Schriftsteller der lateinischen Sprache, denn obwohl dieses «Mönchs-Latein» voll von grammatikalischen Fehlern und nichts weniger als classisch war, so ist es doch dem damaligen, im höchsten Grade ungeschlachten Deutsch weit vorzuziehen gewesen. Im neunten Jahrhunderte wurden in St. Gallen bloß einige Lieder, Gebete und Predigten deutsch geschrieben — hier eine Probe dieser Sprache, der Anfang des Glaubensbekenntnisses:

Kilaubu in Kot, fater almathicum, Kiscaft himiles euti erda.
(Ich glaube an Gott Vater (dem) allmächtigen Geschöpf*) (des) Himmels und (der) Erde.

Kein Wunder, dass man da die lateinische Sprache vorzog!

Gegen Ende des elften Jahrhunderts verblich der literarische Glanz von St. Gallen. Die Mönche, früher an eine ascetische Lebensweise gewöhnt, wurden immer üppiger, und die Äbte mischten sich immer mehr in die politischen Händel der Nachbarn. Allzeit kaisertreu wurden sie 1206 zu Reichsfürsten erhoben und standen gegen Ende des dreizehnten

*) Statt Schöpfer, falsche Übersetzung aus dem Lateinischen

Jahrhunderts auf der Höhe ihrer Macht; doch das dauerte nicht lange: große Territorien wurden dem Stifte entrissen, und die den Äbten unterthane Stadt, welche sich im Schatten des Klosters entwickelt hatte, begann sich zu emancipieren. Diese Emancipationsbestrebung führte endlich 1415 zu einer vollständigen Loslösung derselben von dem Kloster. 1454 wurde die Stadt St. Gallen in den Bund der Eidgenossen aufgenommen. 1468 fiel die Grafschaft Toggenburg dem Abte von St. Gallen zu, und dieser wollte nun seinen Sitz nach Rorschach verlegen. Allein das litten die Gotteshausleute nicht; es kam zu einem Aufstande; die neuen Klostergebäude in Rorschach wurden zerstört und der Abt gezwungen, in St. Gallen zu bleiben. 1528 wurde St. Gallen evangelisch, die neue Lehre breitete sich rasch über das Land aus, der Abt und die Mönche mussten entfliehen. Nach dem Siege der Katholiken bei Kappel wurde der Abt jedoch wieder in seine Rechte eingesetzt und die Unterthanen, mit Ausnahme der Toggenburger, zum katholischen Glauben zurückgebracht. Wegen dieser Toggenburger gab es nun immer Streitigkeiten, welche schließlich, im Jahre 1712, zu einem Kriege — dem zweiten Vilmergerkriege — zwischen den katholischen und den protestantischen Bewohnern der Schweiz führten. Der Kampf fiel zu Gunsten der Protestanten aus; die Rechte der Äbte von St. Gallen wurden erheblich eingeschränkt, gleichwohl aber behielten sie im großen und ganzen doch das Heft in Händen, bis der große Revolutionssturm hereinbrach und — am 4. Jänner 1799 — das Kloster St. Gallen nach mehr als tausendjährigem Bestande aufgelöst wurde.

Mögen die Leute unserer Zeit immerhin die Nase rümpfen über die Verkehrtheiten des Klosterlebens: unbestreitbar bleibt es, dass in den finstersten Zeiten des Mittelalters diese Klöster, und allen voran die Abtei von St. Gallen, Horte der Bildung waren, denen allein es zu danken ist, dass die geistigen Errungenschaften des classischen Altertums uns überliefert wurden; ohne diese Klöster und ihre fleißigen Mönche hätte die moderne Cultur gewiss nicht jene Höhe der Entwicklung erreichen können, auf welche man so stolz ist. Ja mit Ehrfurcht und einem bewundernden Dankgefühle für jene alten Äbte und Mönche betreten wir jetzt die Stiftsbibliothek, in welcher die Originale einiger der literarischen Blüten jener Zeit zur Schau gestellt sind.

Die Stadt St. Gallen — sie hat gegen 30.000 Einwohner — interessiert uns weniger, und so setzen wir denn, nachdem wir die Klosterbauten gesehen, unsere Fahrt nach Appenzell fort. In südwestlicher Richtung über die flache Wasserscheide hinüberfahrend, kommen wir an die tief

eingerissene Sitter, übersetzen sie auf einer großartigen, von drei 53 Meter
hohen Pfeilern getragenen Gitterbrücke und erreichen Winkeln. Hier
verlassen wir die in westlicher Richtung nach Winterthur weiterziehende
Hauptlinie der Bahn und setzen auf der Appenzeller Zweigbahn die Fahrt
fort. Erst geht es in südwestlicher Richtung nach Herisau, dann nach
Süden ins Thal der Urnäsch, eines Nebenflusses der Sitter, und durch
dieses hinauf nach Urnäsch; weiter, scharf nach links, in östlicher Richtung über Gonten nach Appenzell im oberen Sitterthale. Hier endet die
Bahn. Eine Straße führt von Appenzell (781 Meter) durch das Sitterthal
hinauf nach Weißbad (819 Meter), einem mit trefflichen Gasthäusern
ausgestatteten, ungemein anmuthig gelegenen Alpendorfe. Hier wollen
wir die Nacht zubringen und morgen dann über den Säntis hinübergehen
nach Wildhaus.

Die breite, nordsüdlich verlaufende Erosionsfurche der Rheinthal-
strecke Sargans-Altstätten und die oben erwähnte, im westlichen Theile
vom Walensee eingenommene südost-nordwestlich streichende Furche
Sargans-Urnen schneiden gewissermaßen ein Stück aus der mesozoischen
Außenzone der Alpen heraus. Dieses durch die genannten Furchen im
Osten und Süden abgeschnittene mesozoische Bergmassiv wird durch die
gerade, von Urnen im Südwesten nach Altstätten im Nordosten laufende
Senkung Jenthal-Lauternthal-Weißbachthal von dem nordwestlich daran
stoßenden tertiären Berglande abgegrenzt und erlangt dadurch die Ge-
stalt eines ziemlich regelmäßigen Dreieckes. Die Nordwestseite dieses
Dreieckes entlang läuft die Bergkette Speer-Säntis-Hoher Kasten von
Südwest nach Nordost; die Südseite des Dreiecks entlang die Kette der
Churfirsten — der Name vom Trennungsgrat, First, an der Nordgrenze
des Gebietes von Chur — von West nach Ost und Südost. Dem Säntis-
kamme schließen sich im Südosten mehrere kleine Parallelkämme an; der
Churfirstenkamm ist einfach. Säntis- und Churfirstenkamm schließen eine
Mulde ein, in welcher auf der Wasserscheide zwischen Rhein und Thur
Wildhaus liegt. Von dem Wildhauser Plateau fließt nach Osten, rhein-
wärts der Simmitobelbach, nach Westen die Thur hinab. Letztere durchbricht, nach Nordwest sich wendend, den Säntiskamm und vereinigt sich
draußen in den nördlichen Vorbergen mit der Sitter. Der höchste Punkt
dieses Gebirges und der höchste Berg des Cantons St. Gallen überhaupt
ist der 2503 Meter hohe Säntis.

Der Südabhang des Churfirstenkammes, dessen östlichen Eckpfeiler,
den Alvier, wir schon kennen, besteht aus jurassischem, der ganze übrige
Theil des Gebirges aus cretacischem Gestein. Am Säntisgipfel selbst

steht Seewerkalk (Senonien) zu Tage, an anderen Stellen bilden Schrattenkalk (Urgonien) oder Neocomien die Gratkanten. In der Wildhauser Mulde
liegt Flysch. Die Schichten sind hoch und compliciert gefaltet und
streichen von Südwest nach Nordost.

Das Sitterthal erstreckt sich von Weißbad (818 Meter), den nordöstlichen Theil des Säntisgrates durchbrechend, nach Süden und zieht im
weiteren Verlaufe nach Südwesten zwischen dem Säntisgrate und dem
nächsten südwestlichen Parallelkamme zum Säntisgipfel hinauf. Durch
dieses Thal marschieren wir auf einem Fahrwege über Schwendi nach
Wasserauen. Dort endet die Straße. Ein gut angelegter Fußpfad, der
Katzensteig, führt uns von hier steil nach rechts hinauf zur Hüttenalp
(1201 Meter). Nun geht es -- immer auf trefflich angelegtem Steige --
zwischen Felswänden durch über steiles Gras, unterhalb des Wildkirchli
(Abb. 150) vorbei zu der in einer schönen Hochmulde 1520 Meter über
dem Meere gelegenen Megglisalp. Steil steigen wir von hier über Rasen
und Felsabsätze empor zur Wagenlucke und dann rechts an einem
größeren Schneefelde über die hier durch Stufen, Drahtseil etc. gut
gangbar gemachten Felsen zu dem 40 Meter unter dem Säntisgipfel gelegenen Gasthause hinauf. Eine Felsentreppe führt von letzterem zum
Gipfel, auf welchen eine meteorologische Station steht.

Sehr umfassend ist das Panorama. Ungehemmt schweift der Blick
nach Norden und Westen über die große Depression mit ihren Seen zu
den in der Ferne aufragenden Höhen des Jura und Schwarzwald. Im Osten
erheben sich die Gebirge von Vorarlberg, nach rechts hin, gegen Südosten immer höher ansteigend, zur scharfen Pyramide der Seesaplana. Wir
sehen das Fluchthorn, sowie andere Gipfel der Silvrettagruppe und weiter
nach Süden hin den Kopf des Linard, den breiten Gipfelgrat des Piz
Kesch und in der Ferne eine Reihe von Tirolerbergen. Das schönste
aber bleibt immer die Berninagruppe: wir erkennen alle Gipfel vom
Palü (zur Linken) bis zur Disgrazia (zur Rechten), Zupò, Ot, Bernina,
Roseg. Im Süden, jenseits des Churfirstenkammes, sehen wir den gipfel-
reichen Grat, welcher das Vorderrheinthal im Norden begleitet, den Piz
Sol, die Ringelspitze, den Saurenstock, Vorab, endlich im Südwesten die
breite, firngepanzerte Masse des Tödi und den näher liegenden Glärnisch.
Rechts davon erheben sich Dammastock, Titlis und die Berner Alpen
und weiterhin die Voralpen in der Umgebung des Vierwaldstätter Sees.

Gerne möchten wir auf dem Säntis oben die Nacht zubringen, aber
das Gasthaus ist ohne uns schon überfüllt: so wollen wir denn lieber heute
noch hinunter nach Wildhaus. Am Südabhange des Säntis entspringt

die Thur. Über Schnee und weiter durch steile Fels- und Graspartien
steigen wir zu dem Schafboden, der obersten Mulde des Thurthales, ab,
gehen von hier hinab zur Flisalpe, wenden uns dann links, überschreiten
einen tiefen Sattel im südwestlichen Theile des Altmannrückens — eines
der Parallelkämme des Säntisgrates - und steigen in südwestlicher
Richtung hinunter nach Wildhaus. Dieser Ort liegt, wie erwähnt, auf
der Wasserscheide, an dem höchsten Punkte der Straße von Gams im
Rheinthale nach Wyl an der Thur, 1008 Meter über dem Meere. Außerhalb des Ortes steht das hölzerne, jetzt von dem hier oben kräftigen ultravioletten Lichte schon ganz geschwärzte Haus, in welchem am 1. Januar
1484 der berühmte Zwingli geboren wurde. Wildhaus liegt abseits vom
großen Touristenstrome, und der Aufenthalt im Gasthause zum Hirschen
dort ist sehr gemüthlich.

Von Wildhaus führt ein Jochsteig über den 2267 Meter hohen Käser-
ruck zwischen Churfirst und Faulfirst — nach Walenstadt am Ostende
des Walensees. Diesen wollen wir benützen, um an den genannten See
zu gelangen. Es ist ein rauher, theilweise recht steiler Anstieg, welcher
aber wegen der merkwürdigen Faltung der diversen anstehenden Kreide-
schichten, die wir nach einander überschreiten, sehr interessant ist. Während des Anstieges genießen wir den schönen Rückblick auf die Südwand des Säntis mit ihren merkwürdigen Querbändern verschiedenartiger
Gesteinsschichten. Auf der Passhöhe angelangt blicken wir hinab in die
vor uns eingesenkte, tiefe Sargans-Walenseefurche und hinaus zu den
südlichen Bergketten. Steil geht es nun abwärts nach Walenstadt (428
Meter). Um von Walenstadt zu unserem nächsten Ziele, dem Tödi, zu gelangen, müssen wir zunächst nach Glarus im Lintthale reisen. Die
Eisenbahnlinie Sargans-Urnen berührt Walenstadt. Auf dieser wollen wir
bis Urnen und dann auf der Lintthalbahn weiter nach Glarus.

Von Walenstadt bis Urnen läuft die Eisenbahn dicht am Walensee
hin. Der schmale, bloß 2 Kilometer breite, aber 15 Kilometer lange
Walensee (Abb. 140) ist ebenso wie der Brienzer und der als Urner
See bekannte Südarm des Vierwaldstätter Sees ganz von dem Gebirge
der Außenzone des Alpenzuges eingeschlossen. Hoch und steil wie die
Ufer des Urner und Brienzer Sees sind daher auch die Gestade des
Walensees. Er unterscheidet sich aber von den beiden erstgenannten
in doppelter Hinsicht. Zunächst in Bezug auf seine Lage. Wie der Leser
sich erinnert, ist das Brienzer Seebecken ein ostnordöstlich streichendes
Längsthal und das Urner Seebecken ein nordsüdlich verlaufendes, die
Gesteinsschichten fast senkrecht durchschneidendes Querthal. Der

Walensee nun ist von Ost nach West in die Länge gestreckt und sein Becken ein die Gesteinsschichten in dieser Richtung s c h i e f durchschneidendes Q u e r t h a l. Ferner zeichnet sich der Walensee vor den beiden anderen ana-

Abb. 150.
Das Wildkirchli am Säntis.

logen Seen noch dadurch aus, dass er nicht wie Brienzer und Urner See ganz von mesozoischen, sondern theilweise (im Süden) von paläozoischen Felsen eingesäumt wird.

In das Ostende des Sees tritt die am Saurenstocke entspringende, von hier nordöstlich nach Mels und weiter durch die Furche nach

Nordwest dem See zu fließende Seez ein. Die Wasserscheide zwischen der Seez und dem Rheine bei Mels liegt 500 Meter über dem Meere, Sargans im nächstliegenden Abschnitte des Rheinthales 485 Meter hoch — bloß 15 Meter tiefer. Es würde also ein nur wenig über 15 Meter hoher Damm an dieser Stelle hinreichen, den Rhein von seinem gegenwärtigen Laufe abzulenken und dem Walensee zuzuführen. Die Annahme scheint wohl gerechtfertigt, dass zur Zeit, als der jurassische Felsriegel dort noch nicht durchbrochen war, der Rhein in der That sich in den Walensee (und nicht wie jetzt in den Bodensee) ergossen hat. Der am Westende des Walensees hervorbrechende Seeabfluss mündete einstens etwas unterhalb seines Ursprunges in die von Süden aus dem Glarus kommende Lint, welche von hier durch die Utznacher Ebene in nordwestlicher Richtung dem Züricher See zufloss, um in dessen Ostende einzumünden. Da die Utznacher Ebene fast gar kein Gefälle hat und häufig von der wilden und wasserreichen Lint überschwemmt wurde, so war dieselbe sehr sumpfig, der Cultur verschlossen und ein Herd böser Fieber.

Da kam zu Anfang dieses Jahrhunderts Konrad Escher auf die Idee, diesen Übelständen in folgender Weise abzuhelfen: die Lint sollte durch einen künstlichen Canal in den Walensee geleitet werden und ein zweiter Canal das Wasser aus dem Walensee dem Züricher See zuführen. Dieser Escher'sche Plan wurde in den Jahren 1807—1811 zur Ausführung gebracht; selten hat eine Flussregulierung einen so glänzenden Erfolg gehabt. Die Lint ergießt sich jetzt in den Walensee und tobt sich dort aus, ohne irgendwelchen Schaden anzurichten, denn selbst die bedeutendsten Hochwässer vermögen den 23 Quadratkilometer großen Walensee kaum merklich zu erhöhen. Die Sümpfe sind vertrocknet, das Fieber ist verschwunden, reiche Culturen bedecken die dem Menschen solcherart durch Escher dienstbar gemachte Utznacher Ebene. Die dankbaren Schweizer benannten den neuen, die Lint dem Walensee zuführenden Canal nach diesem Philanthropen Eschercanal, während der den Walensee mit dem Züricher See verbindende Wasserlauf Lintcanal heißt; und Escher selbst erhoben die Eidgenossen in den Adelstand, indem sie ihm das Prädicat von der Linth[1] verliehen. Den möchte ich sehen, der angesichts dieses Falles den Stab über alle Adelserhebungen bricht!

Wir steigen in den Zug — Walenstadt liegt am rechten, der Bahnhof gegenüber am linken Ufer der Seez dicht bei ihrer Ausmündung in den See — und beginnen die Fahrt. Mit großer Kunst ist die Bahn in die steilen jurassischen Felswände hineingebaut, welche den östlichen

[1] Linth ist die ältere Schreibweise für Lint.

Theil des Walensees im Süden einfassen. Tunnel folgt auf Tunnel. Dazwischen führt die Bahn stellenweise nur wenige Meter von der Strandlinie entfernt am See hin. So dünn ist stellenweise die Felsmauer, welche die Tunnelhöhle von der äußeren, zum See abstürzenden Felswand trennt, dass sie beim Durchfahren des Zuges in heftige Erschütterungen geräth und einen schrecklichen Lärm verursacht. Weiter draußen, bei Murg, wo die erwähnten paläozoischen Gesteine an den Walensee herantreten, hat die Küste einen sanfteren Charakter, doch bald verlassen wir dieses zahme Gelände und fahren wieder in jurassische Kalkfelsen ein. Wieder Tunnel und andere Kunstbauten. Dann folgt Kreide; wir erreichen das westliche Seeende, übersetzen den Eschercanal, welcher am Rande der Ebene, am Fuße des Gebirges angelegt ist, und kommen nach Wesen. Hier steigen wir um und fahren hinüber nach Näfels-Mollis an der Linttthalbahn. Nun geht es durch den breiten und flachen, unteren Boden des Linttthales in südlicher Richtung hinauf nach Glarus.

Die Lint ist ein bedeutender Fluss, welcher alle vom Nordabhange der ungefähr 36 Kilometer langen Kammstrecke Tödi-Saurenstock herabkommenden Gewässer aufnimmt. Sie selbst entspringt an dem vom Nordabhange des Tödi herabziehenden Sandgletscher, fließt von dort als Oberstäfelibach› in östlicher Richtung nach Hintersand, nimmt hier den vom Bifertengletscher im Süden kommenden Bifertenbach auf und strömt dann in nordöstlicher Richtung — dieses Stück der Lint heißt Sandbach — zur Pantenbrücke. Hier nimmt sie den von Südosten herabfließenden Limmerbach auf, durchbricht eine Felsenge und läuft dann als Lint in ostnordöstlicher Richtung durch einen ziemlich breiten Thalboden über Linttthal und Luchsingen hinaus nach Schwanden. In dieser Strecke nimmt die Lint links den vom Klausenpasse nach Nordost herabfließenden Fätschbach und rechts den vom Hausstock nach Nordwest herabfließenden Durnachbach auf. Bei Schwanden ergießt sich die bedeutende Sernf, welche den Nordabhang der langen Kammstrecke Hausstock-Saurenstock entwässert und von Elm im weiten Bogen erst in nördlicher, dann in westlicher Richtung herabfließt, von rechts her in die Lint. Bis Schwanden hinab läuft das Linttthal der Streichungsrichtung des Gesteins parallel und ist ein Längsthal. Unterhalb Schwanden aber durchbricht die Lint — einen nördlichen, weiterhin einen nordwestlichen, dann wieder einen nördlichen Curs einschlagend — die Gesteinsschichten und bildet ein Querthal, welches bis Glarus hinab ziemlich eng ist, weiterhin sich aber verbreitert. Der bedeutendste Nebenfluss, den die Lint in diesem Theile ihres Laufes aufnimmt, ist die vom

Pragelpasse nach Osten herabfließende Löntsch, welche unterhalb Glarus
von links her in dieselbe einmündet.

An der Mündung des von der Löntsch durchströmten Thales, welches
den Namen Klönthal führt, vorbeifahrend, erreichen wir Glarus, eine kleine
Stadt, welche am oberen Ende des untersten Bodens des Lintthales
451 Meter über dem Meere liegt. Die Bahn führt durch das Lintthal
weiter hinauf bis Lintthal, wir aber verlassen hier in Glarus den Zug.
Gewaltig erhebt sich über der breiten, fruchtbaren Thalsohle im Südwesten
der schöne Felsbau des Vorderglärnisch, im Osten der doppelgipflige
Schild und im Nordwesten die kahle Riesenmauer des Wiggis, während
im Süden die Firngipfel des Hausstock, Kärpfstock und Ruchi aufragen.
Glarus ist zwar eine alte Stadt — 1506—1512 war Zwingli dort Pfarrer —,
allein jetzt merkt man das nicht, da im Jahre 1861 eine schreckliche
Feuersbrunst, welcher man bei dem damals herrschenden Föhn nicht Herr
werden konnte, den größten Theil der alten Stadt vernichtet hat: das
Glarus, dessen Straßen wir jetzt durchwandern, ist seither erstanden.

Der Vorderglärnisch, welcher so stolz auf die Stadt herabblickt, ist
ein östlicher Ausläufer des um 600 Meter höheren, eigentlichen Glärnisch.
Letzterer erscheint als ein von einem nach Westen sich abdachenden, überfirnten Plateau gekrönter Gebirgsstock, dessen Nordrand der 2910 Meter
hohe Ruchen und dessen Südrand der 2920 Meter hohe Bächistock
entragen. Am Westabhange dieser Bergmasse unterhalb des Endes
des dasselbe bedeckenden Glärnischgletschers liegt in einer Höhe von
2015 Metern eine Schutzhütte. Zu dieser wollen wir hinaufgehen, um
dann von dort aus den Ruchen zu ersteigen. Der vom Glärnischgletscher
herabkommende Bach fließt erst in westlicher Richtung zur Werbenalpe,
wendet sich hier nach Nordwest und strömt ins Klönthal hinab, welches
er oberhalb Vorauen erreicht. Um von Glarus aus die erwähnte Glär-
nischhütte zu erreichen, müssen wir daher durch das Klönthal und über
Werben den ganzen Glärnischstock im Norden umgehen.

Wir verlassen Glarus und marschieren thalabwärts, etwas links
uns haltend, hinaus nach Riedern an der Mündung des Klönthales.
Hier wenden wir uns links und wandern in westlicher Richtung den
Löntschbach entlang thalauf. Bald kommen wir an eine enge Schlucht
und gewinnen, schärfer ansteigend, die Höhe der oberen Thalstufe. In
dieser breitet sich der schöne Klönthaler See 828 Meter1 aus, an dessen
Nordufer die Straße hinführt. Der Klönthaler See liegt an der
Grenze zwischen dem cretacischen Wiggisgrate im Nordwesten und den
gewaltigen, unten jurassischen, oben ebenfalls cretacischen Nordabstürzen

des Glärnisch: prächtig spiegeln sich diese mit schmalen Schneebändern geziertten Felswände in dem krystallklaren Wasser des Sees. Der obere Theil des Klönthaler Seebeckens ist von alluvialem Geröll ausgefüllt; dort breitet sich der schöne, flache Thalboden (Abb. 151) aus, in welchem die Alphütten von Vorauen liegen. Oberhalb dieser Hütten wenden wir uns links und gehen durch das Rossmatter Thal ziemlich steil bergauf. Das anfangs schmale Thal erweitert sich oben, auch die Neigung nimmt ab, und wir kommen nach Werben im Thalschlusse. Nun geht es links über Schutthalden und Rasen steil hinauf zu dem Schutzhause.

Abb. 151. Im Klönthale.

Besonders luxuriös eingerichtet ist die Hütte gerade nicht, aber sie bietet doch einen ganz guten Unterschlupf, und behaglich bringen wir die Nacht in derselben zu. Am anderen Morgen steigen wir über die cretacischen Karenfelder, welche sich oberhalb der Hütte ausbreiten, hinauf zum Gletscher, gehen über diesen ohne alle Schwierigkeit hinüber zu dem Fuße des Gipfels und klettern schließlich an den ganz leichten Kalkfelsen des letzteren empor zum höchsten Punkte.

Sehr schön ist die Aussicht von dieser Spitze. Nach Norden blicken wir hinab in das tief eingeschnittene Klönthal, aus dessen Grunde der schöne See zu uns heraufgrüßt. Jenseits des Thales erheben sich die aus merkwürdig gefalteten Kreideschichten zusammengesetzten

Südabstürze des langen Wiggisgrates, und darüber in der Ferne sehen
wir die sanfteren Formen des tertiären Hügelgeländes, aus welchem der
Bodensee hervorschimmert. Rechts weiter blicken wir hinab in das
untere Lintthal und zum Westende des Walensees. Höher steigt nach
Osten hin das Kreidegebirge an, der zackige Churfirstengrat und der
Säntis. Im Osten sehen wir, über den sanften Formen der paläozoischen
Berge in der Umgebung des Murgthales südlich vom Walensee, in der
Ferne die schönen Gipfel des Rätikon und der Silvrettagruppe. Wir
erkennen die schlanke Zimbaspitze, die Seesaplana, Fluchthorn und Buin.
Aus großer Ferne schauen einzelne wohlbekannte Tiroler Gipfel zu uns
herüber: mit Sicherheit erkennen wir die Ötzthaler Wildspitze. Dann
schneidet der trotzige, überfirnte, aus dem Verbindungsgrate zwischen
Vorder- und Mittel-Glärnisch aufragende Felskopf des Vrenelisgärtli
die Fernsicht ab. An seinen Wänden erkennen wir deutlich die zerknitterten Falten der ihn zusammensetzenden Gesteinsschichten. Rechts
von ihm sehen wir das von Nummulitenbänken durchsetzte Flyschterrain,
welches sich zwischen dem Lintthale und der Ringelspitze ausbreitet —
einen Theil jener inneren Kreide-Flyschzone, deren östliche Fortsetzung
jenseits des Rheinthales wir schon kennen gelernt haben. In der Ferne
erheben sich über diesen Bergen die stolzen Gipfel der Berninagruppe,
der trotzige Felsbau des Piz d'Aela und die schönen Firnpyramiden des
Bernina und Roseg.

     Im Südosten dehnt sich das flache Firnfeld des Glärnischgletschers
aus, und über den dunklen Felsköpfen, welche dasselbe einsäumen, blicken
wir hinaus zu der breiten Pyramide des Haussstock, dessen, aus triassischer
Rauchwacke bestehender Gipfel durch eine schmale Bank weißen Juras
von dem Flysch getrennt ist, der seinen Unterbau bildet. Im Süden
erheben sich die Gipfel des Albulagebirges über den Flyschbergen östlich
vom Lintthale; dann folgen nach rechts hin der Bifertenstock und die
breite Masse des Tödi, dessen aus weißem Jurakalk bestehender Gipfel
über die überfirnten Massen des Hinterglärnisch emporragt; weiter das
schöne Scheerhorn und die steil nach rechts abbrechenden Windgälle.
Nach Westen hin werden die näher liegenden Bergketten niedriger. Wir
erkennen die Furchen des Schächen- und Reußthales. Über dieses
tiefer liegende Land ragen stolz die schönen Gipfel des Rhônestockes
und der Berner Alpen auf. Besonders kühn treten Finsteraarhorn, Schreckhorn und Wetterhorn hervor. Zahmer wird das Bergland im Nordwesten.
Über die felsigen Vorberge blicken wir hinaus in die große Depression
mit ihren Seen. Wir erkennen den Sempacher und Ägeri-See — welche

393

Schlachtenerinnerungen rufen sie in uns wach! — dann den großen Züricher See, den Greifen- und Pfäffiker See, die drei letztgenannten von niedrigen, sanft geneigten tertiären Hügeln umgürtet. Höher werden diese Hügel nach Norden hin, um dann abermals herabzusinken in das breite Becken des Bodensees.

So warm und windstill ist es heute hier oben, dass wir uns kaum entschließen können, den Abstieg anzutreten, doch endlich muss geschieden sein! Auf der Anstiegsroute gehen wir wieder hinunter und marschieren am Abende hinaus durch das Klönthal. Tief im Schatten liegt der Thalboden, und fast schwarz ist jetzt der See; aber dunkelorangenroth leuchtet aus seiner Mitte das Spiegelbild der im Strahle der sinkenden Sonne glühenden Glärnischgipfel hervor. Selten wohl geschieht es, dass wir uns nach einer Bergtour am Rückwege aufhalten, aber hier bleiben wir stehen: auf die Pickel gestützt, betrachten wir dies unvergleichliche Bild. Glühender noch als die Berge selber leuchtet ihr Spiegelbild im dunklen See aus der düsteren Umgebung hervor, und im Contraste zu diesem flammenden Roth nimmt das abendschattige Thal eine tief violette Färbung an. Das Licht verlischt. Die Dunkelheit breitet sich aus. Wir setzen den Marsch fort, wandern hinaus nach Riedern — schon ist es Nacht — erblicken die Lichter von Glarus und erreichen bald unser Hotel.

Wir wollen nun durch das Lintthal hinauf zum Tödi, diesen besteigen und dann über den Hüfipass hinüber ins Maderaner Thal und hinaus nach Amsteg an der Gotthardbahn.

Bis Lintthal hinauf führt die Eisenbahn. Wir wollen dieselbe jedoch erst weiter oben benützen, bis Schwanden aber zu Fuß gehen. Die Straße führt immer am linken Lintufer hin von Glarus über Mitlödi nach Schwanden. Rechts abseits von derselben liegt das von einem großen Bergsturze einstens theilweise verschüttete Schwändi. Steil ragten einst drei zum Vorderglärnisch gehörige Zacken, die «Drei Schwestern», über Schwändi auf. Dieselben bestanden aus compactem liassischen Alpenkalk und ruhten, durch schmale Bänke von Verrucano und weißen Jura von ihm getrennt, auf dem weichen cretacischen oder eocenen Flysch dieser Gegend. Der Flysch wurde von Wasser durchtränkt und theilweise ausgewaschen. Der solcherart seiner Unterlage beraubte Kalk der «Drei Schwestern» war daher zum Falle bereit, als am Abende des 11. November 1593 (a. S.) ein Erdbeben den Anstoß zu seinem Sturze gab. Unter furchtbarem Krachen brach die mittlere der «Drei Schwestern» zusammen und fuhr, in einen mächtigen

Strom von Felstrümmern aufgelöst, durch die Wuostrinne zu Thal. Bei Untersack und am Bannwalde kam der Bergsturz zum Stehen. Allein damit war die Ruhe noch nicht hergestellt: fast täglich fanden kleine Nachstürze statt, und am 2. Juli 1504 (a. S.) begannen sich um 7 Uhr morgens unter donnerähnlichem Krachen neuerdings große Spalten zu bilden. Mensch und Vieh floh vor der drohenden Gefahr, und sie hatten Zeit, sich zu retten, denn der durch diese Phänomene angekündigte Sturz erfolgte erst um 4 Uhr früh am folgenden Tage. Da brach abermals ein großes Stück des Abhanges los, stürzte lawinenartig den Berg herunter und riss die zweite, östliche von den «Drei Schwestern» mit, deren Bruchstücke, wie Tschudi erzählt, in grausigem Fluge die Luft durchsausten; jetzt existiert von den Drei Schwestern nur mehr eine, die westliche. Die Hauptmasse des Sturzes kam am Fuße des Berges bei Wyden und Schwändi zur Ruhe. Dabei wurden die Quellen des Oberdorfbaches verschüttet; diese brachen nach neun Tagen mit großer Gewalt hervor und richteten unten im Thale neue Verwüstungen an.

In Schwanden besteigen wir den Zug und fahren hinauf nach Lintthal, dem Terminus der Bahn. Diese Thalstrecke wird im Gegensatze zum Kleinthale, welchen Namen das bei Schwanden von Osten her ins Lintthal einmündende Sernfthal führt, das Großthal genannt. Die Fahrt durch das Großthal (Abb. 152) ist sehr interessant. Reiche Culturen, Felder und — bis Betschwanden hinauf — auch Weingärten bedecken die von Straßen und der Eisenbahn durchzogene Thalsohle, und vielerorts erheben sich hohe Fabriksessen zwischen den netten Häusern der wohlhabenden Bewohner, Zeugnis gebend von der regen Industrie, die hier herrscht. Über das Thal aber thürmen sich gewaltige Felswände auf, und die Firndiademe der Bergeshäupter blicken herab auf das emsige Treiben in dem dichtbevölkerten Boden. An Luchsingen, Betschwanden und dem vielbesuchten Bade Stachelberg fahren wir vorbei und erreichen das am Fuße des Ortstock 661 Meter über dem Meere gelegene Lintthal. Hier halten wir uns nicht auf, sondern nehmen einen Wagen und fahren auf guter Straße weiter durch das Thal hinauf nach Thierfehd zum Hotel Tödi, wo wir die Nacht zubringen wollen. Thierfehd liegt in einem flachen, breiten, allseitig von jurassischen Felswänden eingeschlossenen Thalboden, 810 Meter über dem Meere. In das Südende dieser Thalmulde tritt die aus enger Schlucht hervorstürzende Lint ein.

Der höchste Punkt des Tödi, der 3623 Meter hohe Piz Ruscin, liegt am Westrande des kleinen, überfirnten Hochplateaus, welches das Tödimassiv krönt. Nach Nordwest und Nordost stürzt dasselbe mit gewaltigen

Steilwänden ab, nach Süden aber senkt es sich sanfter zum Firnbecken
des Bifertengletschers. Der Bifertengletscher strömt im Bogen nach Ost
und Nordost in das Bifertenthal hinab, welches bei Hintersand in das
Sandalpthal, wie der oberste Theil des Lintthales genannt wird, ausmündet.
An dem nördlich vom Bifertengletscher aufragenden Grünhorn, einem
vom Tödimassiv nach Osten abzweigenden Grate, steht in einer Höhe von
2451 Metern die Grünhornhütte. Zu dieser wollen wir zunächst hinaufgehen, in derselben die Nacht zubringen und dann von dort aus den Tödi
besteigen und traversieren.

An einem schönen, klaren Morgen verlassen wir mit zwei schwer-
belasteten Trägern das Hotel Tödi und gehen auf steilem Pfade hinauf
über die westliche Thalwand. Wir kommen da zu einem Felsblocke,
auf welchem die Belehrung «Betritt die pfadlose Öde nie ohne kundigen
Führer!» zu lesen ist. Ich muss gestehen, dass ich es nicht liebe, mich
von Leuten, die von einer Sache viel weniger verstehen als ich selber,
belehren zu lassen. Ja, mich empört ein solcher übel angebrachter Be-
mutterungsversuch zur Beschränkung meiner persönlichen Freiheit: ich
kann es nicht unterlassen, solche den führerlosen Bergsteigern ertheilte
Belehrungen als höchst taktlos zu tadeln; und doppelt freut es uns
angesichts dieser kindischen Warnungstafel, dass wir auch diese Tour
in die spfadlose Öde des Tödi «ohne kundige Führer» unternommen
haben. — Doch wozu sich die Laune verderben lassen? Frisch weht
uns die Alpenluft entgegen, und rasch setzen wir unseren Marsch fort.
Etwas absteigend erreichen wir die Pantenbrücke, überschreiten sie
und wandern am rechten Lint(Sandbach)ufer weiter. Bald kommen wir
an den aus tiefer Schlucht hervorbrausenden Limmerbach, übersetzen
auch ihn und marschieren, etwas rechts uns wendend, in südwestlicher
Richtung in das Sandalpthal hinein. Die Neigung der Thalsohle ist
nicht unbedeutend, rasch gewinnen wir an Höhe. Bei der Hinteren
Sandalp angelangt, trennen wir uns: den einen Träger schicken wir
mit einem Theile der Impedimenta hinauf zur Oberen Sandalp, welche
auf einer Stufe 700 Meter über der unteren liegt; wir mit dem
anderen Träger gehen nach links hinauf durch das Bifertenthal und gewinnen, ziemlich steil über die westliche Thalwand ansteigend, die breite
Terrasse der Bifertenalpe. Dort halten wir Rast und steigen dann zur
Hütte empor.

Hier bringen wir die Nacht zu und brechen beim ersten Grauen
des kommenden Tages nach dem Tödi auf. Mit Hilfe eines Drahtseiles
klettern wir über die Felsen der Grünhornsüdwand zum Bifertengletscher

24*

hinab und steigen nun über diesen an. Doch bald drängen uns die
Klüfte von unserer Marschrichtung ab, und wir wenden uns den Felsen
an der Nordseite des Gletschers zu. Über die sogenannte «Gelbe Wand»
wird ohne Schwierigkeit die Höhe gewonnen. Nun geht es auf den Sattel
zwischen Glarner Tödi und Piz Rusein zu, endlich über einen breiten
Firnrücken hinauf zu letzterem.

Es wird kaum einen Berg geben, dessen Panorama geologisch so
interessant ist wie jenes des Tödi. Wie schon mehrfach erwähnt, bildet
die Tödigruppe das Nordostende jenes großen Urgebirgsstreifens, welcher
vom Lötschenpasse bis hieher die Rhône-Rheinfurche im Nordwesten
begleitet. Die Gipfel des Tödi selbst bestehen aus einem Theile jenes
mesozoischen Gewölbes, welches das Nordostende des Urgebirgsstreifens
bedeckt. Hinausblickend nach Nordwesten sehen wir den Südostabhang
des Claridengrates. Sein Fuß besteht aus nach Süden fallenden Schichten
des Weißen Jura. Auf der Höhe desselben tritt, normal gelagert, der
Flysch zu Tage. Jenseits des Claridenstockes an der Nordwand des
Schächenthales aber sehen wir zu u n t e r s t den Flysch und darüber
nach einander in umgekehrter Lagerung Bänke von jurassischem, liassischem und triassischem Gestein. Auf diese folgen dann nochmals die
gleichen Trias-, Lias- und Juraschichten, aber in normaler Lagerung. Die
Grathöhen selbst, die zackigen Schächenthaler Windgälle, bestehen aus
Jurakalk. Hier ist also die ganze mesozoische Schichtenreihe nach N o r d-
w e s t e n eingefaltet. Blicken wir nun nach Südosten! Da sehen wir jenseits des Bifertengletschers den vom Piz Urlaun über den Bifertenstock
nach Osten ziehenden Grat und die von demselben nach Nordwesten absetzende Felswand. Der Fuß der letzteren besteht aus Phyllit, und auf
diesen folgt triassische Rauchwacke, Lias, Unterer und Weißer Jura, dann
Kreide und endlich der von Nummulitenbänken durchsetzte Flysch. An
dem etwas weiter südlich liegenden Piz Tumbif aber stehen nach einander
erst Trias, dann Jura, dann wieder Trias, dann krystallinischer Schiefer,
hierauf wieder Trias, Jura, Trias und endlich, bis zur Höhe des Kammes
ansteigend, krystallinischer Schiefer zu Tage. Auf der Höhe des breiten
Kammes, hinter dem höchsten Grate, tritt wieder Trias, Jura, Trias auf,
während der ganze ins Vorderrheinthal absetzende Südabhang aus Urgestein und zwar aus dem Protogin und Gneis der Südzone des Urgebirgsstreifens zusammengesetzt ist. Hier also sind die mesozoischen Schichten
wiederholt nach S ü d o s t e n eingefaltet. Diesen so überaus complicirten
geologischen Bau des Glarner Landes hat Heim mit der Annahme
einer großen Doppelfalte — das ist die berühmte Glarner Doppelfalte —

Abb. 132. Der Tödi vom Linththale.

erklärt. In das Glarnergebirge reicht von Osten her jene weit ausgedehnte, liegende, südlich übergelegte Falte hinein, die sich vom Walensee bis zum Surenenpasse erstreckt und die Grauen Hörner, den Kärpfstock und andere mit alten Gebilden (Verrucano) krönt, während ihr Grundgestell aus jungen Gebilden (Eocen, Flysch) besteht. Gegen den mehrfach erwähnten Urgebirgsstreifen sind die Sedimentgesteine nach Norden über sich selbst zurückgeschlagen, in dem westlichen Theil der Gruppe (Windgälle-

Scheerhorn) in einer großen, in dem östlichen (Scheerhorn-, Pantenbrücke-, Baumgartenalpen) in mehreren kleineren Falten.

Nicht weniger lohnend als das Studium dieser nächstliegenden Berge wäre eine Musterung der ungemein weit reichenden Fernsicht, welche die ganze Kette der Alpen vom Montblanc bis zu den Ötzthaler und Stubaier Bergen umfasst. Doch leider ist hiezu keine Zeit mehr, denn vor uns haben wir noch den ziemlich schwierigen Abstieg über den Nordwestabsturz des Tödi zur Oberen Sandalp.

Das Gipfelplateau des Tödi ist dreieckig. An seiner Westecke erhebt sich der Piz Rusein (3623 Meter), auf dem wir stehen; an seiner Ostecke der Glarner Tödi (3601 Meter) und an seiner Nordecke der Sandgipfel (3431 Meter). Von dem letzteren aus ist der Abstieg auf der 1884 von Gröbli mit Zweifel eröffneten Route zu machen. Über den Firnrücken gehen wir hinab zum Sattel — und jenseits noch hinauf zum Glarner Tödi, um auch diesen mitzunehmen — und bummeln dann über das Firnplateau allmählich absteigend hinüber zum Sandgipfel. Hier versammeln wir uns etwas, prüfen die Seilknoten. schnüren die Schuhe fester und beginnen die Kletterei. Durch eine Wand, dann über steile Felsrippen geht es abwärts. Oft werden diese Rippen ungangbar; dann müssen wir durch etwas steingefährliche Couloirs von einer zur andern traversieren. Glashart ist in mehreren derselben das Eis. Gedeckt stellt sich der Hintermann in den Felsen auf und legt das Seil um einen Zacken, während der Vordermann wacker drauf los hackt. So überwinden wird die Couloirs. Gangbarer wir das Terrain; rascher absteigend gewinnen wir den Sandfirn. Der Bergschrund macht uns noch etwas zu schaffen, aber wir finden schließlich einen praktikablen Übergang, erreichen die steilen Schutt- und Grashänge und laufen über diese hinunter zur Oberen Sandalp.

Welche Überraschung wird hier uns zutheil! Einige bekannte Damen, die kurz vorher heraufgekommen und von dem vorausgesandten Träger über unsere Absichten unterrichtet worden sind, haben sich unseres Proviants bemächtigt, die Conserven geöffnet, die Suppe gekocht, zierlich einen Tisch mit einem weißen Tuche (woher sie das her hatten, bleibt unaufgeklärt) gedeckt und darauf unsere culinarischen Schätze mit Sorgfalt und Sachkenntnis aufgestellt. Rasch machen wir Toilette und genießen das von lieben Händen so sorgsam bereitete Mahl. Wir verbringen einen köstlichen Abend hier oben in dieser weltentlegenen Alpe, erfreuen uns an den grünen Matten des Thalgrundes, den von allen Seiten in die Hochmulde hereinhängenden Gletschern, der Gesellschaft, mit welcher der glückliche Zufall uns zusammengeführt, und

mustern mit Stolz den
gewaltigen Absturz
des Tödi, über den
wir herabgeklettert.

Es ist eine unbe-
streitbare Thatsache,
dass der gebildete Mittel-
europäer in einem guten
Bette besser schläft als im
Heu. Die Nacht in der Oberen
Sandalp hat hiefür einen neuen
Beleg geliefert. Missmuthig wegen
der schlechten Nachtruhe bereiten wir
am nächsten Morgen unser Frühstück
selbst — die Damen sind noch nicht
auf — würgen es ohne Appetit hinunter und beginnen dann den Anstieg
zum Hüfipasse. Unsere gedrückte
Stimmung wird durch das Wetter
noch trüber gemacht, denn nicht klar
und hell wie gestern, sondern dunstig

Abb. 153. Das Madrisaner Thal.

und grau ist der Morgen, und nichts Gutes verkündende Nebelballen
kriechen an den Bergen hin.

Wir wandern auf dem Sandalppasswege durch die Thalsohle aufwärts zum Sandgletscher, gehen über diesen in südwestlicher Richtung zum Sandgrate hinauf, wenden uns, unterhalb desselben angekommen, nach rechts und steigen, den Spalten ausweichend, zu dem 2940 Meter hohen Hüfipasse empor. Kaum haben wir ihn erreicht, so hüllt der Nebel uns ein. Wie werden wir da auf dem großen, vor uns liegenden Firnfelde des Hüfigletschers zurecht kommen? In der Hoffnung, eine zu dem weiter nördlich liegenden, häufiger begangenen Claridenpasse führende Trasse zu treffen, marschieren wir, den Compass in der Hand, über das ebene Schneeplateau nach Norden — richtig, wir haben uns nicht getäuscht! Da treffen wir auf eine frische Fährte, die uns wohl sicher zu Thal bringen wird. Dieser nach links folgend, marschieren wir durch den dichten Nebel wohlgemuth hinab über die sanft geneigten Schneeflächen. Spalten machen hier nur wenig Mühe. Wohl verlieren wir weiter unten die Fährte, aber auf Augenblicke zertheilen sich die Wolkenmassen, und wir können uns orientieren; ohne Schwierigkeit erreichen wir jenen nordwestlichen Sporn des Düssistockes, an welchem in einer Höhe von 1900 Metern die Schutzhütte steht, eilen über die steile Moräne hinunter und — suchen dann die Hütte, finden sie aber nicht! Nach längerem Umherirren treffen wir endlich auf Steigspuren und marschieren, diesen folgend, thalaus. Lichter wird der Nebel, dafür beginnt es jetzt zu regnen. Doch wir haben nun den richtigen Weg erreicht und kommen, diesem folgend, bald in die Sohle des Maderaner Thales hinunter. Nach kurzem Marsche wird das Gasthaus zum Schweizer Alpenclub in Balmenegg erreicht.

Das von Ostnordost nach Westsüdwest herabziehende Maderaner Thal (Abb. 153) ist ein dem Streichen des Gesteins paralleles, in den phyllitischen Schiefer der Centralzone des großen Urgebirgsstreifens Lötschenpass-Tödi eingesenktes Längsthal. Die Nordgrenze des Urgebirgsstreifens durchzieht die das Thal im Norden einfassende Bergwand, deren oberer Theil aus jurassischem Kalkfels besteht. Aber diese Grenze ist unregelmäßig, und an zwei Stellen schiebt sich der Jurakalk zwischen das Urgestein ein. Ferner wird der Jura noch von zwei merkwürdigen Porphyrmassen durchbrochen, welche hoch oben, nahe dem Grate der Maderaner Windgälle zu Tage treten. Ein Reitweg führt von Palmenegg durch das Maderaner Thal hinaus nach Amsteg an der Gotthardbahn, und auf diesem wandern wir jetzt, nachdem der Regen nachgelassen und wir im Hotel eine kurze Rast gehalten, thalaus. Namentlich gegen seinen Ausgang hin ist das Maderaner Thal schluchtartig verengt. Der Weg führt hoch oben über dem in der Tiefe hinabtosenden Thalbache, dem Kärstelenbache, auf den Terrassen hin, welche zur Eiszeit den Thalboden bildeten, und in deren Grund sich seit Rückgang der glacialen Gletscher der Kärstelenbach so tief eingegraben hat. Viel gerühmt werden die Schönheiten des Maderaner Thales, doch wir sehen davon nichts. Dichter werden wieder die Nebel, neuerdings beginnt es zu regnen: triefend nass erreichen wir die Thalmündung, marschieren unter der berühmten, 54 Meter hohen Eisenbahnbrücke durch und betreten das am äußersten oberen Ende des flachen Reußthalbodens gelegene Dorf Amsteg.

Abb. 154. Appenzeller Stickerinnen.

XI.

ÜBER DIE ALPEN ZU DEN ITALIENISCHEN SEEN.

Abb. 155. In der Bahnhofs-Restauration zu Göschenen.

1. Der Gotthard.

Ein continuierlicher, von keinem Thale durchbrochener Gebirgszug begleitet im Süden die Rhône-Rheinfurche, und diesen muss man übersteigen, wenn man von West- oder Mitteldeutschland aus ohne bedeutenderen Umweg nach Italien will. Auch im Norden wird die erwähnte Längsfurche von einem mächtigen Gebirgszuge eingefasst, welcher sich, ebenso wie der südliche, dem deutschen Italienfahrer in den Weg stellt. Dieser nördliche Zug erstreckt sich von St. Maurice unterhalb Martigny im Rhônethale bis Ragaz unterhalb Chur im Rheinthale; er ist aber nicht wie der südliche continuierlich, sondern wird an einer Stelle von der in der Mitte der Rhône-Rheinfurche entspringenden Reuß durchbrochen.

Wenn man die Alpen zwischen dem 4. und 8. Grad östl. Länge (von Paris) überschreiten will, so muss man demgemäß entweder beide Kämme übersteigen oder den nördlichen in der Erosionsschlucht der

Reuß passieren. In ersterem Falle hat man zwei, in letzterem nur einen Alpenpass zu übersteigen. Da es nun leichter ist, über einen Berg zu gehen als über zwei, und überdies der südliche Gebirgszug oberhalb der Reußschlucht zu einem flachen, bloß 2114 Meter über dem Meere liegenden und von Süden nicht allzuschwer zugänglichen Sattel eingesenkt ist, so sollte man meinen, dass schon von jeher eine Hauptader des Verkehrs zwischen Italien und Deutschland über diesen Pass, den Sanct Gotthard, gegangen sein müsse. Dem war aber nicht so, weil die Reußschlucht, welche den nördlichen Zugang zum Gotthard bildet, ungemein eng, wild und ungangbar ist.

Das Quellgebiet der Reuß ist ein ausgedehntes Becken, welches den mittleren Theil der Rhône-Rheinfurche einnimmt. Dieses Becken, welches durch die Mulde des Urserenthales und den Boden von Andermatt repräsentiert wird, liegt zwischen den Quellen der Rhône und des Rheines. Es war einstens von einem Hochsee erfüllt, wie wir solche — freilich in geringerer Ausdehnung — vielerorts auf den Wasserscheiden antreffen. Es ist anzunehmen, dass seinerzeit dieses Wasserbecken sich über den Oberalppass nach Ostnordost entleerte, damals also der Quellsee des Rheines war. Den tiefsten Grund dieses Sees bildete der Boden von Andermatt. Im Norden war derselbe von dem vielgenannten Urgebirgsstreifen Lötschenpass-Tödi, im Süden von dem mächtigen, gleichfalls aus Urgebirge bestehenden Centralzuge der Alpen — denn dieser ist es, welcher den die Rhône-Rheinfurche im Süden begleitenden Gebirgszug bildet — eingefasst.

Ein von dem nördlichen Gebirge nach Norden zum Vierwaldstätter See hinabfließender Bach, welcher sich immer tiefer in das Gebirge hineinsägte, durchbrach schließlich jenen nördlichen Damm in der Linie Andermatt-Amsteg, und nun floss der See nicht mehr ostwärts durch das Rheinthal, sondern nordwärts durch dieses neue Erosionsthal, das Reußthal, ab.

Während bisher die Reuß nur ein kleines Gebiet entwässert hatte und demgemäß ein kleiner, wasserarmer Bach gewesen war, ergossen sich jetzt auf einmal alle Gewässer des ausgedehnten Seegebietes in dieselbe: zu einem wasserreichen Flusse vergrößert, griff sie nun mit weit mehr Energie den Boden des Thales an, das sie durchströmte. Sie grub eine schmale Klamm in denselben ein, und je tiefer diese, ihr Rinnsal, wurde, umso tiefer sank der Spiegel des Sees, dessen Abfluss sie nun bildete. Endlich war diese Erosionsschlucht so tief geworden, dass der große See vollständig abfließen konnte: trocken lag jetzt sein tiefster Grund, der Boden von Andermatt.

Je rascher eine solche Erosionsschlucht ausgegraben wird, und je kürzer die Zeit ist, welche die Thalwände zum Einstürzen haben, um so schmaler muss sie natürlich, ceteris paribus, sein. Die Geschwindigkeit der Erosion hängt aber von der Menge des erodierenden Wassers ab. Der nördliche Theil der Reußschlucht, welchen der kleine, wasserarme Reußbach ausgegraben hatte, ehe er noch mit dem Andermatter See in Verbindung getreten war, wurde dementsprechend viel langsamer ausgegraben als der südliche Theil der Schlucht, welchen die Reuß nach ihrer Verbindung mit dem See, als sie viel wasserreicher war, herstellte. Daher kommt es, dass der untere (ältere) Theil der Reußschlucht von Amsteg bis Göschenen nicht so eng und wild ist wie der obere (jüngere) Theil, die wilde Schöllenenschlucht, zwischen Göschenen und Andermatt, welche sich nach oben hin zu dem grausigen Urner Loche verengt.

Lange Zeit hindurch blieb die Reußschlucht weglos und ungangbar. Die Römer kannten den Gotthard noch nicht, und es scheint, dass erst im sechsten Jahrhunderte in der Reußschlucht ein Pfad angelegt worden ist. Im Urner Loche, gleich unterhalb Andermatt, wo die wilde Felsenklamm übersetzt werden muss, stellten die Longobarden, als sie anno 569 von Süden her über den Gotthard in das Reußthal eingedrungen waren, einen an Ketten hängenden Steg her. Erst 1168 wurde dieser prekäre Übergang durch eine solide Brücke, die alte (jetzt eingestürzte) Teufelsbrücke (Abb. 156), ersetzt. Im vierzehnten Jahrhunderte errichtete man zwischen der Schlucht und dem Passe in dem freundlichen Boden des Urserenthales ein Hospiz; aus diesem Hospiz ist das heutige Hospenthal (Abb. 137) hervorgegangen. Später, im siebzehnten Jahrhunderte, wurde auch oben auf der Passhöhe ein Hospiz angelegt. Aber immer noch war der Weg nur ein schlechter, gefährlicher Saumpfad. 1707 wurde derselbe erheblich verbessert und namentlich der bösen Stelle am Urner Loch durch Sprengung eines Tunnels ausgewichen. Man besserte stetig an dem Wege, und zu Ende des achtzehnten Jahrhunderts wurde derselbe schon von einzelnen Fuhrwerken befahren. 1799 überschritt Suworow mit einer russischen Armee den Gotthard und besiegte an der Teufelsbrücke in der Reuß- (Schöllenen-) Schlucht die Franzosen, welche sich ihm hier entgegengestellt hatten. In den Jahren 1820—1824 wurde eine neue, schöne Kunststraße über den Gotthard angelegt. Dieselbe zieht von Amsteg durch die Reußschlucht hinauf nach Andermatt, dann weiter über Hospenthal und durch den Gamsboden zur Passhöhe empor; jenseits führt sie durch das Tremolathal hinunter nach Airolo.

Obwohl nun ein regelmäßiger Postwagenverkehr durch das Reußthal und über den Gotthard gieng, so gewann diese Route doch noch immer nicht eine den orographischen Verhältnissen angemessene Bedeutung für den Weltverkehr. Bald aber sollte sich das ändern und der Durchbruch der Reuß durch den nördlichen Bergwall entsprechend verwertet werden. Die Regierungen der Schweiz, Italiens und Deutschlands thaten sich zusammen und beschlossen, eine Eisenbahn durch die Reußschlucht und unter den Gotthard durch zu bauen. Die Schwierigkeiten, welche sich diesem Unternehmen entgegenstellten, waren dreierlei: erstens der ungeheuer lange Tunnel, welcher jedenfalls gebohrt werden musste; zweitens die wilde Reußschlucht und drittens die Überwindung der trotz des langen Tunnels unvermeidlichen, großen Höhendifferenzen in kurzen Strecken.

Das kleinste von diesen Hindernissen war die Reußschlucht, zumal da ihr wildester, oberster Theil, die Schöllenenschlucht, ohnedies vom großen Tunnel unterfahren wurde. Größere Mühen bereiteten den Ingenieuren die Höhendifferenzen. Von Amsteg am unteren Ende der Reußschlucht bis zum nördlichen Tunneleingange bei Göschenen musste die Bahn in einer Strecke von kaum 13 Kilometern um 587 Meter, von Biasca an der Mündung des Leventinathales in das Rivierathal bis zum südlichen Tunneleingange bei Airolo in einer Strecke von ungefähr 36 Kilometern um 849 Meter ansteigen. Das gibt für die Nordzufahrt in der Reußschlucht ein Gefälle von 1 : 22 und für die Südzufahrt im Leventinathale ein Gefälle von 1 : 42. Dabei sind diese Gefälle der Thäler natürlich nicht durchaus gleichförmig. Große Abschnitte der Thalböden haben eine viel geringere Neigung, und zwischen diesen flachen Partien liegen hohe und steile Thalstufen. Namentlich gilt das für das sonst weniger steile Leventinathal, welches den südöstlichen Zugang zum Gotthard bildet. Hier waren die beiden hohen Stufen von Faido und Giornico zu überwinden.

Wegen dieser Thalstufen im Leventinathale und der großen Gesammtneigung im Reußthale war es nicht möglich, die Bahntrasse gerade durch die Thäler zum großen Tunnel hinaufzuführen; es mussten schraubenförmig gekrümmte Kehrtunnels angelegt werden, drei im Reußthale zwischen Gurtnellen und Wasen und vier im Leventinathale, je zwei bei Giornica und Faido. In diesen Tunnels steigt die Bahn wie auf

Abb. 156. Die Teufelsbrücke.

einer Wendeltreppe empor und kommt nahe dem Orte, wo sie in den Berg eingedrungen ist, aber hoch oberhalb desselben, hervor. Durch die drei Kehren oberhalb Gurtnellen gewinnt die Bahn 256, durch die Doppelkehre von Faido 141 und durch die Doppelkehre von Giornico 100 Meter an Höhe.

Die Hauptschwierigkeit machte natürlich der große Tunnel, welcher eine Länge von 14.912 Metern hat. Bei der Bohrung desselben kamen aber den Ingenieuren die Erfahrungen zustatten, welche beim Bau des Mont Cenistunnels gesammelt worden waren. Wie dort wurden auch hier durch comprimierte Luft betriebene Bohrmaschinen zur Anlage des ersten Stollens in Anwendung gebracht und dieser dann nachträglich erweitert. Die von Favre geleitete Tunnelbohrung begann in Göschenen am 4. Juni und in Airolo am 2. Juli 1872. Am 29. Februar 1880 trafen die von beiden Seiten her vordringenden Arbeiter in der Mitte des Berges zusammen. Die Kosten betrugen 56¾ Millionen Frank, und der Bau erforderte 20 Millionen achtstündige Arbeitstage, denn durchschnittlich waren Tag und Nacht ununterbrochen 2500 Arbeiter beschäftigt, und sie brauchten bis zum Durchstoß 7½ und dann bis zur Vollendung des Tunnels noch zwei Jahre. Besondere Schwierigkeiten machten das in die südliche Tunnelstrecke einbrechende Wasser (zu Zeiten 270 Liter in der Secunde) und namentlich die hohe Temperatur. Letztere betrug trotzdem, dass täglich 100.000 bis 180.000 Cubikmeter Luft von außen her in den Tunnel hineingepumpt wurden, zuweilen über 30° C. und verursachte eine bösartige Lungenkrankheit, welcher viele von den Tunnelarbeitern erlagen. Favre selbst ist kurz vor Vollendung seines großen Werkes während der Arbeit im Tunnel plötzlich gestorben.

Der Leser erinnert sich, dass wir von unserer Partie über den Hüfipass triefend nass nach Amsteg gekommen sind. Hier wollten wir besseres Wetter erwarten, doch es kam nicht, und so beschlossen wir, dem Nebel, dem Regen und dem Schnee, welche von den Alpen dauernd Besitz ergriffen zu haben schienen, Lebewohl zu sagen und hinüber zu fahren nach den italienischen Seen — dort unten ist das Wetter gewiss schöner und angenehmer als hier. Pickel, Bergschuhe und Seil schicken wir nach Splügen, wo sie hoffentlich wieder in Action treten werden; wir selber nehmen Abschied von Amsteg, gehen zur Station, welche thalauswärts zwischen Amsteg und Silenen liegt, und steigen in den Zug. Gleich fahren wir in einen durch den westlichen, phyllitischen Sporn der Windgälle gebrochenen Tunnel ein, übersetzen dann auf 54 Meter hoher Brücke das Maderaner Thal — wie schön muss der Blick in dieses Thal hinauf von hier aus sein! doch wir sehen nichts als Nebel und Wolken – , fahren durch zwei weitere Tunnel und dann südlich um Amsteg herum, endlich auf 78 Meter hoher Brücke über den in der Tiefe dahinbrausenden Fluss hinüber ans linke Reußufer. Wieder Tunnel und Viaducte; wir kommen nach Gurtnellen. Nun folgen die drei oben erwähnten Kehrtunnel. Zwischen dem zweiten, welcher in den rechten, und dem dritten, welcher in den linken Thalhang eingebohrt ist, liegt Wasen. Drei Bahnstrecken laufen hier übereinander (Abb. 159), welche den von Westen kommenden Meien-Reußbach übersetzen. Von der Straße aus kann man die drei Brücken über einander sehen. Oben geht es dann hoch an der Bergwand hin und durch einen langen Tunnel mit Tagesöffnungen nach Göschenen (1109 Meter) am Eingange des Haupttunnels. Hier ein kurzer Mittagshalt (Abb. 155), und hinein geht es in den Berg. Der höchste Punkt in der Tunnelmitte liegt 1154 Meter über dem Meere, etwa 1600 Meter unter dem vom Castellhorn nach Nordwesten ins Felsenthal hinabziehenden Annagletscher. Von Kilometer zu Kilometer sind im Tunnel abwechselnd rechts und links Laternen angebracht. Die Luft in demselben ist wegen des starken, den Tunnel fast beständig durchwehenden Windes verhältnismäßig rauchfrei und rein. Die Fahrt nimmt 16 (Schnellzug) bis 25 (Personenzug) Minuten in Anspruch. Die Zeit scheint uns viel länger, als sie wirklich ist, aber endlich wird es heller, und wir kommen hinaus nach Airolo (1145 Meter). Nun geht es in südöstlicher Richtung hinab durch das vom Tessin durchströmte Leventina- oder Livinenthal. Hinter Rodi-Fiesso kommen wir an den Felsriegel des Monte Piottino, der das Thal quer abschneidet, und durch welchen der Tessin in schmaler Schlucht sich Bahn gebrochen hat. Unterhalb dieses Felsriegels bei Faido liegt die Thalsohle 752, oberhalb desselben bei Dazio Grande 948 Meter über dem Meere. Die Bahn überwindet diese Höhendifferenz von 196 Metern zwischen den genannten, bloß drei Kilometer weit von einander entfernten Punkten mittels zweier Kehrtunnel mit kreisrunder Horizontalprojection von ungefähr 140 Metern Radius. Zwischen den beiden Kehren übersetzt die Bahn auf kühner Brücke die Tessinschlucht. Das ist wohl die wildeste Stelle der ganzen Bahn. Unterhalb Faido treffen wir schon auf die Vorposten der südlichen Flora, Nuss- und Kastanienbäume; auch die Luft wird, obwohl das Wetter immer noch schlecht ist, milder. Wir kommen an eine zweite Thalstufe, die Biaschinaschlucht, die wieder mittels zweier Kehrtunnels überwunden wird. Diese Kehren liegen so dicht beisammen, dass die eine die andere fast übergreift. Aus der

25'

unteren von ihnen hervortretend, übersetzen wir den Tessin und erreichen das nur 451 Meter über dem Meere gelegene Giornico. Die Bahn hört auf, interessant zu sein, und bald verbreitert sich auch das hier schon mit üppigen Weingärten geschmückte Thal. An Biasca vorbei, wo von Norden her das Bleniothal einmündet, kommen wir nach Bellinzona (Abb. 157).

Oberhalb dieser Stadt mündet von Nordosten her das von der Moësa durchströmte Mesoccothal in das Rivierathal, wie diese Strecke des Tessinthales heißt, ein. Durch das Mesoccothal und über den Bernhardinpass führt eine Straße von Bellinzona ins Rheinwaldthal und nach Chur. Schon die Römer hatten eine Straße über den Bernhardin

Abb. 157. Bellinzona.

gebaut. Von dieser sind im Mesoccothale noch vielerorts Spuren erhalten. Es war ein 150 bis 180 Centimeter breiter, von Steinen eingefasster Weg. Im Jahre 356 überschritt Kaiser Constantius den Bernhardin mit einem römischen Heere. Auch im Mittelalter wurde dieser Übergang häufig benützt. An der Jochstraße erstanden mehrere Burgen, von denen die ziemlich weit oben im Mesoccothale gelegene Feste Misox (Mesocco) die interessanteste ist. 1526 wurde diese Burg von den Bündnern zerstört, aber heute noch ragen ihre Ruinen stolz über den mit Kastanien und Nussbäumen geschmückten Thalboden empor (Abb. 158).

Der centrale Gneiszug ist im Gebiete der Alpen nirgends mächtiger entwickelt als in dieser Gegend. Er reicht hier von oberhalb Giornico bis Bellinzona und weiter, jenseits des schmalen Schieferstreifens, welcher

413

von Bellinzona zum oberen Ende des Comer Sees zieht, bis Maccagno am Lago Maggiore. Die in diesen Gneis eingeschnittenen Theile der Thäler des Tessin und der Moësa sind, wie sich aus ihrer Breite, ihrer Tiefe und ihrem flachen, 1 bis 1½ Kilometer breiten alluvialen Geröllboden schliessen lässt, sehr alt. Die Strecka Biasca-Arbedo (Arbedo liegt an der Vereinigungsstelle des Tessin und der Moësa) des Tessinthales ist ein zur Streichungsrichtung des Gneises nahezu senkrecht von Nordwestnord nach Südostsüd, das Moësathal bis Roveredo herab dagegen ein sehr schief gegen dieselbe von Nordostnord nach Südwestsüd herabziehendes Quer-

Abb. 138. Burg Misox (Mesocco).

thal. Die Strecke Roveredo-Arbedo des Moësathales ist ein westsüdwestlich gerichtetes Längsthal. Nach Aufnahme der Moësa bei Arbedo vertauscht der Tessin seine bisherige südostsüdliche mit einer südwestlichen Laufsrichtung und tritt, allmählich nach Westen sich wendend, in jene breite alluviale Längsthalebene ein, welche vom Nordostende des Lago Maggiore nach Osten zieht. Sicherlich reichte der Lago Maggiore einstens weit hinauf ins Tessinthal; es ist jedoch dieser obere Theil desselben von den Alluvionen des Tessin ausgefüllt worden. Die alluvialen Geröllebenen reichen im Tessinthale bis Giornico, im Bleniothale bis Malvaglia und im

Moësathale bis Soazza hinauf. Hat einstens der Lago Maggiore bis zu diesen Punkten sich erstreckt?

Der Spiegel des Lago Maggiore liegt gegenwärtig 197 Meter über dem Meere. Die Bergwände, welche das Tessin-, Blenio- und Moësathal einfassen, haben im Durchschnitte ein Gefälle von 1 : 1·7. Hieraus und aus der Breite der ebenen Thalsohle und ihrer Höhe über dem Meere lässt sich berechnen, in welchem Niveau an jeder beliebigen Stelle die Thalsohle lag, ehe die Ausfüllung des Thales durch alluviales Geröll begann. Wir brauchen uns nur die Thalwände in gleicher Neigung unter das Geröll fortgesetzt zu denken und die Tiefe ihrer Verschneidung unter der gegenwärtigen Thalebene zu bestimmen. Diese Tiefe ist gleich der halben Breite der Thalsohle, dividiert durch das Thalwandgefälle 1·7. Die so erhaltenen Werte sind — da wir ja nicht bestimmt wissen, dass die Thalwände unter dem Geröll die gleiche Neigung haben wie oberhalb desselben — nicht absolut verlässliche; da die Thalwände aber höchst wahrscheinlich bis hinunter annähernd die gleiche Neigung beibehalten, so werden auch höchst wahrscheinlich die berechneten Niveaus annähernd richtig sein.

Ich habe diese Rechnung gemacht und gefunden, dass der alte Felsgrund des Tessinthales an der engsten (und daher am wenigsten tiefen) Stelle desselben dicht unterhalb Arbedo 57 Meter unter dem Meeresspiegel, also 254 Meter unter dem (jetzigen) Spiegel des Lago Maggiore liegt. Bei Biasca liegt der alte Thalgrund — nach obiger Rechnung — gar 360 Meter unter dem Seespiegel; bei Giornico aber 14 Meter über demselben. Danach hätte der Lago Maggiore einstens — vor der Ausfüllung seines oberen Theiles durch Flussgeröll — im Tessinthale bis zu einem Punkte zwischen Biasca und Giornico, etwa bis Bodio hinaufgereicht. In ähnlicher Weise habe ich ermittelt, dass — unter obiger Annahme — sich dieser See einstens im Bleniothale bis Malvaglia und im Mesoccothale bis gegen Cabbiolo erstreckt haben dürfte. Vielleicht lag damals auch der Seespiegel etwas höher: in diesem Falle hätte sich der See noch etwas weiter hinauf in die genannten alten Thalfurchen erstreckt, durch welche zur Eiszeit mächtige Gletscher hinabgezogen sind in die grosse Depression südlich von der Alpenkette.

Dort, wo das bis hier herab 1—1½ Kilometer breite Tessinthal nach Westen umbiegt und sich zu einer 3 Kilometer weiten Ebene erweitert, stand zur Zeit der Römer die Stadt Bellitona. Sie bildete den Schlüssel der südlichen Zugänge zum Gotthard und zum Bernhardin

und erlangte als solcher im Mittelalter hohe strategische Bedeutung.
Große Burgen (Castello Grande, Svitto und Corbario) wurden in ihrer
nächsten Nähe angelegt und die Stadt selbst, das heutige Bellinzona
(Abb. 157), von den Visconti befestigt. Gegenwärtig ist Bellinzona die
Hauptstadt des der Nationalität nach größtentheils italienischen Schweizer-
Cantons Tessin.

Abb. 159. Die Bahnschlingen bei Wasen

Abb. 160. Die Borromeischen Inseln.

2. Die italienischen Seen.

—

Wir verlassen Bellinzona und fahren auf der Eisenbahn am linken Ufer des Tessin durch die breite Ebene hinaus. Drückend lastet auf diesem allseitig von hohen Bergen eingefassten Boden die Hitze — mit Recht nannten schon die alten Römer diesen untersten Theil des Tessinthales die campi canini, es herrscht da wahrhaftig eine Hundehitze!

Wir kommen nach Giubiasco, wo links eine Bahn zum Luganer See abzweigt, und erreichen bald, unsere Fahrt in gerader Richtung fortsetzend hinter Cadenazzo eine zweite Bahngabelung: links führt die Hauptlinie zum Südostufer des Lago Maggiore und dieses entlang nach Süden hinaus in die Ebene, rechts eine Zweiglinie quer über die Ebene und über den Tessin zum Nordufer des Sees und dieses entlang nach Locarno. Wir folgen der letzteren und kommen nach kurzer Fahrt in Locarno an. Locarno liegt am Ostrande des halbkreisförmigen, weit vortretenden Deltas der hier von Nordwesten her in den See einmündenden Maggia. Gegen Norden vollkommen geschützt und nach Süden offen, hat Locarno ein sehr mildes Klima.

Der Lago Maggiore, welcher sich im Süden ausbreitet, ist der grösste von den berühmten italienischen Seen. Sein, wie oben erwähnt, 197 Meter über dem Meere liegender Spiegel hat eine Flächenausdehnung von

210 Quadratkilometern. Der See ist sehr lang und schmal, von Nordost nach Südwest und Süd in die Länge gestreckt und mehrfach gekrümmt. Seine Länge beträgt 60, seine Breite bloß 3—5 Kilometer. Südlich von seiner Längenmitte entsendet er einen kurzen Seitenarm nach Nordwesten in das Tosathal hinein. Die größte Tiefe des Lago Maggiore beträgt 854 Meter; der tiefste Punkt seines Grundes liegt also 657 Meter unter dem Niveau des Meeres.

Es ist eingangs erwähnt worden, dass die innere mesozoische Nebenzone der Alpen am Lago Maggiore endet, westlich von ihm finden sich nur noch zwei kleine Schollen triassischen Gesteins an den Rändern der beiden, hier an der Grenze zwischen dem azoischen Centralzuge und der alluvialen Poebene zu Tage tretenden Porphyrmassen. Der weitaus größte Theil seines Nordwestufers besteht aus azoischem Gestein, Gneis, Diorit, Protogin und Glimmerschiefer; nur ganz unten nahe seinem Südende, zwischen Meina und Arona, bilden Porphyr und eine von den Triasschollen sein Westufer. Das Südostufer des Lago Maggiore besteht bis Maccagno aus Gneis; weiter südlich treten Phyllit und wüst durcheinander geworfene Trias- und Kreideschollen der Alpeninnenzone an ihn heran. Das Südende des Sees wird ganz von quaternären Bildungen, glacialen Moränenresten und dergleichen eingefasst. Solche treten auch weiter nördlich zwischen dem Phyllit und den mesozoischen Schollen an sein Ostufer heran.

Wir wollen nun mit dem Dampfer eine kleine Rundfahrt auf dem See machen und dann auf der Eisenbahn hinüber zu dem weiter östlich gelegenen Luganer See. Unsere Hoffnung, dass wir hier besseres Wetter antreffen würden als oben im Hochgebirge, hat sich erfüllt: dunkelblau wölbt sich der Himmel über dem ruhig daliegenden See und seiner schönen Bergumrandung mit ihren Orangen und Cypressen, ihren Dörfern und Villen. Um das Maggia-Delta herumfahrend, kommen wir nach Brissago, dem letzten schweizerischen Orte am Westufer — Zollvisitation» steht im Reisehandbuche, (sie findet an Bord statt). Ich kann Dantes Sprache nur wenig, habe aber seinerzeit italienische Kraftausdrücke von Südtiroler Bergführern gelernt; die rufe ich mir ins Gedächtnis. und wie die Visitation angeht, lege ich los — die Wirkung ist großartig. und so rette ich eine Handvoll Cigarren, die ich schon den Nymphen des Lago Maggiore opfern zu müssen geglaubt hatte.

Unsere Fahrt fortsetzend, kommen wir nach Cannobbio an der Mündung des von Westen herabziehenden Cannobbinathales. Nun fährt der Dampfer über den See hinüber zu dem an seinem Ostufer gelegenen

Maccagno und weiter, dieses entlang, nach Luino. Interessant sind die
Bauten der nördlich von Luino am steilen Seeufer dicht an der Strandlinie hinziehenden Eisenbahn.

Von Luino fahren wir wieder zurück über den See nach Intra und
weiter nach Pallanza (Abb. 161) an der Westseite der Landzunge von
Castagnola, welche den erwähnten nordwestlichen Arm von dem Centraltheile des Sees trennt. Die Terrasse des Seyschab'schen Hotels in Pallanza
ist wohl einer der schönsten Punkte am ganzen See. Hier wollen wir
bleiben, speisen und den Abend genießen. Zwar passen unsere Toilette
und gletscherverbrannten Gesichter nicht recht in die dortige Gesellschaft

Abb. 161. Pallanza.

nun um so schlimmer für die Gesellschaft, uns geniert das nicht!
Köstlich ist der Kellner, wie er zuerst verächtlich uns mustert, dann bei
Bestellung des Diners sein Gesicht in immer achtungsvollere Falten legt
und endlich bei der Schlussbemerkung zwei Veuve Cliquot frappé« zu
einer tiefen Verbeugung zusammenknickt wie ein Taschenmesser.

Vor dem Essen haben wir noch Zeit, ein Seebad zu nehmen, und
genießen dann das sorgfältig bereitete Mahl. Der Abend sinkt herab
auf den See, es dunkelt, und fast voll steigt der Mond empor über die
südöstlichen Hügel. Sanft glitzern zarte Lichter über den Wasserspiegel
hin, und hell leuchten weiße Mauern aus dunklem Laubwerk hervor.
Una Barca Signor — das ist eine gute Idee! Der Dampf der Cigarre
— sie war nicht in der internationalen Tabakfabrik bei Brissago
gefertigt steigt in die ambrosische Nacht auf, und wir lehnen uns

behaglich im Kahne zurück. Zu den Borromeischen Inseln (Abb. 160) hinaus geht die Fahrt. Wie im Traume liegt Isola Bella da mit ihren dunklen Gartenterrassen und hellen Statuen, denen das Mondlicht Leben verliehen zu haben scheint; wie die von den Ruderschlägen ausgehenden Wellen ihre Spiegelbilder erreichen, beginnen sie einen gar fröhlichen Tanz. Stolz erheben sich die herrlichen Araukarien über den Wald, welcher die Isola Madre bedeckt, und prächtig spiegeln sich die mondbestrahlten, dicht aneinander geschmiegten Häuser der Fischerinsel in der Flut. Schweigend fahren wir dahin, zusammen und doch jeder für

Abb. 162. Lugano.

sich in Gedanken vertieft — nichts Schöneres kann es geben als nach gutem Diner solche Mondfahrt auf dem See.

Von Pallanza fahren wir am nächsten Tage zurück nach Luino, steigen dort in den Zug und reisen mit der Eisenbahn hinüber nach Ponte Tresa am Luganer See.

Der Luganer See liegt ganz im Gebiete der hier höchst verworren durcheinander geworfenen Schichten der inneren Nebenzone der Alpen und hat dementsprechend eine höchst unregelmäßige Gestalt. Phyllit, Trias und Jura nehmen an dem Aufbaue seiner Ufer theil, und dazu kommen noch Porphyrmassen und ausgedehnte quaternäre Bildungen, welche sich zwischen den phyllitischen und mesozoischen Schollen einschieben. Der Spiegel des Luganer Sees liegt höher als jener des Lago Maggiore. 271 Meter über dem Meere, und hat eine Flächenausdehnung von 54½ Quadratkilometern. Seine größte Tiefe beträgt 279 Meter. Der

See ist sehr schmal, durchschnittlich bloß 1 Kilometer breit, und sein langgestrecktes Becken zieht von Porlezza in westsüdwestlicher Richtung nach Lugano, dann von hier in südwestsüdlicher Richtung nach Porto und weiter in nördlicher Richtung nach Agno. Von diesem hakenförmigen Centraltheile des Sees gehen zwei längere Arme ab: einer von der Seestrecke Porto-Agno in westlicher Richtung nach Ponte Tresa und einer von der Seestrecke Porto-Lugano in südostsüdlicher Richtung nach Capolago. Die bei Ponte Tresa entspringende Tresa führt das Wasser des Luganer Sees dem Lago Maggiore zu. Bei Melide — halbwegs zwischen Lugano und Porto - tritt ein schmales Cap von Westen her in den See vor und verschmälert ihn an dieser Stelle derart, dass man die hiedurch zustande gebrachte Seeenge leicht überbrücken konnte. Jetzt setzt an dieser Stelle die Eisenbahn über den See.

In Ponte Tresa besteigen wir einen Dampfer und fahren auf diesem hinüber nach Lugano (Abb. 162), dem wichtigsten Orte des Seestrandes. Lugano ist die größte Stadt des Cantons Tessin, reich an Fabriken und sehr hübsch gelegen. Sie hat ganz italienischen Charakter, Lauben etc. Auf den jenseits der Bucht von Lugano im Süden aufragenden, 915 Meter hohen Monte Salvatore führt eine Drahtseilbahn. Eine weit umfassendere Aussicht als dieser bietet aber der im Osten des Sees zu 1704 Metern sich erhebende Monte Generoso. Auch auf diesen führt eine Eisenbahn (Zahnradbahn) bis 90 Meter unter dem Gipfel hinauf; ihn wollen wir besuchen.

Wir verlassen Lugano und fahren auf der Bahn nach Melide, dann hinüber zum östlichen Seeufer und den Capolagoer Arme entlang nach Capolago. Hier steigen wir um und setzen die Fahrt mit der Zahnradbahn fort. Es ist das eine sehr zahme Bergbahn: ihre größte Steigung beträgt bloß 22°. Von Capolago weg steigt sie in südöstlicher Richtung zum Rücken des Generoso empor und folgt dann diesem in nordöstlicher Richtung bis zur Endstation Vetta (1614 Meter). Mehrere Hotels und Restaurationen liegen an dieser Bahn, das oberste Hotel (Kulm) beim Terminus in Vetta. Ein Fußsteig mit Geländer führt von hier, dicht an dem steilen Ostabsturze des Berges hin, zum Gipfel empor (Abb. 163).

Die Aussicht ist sehr schön und für uns Nordländer besonders deshalb interessant, weil sie die wohlbekannten Hochgipfel der Schweiz von der uns fremden Südseite zeigt. Man sieht einen großen Theil des merkwürdig gekrümmten Luganer Sees, auch Stücke des Lago Maggiore und Comer Sees und überblickt die ganze Poebene bis zu den Seealpen und dem Appennin. Wohl lagert trüber Dunst auf dem weiten Tieflande, die Städte und den Polauf theilweise verschleiernd, aber stolz und klar

erhebt sich über demselben
in Südwesten die schlanke
Pyramide des Monte Viso.
Ihm gegenüber im Nordosten
ragen die Gipfel der Berninagruppe auf, von denen uns
namentlich die am nächsten

Abb. 163. Der Monte Generoso.

liegende breite Firnpyramide der Disgrazia imponiert. Zwischen Disgrazia und Monte Viso spannt sich die Gipfelreihe der Alpenkette in
einem Bogen von 180° aus: hell blicken ihre schimmernden Firnhäupter
über die dunkleren Vorberge herüber zu uns. Wir sehen das Rheinwaldhorn und den Tödi, Schreckhorn, Finsteraarhorn und Jungfrau, Aletschhorn, Bietschhorn, dann die Berge des Saasthales und endlich den gewaltigen Ostabsturz des breiten Centralmassivs des Monterosa. Nichts
in der ganzen Rundschau kommt diesem Anblicke gleich. Da ragen die
Gipfelfelsen der Dufourspitze zwischen Nordend und Zumsteinspitze über
jenen unvergleichlichen Firnwall auf. Genau mit dem Fernrohre ihn
musternd, erkennen wir unsere Lawinenrinne und begrüßen sie mit lebhaftem Ausrufe. ‹Was gibt es denn da zu sehen?›, fragt einer aus dem
unalpinen Publicum, das sich auf dem Gipfel eingefunden hat, mit den
Augen neugierig der Richtung folgend, in welcher mein Freund das Glas
hält. Dieser blickt auf und reicht dem zudringlichen Fragesteller mit den
Worten das Glas: Sehen Sie nicht da unten im See den Walfisch? —
Der allerdings hat nichts mehr gefragt, aber mit der schönen Stimmung
war's doch vorbei. — Das ist eben die große Schattenseite dieser vielbesuchten Aussichtspunkte: man kann von ihnen aus die Naturschön-
heiten nicht ungestört genießen.

Wir gehen zurück zum Kulmhotel und fahren auf der Bahn wieder hinunter nach Capolago. Hier besteigen wir den Mailänder Zug und reisen mit diesem hinüber nach Como am Südwestende des Comer Sees.

Seit Virgils Zeiten ist der Comer See stets als der schönste der italienischen Seen gepriesen worden. Sein Spiegel liegt 213 Meter über dem Meere und hat eine Ausdehnung von 151 Quadratkilometern. Seine größte Tiefe beträgt 588 Meter, der tiefste Punkt seines Grundes liegt dementsprechend 375 Meter unter dem Niveau des adriatischen Meeres. Wie die anderen italienischen Seen ist auch dieser langgestreckt und sehr schmal. Der oberhalb Bellagio gelegene nordostnördliche Theil des Sees ist einfach, der südliche Theil aber in zwei annähernd gleich große Arme gespalten: den stark S-förmig gekrümmt von Bellagio in südwestlicher Richtung nach Como herabziehenden Como-Arm und den fast gerade in südöstlicher Richtung nach Lecco herabziehenden Lecco-Arm. Der Haupttheil des Sees zwischen Bellagio und Sorico ist 3—4, die zwei südlichen Arme sind größtentheils bloß 1—2 Kilometer breit. Der nordostnördliche Hauptabschnitt des Sees ist 21, der Como-Arm 25 und der Lecco-Arm 20 Kilometer lang. Zwischen den Südenden der beiden Seearme liegen fünf kleine Seen. Ein sechster, südöstlich von Lecco gelegener See wird von der Adda gleich nach ihrem Austritte aus dem Comer See durchströmt. Nordöstlich vom oberen Seeende liegt der kleine Mezzolasee, in welchen von Norden her die Mera einmündet. Früher mündete die Adda in den Wasserlauf, welcher den Mezzolasee mit dem oberen Ende des Comer Sees verbindet. Neuerlich hat man die von Osten her durch das Veltlin herabkommende Adda mittels eines künstlichen Canals in directe Verbindung mit dem oberen Ende des Comer Sees gebracht.

Der nördlich von Abbondio und Bellano gelegene Theil des Comer Sees gehört der centralen Urgebirgszone der Alpen an. Bei Abbondio tritt von Westen her ein schmaler Phyllitstreif, bei Bellano von Osten her ein schmaler Permstreif an den See heran. Der ganze weiter südlich gelegene Theil des Comer Sees wird von den mesozoischen Gesteinen der hier schon in großer Breite und völlig continuierlich zu Tage stehenden inneren Nebenzone der Alpen eingefasst. Einen großen Theil der Ufer bilden triassische Dolomite, namentlich ist der Lecco-Arm fast ganz von solchen eingefasst. Diese steilen Triasberge, welche bis 2000 Meter über seinen Spiegel aufragen, sind die schönste Zierde des Comer Sees. Ebenso wie der Lago Maggiore erstreckte sich einstens auch der Comer See weit hinauf in die Thäler, welche zu ihm herabziehen. Damals bildete der

Abb. 154. Bellagio

Mezzolasee einen Theil des Comer Sees, und der letztere reichte im Mera-
thale bis Chiavenna und im Veltlin über Sondrio hinauf.

Am unteren Ende des Como-Armes bauten die insubrischen Gallier
die Stadt Comum, in welcher später zahlreiche Römer und auch Griechen
zu dem Zwecke angesiedelt wurden, Oberitalien vor den Einfällen der
räuberischen Alpenvölker, welche über den Lacus larius — so hieß
damals der Comer See — herabkamen, zu schützen. In den Kämpfen
zwischen den deutschen Kaisern und den oberitalischen Staaten spielte
Como als eine der Pforten der Poebene eine hervorragende Rolle. Nach
zehnjährigem Kriege von den Mailändern zerstört, wurde die Stadt im

Abb. 191. Varenna.

Jahre 1158 von Kaiser Friedrich Barbarossa wieder aufgebaut und stark
befestigt. Später kam sie in den Besitz der Visconti und gehört seither
zu Italien. Die Bevölkerung von Como zeichnet sich durch eine hohe
Intelligenz aus, was möglicherweise darauf zurückzuführen ist, dass sie
zum nicht geringen Theile von jenen griechischen Colonisten abstammt,
welche in alter Zeit von Cäsar dort angesiedelt wurden. Nicht nur haben
die Comaner ihre Stadt mit herrlichen Bauten, wie dem Dom und dem
Rathhause, geschmückt; auch mehrere Päpste und Gelehrte sind aus jener
Perle Oberitaliens hervorgegangen. Unter ihnen ist besonders Graf
Alessandro Volta zu erwähnen, welcher 1745 in Como geboren wurde.
Volta - nicht Galvani ist der Entdecker des sogenannten galva-
nischen Stromes und somit der eigentliche Begründer jener elektro-
technischen Wissenschaft, welche sich in unseren Tagen so kolossal

entwickelt hat und eine so ausgedehnte praktische Verwerthung findet. Von zwei Kaisern (Napoleon und Franz) hochgeehrt, beschloss dieser große Physiker 1827 in seiner schönen Vaterstadt ein gleich arbeits- und erfolgreiches Leben. Jetzt hat Como fast 30,000 Einwohner. Die Stadt zeichnet sich durch einen ausgeprägt italienischen Charakter aus. Wir betrachten uns einige der alten Bauwerke und verlassen dann Como, um im Dampfer über den See hinauf nach Colico zu fahren.

Herrlich ist diese Fahrt zwischen den hier bei Como einander ganz naheliegenden, mit Gärten, Parkanlagen und Villen geschmückten

Abb. 100. Menaggio.

Ufern des Sees hin, welche in immer wechselnden Bildern an uns vorüber ziehen. Bei Torno erweitert sich der See beträchtlich, um sich dann bei Torriggia wieder stark zu verschmälern. Am Ostufer hinter Torno befindet sich eine intermittierende Quelle, deren schon der jüngere Plinius, ein geborener Comoner, Erwähnung thut. Es ist interessant, dass sich dieselbe so lange — an zwei Jahrtausende — unverändert erhalten hat. Oberhalb Torriggia erweitert sich der See wieder. Wir kommen nach Argegno am Ostufer, von wo eine Straße zum Luganer See hinüberführt, und weiter an der Comacinainsel, der einzigen Insel des Sees, vorbei und um die von Nordwest hereinragende Halbinsel Lavedo herumfahrend, nach Lenno. Von hier fährt der Dampfer nach dem in sehr fruchtbarer Umgebung gleichfalls am Nordwestufer gelegenen Tremezzo und dann über den Como-Arm quer hinüber nach Bellagio (Abb. 161), an der Spitze

der Landzunge gelegen, welche den Como-Arm vom Lecco-Arme des Sees
trennt. Ein prächtiger Park schmückt die äußerste Landspitze; üppig
gedeihen hier Feigen- und Ölbäume, Aloen und Cypressen.

Von Bellagio fahren wir nach Menaggio (Abb. 166), am Westufer gelegen, von wo eine Eisenbahn hinüber führt nach Porlezza am
Nordostende des Luganer Sees. In Menaggio finden sich ebenso wie an
anderen Punkten des Seeufers altrömische Denkmäler. Der Dampfer
fährt hinüber nach Varenna (Abb. 165) und am Ostufer weiter nach
Bellano. Hier verlassen wir das schöne, abwechslungsreiche mesozoische
Terrain und treten in das ernstere, einförmigere Gebiet des Urgesteins
ein. Mehrmals noch den See durchquerend, kommen wir schließlich nach
Colico und vertauschen hier den Dampfer mit dem Waggon, um auf der
Bahn nach Chiavenna hinaufzufahren.

Wir kommen an den Ruinen der von Spaniern erbauten Burg
Fuentes vorbei und erreichen das flache Addadelta, fahren über dieses
hinüber zum Mezzolasee, hierauf das Ostufer des letzteren entlang, an
mehreren Stellen durch Tunnel in den steilen Gneis-Uferfelsen, dann durch
den Schuttkegel des von Nordosten herabkommenden Coderabaches hinaus
in die Ebene von Chiavenna. Einen letzten Blick werfen wir noch zurück
zu dem Mezzolasee und nehmen Abschied von dem schönen Seenlande.

Wir haben oben gesehen, dass die tiefsten Gründe dieser Seen unter
dem Niveau des Spiegels des adriatischen Meeres liegen. Ferner wissen
wir, dass die Poebene durch Anhäufung von Alpengeröll entstanden ist,
und dass vor Bildung derselben das adriatische Meer den ganzen Raum
zwischen Appennin und Alpen, in welchem sich jetzt jene Ebene ausbreitet,
eingenommen hat. Da nun die Südenden der italienischen Seen in diese
Ebene hineinragen (Lago Maggiore, Gardasee) oder doch bis an dieselbe
heranreichen (Luganer-, Comer-, Iseo See), so wird anzunehmen sein, dass
sie damals Fjorde der Pobucht des adriatischen Meeres waren. Hiebei ist
noch zu bedenken, dass im Gebiete der Alpen in und seit der Tertiärzeit
eine negative Strandverschiebung stattgefunden hat, der Spiegel der
Adria einstens also höher stand als gegenwärtig. Je höher derselbe gelegen, um so tiefer hinein mussten die südlichen Fjordbuchten der Alpen
mit Wasser erfüllt gewesen sein. Durch diese Fjorde herab zogen zur
Eiszeit gewaltige Gletscher, welche ihre Stirnen in der Adria badeten
und im Pobecken ungeheure Moränen aufthürmten. So wurde das Wasser
in diesem Becken immer seichter, während die Gletscher die von ihnen
durchzogenen Fjordbuchten nicht nur vor Ausfüllung mit Alpengeröll
schützten, sondern auch immer mehr austieften. Endlich giengen die

Gletscher zurück, und die Alpengewässer begannen nun die Fjordbuchten und die Poebene mit Geröll zu überschütten. Das Alpengeröll schreitet, von oben her kommend, immer weiter vor. Schon hat es die oberen Theile der Fjordbuchten in alluviale Ebenen (Tessin-, Mesocco-, Mera-, Adda-, Oglio-, Sarcathal) umgewandelt und die Pobucht der Adria bis zur Linie Ravenna-Venedig-Grado ausgefüllt. Stetig schreitet das Geröll vor und wird, wenn inzwischen keine anderen Störungen eintreten, die schönen italienischen Seen in trockene Ebenen, den Golf von Venedig in ein niedriges Flachland verwandeln — doch so schnell geht das nicht: wir und unsere Nachkommen auf viele Generationen hinaus werden noch diese schönen Seen bewundern, zu Schiff von Venedig nach Triest fahren können. Mögen sie, all die kommenden Geschlechter, dieselbe Freude an den Seen haben wie wir!

Abb. 197. Am Comer See.

Abb. 108. Bergamasker Schafe.

3. Splügen und Albula.

ie alluviale Thalebene, welche sich oberhalb des Mezzolasees ausbreitet, endet dort, wo sich der von Norden kommende Liro mit
der von Osten kommenden Mera vereinigt. Sowohl das von dem
ersteren durchflossene Giacomothal, wie auch der als Bergell bekannte,
oberhalb der Liro-Mündung gelegene Theil des Merathales sind eng und
schluchtartig; trotzdem führten durch beide schon in alter Zeit Jochwege
über die Alpen.

An der Vereinigungsstelle dieser beiden Jochwege, dort, wo die
beiden Schluchten in die breite Thalebene ausmünden, erbauten die Römer
die feste Stadt Clavenna. Diese ward im Mittelalter die Hauptstadt der
Grafschaft Cleven, und aus ihr hat sich das heutige Chiavenna (Abb. 169)
entwickelt.

In Chiavenna endet die Bahn. Wir sehen uns hier die Riesentöpfe
an, die vermuthlich ebenso wie jene des Gletschergartens in Luzern
glacialen Gletschermühlen ihre Entstehung verdanken, und machen uns
dann am nächsten Morgen daran, durch das Lirothal und über den im
Hintergrunde desselben eingesenkten Splügenpass hinüber zu fahren nach

Splügen im Rheinwaldthale. Dort — Leser, du erinnerst dich, dass wir unser Bergzeug von Amsteg nach Splügen geschickt haben — warten unsere Eisäxte auf uns, und wir sehnen uns danach, diese trauten Gefährten und treuen Helfer wieder kräftig zu schwingen im Kampfe mit den Schwierigkeiten und Gefahren des Hochgebirges.

Schon die Römer haben eine Straße über den Splügen gebaut, welche freilich stellenweise recht steil und nur für Saumthiere gangbar, nicht fahrbar war. Die jetzige Kunststraße über den Splügen wurde in den Jahren 1819–1821 von der österreichischen Regierung erbaut — auf dieser fahren wir nun thalauf.

Abb. 112. Chiavenna.

Chiavenna liegt 317 Meter über dem Meere; die Vegetation hat hier einen ganz südlichen Charakter; zwischen Reben und Kastanien geht es in westlicher Richtung quer durch das obere Ende der breiten Thalebene hinüber zum Eingange in die Schlucht, aus welcher der Lirobach hervorkommt. Gleich anfangs ist dieselbe sehr eng. Die aus Glimmerschiefer zusammengesetzten Thalwände rücken so nahe aneinander, dass für die Straße, welche durchaus dem linken Ufer des Liro folgt, nur wenig Raum bleibt. Bei San Giacomo, wo wir in das Gneisgebiet eintreten, erweitert sich das Thal etwas, gewaltige Felstrümmer liegen auf dem Grunde der Mulde, von prächtigen Kastanienbäumen beschattet. Hinter Cimagando kommen wir wieder in Glimmerschieferterrain hinein und erreichen dann bald die Thalweitung von Campodolcino (1183 Meter).

Eine Felsinschrift bei Campodolcino besagt, dass Kaiser Franz diese
Straße habe erbauen lassen. Der Boden bei Campodolcino ist nur klein,
bald sind wir an sein oberes Ende herangekommen, und steiler geht es
nun in zahlreichen, übereinander liegenden Schlingen an der östlichen
Felswand empor. Wir übersetzen den Madesimobach, der hier einen
schönen Wasserfall (Abb. 170) bildet, und kommen nach Pianazzo (1400
Meter). Dieses Dorf steht auf dem Südende des Rückens, welcher das
Madesimo- vom oberen Lirothale trennt. Im ersteren liegen die heilkräftigen Eisenquellen von Madesimo; in letzterem, in kleiner Thalweitung, Isola. Nach diesen beiden Orten hin führen Straßen, welche in
Pianazzo von der Splügenstraße abzweigen.

Au der Furche des Splügenpasses beobachtet man ebenso wie an
einer Anzahl anderer in den Hauptkamm eingesenkter Sättel ein Eindringen jüngerer Gesteine der Alpenaußenzone in das centrale Urgebirge.
Wie am Brenner und anderwärts reicht auch hier am Splügen der nördliche Triaskalk über den Hauptkamm hinüber nach Süden: der Gipfel
des Pianazzorückens besteht aus triassischem, dem Glimmerschiefer auf-
liegendem Dolomit. Die Splügenstraße, der wir folgen, führt von Pianazzo
weg nahe der Grenze zwischen Trias- und Glimmerschiefer schief durch
die Ostwand des Beckens von Isola hinauf und erreicht, durch mehrere
Gallerien vor den Lawinen geschützt, das Lirothal oberhalb jener wilden
Cardinellschlucht wieder, durch welche der alte Saumpfad nach Isola
hinabführt. Hier sind quaternäre Glacialbildungen abgelagert und verdecken die interessante Trias-Glimmerschiefergrenze. Die Straße übersetzt den Liro und erreicht, die von Westen her vorspringende Höhe
überschreitend, den obersten, als Val Loga bekannten, nach Westen
hinaufziehenden Theil des Lirothales gerade unterhalb des Passes, welcher
in der Nordwand des Logathales eingesenkt ist, an einem Punkte, der
1664 Meter über dem Meere liegt. Hier steht das italienische Zollhaus.
Nun geht es wieder in Schlingen über die letzte, 213 Meter hohe Strecke
hinauf zu dem 2117 Meter über dem Meere gelegenen Splügenpasse,
welcher zwischen dem aus triassischem Gestein aufgebauten, westlichen
Theile des Surettahornmassivs im Osten und dem Glimmerschiefer des
Tamborhorns im Westen in den Hauptkamm der Alpen eingesenkt ist.

Jenseits des Passes fahren wir durch das in den Trias eingegrabene
und von quaternären Bildungen theilweise ausgefüllte Häusernbachthal
in nördlicher Richtung hinunter. Wieder durch Lawinengallerien (Abb.
172), Tunnel und über dicht aneinander folgende Windungen kommen
wir am Berghaus (2035 Meter) vorüber durch die westliche Bergwand in

den Thalboden hinab und hinaus nach Splügen (1405 Meter) am Hinterrheine.

Splügen liegt am Südrande jener großen Phyllitmasse, welche den größten Theil des Raumes zwischen Vorder- und Hinterrhein einnimmt. Oberhalb Splügen greift der Phyllit nach Süden über den Hinterrhein hinaus, so dass hier — von Splügen bis hinauf nach Hinterrhein — das vom Hinterrheine durchflossene Rheinwaldthal ganz in Phyllit eingesenkt ist. Unterhalb Splügen bildet der Phyllit die nördliche, der Splügener Triasstreif aber die südliche Wand des nach Ostnordost hinabziehenden Rheinwaldthales.

Von Splügen führt eine Straße durch das Rheinwaldthal hinauf nach Hinterrhein und weiter über den Bernhardinpass (2063 Meter) ins Mesoccothal und nach Bellinzona. Wie am Splügen durchsetzt auch am Bernhardin die Trias das Urgebirge des Hauptkammes. Um

Abb. 176. Der Madusiner-Fall.

den Hintergrund des Rheinwaldthales kennen zu lernen, wollen wir von Splügen zu der Schutzhütte am Ende des Rheinwaldfirns hinauf gehen und dann von dort aus das 3398 Meter hohe Rheinwaldhorn, den höchsten Berg dieser Gegend, besteigen.

Ein reges Leben herrscht des Abends in Splügen, denn lebhaft ist der Verkehr auf den beiden Jochstraßen, die hier sich vereinigen. Auch wir sind in eifriger Thätigkeit, mit der Rüstung zu unserer Bergfahrt beschäftigt, besorgen Proviant und Träger und schmieren mit Sorgfalt die Schuhe.

Am andern Morgen fahren wir durch das Rheinwaldthal hinauf nach Hinterrhein (1624 Meter), verlassen hier die nach links zum Bernhardin hinaufziehende Straße und setzen zu Fuß unsere Wanderung fort. Der

oberhalb Hinterrhein gelegene Theil des Rheinwaldthales ist in Gneis
eingeschnitten. Eine Strecke weit bleibt der geröllüberschüttete Thalboden, dem wir folgen, breit und flach, doch bald treten wir in eine
engere Schlucht ein. Wüstes Geröll füllt seine schmale Sohle, und durch
dieses rauscht der junge Hinterrhein, überall, wo dazu Platz ist, in mehrere
Arme aufgelöst, herab. Wir folgen erst dem rechten Ufer, setzen dann
auf einem der Lawinenreste, die sich hier finden, auf das linke Ufer über
und erreichen bald darauf die 1056 Meter über dem Meere gelegenen
Zapporthütten. Hier hausen jetzt, im Hochsommer, bergamaskische
Hirten, deren Schafe (Abb. 168) auf den sonnigen Matten der nördlichen
Thalwand weiden. An den wüsten Felsenmassen der «Hölle», über welche
der Hinterrhein sich hinabstürzt, vorbei geht es weiter zur Schutzhütte
(2320 Meter). Während das Rheinwaldthal von den Zapporthütten hinunter
bis Rofna einen ostnordöstlichen Verlauf hat, ist sein oberster Theil, von
den Zapporthütten bis zum Hinterrhein-Ursprunge am Rheinwaldgletscher,
westöstlich gerichtet.

Noch ist es früh am Tage, und so wollen zwei von uns gleich noch
eine Strecke weit gegen den im Norden eingesenkten Sattel der Platten-
schlucht hinaufsteigen, um einen freien Ausblick zu gewinnen und die
morgige Anstiegsroute festzusetzen, während der Dritte mit Hilfe des
Trägers in der Hütte Feuer macht und das Essen bereitet. Nach ziemlich steilem Ansteigen erreichen wir einen passenden Platz, breiten die
Karte vor uns aus und betrachten die Gegend. Gerade gegenüber im
Süden erhebt sich der mit steiler Felswand abstürzende Paradieskopf
zwischen den Enden des Zapport- und Rheinwaldgletschers. Von diesem
zieht ein breiter Rücken hinauf zu dem schlanken Paradieshörnli (2963 Meter).
Links hinter demselben erhebt sich die Firnpyramide des Rheinquellhorns
(3200 Meter), während rechts davon der schöne Gipfelbau des Rheinwaldhorns (3398 Meter) aufragt. Gegen uns zu, nach Osten, ziehen steile Felsrippen und Schneecouloirs vom Rheinwaldhorn herab zur oberen Stufe
des Rheinwaldgletschers. Nach links (Süden) stürzt der Gipfel steil ins
Malvagliathal ab, nach rechts (Norden) aber senkt er sich allmählich in
Gestalt eines sanften Firnrückens gegen die Lentalücke. Die Stufe,
welche den oberen (westlichen) Theil des Rheinwaldfirns von den zu
unseren Füßen sich ausbreitenden mittleren und unteren Theilen desselben trennt, keilt sich im Süden und Norden aus: im Süden unterhalb
des südöstlich vom Rheinwaldhorn eingesenkten Passo del Cadabbi breitet
sich eine sanft geneigte Firnfläche aus, die beide Theile des Gletschers
verbindet, und im Norden zieht ein ununterbrochener, leicht zu begehender,

unten aperer, oben überfirnter Hang zur Lentalücke hinauf. Am leichtesten wird es also sein, über den Rheinwaldgletscher bis unterhalb der Lentalücke hinaufzugehen, dann über jenen Hang zur Lentalücke emporzusteigen und schließlich über den Schneegrat den Gipfel zu gewinnen. Das ist auch der gewöhnlich begangene Weg.

Wir kehren zur Hütte zurück, bringen dort ganz gut die Nacht zu und brechen zeitlich am andern Morgen auf, um auf der oben skizzierten Route unseren Gipfel zu erreichen. Ohne alle Schwierigkeiten geht es über die Rheinwaldgletscherzunge — sie wird auch Paradiesgletscher genannt - hinauf. Unter der Lentalücke angelangt, wenden wir uns rechts und steigen über den mit einem reichen alpinen Blumenflor geschmückten Abhang, die erwähnte Felsstufe links lassend, hinauf zu dem von der Lücke herabziehenden Firnhange, über welchen wir die Lücke selbst gewinnen. Hier angekommen, wenden wir uns scharf nach links und gehen über den oben erwähnten nördlichen, ganz gut gangbaren Firnrücken zum Gipfel des Rheinwaldhorns hinauf. Der höchste Punkt ist schneefrei: behaglich lagern wir uns auf dem Gneisfels.

Im Osten sehen wir die Berninagruppe und eine Reihe von Gipfeln der Ortlergruppe und Ötzthaler Alpen. Im Norden erhebt sich der Gebirgsstock des Tödi, im Westen ragen die Berner Alpen auf, und im Südwesten erkennen wir die Gipfel der Monterosagruppe. Was dem Panorama des Rheinwaldhorns einen ganz besonderen Reiz verleiht, sind die freundlichen Thallandschaften, welche sich in der Tiefe ausbreiten: im Westen und Süden das Bleniothal mit der Lukmanierstraße, im Norden das Lentathal und im Osten das Rheinwaldthal.

Nach einer auf dem Gipfel höchst genussreich verbrachten Stunde kehren wir auf demselben Wege, den wir gekommen, zurück in das Rheinwaldthal, wandern wieder hinaus nach Hinterrhein und fahren hinunter nach Splügen.

Das Rheinwaldhorn ist schon im Jahre 1798 von Pater Placidus a Spescha, Benedictinermönch im Kloster Disentis, bestiegen worden, und es wird den Leser gewiss interessieren, einiges über diese vor fast hundert Jahren ausgeführte Bergbesteigung, über welche a Spescha einen genauen Bericht hinterlassen hat, zu erfahren.

»Ich habe es,« erzählt der würdige Pater, »der Vorsehung und der Verirrung dreier Medicindoctoren zu danken, dass ich diesen so wichtigen Berggipfel habe besteigen können.« Es wollten nämlich drei Ärzte die Hinterrheinquelle besuchen, fanden sie aber nicht und baten den bergkundigen Pater, sie hinzuführen. A Spescha, die drei Ärzte und ein

Führer übernachteten in Hinterrhein und giengen von dort zur Zapport-alpe, von wo aus noch ein Hirte mitgenommen wurde. Ohne Schwierig-keit erreichte die Gesellschaft die Lentalücke. Hier verlor der »Führer« den Muth und blieb zurück. »Allein,« erzählt der Pater weiter, »der be-herzte Schafhirt gieng voraus, ich ihm nach, und die Herren folgten. Bald ergriff mein Nachfolger meine Kutte und die anderen die Röcke ihrer Vorgänger. Allein nach und nach kam es mir zu schwer vor, die drei Doctoren, welche von Zeit zu Zeit empfindliche Rückzüge sich erlaubten, zu halten und nachzuziehen; ich hielt mich daher sicherheitshalber selbst am Rockzipfel des Schäfers. So wanderten wir über den schmalen Schneerücken in einer Linie hinauf. Eine Weile gieng es in dieser Weise fort, da glitt einer der Doctoren aus. Der Pater sprang ihm nach und fieng ihn, so dass ihm kein Unfall zustieß. Gleichwohl waren die drei Doctoren hierdurch so erschreckt, dass sie die Besteigung aufgaben und an dieser Stelle zurückblieben. Bloß der Hirt und der Pater setzten den Marsch fort. Sobald sie an den eigentlichen Gipfel herangekommen waren, weigerte sich der Hirt, weiter zu gehen, und der muthige Pater allein betrat den höchsten Punkt der Schneewächte, welche damals das Rheinwaldhorn krönte. Er blieb eine Zeit lang oben, bestimmte mit dem Compass die Lage der umliegenden Gipfel und trat dann den Rückweg an, nacheinander den Hirten, die drei Ärzte und schließlich auch den Führer mit sich nehmend. Unterhalb der Lentalücke nahmen wir,« be-richtet der Pater weiter, »rechts einen Seitenweg. Ich gieng voraus und überschritt eine ziemlich abschüssige Schneelage und befand mich schon unterhalb derselben, als die anderen sie oben zu überschreiten hatten. Rengger (der eine von den Ärzten) glitschte auf derselben aus und fuhr gegen mich wie ein Pfeil; eiligst sprang ich in den Schnee und auf ihn los und hielt ihn auf, bevor er die Steine erreichte, die ihm Hals und Beine hätten brechen können. Kaum aber hatte ich diesen errettet, als dem Ackermann (dem zweiten von den Ärzten) der nämliche Fall zustieß. Als ein sehr schwerer Herr war seine Niederfahrt desto schneller und heftiger. Ich sprang aber auf ihn wie ein Jochgeier, meine Glieder krachten; allein unbeschädigt kam er davon. Von hier stieg dann die Gesellschaft nach Hinterrhein ab, wo der Wirt den Bergfahrern mittels einer aus Alaun und Eiweiß hergestellten Salbe die Schmerzen stillte, welche der Gletscherbrand ihnen verursachte.«

Wir übernachteten in Splügen und verlassen am nächsten Tage dieses freundliche Alpendorf, um durch das Rheinwaldthal hinabzureisen nach Thusis, von wo aus wir dann über den Albulapass hinüber wollen ins Engadin.

Lustig knallt der Postillon mit der Peitsche, und fröhlich fahren wir hinab durch das Thal. Noch einmal blicken wir zurück zu dem schönen Rheinwaldhorn, welches in seinem Hintergrunde aufragt; steiler geht es dann hinab in einen schmaleren Boden, wo die näher aneinander tretenden Berglehnen die Fernsicht abschneiden. Bald verlassen wir den Phyllit und treten in Gneisterrain ein. Auf kühner Brücke geht es hinüber ans rechte Ufer des Hinterrheins und durch die waldige Thalwand hinaus zum Hotel Hinterrhein . Jenseits passieren wir das Felsenthor der Sassa plana und weiter die Mündung des von Süden herabkommenden Surettathales; dann treten wir in die schmale Schlucht von Rofna ein. Hier verlässt der Hinterrhein seine bisherige ostnordöstliche Laufrichtung und wendet sich nach Norden. In Windungen geht es hinab zu der Mündung des von Südosten herabkommenden Averser Rheines und über diesen nach Andeer (979 Meter).

Im Hintergrunde des vom Averser Rheine durchströmten Ferrerathales, welches oben reich verzweigt ist, erheben sich mehrere stattliche Firngipfel, die Cima di Lago, das Gletscherhorn und andere, zwischen denen Jochsteige hinüberführen ins Bergell.

Bei Andeer verlassen wir den Gneis. Von rechts her tritt der vom Marcio in dem Bergeller Grenzkamme nach Norden ziehende Triasstreif an den Hinterrhein heran, während die linke Berglehne aus altem Bündner Kalkschiefer besteht. Weiter unten, jenseits des Triasstreifens, ist das Rheinwaldthal ganz in letzteren eingegraben. Andeer liegt am oberen Ende einer kleinen Thalweitung, welche gerade so weit reicht wie der rechtsseitige Trias; dort, wo das Thal des Hinterrheins in den alten Kalkschiefer eintritt, verengt es sich zu der berühmten Schlucht der Via Mala.

Durch den Boden der Andeerer Mulde — dieser Theil des Hinterrheinthales heißt Schamserthal — hinausfahrend, kommen wir an den Trümmern der Fardünburg und dem großen Dorfe Zillis (933 Meter) vorüber bald zu dem Eingange in jene Schlucht, und jetzt fahren wir in ihren dunklen Schlund ein. Eine Brücke bringt uns an das linke, dann eine zweite (Abb. 171) zurück an das rechte Ufer. Dies ist der wildeste Theil der Schlucht. Auf dem Grunde einer nur wenige Meter breiten, gegen hundert Meter tiefen Kalkfelsklamm braust der Hinterrhein dahin. Die Brücke selbst überspannt diese Klamm 88 Meter über dem Flusse. Nur ein paar Minuten bleiben wir am rechten Ufer, dann geht es auf einer dritten Brücke wieder hinüber zum linken und weiter, hoch über dem Flusse an der westlichen Bergwand, hinaus in einen kleinen Kessel, hinter diesem verengt sich das Thal sofort wieder zu der grausigen Klamm des Verlorenen Loches. Wir durchfahren einen 80 Meter langen Tunnel, endlich öffnet sich die dunkle Schlucht; sonnenbestrahlt breitet die schöne Ebene von Thusis, welche der Hinterrhein in einem schnurgeraden, künstlichen Bette durchzieht, vor uns sich aus. Bald ist nun Thusis erreicht.

Diese am oberen Ende der Thalweitung 716 Meter über dem Meere, an der Mündung der von Westen herabkommenden Nolla gelegene Stadt hat ein hohes Alter. Den am gegenüberliegenden Hinterrheinufer aufragenden Felsen krönen die Ruinen der Burg Hohen Rhätien, welche der Sage nach die älteste Burg der Schweiz sein soll.

Von Thusis gehen drei Straßen ab: eine, die, auf welcher wir gekommen sind, nach Süden zum Splügen- und Bernhardinpass, eine durch die Thalebene nach Norden ins Vorderrheinthal und endlich eine nach Südosten durch das Thal der unterhalb Thusis in den Hinterrhein einmündenden Albula hinauf nach Tiefenkasten.

Wir übernachten in Thusis und brechen am andern Morgen auf, um auf der letztgenannten Straße nach Tiefenkasten und weiter über den Albulapass ins Engadin und nach Pontresina zu fahren.

Von Tiefenkasten bis zu ihrer Mündung bei Thusis durchfließt die wasserreiche Albula eine enge, in die dort anstehenden alten Schiefer gegrabene Schlucht. 1868–1869 ist eine Straße, die sogenannte Schynstraße, durch diese Schlucht gebaut worden, und auf dieser fahren wir jetzt in die Albulaschlucht ein. Am linken Ufer der Albula geht es hinauf nach Campi (770 Meter) und weiter durch die waldige Berglehne zur Enge des Pass Mal. Mittels bedeutender Sprengungen und Anlage von Gallerien und Tunneln sind hier die Terrainschwierigkeiten überwunden worden. Wir übersetzen den Muttner Tobel, durchfahren einen Tunnel und erreichen die Solisbrücke, welche in kühnem Bogen die 77 Meter tiefe Albulaklamm übersetzt. Auf dieser wird das rechte Ufer gewonnen, die Schlucht erweitert sich, wir passieren Alvaschein und kommen nach Tiefenkasten (850 Meter).

Hier vereinigen sich vier Straßen: eine von Nordosten aus dem Davoser Thale, eine von Südosten durch das obere Albulathal, eine von Süden durch das Oberhalbsteiner Thal und endlich eine (die, auf welcher wir gekommen sind) von Westen durch das untere Albulathal führende. Wir setzen unsere Fahrt auf jener Straße fort, welche von Tiefenkasten durch das obere Albulathal über Bergün zum Albulapasse hinaufführt.

In Tiefenkasten selbst steht eine kleine, allseitig von Urgestein um-
gebene Scholle gipshaltigen, vermuthlich untertriassischen Gesteins zu

Abb. 171. Die Via Mala.

Tage. Gleich hinter Tiefenkasten, bei Surava, kommen wir in jenes verworrene palaozoisch-mesozoische Gelände hinein, in welches das Davoser

und das obere Albulathal eingeschnitten sind. Bis zur Einmündung des durch das Davoser Thal herabkommenden Landwasserbaches hinter Bad Alvaneu zieht das breite Thal der Albula in östlicher Richtung hinauf. Hier wird es enger und wendet sich dann bei Filisur nach Südosten. Die Straße steigt zu dem genannten Dorfe empor und jenseits desselben wieder herab in die Thalsohle. Bisher bildeten triassische Schichten die Thalwände, hier treten wir in Verrucano ein. Der Fluss wird übersetzt; am linken Albulaufer geht es durch schönen Wald thalauf über einen Nebenbach und dann in einer Schlinge an der nordöstlichen Berglehne empor.

Plötzlich hat sich der Charakter des Thales verändert. Statt der sanfteren Hänge schließen senkrechte Felsen das zu einer wilden Klamm verengte Thal ein; wir sind aus dem Verrucano in Porphyrterrain übergegangen. Hoch an der Bergwand zieht die Straße an diesem Bergüner Stein hin. Doch nur kurz ist die Klamm. Die Thalwände öffnen sich wieder; wir kommen abermals ins Verrucanoterrain und gleich darauf in Liasschichten und triassischen Dolomit hinaus. Bald ist nun der freundliche Boden von Bergün erreicht 1388 Meter . Hier ist Mittagsstation.

Während die zahlreichen Postreisenden schnell ihre leiblichen Bedürfnisse befriedigen, werden frische Pferde vor die verschiedenen vehicula gespannt. Nach kurzem Aufenthalte geht es weiter. Voran der mächtige Postwagen, bespannt mit einer ganzen Herde von Pferden — an jedem Knopfe der schweren Kalesche scheint eins angehängt zu sein , dann eine lange Reihe von diversen kleineren Wagen, je nach der Größe von zwei, drei, vier oder fünf Pferden gezogen.

Das Thal wendet sich nach Süden. Durch seinen waldigen Ostabhang geht es, erst an der Grenze zwischen Triasdolomit (links) und Lias (rechts) und weiter, jenseits des Tischbaches, mitten durch den Lias hinauf. Dann folgt wieder Trias, Phyllit, nochmals Lias — alle paar Minuten ein anderes Gestein. Es ist eine merkwürdige Gegend. Steiler steigt die Straße in Windungen empor, und wir erreichen den kleinen Boden von Naz, wo sich das Thal nach Osten wendet.

Von Naz (1745 Meter) zieht eine Terrainfurche, deren höchster Punkt der 2515 Meter hohe Albulapass ist, in östlicher Richtung nach Madulein (1681 Meter im Innthale. Diese Furche bildet die Grenze zwischen dem Protogin des Piz Otmassivs im Süden und den mesozoischen, Lias- und Trias Schichten des Piz Uertsch im Norden. Letztere stellen in Gestalt eines schmalen, zwischen azoischen Gesteinsmassen eingezwängten Streifens die Verbindung des mesozoischen Schichtencomplexes des Davoser Thales mit jenem großen Triasdreieck her, welches zwischen der Königsspitze,

Martinsbruck und Madulein ausgebreitet ist. Im östlichen Theile unserer Albulafurche reichen der Verrucano und der Phyllit, welche unter den triassischen Schichten liegen, eine Strecke weit an der südlichen, zur Crasta Mora hinaufziehenden Berglehne hinauf.

In Windungen geht es bergauf, an dem in der Tiefe liegenden Palpuognasee vorbei nach Weissenstein (2030 Meter), dann im Bogen, immer in Windungen ansteigend, durch die Protoginfelsen, südlich um jene sumpfige Mulde herum, in welcher die Albula entspringt, und endlich durch das wüste, von Trümmern überschüttete, aber gleichwohl mit schönen Alpenblumen geschmückte sogenannte Teufelsthal hinauf zur Passhöhe (2315 Meter).

Von der Höhe, auf welcher ein Hospiz steht, fahren wir zunächst eine Strecke weit fast eben fort und dann in einer Reihe von Windungen hinab nach Ponte (1691 Meter) im Innthale und über Samaden thalauf nach Pontresina.

Abb. 172. Auf der Splügenstrasse.

XII.

BERNINA UND ENGADIN.

Abb. 173. Der Roseggletscher mit dem Piz Glüschaint.

1. Der Piz Bernina und seine Gletscher.

Bei Samaden ist das hier oben in der Schweiz sonst größtentheils schluchtartig enge Innthal zu einer ausgedehnten Thalebene verbreitert, in welcher oberhalb Samaden — sich der von Südosten herabkommende Berninabach mit dem von Südwesten herabkommenden Inn vereinigt. Südöstlich vom Inn dehnt sich oberhalb Samaden ein niedriges Hügelterrain aus, welches nach Süden sehr allmählich zu dem Fuße des steilen Nordabhanges des Piz Rosatsch ansteigt. In den an die Südwestabstürze des Languardkammes herantretenden nordöstlichen Theil jenes Hügelterrains ist der untere Theil des Berninabachthales eingesenkt. Diese Thalstrecke ist sehr breit und freundlich und erscheint gewissermaßen als eine südöstliche Fortsetzung der Innthalebene von Samaden.

Am oberen Ende dieser flachen Thalstrecke, dort, wo der aus enger Schlucht hervorbrechende Berninabach von Südost und der Rosegbach

von Südwestsüd in dieselbe eintreten, liegen in einer Höhe von 1780 bis
1880 Meter fünf Ortschaften dicht beisammen: Laret, Bellavita, St. Spiert,
Giarsun und Carlihof. -- Das ist Pontresina.

Ein wüstes Treiben (Abb. 174) herrscht jetzt, bei Ankunft der Post,
in Pontresina. Wir selber bleiben in dem ersten von den großartigen
Gasthäusern, dem ganz am unteren Ende des Ortes gelegenen Hotel
Roseg.

Den besten Überblick über das Hochgebirge, welches Pontresina
einschließt, namentlich die im Süden aufragende Berninagruppe, gewährt
der leicht zugängliche, 3266 Meter hohe Piz Languard. Den wollen wir
morgen besteigen.

Vor fünfundzwanzig, dreißig Jahren besuchten fast nur Engländer
die Schweiz. Ihrem Geschmacke wurden alle Verpflegseinrichtungen in
so ausgezeichneter Weise angepasst, dass die Schweizer Alpenhotels bald
nach jeder Richtung hin unübertroffen dastanden. Da aber die Engländer,
ebensowenig wie die Schweizer selber ein Verständnis für das Bier haben,
so konnte man trotz aller Vortrefflichkeit der Schweizer Hotels damals
doch keinen anständigen Tropfen unseres Nationalgetränkes dort bekommen.
Als nun in neuerer Zeit die Deutschen in größerer Zahl die Schweiz zu be-
reisen begannen, waren sie mit der Hotelkost wohl zufrieden, vermissten
aber schmerzlich den Gerstensaft. Mit der unserer Nation leider nur all-
zusehr anhaftenden Bescheidenheit fügten sie sich lange in diesen traurigen
Biermangel, und ich erinnere mich, dass ich noch in den achtziger Jahren
in keinem einzigen der großen Schweizer Alpenhotels deutsches Fassbier
-- denn alles andere ist nichts — bekommen konnte. Aber der mächtige
Aufschwung, welchen das nationale Leben der deutschen Nation seit dem
glorreichen Kriege genommen, verlieh dem Begehren der immer zahl-
reicher die Schweiz bereisenden Deutschen nach Bier schließlich doch
solchen Nachdruck, dass die Schweizer Hoteliers sich dazu entschließen
mussten, deutsches Bier vom Fass auszuschenken. Trotzdem sind heute
noch die guten Kneipen in der Schweiz spärlich: eine der seltenen Oasen
in dieser bierarmen Wüste ist Pontresina: weiter oben im Orte bei
Enderlin gibt's Spatenbräu. In diesen «Krug beim Enderlin» da kehr'n
wir durstig ein, da sitzt manch Wandrer drinnen beim edlen Gersten-
wein. Wir thäten uns zu ihnen setzen und reichen ihnen die Hand:
es lebe hoch und blühe das deutsche Vaterland! Immer neue Gäste
natürlich lauter Landsleute — kommen aus den verschiedenen Hotels
herbei, und bald ist eine urgemüthliche Kneipe im Gange. Nirgends
kommt die Erinnerung an die in der Heimat genossenen Jugendfreuden

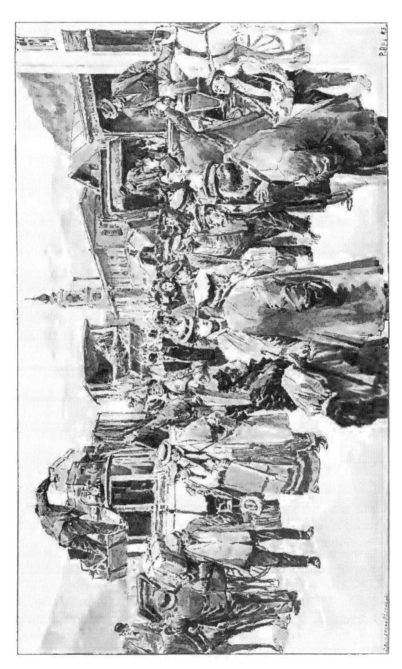

Abb. 171. In Pontresina.

446

so deutlich zum Bewusstsein wie in der Fremde: hier in dieser Kneipe
beherrscht sie unsere Gemüther, und aus dem Staube der Vergessenheit,
in dem sie versunken schienen, erwachen mit Macht die schönen Lieder
der alten Burschenherrlichkeit.

Spät wird es schon, aber vergebens mahnt der eine oder der
andere, der für morgen eine Partie vor hat, zum Aufbruche. Immer noch
bleiben wir sitzen, und immer noch trinken wir eins, eh wir gehen.
Endlich nach Mitternacht wird aufgebrochen: herrlich bestrahlt der
Mond das freundliche Pontresina, und schimmernd erglänzen die Firne
in seinen silberhellen Strahlen. «Meine Herren, ruft da einer, ewer
geht mit auf den Languard?» — Jetzt gleich? Natürlich! —
Gut, ich bin dabei. Wir eilen in unser Zimmer, kleiden uns schnell
bergmäßig an, treffen mit den anderen — ihrer sieben nehmen an der
Partie theil — zusammen und beginnen den Marsch. Beim Wegweiser
verlassen wir die Straße und steigen auf gut angelegtem Saumpfade an
der alten, im Mondlichte ganz geisterhaft aussehenden Thurmruine vorbei,
durch Lärchen- und Arvenwald empor. Zunächst haben wir die steile,
etwa 1300 Meter hohe Stufe zu überwinden, mit welcher der flache Boden
des Languardthales ins Berninathal absetzt. Es ist kühl genug, gleichwohl schwitzen und schnaufen wir greulich, aber das dauert nicht lange;
nach den ersten 1000 Metern ist das viele Bier, das wir in uns mitschleppen, verdunstet und verraucht: in ganz guter Form kommen wir
oben am Rande der Steilstufe an. Hier, bei einer Schäferhütte, gewinnen
wir zum erstenmale einen Anblick unseres Berges. Sanfter ansteigend
setzen wir am rechten Ufer des Languardbaches den Marsch fort, wenden
uns dann links und erreichen über einen zweiten Absatz den obersten
Boden, ein Plateau, das sich am Südwestfuße jenes südost-nordwestlich
streichenden Gebirgsgrates hinzieht, dem der Languard angehört. Hier
endet in einer Höhe von 2771 Metern der Reitweg   Rossstation
heißt es auf der Karte. An dieser Stelle lagern wir uns jetzt und
haben Gelegenheit, die Thatsache zu constatieren, dass keiner etwas
zu essen mit hat und an Getränk nur ein kleinstes Fläschchen Cognac
vorhanden ist.   Der Name Rossstation scheint mir nicht passend, es
kommen doch auch Maulthiere und Esel herauf,» meint der eine. «Namentlich letztere,» brummt ein anderer vernehmlich; — nach solenner
Bierkneipe ohne jeglichen Proviant in der Nacht den Languard besteigen
     er hat so unrecht nicht. Doch es ist kalt und ungemüthlich hier, also
vorwärts! Über Glimmergeröll und Gneistrümmer steigen wir missmuthig
an; ohne alle Schwierigkeit, aber steil und mühsam ist der Weg. Allmählich

steigt im Osten das Frühlicht empor, und in merkwürdigem Farbenspiele kämpft das Morgenroth mit dem erblassenden Mondschein. Wir erreichen den Gipfel. Wolkenlos spannt sich das Firmament über uns aus, nur im Osten schwimmen schmale, dunkle, rothberänderte Wolkenstreifen in dem glühend leuchtenden Morgenhimmel. Jetzt trifft der erste Sonnenstrahl die höchsten Gipfel. Nach einander leuchten sie auf, gleich rothen glühenden Flammen, über dem kalten, mondbestrahlten, bläulich schimmernden Lande. Seid gegrüßt, ihr lieben, heimatlichen Berge dort fern im Osten! Nadelscharf ragt die Königsspitze auf, breit und behäbig links daneben der massige Ortler; dann weiter die Gipfel der Ötzthaler Gruppe, von denen die Wildspitze am deutlichsten hervortritt. Im Nordosten erheben sich die Felszacken des tirolisch-schweizerischen Grenzgebirges, Seesvenna, Cristannes und weiter, jenseits der Engadiner Furche, die schönen Gipfel der Silvrettagruppe, von denen besonders der Piz Linard durch seine schlanke Pyramidenform imponiert. Im Nordwesten sehen wir die breite Masse des Piz Kesch und weiter nach links in langer Reihe die Gipfel, welche den obersten Theil des Innthales im Nordwesten begleiten. Aus der Ferne blicken die wohlbekannten Zinnen des Säntis, des Tödi und des Rheinwaldhorn herüber über diesen Grat, sowie auch einige der Spitzen des Finsteraarmassivs und der Monterosagruppe; deutlich erkennen wir Täschhorn und Dom. Höher steigt das naheliegende Gebirge nach Süden an zur Berninagruppe, deren Herzen der breite, gerade auf uns zu gerichtete Morteratschgletscher entströmt.

Allseitig von tiefen Furchen umgeben, erhebt sich die Berninagruppe in der Mitte der Alpenkette. Durch sie läuft — vom Maloja- zum Berninapasse — die Hauptwasserscheide des östlichen Theiles der Alpen zwischen der Adria und dem Schwarzen Meere. Die Berninagruppe hat die Gestalt eines unregelmäßigen Pentagons, dessen Ecken durch die Punkte Samaden, Chiavenna, Delebio, Tresenda, Tirano bezeichnet werden. Die nach Südwesten über den Malojapass ins Bergell sich fortsetzende Engadiner Furche (Samaden — Inn — Maloja — Mera — Chiavenna) bildet die Nordwest-, die Ebene von Chiavenna und der Mezzolasee (Chiavenna — Mera — Delebio) die West-, die Veltliner Furche (Delebio — Adda — Tresenda — Adda — Tirano) die Süd- und Südost- und die Berninafurche (Tirano — Poschiavino — Berninapass — Berninabach — Samaden) die Nordostgrenze derselben. Bedeutende Wasserbecken breiteten sich und breiten sich zum Theile noch in diesen Furchen aus. In das Veltlin und die Mulde von Chiavenna hinein reichten einstens Arme des Comer Sees. Der Mezzolasee ist ein Rest derselben. In der Berninafurche liegen außer einer Anzahl

Abb. 175. In der Bernina-Scharte.

kleinerer Seen die bedeutenden Wasserflächen des Lago di Poschiavo und Lago Bianco, in der Engadiner Furche endlich der Silvaplaner- und der Silser See.

Durch sämmtliche von den genannten Grenzfurchen der Berninagruppe laufen vortreffliche Straßen, so dass diese Bergmasse von allen Seiten her leicht zugänglich ist.

Das am Maloja in die Engadiner Furche ausmündende Fornothal und das bei Sondrio ins Veltlin ausmündende Malencothal, welche durch den Murettosattel verbunden werden, bilden eine der Berninafurche parallel von Nordwest nach Südost verlaufende Senkung, welche die Berninagruppe in zwei Hälften theilt. Die nordöstliche Hälfte wird durch die Depression des Cancianosattels ihrerseits wieder in zwei Abschnitte zerlegt. Wir haben also innerhalb der Berninagruppe drei Massive: das südwestliche Disgraziamassiv, das nordöstliche Berninamassiv und das südöstliche Combolamassiv. Alle drei bestehen aus einem granitischen, Syenit- oder Protoginkern, an den sich Gneis und Glimmerschiefer anlegen. Außerdem finden sich an den Rändern dieser Massive stellenweise schmale Streifen mesozoischen Gesteins und in der Mitte der Gruppe eine größere Masse von Diorit.

Von diesen drei Massiven ist das gerade vor uns liegende Berninamassiv dasjenige, welches die bedeutendste Höhe erreicht. Es besteht aus dem mehrfach gekrümmten, im ganzen ostwestlich vom Berninapasse zum Maloja verlaufenden Abschnitte des Hauptkammes der Alpen

und den von demselben abgehenden Nebenkämmen. Vom eigentlichen *)
Berninapasse (2222 Meter) zieht der Hauptkamm erst nach Süden hinauf
zum Piz Cambrena (3607 Meter), dann weiter in westlicher Richtung über
den Piz Palü (3912 Meter) und nach Süden ausbiegend über den Piz Zupò
(3999 Meter) und die Crast'agüzza (3872 Meter) zum östlichen, 3967 Meter
hohen Gipfel des Monte di Scersen. Vom Piz Palü und vom Piz Zupò
gehen unbedeutende Nebenkämme nach Süden ab, welche die dort ausgebreiteten Firnfelder des nach Osten herabziehenden Palügletschers und
der nach Süden herabziehenden Fellaria- und Scerscengletscher von einander trennen. Nördlich von dieser Hauptkammstrecke breitet sich das
Firnfeld des nach Norden hinabziehenden Morteratschgletschers (Abb. 176)
aus. Die östliche Einfassung dieses Eisstromes bildet der vom Cambrena
über den Diavolezzapass in nordwestlicher Richtung zum Munt Pers
(3210 Meter) ziehende Nebenkamm, seine Westgrenze der von dem
erwähnten östlichen Gipfel des Monte di Scerscen nach Norden abgehende Berninakamm, welcher das Gebiet des Morteratschgletschers von
jenem des unten mit dem Roseggletscher sich vereinigenden Tschierva-
gletschers trennt. Der Berninakamm zieht vom östlichen Gipfel des
Monte Scerscen in nordwestlicher Richtung zu dem 4052 Meter hohen
Piz Bernina (Abb. 176), dem Culminationspunkte der ganzen Gruppe,
empor. Hier wendet er sich nach Norden, sinkt steil zur Berninascharte
(Abb. 175) herab und erhebt sich jenseits derselben zu dem 3998 Meter
hohen Pizzo Bianco, um von hier, die nördliche Verlaufsrichtung immer
streng beibehaltend, über eine Reihe wilder Scharten und Zacken zum
Piz Morteratsch (3754 Meter) und weiter zum Piz Misaun (3251 Meter)
hinüberzustreichen. Eine Anzahl kleiner Hängegletscher schmückt diese
schöne Kammstrecke. Jenseits des Piz Misaun zieht der Kamm immer
in streng nördlicher Richtung über den Piz Calchagn (3154 Meter) hinab
nach Pontresina, wo er — an der Vereinigungsstelle des Bernina- und
Roseghbaches — endet. Der Hauptkamm setzt sich vom östlichen Gipfel
des Monte di Scerscen (3967 Meter) in südwestlicher Richtung zum Piz
Roseg (3943 Meter) fort. Hier geht ein kurzer Nebenkamm nach Nordwesten ab, welcher über den Piz Aguagliouls (3126 Meter) zur Vereinigungsstelle des Tschierva- und Roseggletschers hinabzieht. Der Hauptkamm zieht vom Piz Roseg erst in südwestlicher, dann in westlicher
Richtung zum Piz Glüschaint (3508 Meter) (Abb. 173) und von hier
zunächst in südwestlicher, weiter in nordwestlicher Richtung zum Monte
Muretto (3107 Meter) am Murettopasse. Von hier streicht der wasser-

---

*) Das ist nicht der (2330 Meter hohe) Berninapass, über den die Straße geht (siehe unten).

scheidende Hauptkamm in nördlicher Richtung zum Piz della Margna
(3156 Meter), an dessen Westfuß der Malojasattel (1817 Meter) liegt.
Von einem südwestlich vom Piz Glüschaint gelegenen Punkte jener
Kammstrecke geht ein bedeutender Nebenkamm nach Norden ab. Dieser
zieht erst in nordwestlicher Richtung zum Chapütschin (3393 Meter),
wendet sich hier nach Norden, sinkt zu der 3082 Meter hohen Fuorcla
da Fex-Roseg herab, steigt dann zum Piz Corvatsch (3458 Meter) an,
wendet sich nach Nordost, erhebt sich jenseits der 2756 Meter hohen
Fuorcla Surlej zu dem breiten Massiv des Piz Surlej (3187 Meter) und
Piz Rosatsch (2965 Meter) und läuft endlich in jenes niedrige Hügelterrain aus, welches sich oberhalb der Vereinigungsstelle des Berninabaches und des Inn zwischen St. Moriz und Pontresina ausbreitet. Dieser
Kamm ist ebenso wie die Hauptkammstrecke Monte Muretto—Piz della
Margna reich an kleinen Hängegletschern. Größere Firnfelder, das Vadret
da Fex und das Vadret da Fedoz, breiten sich am Nordabhange der
Kammstrecke Piz Glüschaint—Monte Muretto aus.

Besonders schön präsentiert sich von unserem Standpunkte auf dem
Piz Languard aus die scharfe Spitze des Piz Bernina und der reich
gegliederte Firnhang, welcher den Hintergrund des vom Morteratschgletscher ausgefüllten Thales bildet. — Doch zu lange schon haben wir
uns auf dem Gipfel aufgehalten, es ist kalt, und wir haben, wie erwähnt,
keinen Proviant.

Rasch eilen wir wieder hinunter, begegnen mehreren Partien zu
Pferd und zu Fuß und erreichen noch am Vormittag Pontresina — Bad,
Lunch, Bett. Abends zur Dinerstunde sind wir wieder frisch und munter
und in der Verfassung, die Leistungen des Chef auf das vollkommenste
zu würdigen.

Schlechtes Wetter zwingt uns, die geplante Berninabesteigung zu
verschieben und in Pontresina zu bleiben, und von allen Seiten treibt es
Bergsteiger und Führer herunter nach Pontresina. Da treffen wir unter
den letzteren manche alte Bekannte, vor allen die beiden Grasse, Hans
und Christian, zwei prächtige alte Männer mit gewaltigen Bärten. Hans
(Abb. 178), der Führerkönig von Pontresina, jetzt freilich schon alt, ist
einer der schönsten Charakterköpfe, die ich je gesehen. Mit seinem
würdigen Aussehen vereint er so vornehme und gemessene Manieren,
dass er mehr den Eindruck eines Grand Seigneur als eines Bergführers
macht. Einen seltenen Genuss bereitete mir die Vergleichung der so
sehr verschiedenen Charaktere meiner beiden Führer, als ich anno 1881
mit Hans Grass und Johann Grill (Kederbacher) aus der Ramsau den

Keschgrat überkletterte. Der noble, anspruchsvolle und etwas behäbige alte Grass mit seiner mächtigen Gestalt, würdig und ernst, der kleine, behende Kederbacher mit seinem stählernen, gelenkigen Körper, immer lachend und jodelnd und ich zwischen beiden am Seil auf dem wilden Grate, sicher wie ein Kind in der Wiege zwischen Mutter und Großmutter!

Viel Zeit verplaudern wir mit den Führern, mehr noch nimmt der Frühschoppen im Krug beim Enderlins in Anspruch. Schließlich hört der Regen auf, und wir suchen — denn im Hochgebirge ist das Wetter immer noch schlecht unsere Glieder mit Ballspiel (Lawntennis) geschmeidig zu erhalten. Doch das ist nichts; ins Gebirge passt das schlecht, auch fliegen die Bälle immer in den Berninabach — gehen wir lieber wieder in die Kneipe! Aber selbst die wird einem langweilig, wenn man gerne etwas unternehmen möchte und unveränderlich der tief herabhängende Nebel seinen grauen Mantel über alle Berge breitet.

Doch Geduld ist nicht umsonst! Endlich wird's hell; einen Tag warten wir noch, damit der Neuschnee etwas abschmelze, dann machen wir uns wohlversehen mit Trägern und Proviant nach der Bovalhütte am Morteratschgletscher auf den Weg.

Die Berninastraße benützend, fahren wir durch das schöne Thal hinauf, passieren die Schlucht dicht oberhalb Pontresina und kommen dann in einen breiteren flachen Boden hinaus. Hier zweigt unser Weg von der Hauptstraße nach rechts ab. Während die letztere an der nordöstlichen Thalwand ansteigt, um die Höhe jener Stufe zu gewinnen, über welche der Thalbach, die Berninafälle bildend, herabstürzt, bleibt der erstere, dem wir folgen, in der Tiefe und bringt uns zu dem 1908 Meter über dem Meere, dicht unterhalb der Stirne des großen Morteratschgletschers gelegenen Hotel Morteratsch. Hier halten wir uns nicht auf, sondern setzen sogleich unsere Wanderung auf jenem Fußsteige fort, welcher in südlicher Richtung durch die den Morteratschgletscher im Westen einfassende Bergwand thalauf führt. An der oberen Grenze der Holzpflanzen machen wir Halt, um Brennmaterial zu sammeln, und setzen dann — noch schwerer beladen als vorher — den Marsch fort. Steiler wird der Hang zu unserer Rechten, und immer großartiger entfalten sich die Berge im Hintergrunde des Morteratschgletschers, die prächtigen Schneegipfel des Palü und Zupò. Durch den sogenannten Kamin gewinnen wir die Höhe jener den Misaum—Calchagn-Kamm im Osten begleitenden Stufe, auf deren Südende, dicht am Morteratschgletscher, die Bovalhütte (2459 Meter) liegt. In der Nähe der Hütte entspringt eine treffliche Quelle, Wasser, Holz, Proviant, eine ganz passable Hütte – wie Hütten in der Schweiz eben sind – und gutes Wetter; wir verbringen einen sehr angenehmen Abend.

In finsterer Nacht noch brechen wir bei Laternenschein auf, stolpern eine Zeit lang über die Moräne fort, erreichen das blanke Eis des hier fast ebenen und vollkommen spaltenfreien Morteratschgletschers und marschieren raschen Schrittes über diesen, etwas nach links uns haltend, hinauf.

Der Morteratschgletscher (Abb. 176) übertrifft um ein weniges den Roseggletscher an Ausdehnung und ist der größte Eisstrom der Berninagruppe. Er nimmt eine Fläche von fast 24 Quadratkilometern ein und ist 9 Kilometer lang. Er entsteht durch den Zusammenfluss des östlichen, vom Cambrena-Palükamme herabkommenden Pers- und des westlichen, vom Palü-Berninakamme herabkommenden Morteratschfirns. Nur ein unbedeutender Schneerücken, aus dem einzelne Felsinseln hervorschauen, trennt diese beiden Firnströme von einander. Beide stürzen sich über eine etwa 800 Meter hohe, vom Pizzo Bianco in einem nach Südost convexen Bogen zum Fuße des Munt Pers hinüberziehende Thalstufe hinab, deren vorspringende Theile in Gestalt steiler Felsbastionen dem Eise entragen. Die nordöstlichste von diesen ist die bekannte Isla Persa inmitten des Persfirns, ein beliebtes Ausflugsziel der Pontresiner Gletscherbummler.

Dort, wo die Firnströme zwischen den erwähnten Felsbastionen über die Stufe herabkommen, sind sie beträchtlich zerklüftet, und die erste Schwierigkeit, welche der Bernina denen, die ihn vom Morteratschgletscher aus besteigen wollen, in den Weg legt, sind die Spaltensysteme an jenem Terrainabsatze. Sehr bös und gefährlich ist die Zerklüftung im Morteratschfirn im Westen, dem sogenannten Labyrinth; weniger arg im Osten des Trennungsrückens, im Persfirn, namentlich zwischen dem Trennungsrücken und der Isla Persa. Man kann den oberen, östlich vom Piz Bernina ausgebreiteten Firnboden, von welchem aus der Gipfel gewonnen wird, entweder direct durch das erwähnte Labyrinth oder auch in der Weise erreichen, dass man nordöstlich von dem Trennungsrücken zwischen diesem und der Isla Persa und über den Trennungsrücken selbst zu seinen obersten Felsen, der sogenannten Fortezza (Festung), ansteigt und von hier dann in westlicher Richtung hinunter geht zu dem Firnplateau oberhalb des Labyrinths. Der erstere Weg ist bei weitem kürzer, aber schwierig, gefährlich und bei ungünstigen Firnverhältnissen wohl überhaupt kaum zu machen; der letztere viel weiter, aber sicherer und leichter. Ihn wählen wir und gewinnen, anfangs ohne durch Spalten viel aufgehalten zu werden, rasch an Höhe. Die Stufe wird überwunden, und sanfter ansteigend nähern wir uns der Festung«. Hier gibt es schon mehr Spalten, und nicht ohne Mühe und Zeitverlust gelingt es uns, unter den Felsen nach rechts durchzukommen. Wir halten Frühstücksrast und steigen dann stufenhauend steil zu dem an den Hauptkamm sich anlehnenden Bellavistaplateau empor. Auf der Höhe desselben angelangt, gehen wir oberhalb eines großen Eisbruches in südwestlicher Richtung eine Strecke weit horizontal, dann tief hinab zu dem flachen Firnfelde, welches sich nordöstlich vom Crast'agüzzasattel ausbreitet. Jenseits desselben geht es aufwärts und in nördlicher Richtung nach rechts hinüber zum Fuße jenes Grates, welcher vom Gipfel des Piz Bernina nach Osten absetzt, um in den Eismassen des großen Firnplateaus oberhalb des Labyrinthes unterzutauchen.

Dieser Grat soll die zweite Schwierigkeit der Berninabesteigung sein, aber wir merken davon nichts: lustig hauen wir in dem steilen Eise Stufen, kommen an die Felsen und klettern rasch durch diese empor zum letzten Eisgrate, der uns in wenigen Minuten auf den Gipfel bringt, den östlichsten Viertausender (4052 Meter) in den Alpen.

Die Spitze des Bernina besteht aus einem bogenförmigen, fast horizontalen, in der Mitte ein bisschen eingesenkten, scharfen Gipfelgrate, von welchem drei Kämme abgehen: der zum oberen Morteratschfirn hinabziehende Ostgrat, über den wir heraufgekommen sind, der zur Berninascharte ziemlich steil absetzende Nordgrat und der oben in eine Wand auslaufende, zum östlichen Scerscengipfel sich senkende Südwestgrat. Im Westen des Gipfels breitet sich der Tschierva-, im Osten der Morteratschfirn aus. Die zu diesen Firnen hinabziehenden Hänge sind außerordentlich steil.

Die erste Ersteigung der Piz Bernina führte Coaz mit J. und L. Tscharner vom Morteratschgletscher über den Ostgrat im Jahre 1850 aus. Dies ist bis heute der gewöhnliche Weg geblieben, obwohl die von der Marinellihütte im Süden der Crast'agüzza ausgehende, 1877 von Marinelli eröffnete und schließlich auch über den Ostgrat führende Route, welche den arg zerklüfteten mittleren Theil des Morteratschgletschers vermeidet, wenn auch länger, so doch leichter und weniger gefährlich ist. 1878 erkletterte Güßfeldt mit H. Grass und J. Groß den Piz Bernina vom Tschiervagletscher aus über den Pizzo Bianco und den Nordgrat. Hiebei wurde zum erstenmale die berühmte Berninascharte (Abb. 175) zwischen Bianco und Bernina überschritten. Güßfeldt schildert diesen Grat in haarsträubender Weise — aber auch er hat seither seine Schrecken verloren und ist mehrmals überschritten worden. 1870 wurde der Bernina zum erstenmale von einer führerlosen Partie, den Ö. A.-C. Mitgliedern Gröger, Eckstein, Aichinger, auf dem gewöhnlichen Ostgratwege erklommen. 1880 fand die erste Besteigung desselben im Winter statt (Watson am 3. Februar). In demselben Jahre (1880) wurde der Gipfel vom Tschiervagletscher aus über den südlichen Thurm der Berninascharte und den Nordgrat von zwei Partien: Herrn und Frau Tauscher und Minnigerode mit Dangl und A. und H. Pinggera, und Wainwright mit H. Grass erreicht.

Das Panorama vom Gipfel ist, seiner Höhe und Lage zwischen Ost- und Westalpen entsprechend, ebenso ausgedehnt wie interessant. Aber mit welcher Freude wir auch die zahllosen wohl bekannten Gipfel im Osten und Westen begrüßen mögen, immer bleibt doch die nächste Umgebung das Schönste und Großartigste: die Firnbecken des Tschierva- und Morteratschgletschers, der reichgegliederte Eispanzer des Zupò und Palü, die prächtige Schneewand des Roseg und der wilde, über die Berninascharte nach Norden streichende Pizzo Biancograt.

Lange freuen wir uns des herrlichen Bildes und lassen den Genuss durch die Nebelballen nicht stören, welche stellenweise auftauchen und über uns dahinziehen. Erst als eine solche Wolke uns selber einhüllt, machen wir uns an den Abstieg, klettern rasch über den Felsgrat hinunter und erreichen in lustiger Fahrt die Firnmulde. Der Nebel hat sich wieder verzogen, heiß brennt die Sonne in das Firnbecken hinein. Zahlreiche kleinere und größere Lawinen sind während unseres Aufenthaltes auf dem Gipfel von dem Abhange zur Rechten abgegangen und haben unsere Spuren verwischt. Rasch durchqueren wir dieses lawinengefährliche Terrain, überschreiten den flachen Boden und gehen dann jenseits wieder zur Bellavista hinauf. Dieser Anstieg ist ein sehr saueres Stück Arbeit, und gewiss wird jeder, welcher beim Abstiege vom Bernina im Schweiße seines Angesichtes durch den weichen Schnee sich da hinauf arbeitet, ebenso wie jetzt wir bedauern, dass er nicht den directen Weg durch das Labyrinth, welcher diesen Anstieg vermeidet, eingeschlagen hat: besser die Gefahr, von einer stürzenden Eisnadel erschlagen zu werden, denkt man sich, als diese Marterei! Missmuthig die Schritte zählend und nicht rechts noch links blickend, staple ich hinter dem Vordermann drein. Endlich ist's überstanden, wir treten hinaus auf das Plateau. Kaum sind wir dort, hüllt neuerlich der Nebel uns ein. Vielerorts sind noch unsere Spuren zu sehen, und diesen folgend, lavieren wir nun durch die Spalten

Abb. 170. Der Piz Bernina vom Morteratschgletscher.

bei der Festung. Mit großer Vorsicht werden die jetzt sehr erweichten
Schneebrücken überschritten; nur langsam rücken wir in dem immer
dichter sich ballenden Nebel vor. Da fällt mir plötzlich ein merkwürdiges
Surren auf. ich blicke umher, es kommt von der Pickelklinge; aha, wir
sind in einer mit Elektricität geladenen Wetterwolke. Pickel tief halten,
sonst schlägt der Blitz ein , ruft der vorangehende Christian. Ein
heftiger Windstoß saust über den Firn hin. Noch irren wir zwischen
den Spalten. da geht es schon los. Pistolenschuss-artig knattern ringsum
die Blitzschläge. und heulend fegt der Wind wirbelnden Schnee über die
Flächen. Kaum seh' ich den Vordermann durch das dichte Schneetreiben;
Himmel und Erde scheinen zu einem wüsten Chaos vermengt. Das
Brausen des Sturmes, das kurze Krachen der nahen Blitzschläge und der
fernhin rollende Donner vereinigen sich zu einem Getöse, welches die
Ausrufe des nun gar nicht mehr sichtbaren Vordermannes verschlingt.
Aber keinen Augenblick stockt die Colonne. Hier ist der alte Christian
zu Hause; beruhigt folg' ich dem Zuge des Seiles. Bald sind die Spalten
hinter uns; Christian bleibt stehen; wir kommen an ihn heran. Sein
mächtiger Bart starrt von Eis. Hut und Kleider sind überzogen mit einer
dicken Schneelage: wie der König der Berggeister mit silberner Krone
und Hermelin steht er da mitten im Hochgewitter. Mit der Linken deutet
er nach vorne, setzt sich nieder und gleitet schnell hinab. hinein in das
Chaos der Elemente. Wir folgen seinem Beispiele, und in sausendem
Fluge, natürlich immer noch am Seile, geht's mit dem Sturme um die
Wette hinunter. Die Nebel lichten sich, das Schneetreiben hört auf,
wieder marschieren wir, dann noch eine Fahrt, abermals Halt. Langsam
über Spalten und so fort, bis endlich der ebene Gletscher erreicht ist.
Das Wetter wird besser — es war nur ein kleines Streifgewitter, das
gerade uns erwischen musste , im Schnellschritt geht es hinaus, an der
Hütte vorüber zum Morteratschhotel und zu Wagen weiter nach Pontresina.

Der Piz Bernina ist eine lange Partie, und ziemlich spät erst kommen
wir im Hotel Roseg an, wo das prächtige Bad und ein Diner, wie es
eben das Hotel Roseg bietet, — diese beiden Dinge sind nach meinen
Begriffen sehr wesentliche Bestandtheile des Genusses einer Hochgebirgs-
tour — alle Mühen und Gefahren vergessen lassen.

Den nächsten Tag bringen wir in otio cum dignitate in Pontresina
zu. gehen in der Schlucht spazieren und machen Glossen über die verschiedenartigen Touristentypen. welche den Ort durchwimmeln.

Wir wollen nun Pontresina verlassen und über den Berninapass
hinüberfahren ins Veltlin. Die Straße, welche durch die nordöstliche

Grenzfurche der Berninagruppe und über den Berninapass geht, wurde
erst 1864 vollendet. Obwohl sie -- ihr höchster Punkt liegt 2330 Meter
über dem Meere — eine der höchsten Alpenstraßen ist, herrscht auf
ihr doch auch im Winter lebhafter Verkehr.

Wir nehmen Abschied von Pontresina, fahren wieder wie neulich
durch das Thal hinauf bis zur Abzweigungsstelle des Morteratschweges
und weiter, steiler an der nordöstlichen Berglehne ansteigend, an den
Berninafällen vorüber. Herrlich ist der Ausblick auf den Morteratschgletscher und die in seinem Hintergrunde aufragenden

Abb. 135. Vor dem Bernina-Hospiz.

Gletscherberge, den wir von hier aus gewinnen. Freudig grüßen wir
hinauf zu der scharfen Berninaspitze, der stolzen Beherrscherin dieses
schimmernden Reiches von Eis und von Schnee. Wir gewinnen die
Höhe der Stufe und fahren nun durch den breiten Boden eines flachen
Hochthales hinauf. An den einsamen Berninahäusern (2049 Meter) vorbei-
kommend, erreichen wir die Mündung des von Nordosten herabziehenden
Fainthales, weiter, bei der Bondoalpe, das dem letztgenannten parallele
Minorthal. Links erhebt sich der Piz Lagalb, nach rechts hinauf ziehen
Geröllhalden zur Diavolezzo. Der Baumwuchs hört auf, immer öder wird
die Landschaft. Wir kommen zu einigen kleinen Seen; hier verlässt die
Straße die Furche, welcher sie bisher in südöstlicher Richtung gefolgt ist,
wendet sich nach Osten, führt am Lago Bianco vorbei, überschreitet den hier

Aus den Alpen. I.   28

ganz niedrigen, nordöstlichen Seitenkamm und erreicht so das zum Addagebiete gehörige Agonethal. Den Sattel des unsere Furche im Nord sten begleitenden Kammes, welchen die Straße überschreitet, nennt man den Berninapass. Er liegt 2330 Meter über dem Meere.

Der eigentliche Berninapass — in orographischem Sinne — ist das aber nicht. Dieser, der tiefste Punkt der Wasserscheide, liegt in der Furche, u. zw. in jenem schmalen Damme, welcher den Nerosee, den Quellsee des Berninabaches, von dem Biancosee, dem Quellsee des Cavagliascobaches, trennt. Dieser eigentliche Berninapass liegt bloß 2222 Meter über dem Meere. Bei den topographischen Schilderungen ist natürlich dieser Pass und nicht jener bedeutungslose, 2330 Meter hohe Sattel zur Seite der Furche gemeint, über den man die Straße gebaut hat. Unterhalb des Passes liegt das Berninahospiz (2309 Meter, Abb. 177), von welchem man einen schönen Ausblick auf den Biancosee und den darüberliegenden Cambrenagletscher gewinnt. Das Berninahospiz ist ein sehr günstiger Ausgangspunkt für eine Reihe von kleineren Ausflügen in dem sanft undulierenden, durch seine ebenso reiche wie interessante Alpenflora ausgezeichneten Plateau, welches sich zwischen dem Biancosee und dem Agonethal ausbreitet.

Abb. 178. Hans Grass.

Abb. 170. Aprica.

2. Veltlin und Bergell.

om Hospiz aus erreichen wir in wenigen Minuten die Passhöhe und fahren dann jenseits in vielfachen Schlingen und durch einige Gallerien in westlicher Richtung steil hinunter in den Grund des Agonethales. Wir erreichen diesen bei La Motta (1984 Meter) und fahren dann über La Rösa durch die Thalsohle hinaus bis zu jener hohen Stufe, mit welcher der obere Boden des Agonethales zu dem viel tiefer eingeschnittenen Campothale, in welches das Agonethal einmündet, abbricht.

An dem Rande der Stufe angekommen, gewinnen wir einen schönen Ausblick über das Poschiavothal. In großen Schlingen geht es über die Stufe hinab in das hier schluchtartig enge Campothal, dann über den Bach und weiter durch die Schlucht hinaus, hoch oben an der östlichen Berglehne hin. Das Thal erweitert sich zu dem breiten Boden von Poschiavo; allmählich sich senkend, steigt die Straße zu diesem hinab. Bei S. Carlo erreichen wir die Thalsohle und bald darauf Poschiavo, ein sehr altes, 1011 Meter über dem Meere gelegenes, stadtähnliches Dorf.

Unsere Fahrt in südostsüdlicher Richtung durch das breite Thal hinab fortsetzend, erreichen wir den von steilen Berghängen einge-

28*

schlossenen Poschiavosee. Die Straße folgt seinem südwestlichen Ufer. Während oberhalb des Sees das Poschiavothal in azoische Schiefer eingeschnitten ist, durchbricht es unterhalb desselben den östlichen Abschnitt des granitischen Kernes des Combolamassivs; ob dem See breit und mit flacher Sohle ausgestattet, ist es unterhalb desselben schluchtartig verengt. Vom unteren Ende des Sees gewinnen wir einen herrlichen Rückblick auf die das obere Poschiavothal einfassenden Hochfirne, dann fahren wir hinein in die enge Schlucht. Bei Campach kommen wir wieder in Schieferterrain hinaus. Das Thal nimmt einen milderen Charakter an; Kastanienbäume treten auf, und bald gesellen sich zu diesen an den sanfteren Hängen auch Weinreben. Wir überschreiten die italienische Grenze und kommen nach Tirano an der Mündung der Poschiavino in die Adda (450 Meter).

Die Adda entspringt am Giacomo di Fraèlesattel, westlich vom Stilfser Joche in der südlichen Randzone des großen Triasdreieckes Königsspitze-Samaden-Martinsbruck, fließt von hier nach Südosten hinab, nimmt bei Punta del Piano den Brauliobach auf, wendet sich nach Süden, verlässt den Trias und durchbricht die paläozoischen und phyllitischen Schichten von Bormio und weiter die alten Massengesteine von Ceppina. Bei Sondalo tritt die Adda in das alte Schieferterrain ein und vertauscht ihre bisherige südliche mit einer südwestlichen Verlaufsrichtung, um endlich bei Tresenda in jenen ostwestlichen Cours einzulenken, den sie von hier bis zu ihrer Mündung in den Comer See beibehält. Der ganze untere und mittlere, in die alten, azoischen Schiefer der Centralzone[*] der Alpen eingeschnittene Theil des Addathales vom Comer See bis hinauf nach Mazzo ist breit und flach. Da Mazzo 70 Kilometer vom Comer See entfernt und nur 447 Meter höher als dessen Spiegel liegt, so hat der zu letzterem hinabziehende, aus alluvialen Flussgeröllen zusammengesetzte Boden dieser Strecke des Addathales ein Gefälle von bloß 1 : 157. — Dieses breite und lange, sanft geneigte Thal ist das wegen seiner Fruchtbarkeit berühmte Veltlin (Val Tellina).

Seit jeher trieben die rätoromanischen Bewohner dieses gesegneten Thales Weinbau; allbekannt ist der Veltliner Wein. Im Mittelalter gehörte das Veltlin zur Lombardei, später gelangte es in den Besitz der

---

[*] Indem ich diese Urgebirgszone als die Centralzone der Alpen auffasse, stelle ich mich in Gegensatz zu der von den meisten Autoren vertretenen Ansicht, dass nicht sie, sondern das nördlich vom Engadin anstehende Urgebirge die eigentliche Centralzone sei. Nach meiner, hier niedergelegten Anschauung dürfte der Ortler nicht, wie es zumeist geschieht, zu den südlichen Kalkalpen gerechnet werden, sondern stunde an der Grenze zwischen der äußeren Nebenzone (nördliche Kalkalpen) und der Centralzone.

Herzoge von Mailand. 1512 eroberten die Graubündner das Veltlin, in deren Besitz es trotz wiederholter Aufstände der arg geknechteten Bewohner bis 1797 verblieb. Gegenwärtig gehört es zu Italien.

Vom Comer See herauf bis nach Sondrio, dem Hauptorte des Thales, führt eine Eisenbahn, dann von hier weiter eine große Straße nach Bormio. Von dieser Hauptverkehrslinie des Addathales gehen drei alpine Jochstraßen ab: eine von Bormio in nordöstlicher Richtung über das Stilfser Joch nach Tirol, eine, auf der wir gekommen sind, von Tirano in nordwestlicher Richtung über den Berninapass ins Engadin und endlich eine von Tresenda in östlicher Richtung über Aprica (Abb. 179), den Sattel von Aprica, Edolo und den Tonalepass nach Südtirol.

Wir verlassen Tirano und fahren durch den schönen Thalboden hinunter nach Sondrio (348 Meter). Hier mündet von Norden her das vom Malerobache durchströmte Malenocthal ins Valtellin ein. Durch das genannte Thal wollen wir hineinwandern, um den westlichen Theil der Berninagruppe, die Disgrazia und die südlichen Nebenthäler des oberen Bergell näher kennen zu lernen. Eine gute Straße führt durch das Malenocthal nach Chiesa, dem Hauptorte desselben. Auf dieser fahren wir nun am rechten Ufer des wilden Malerobaches hinauf. Die Thalwände bestehen aus Urgebirgsschiefer. Oberhalb Torre (960 Meter), wo von Westen her der Torreggiobach in den nach Süden herabfließenden Malero einmündet, tritt von links ein Triasstreifen an das Thal heran, dann kommen wir in dioritisches Massengestein und erreichen nun bald das 1005 Meter über dem Meere gelegene, mit einem guten Hotel ausgestattete Chiesa.

Chiesa hat eine herrliche Lage und eignet sich vortrefflich zu längerem Aufenthalte. Wir selber haben leider nicht die Zeit, dort länger zu bleiben, und müssen uns mit dem Besuche der nahen Asbestgruben begnügen. Bei Chiesa mündet das von Nordosten herabkommende Lanternathal, in dessen Hintergrunde der breite Scerscengletscher ausgebreitet ist, in das Malenocthal ein. Das letztere wendet sich oberhalb Chiesa in weitem Bogen nach Nordwest, West und Südwest. Die Nordwand des oberen Malenocthales wird von der Hauptkammstrecke Chapütschin-Monte Muretto gebildet. Im Monte Muretto zweigt von der Hauptwasserscheide ein bedeutender Nebenkamm nach Südwesten ab, welcher orographisch die Fortsetzung des Berninakammes ist. Dieser Nebenkamm senkt sich vom Monte Muretto rasch zum Murettopasse (2626 Meter) herab und steigt dann, seine südwestliche Richtung beibehaltend, zum Mont d'Oro (3214 Meter) an. Hier wendet er sich nach Süden und zieht, die

Schlusswand des Malencothales bildend, über die Cima di Rosso (3560 Meter) zum Monte Sassone. Im Monte Sassone zweigt von diesem Grate jener bedeutende Gebirgskamm ab, welcher, das Veltlin vom Bergell trennend, in westlicher Richtung bis zum Pizzo di Prata bei Chiavenna streicht. Der Hauptgrat aber wendet sich im Sassone nach Südosten und weiter nach Osten, um über den Pioda zu dem 3637 Meter hohen Monte della Disgrazia, dem Culminationspunkte dieses ganzen Gebirges, anzusteigen und dann, in mehrere nach Ost und Süd ausstrahlende Zweigkämme aufgelöst, hinabzusinken ins Malenco- und Addathal. Auf demjenigen von diesen Kämmen, welcher die Westgrenze des Malencogebietes bildet, steht — auf dem Cornarossapasse — 2830 Meter über dem Meere eine Hütte, die Capanna della Disgrazia. Zu dieser wollen wir zunächst hinaufsteigen, dort übernachten, von da aus den Disgraziagipfel besuchen und dann hinabsteigen in das westliche Masinothal.

An einem schönen Morgen brechen wir von Chiesa auf, wandern eine Strecke weit durch das Malencothal hinaus und erreichen, nach rechts uns wendend, über eine Höhe hin das bei Torre ausmündende Thal des Torreggiobaches. In diesem geht es nun durch Wald und über Wiesen hinauf zur Kali-Alp und weiter, den Thalbach entlang, über Trümmerhalden und Schneefelder — auch einige Felsen sind zu erklettern — zu dem Sattel empor, auf welchem die Hütte steht: ein mühsamer Marsch, denn man hat eine Höhendifferenz von etwa 2000 Metern zu überwinden, was bei der in diesen südlichen Thälern herrschenden Hitze für schwer bepackte Leute, wie wir sind, kein Spaß ist. Doch bald haben wir angesichts der herrlichen Umgebung der Hütte — und der am Feuer sich wärmenden Conserven — die Mühe des Anstieges vergessen.

Früh am nächsten Morgen verlassen wir die Hütte und klettern nach Westen eine kurze Strecke über Felsen hinab zum Sasso Bissologletscher. Über das spaltenarme Firnfeld desselben geht es nun in nordwestlicher Richtung hinüber zum Fuße des Südabhanges der Disgrazia. Steiler wird der Hang, einige Stufen müssen gehauen werden, wir erreichen die Felsen. Leicht, verlässlich und sicher, bieten dieselben gar keine Hindernisse dar, rasch gewinnen wir an Höhe und erreichen einen Sattel im Grate westlich von der Spitze. Hier wenden wir uns nach rechts, übersteigen den Vorgipfel, gehen etwas an der Südseite hinab, um einen Felsthurm herum und dann über einen Schneerücken hinauf zur höchsten, ziemlich schmalen Spitze der Disgrazia.

Gewaltig ist der Absturz nach Norden zum Sissonegletscher und höchst interessant der Anblick des uns gegenüber im Nordosten jenseits

des tief eingeschnittenen Malencothales aufragenden Südabsturzes des
Berninamassivs. Kaum zu kennen sind die Gipfel. Statt der großen
Gletscher und ausgedehnten Firnfelder der Nordabdachung, welche wir
vom Piz Languard aus gesehen haben, erblicken wir hier im Süden ge-
waltige Felsmauern, von deren Fuß nur kleine Gletscher herabhängen in
die tiefen Thäler. Dieser Unterschied in dem Charakter des Nord- und
Südabfalles des Berninakammes beruht darauf, dass das Gefälle nach
Pontresina im Norden geringer ist als nach Chiesa im Süden.

Da wir noch einen ziemlich langen Weg vor uns haben, wird auf
dem Gipfel kein ausgedehnterer Halt gemacht, sondern nach kurzem
Umblicke der Abstieg angetreten. Auf dem Wege, auf welchem wir
gekommen, gehen wir über den Grat und den Vorgipfel hinab bis unterhalb des Sattels, wo der Weg zur Ceciliahütte und ins Mellothal — so
heißt der oberste Abschnitt des Masinothales — von dem Wege zur
Disgraziahütte und ins Malencothal, auf welchem wir heraufgekommen
sind, abzweigt. Rasch eilen wir über mäßig steile Schneefelder in westlicher Richtung hinab zum Piodagletscher, gehen über diesen — er ist
ganz kurz — hinunter und an der Ceciliahütte vorbei thalaus. Über eine
hohe, felsige Thalstufe müssen wir absteigen, erreichen unten dann einen
Fußsteig und wandern auf diesem in südwestlicher Richtung hinaus durch
das Thal. Bei St. Martino, wo sich der Masinobach nach Süden der
Adda zuwendet, mündet das von Nordwesten herabziehende Bagnithal
in das Masinothal ein. Eine Strecke weit oberhalb seiner Mündung
liegen in dem letztgenannten Thale in einer Höhe von 1326 Metern
die Bagni del Masino. Das gut eingerichtete Curhaus daselbst ist unser
Ziel. In St. Martino angekommen, wenden wir uns rechts und marschieren in der Abendkühle hinauf zu den Bädern, bei welchen wir nun
bald anlangen.

Der prächtige Zackenwall des Badile trennt den obersten, nach
Norden hinaufziehenden, als Val Porcellizza bekannten Boden des Bagni-
thales von dem nach Nordwesten ins Bergell hinabziehenden Bondascathale. Über den in diesen wilden Grat eingesenkten, etwa 3150 Meter
hohen Bondopass wollen wir hinüber ins Bergell, vorher aber noch die
stolze Zinne des Badile erklettern. Am Südabhange der Badilegruppe,
im hintersten Porcellizzathale, steht eine Hütte. Zu der wollen wir morgen
Nachmittag hinauf und dann übermorgen den Badile anpacken. Aber,
der Bergsteiger denkt, und Juppiter pluvius lenkt: den folgenden Tag
regnet es in Strömen; der Plan, zur Hütte hinaufzugehen, muss auf-
gegeben werden. Wir bringen den Tag so hin und legen uns abends

frühzeitig ins Bett: das gleichmäßige Plätschern des Regens wiegt in den
Schlummer uns ein.

Irgend etwas weckt mich auf. Umherblickend sehe ich zwei helle
Vierecke am Boden. Was ist das? Der Mond. Es ist hell. Ein Blick
auf die Uhr: 1,30. Ich gehe ans Fenster. Wolkenlos wölbt sich der
mondhelle Nachthimmel über das dunkle Thal. Rasch munter gerüttelt
sind die Kameraden. Wir kleiden uns an. Ausgerüstet mit verschiedenen
Kerzen und Laternen, unternehmen wir einen Requisitionsmarsch durch
das Curhaus. Kein dienstbarer Geist ist zu finden, aber es gelingt uns,
in die Küche einzudringen. Dort auf dem Tische liegen mehrere sauber
in Papier eingeschlagene Gegenstände, und zwischen denselben stehen
Weinflaschen in stattlicher Anzahl. Aha, das ist wohl der für einen
größeren Picknick bestimmte Proviant: gerade, was wir brauchen. Sorgsam wählen wir das Passende aus, nehmen darüber ein Inventar auf,
tragen dasselbe in ein Blatt meiner Zeichenmappe ein, schreiben darunter
ohat der Berggeist genommen , legen es auf den zurückbleibenden Pro-
viantrest und machen uns daran, das Hotel zu verlassen. Doch finden
wir alle Thüren versperrt und müssen uns entschließen, aus einem Fenster
zu steigen. Nach Überwindung dieser ersten Kletterstelle treten wir den
Marsch durch das Thal hinauf an.

Während die bis zu den Bädern heraufführende Straße eine ganz
gute ist, erscheint der weitere Weg durch den oberen Theil des Thales
recht schlecht. Bei Laternenschein stolpern wir auf demselben vorwärts.
Der Pfad weicht den klammartigen Engen aus und bringt uns ziemlich
rasch in die Höhe. Bei Tagesanbruch erreichen wir den Thalschluss,
jenen steilen, nach Norden hinaufziehenden Abhang, welcher von den
kühnen Gipfelzacken der Gemelli, des Cèngalo und des Badile[*] gekrönt
wird. Stärker steigen wir an und ärgern uns über das große Gewicht
der Rucksäcke — offenbar haben wir zu viel von dem fremden Proviant
mitgenommen —; endlich kommen wir zur Hütte und halten hier längere
Frühstücksrast. Möglichst viel Proviant suchen wir zu verzehren, denn
inwendig trägt man ihn viel leichter als auswendig. Von der Hütte weg
geht's über Moränenschutt und ein kleines Eisfeld hinauf zum Fuße der
gewaltigen, plattigen Badilewand. Hier lassen wir zwei Pickel zurück
— nur einer wird mitgenommen — und fassen den festen Granit des
herrlichen Felsbaues (der ganze Badile besteht aus granitischem Gestein)
an. Zwei senkrechte Risse durchziehen den unteren, steilsten Theil der

---

[*] Da die Nomenclatur der Gipfel in dieser Gegend verworren und unsicher ist, bemerke
ich, dass ich hier die Namen der Excursionskarte des S. A. C. 1878/79 gebrauche.

Badilewand. Diese bilden den Zugang zu dem oberen, etwas weniger stark geneigten Theile des Südabsturzes. Beide wurden im Jahre 1870 von Minnigerode und Lois Pinggera versucht und der Anstieg schließlich durch den westlichen Kiss erzwungen. Diesen Weg schlagen auch wir ein. Der untere Theil dieses Kamins ist sehr leicht zu durchklettern, oben aber werden seine Wände glatt und haltlos, und zudem sperrt hier ein im Kamin eingeklemmter Felsblock den Weg. Minnigerode und später Herr und Frau Tauscher hatten große Schwierigkeiten, dieses

Abb. 180. Der Piz Badile von Soglio.

Hindernis zu überwinden, aber Graf Lurani und seinem Führer Baroni gelang es, jene schlimmste Stelle zu umgehen. Auch wir vermeiden sie. Oben geht es dann über Platten und Felsleisten rascher vorwärts, und bald erreichen wir den scharfen Grat, die obere Kante des dünnen, mauerartigen, wegen seiner senkrechten Seitenabbrüche schaufelförmig erscheinenden (daher der Name Badile) Berges (Abb. 180). Der höchste Punkt des Gipfelgrates liegt 3307 Meter über dem Meere. Ganz einzig schön ist die Aussicht von dieser merkwürdigen Felszinne. Rings um uns die gewaltigen Abstürze, die wild zerklüfteten Eismassen und jenseits der düsteren, tief eingeschnittenen Thäler im Norden und im Osten die

Felszacken und Eispyramiden der Disgrazia, des Bernina und der Berge,
welche das Bergell im Norden einsäumen. Herein in dieses großartig
wilde Gebirgsbild leuchtet von Südwesten her der glänzende Spiegel des
Comer Sees mit seinen freundlichen Ufern, seinen Stranddörfern, Städten
und Villen wie ein lächelnder Friedensengel, der über Schlachtfeldern
schwebt.

Die erste Ersteigung des Badile wurde 1867 von Coolidge mit
Devouassoud ausgeführt. Die zweite Ersteigung, diejenige, welche den
Berg für uns so interessant gemacht hat, war die 1878 von Minnigerode
mit L. Pinggera bewerkstelligte.

Längere Zeit genießen wir hier oben den warmen Sonnenschein,
klettern dann auf demselben Wege hinab zur Hütte, marschieren wieder
hinaus durch das Thal und erreichen in guter Zeit das Curhaus von
Masino. Niemand sagt etwas von dem Proviant-stehlenden Berggeiste,
aber als wir am nächsten Morgen, vor unserem Abmarsche zum Bondopasse, unsere Rechnung begleichen, finden wir alles darin verzeichnet —
wenn's ans Zahlen kommt, da gilt kein Geist!

Wieder geht es auf dem schlechten Wege durch das Porcellizzathal
und weiter über die steilen Halden der Thalschlusswand zu der schönen
Ferroalpe hinauf. Getrümmer und die Moräne überschreitend, gewinnen
wir den kleinen Gletscher und steigen über diesen — er hat nur wenig
Spalten — zu jenem Geröllhange an, welcher vom Bondopasse nach
Süden herabzieht. Rasch ist über diesen der Felsgrat gewonnen, welcher
den Pass bildet. Jenseits desselben breitet sich der nach Nordwesten
herabziehende Bondascagletscher aus. Um die obere Firnstufe des letzteren
zu erreichen, haben wir den für einen so kleinen Gletscher höchst anständigen Bergschrund zu überwinden, was bald gelingt. Ziemlich steil
geht es dann hinunter, und es kostet Mühe, zwischen den großen, den
Gletscher fast in seiner ganzen Breite durchsetzenden Querspalten durchzukommen. Über die meisten führen Schneebrücken, einige müssen über-
sprungen werden. Endlich nimmt die Zerklüftung ab, wir erreichen die
Endmoräne und stolpern und springen nun über diese hinab. Im Verhältnisse zu seiner geringen Ausdehnung hat der Bondascagletscher eine
ganz kolossale Endmoräne, und herzlich froh sind wir, aus ihr heraus-
zukommen und nach mühsamer Wanderung über den steilen, schutt-
bedeckten Abhang die Larettoalpe im Grunde des Bondascathales zu erreichen. Ein Weg führt von hier durch das Thal hinaus nach Bondo
und Promontogno an der Mündung des Bondascabaches in die Mera.
Oben ziemlich breit, verengt sich das Bondascathal nach unten hin zu

einer Schlucht, deren steile, zum Theile felsige Hänge mit einem prächtigen Bergwalde bekleidet sind. Wir erreichen Promontogno und betreten die Schwelle des vortrefflichen Bregaglia-Hotels. Promontogno liegt mitten im Bergell, halbwegs zwischen Chiavenna und der Maloja.

Es ist oben darauf hingewiesen worden, dass das Bergell, das Merathal, nichts anderes als die südwestliche Fortsetzung der Engadiner Furche ist: nur durch den tiefen und flachen Sattel der Maloja wird das Bergell vom Innthale getrennt. In dem Bergkamme, welcher das Bergell und das Oberengadin im Nordwesten begleitet, finden sich mehrere Einsattlungen, und über zwei von diesen, den Septimer (2311 Meter) und den Julier (2287 Meter), führten schon in den ältesten historischen Zeiten Wege aus dem damals von dem keltischen Stamme der Bergalei bewohnten Bergell hinüber ins Gebiet des Rheins. Über den Septimer bauten die Römer einen Saumpfad, über den Julier eine breitere Fahrstraße. Zwischen Chiavenna und der Loverobrücke, oberhalb des Trümmerfeldes jenes Bergsturzes, welcher im Jahre 1618 Piura vernichtete, ist ein Stück der von Chiavenna durch das Merathal heraufziehenden Römerstraße noch erhalten. Hier ist diese alte Straße 2½ Meter breit, mit Kugelsteinen besetzt, auf beiden Seiten durch große Steine befestigt und trotz ihrer bedeutenden Steile heute noch fahrbar.

Weiter oben im Bergell hat die Mera den Felsriegel, welcher einstens die Terrainstufe von Soglio mit dem Mongacci, dem Bergrücken im Norden des Bondascathales, verband, durchgraben und jene tiefe und enge Schlucht gebildet, in welcher Promontogno liegt. Auf einem in dieses Défilé von Südosten her vorspringenden Felsen erbauten die Römer das den Engpass beherrschende Castell Muro, dessen Ruine — jetzt heißt es Castelmur — auf uns herabschaut. Über die von dieser Burg gekrönte Höhe führte die alte Römerstraße; auch hier ist noch ein Stück von ihr erhalten, es umzieht in scharfer Krümmung den viereckigen Römerthurm. Weitere Spuren finden sich thalaufwärts bei Coltura, dann bei Casaccia, wo noch das alte Straßenpflaster zu sehen ist. Hier theilte sich damals schon (wie auch heute) der Weg: links hinauf gieng der Saumpfad zum Septimer — dieser Weg war bloß 1½ Meter breit —, geradeaus die breitere Straße über Maloja und Julier. In drei Kehren (die jetzige Straße hat zwölf) stieg die römische Julierstraße zur Malojahöhe empor und zog dann am Nordostufer des Silser Sees, wo Campbell Spuren eiserner Wagenräder in derselben aufgefunden hat, und weiter links hinauf ins Ova del Vallunthal und endlich zur Passhöhe des Julier empor. Auch dort oben finden sich Reste der Römerstraße, und auf der Höhe des

Julierpasses stehen zwei Säulen mit zahlreichen römischen Inschriften. Jenseits der Bergkette vereinigten sich die Römerwege über den Julier und den Septimer bei Stalla im Oberhalbsteiner Thale; daher stammt der romanische Name dieses Ortes Bivio.

Gewiss war schon zur Römerzeit der Verkehr durchs Bergell und über diese Straßen ein recht reger. Auch im Mittelalter wurden die beiden Pässe viel benützt; Karolingische Herrscher haben den Septimer überschritten, und so innig war durch jene das Bergell mit Oberhalbstein und Chur verbunden, dass es schon zu Anfang des zehnten Jahrhunderts unter den Einfluss des Churer Bisthums gelangte. Im J. 960 theilte Otto I. (oder vielleicht erst Otto II. im J. 976) den gesammten Gerichtsbann des Thales Pergallia mit den einschlägigen Einkünften dem Bischofe von Chur zu und ebenso die von Durchreisenden zu erhebenden Zölle. Hiedurch dem Churer Bisthume gewissermaßen einverleibt, blieb das Bergell trotz mehrfach bethätigter Unabhängigkeitsbestrebungen doch dauernd mit Rätien und der Schweiz vereint.

Da nun dieses Bisthum sich von Mailand losgesagt und an Deutschland angeschlossen hatte, wurde auch das Bergell ein Theil des Reiches; die Gemarkung gegen Italien bildete schon damals der Loverobach bei Castasegna, wo auch heute noch die Grenze zwischen dem unteren (zu Italien gehörigen) und dem oberen (zur Schweiz gehörigen) Theile des Merathales (Bergells) liegt.

An der Mauer (Muro) von Promontogno grenzt die südliche Vegetation des unteren Bergell unmittelbar an die Alpenflora der oberen Thalstrecke. Bis hier herauf wachsen Nussbäume und Kastanien; bis hier herab reicht die Alpenrose. Im Schatten der uralten Mauern breiten diese Kinder der südlichen Ebene und des nördlichen Gebirges ihre Zweige gemeinsam über den Boden aus, ihn schützend vor Schneesturm und Sonnenbrand.

Oberhalb des Bondascathales münden noch zwei bedeutendere Nebenthäler von Süden her in das Bergeller Thal ein; das Albigna- und das Murettothal. In dem ersteren und in einem südlichen Seitenthale des letzteren, dem Fornothale, ziehen bedeutende Gletscher von Süden nach Norden hinab, und den Bergumrandungen dieser Thäler entragen zahlreiche 3300 bis 3400 Meter hohe Gipfel, deren senkrechte Klippen und Zacken schon von der Ferne ihre Zusammensetzung aus massigem, granitischem Urgestein erkennen lassen.

Um diese Thäler kennen zu lernen, wollen wir von Promontogno aus nicht auf der großen Straße zu unserem Ziele, der Maloja, hinauffahren.

sondern diese nur bis Pisnano benützen und von hier dann nach Süden hinaufgehen ins Albignathal. Von
letzterem führt der Casnilepass hinüber zum Fornogletscher; über diesen und weiter durch das Forno- und
Murettothal wollen wir dann hinaus
nach Maloja.

Zeitlich in der Frühe verlassen wir
Promontogno und fahren hinauf durch
die Enge. Dieselbe ist ganz kurz.
Gleich oberhalb Castelmur erweitert
sich das Thal. Wir kommen an
dem links auf der Höhe thronenden
Schlosse Coltura vorbei und erreichen
Stampa (1018 Meter), weiter Vicosoprano (1071 Meter) und Pisnano. Hier
steigen wir aus und gehen nach rechts
hinein in das Albignathal. Der Weg
führt erst über den gewaltigen Schuttkegel der Albigna und dann, steiler
ansteigend, in westsüdwestlicher
Richtung über jenen bewaldeten Bergrücken hin-
auf, welcher das
Albignathal
im Westen
begrenzt.
800 Meter
haben
wir da
scharf
anzu-
steigen,
oben aber,
wo wir aus
dem Walde
hervortreten,
nimmt die Neigung

Abb. 181. Im Maloja-Hotel.

etwas ab, und über sanfter geneigte, herrliche Alpenmatten erreichen
wir den bekannten Albignafall. Oberhalb desselben übersetzen wir den
Bach und steigen in südöstlicher Richtung über Rasen und Geröllfelder
hier gibt es eine Menge Murmelthiere — zu dem Fuße des dem Hange
entragenden Pizzo del Palo-Felsens empor. Den Südfuß des letzteren
entlang in östlicher Richtung unseren Anstieg fortsetzend, erreichen wir
einen Firnhang, welcher zu dem Grate emporzieht, der das Albigna- vom
Fornothale trennt. Über diesen gehen wir hinauf, wenden uns rechts
und gewinnen, den Grat in südostsüdlicher Richtung entlang gehend, den
Casnilepass. Wir blicken hinab auf den schönen Eisstrom des Fornogletschers und hinüber zu dem gerade uns gegenüber aufragenden Monte
Forno. Rasch eilen wir nach Osten über Firn, Getrümmer und Rasen-
flecke hinab zu dem Gletscher, dessen Zunge wir etwas oberhalb ihrer
Längenmitte betreten.

Von dem Punkte, wo wir den Gletscher erreicht haben, ist es nicht
sehr weit zur Fornohütte. Diese steht auf jenem Felsvorsprunge,
welcher den untersten von den Firnzuflüssen des Fornogletschers im
Norden begrenzt. Sie liegt etwa 2600 Meter über dem Meere, und von
ihr aus sind alle jene schönen Gipfel zu besteigen, welche der Einfassung
des Fornogletscherbeckens entragen: die 3402 Meter hohe Cima di Castello, der Pizzo Bacone, Pizzo Torrone und andere. Die Fornohütte
beiseite lassend, wandern wir jetzt fröhlich über den sanft geneigten
Eisstrom hinaus nach Norden. Zurückblickend sehen wir den schönen
Thalschluss des Fornobeckens: wild zerklüftete Firnhänge, über welche
die Cima di Rosso und die Torronespitzen aufragen.

Die Zungenspitze des von Süd nach Nord herabziehenden Fornogletschers ist etwas nach rechts — Nordosten — umgebogen und endet,
stark verschmälert, in einem engen Thale, welches nach kurzem nordöstlichen Verlaufe bei den Piancaninohütten in das nach Nordwestnord
hinabziehende Murettothal einmündet. Im Hintergrunde des letzteren liegt
der mehrfach erwähnte Murettopass. Auf gutem Fußsteige marschieren
wir hinaus zu dem westlich von der Orlegna — so heißt der Bach
des Murettothales — gelegenen Cavlocciosee. Prächtig spiegeln sich die
Riesen des Alpenwaldes in seiner klaren Flut. Durch Arven und Alpenrosen geht es nun in der Abendkühle hinaus zu der breiten Hochebene
der Maloja und hinüber zum Hotel. Dieses Hotel — es führt den merkwürdig polyglotten Namen «Hôtel Cursaal de la Maloja» — ist eines der
großartigsten, vielleicht das großartigste von allen Alpenhotels. Es hat
90 Meter Frontlänge, und sein architektonischer Schmuck und seine innere

Einrichtung sind höchst luxuriös. Die Idee, hier ein derartiges Hotel zu bauen, gieng vom Grafen Renesse aus. Vollendet wurde es von einer belgischen Gesellschaft, in deren Besitz es sich gegenwärtig befindet.

Welche Gegensätze an einem Tage! Des Morgens im Schatten von Kastanien unter den altrömischen Mauern von Castelmur, des Mittags auf dem Firnsattel des Casnile zwischen dem Wächten-gekrönten Felsgrate der Cima di Cantone und den trotzigen Granitwänden des Bacone, des Abends durch Arvenwald und blühende Alpenrosen und jetzt zur Nacht in dem prächtigen Saale des Malojahotels (Abb. 181) mit seinen korinthischen Säulen, mitten drin in dem üppigen Luxus des fin du siècle!

Abb. 182. Im Bondascathale.

Abb. 183. Tarasp.

3. Den Inn hinab.

—

Gegenwärtig bildet der breite, 1817 Meter über dem Meere gelegene Malojasattel das äußerste Ende des Innthales, aber in früheren Zeiten reichte das Inngebiet viel weiter nach Süden. Damals gehörten das Albigna- und Murettothal, sowie auch das von Westen herabkommende Marozzothal demselben an. Die mittleren und oberen Theile der Böden dieser Thäler liegen gerade um so viel höher als die Malojaebene, wie es dem Gefälle dieser Thalstrecken und ihrer Entfernung von letzterer entspricht. Der über den steilen Südabhang der Alpen herabstürzende Merabach hat sich mit großer Erosionskraft in das Bergland hineingegraben und den Rücken, welcher einstens den Piz Cacciabella mit dem Pizzo Campo über Vicosoprano verband und seinen Thalschluss bildete, durchsägt. So die alte Wasserscheide durchbrechend, drang die Mera von Südwesten her in das Inngebiet ein und zwang den Abfluss des Albignagletschers, welcher früher natürlichen Laufes nach Norden geströmt war und sich südwestlich der Maloja in den Inn ergossen hatte, unter scharfer Krümmung nach Südwesten umzubiegen und sich mit ihr

473

zu vereinigen. Immer weiter in die Thalschlusswand sich eingrabend, erreichte die Mera schließlich auch das Muretto- und Marozzothal, deren Gewässer nun auch dem Inn entzogen, ihr selbst einverleibt und dem Comer See zugeführt wurden. Der aus dem Murettothale kommende Orlegnabach wurde dabei um volle 300 Grad von seiner ursprünglichen, natürlichen Verlaufsrichtung abgelenkt. Gegenwärtig bildet der südwestliche Steilabfall der Malojaebene, über welchen die große Straße sich in zwölf Schlingen aus der Tiefe emporarbeitet, den Schluss des Mera(Bergeller-)Thales.

Der Inn, solcherart seiner wichtigsten Quellbäche beraubt, wurde so wasserarm, dass er hier, oberhalb der Einmündungsstelle des wasserreichen Berninabaches, die Geröllmassen, welche von Nebenbächen in der Sohle des von ihm durchströmten Thales aufgehäuft wurden, nun nicht mehr bewältigen konnte und von diesen zu Seen aufgestaut wurde. So veranlasste der Schuttkegel der von Südosten herabkommenden Ova da Fex die Bildung des Silser und jener des von Westen herabkommenden Ova del Vallun die Bildung des Silvaplaner Sees, während der aus dem Suvretta da St. Moriz herauswachsende Schuttkegel den See von Campfèr aufstaute. Die zahlreichen kleinen Seen zu den Seiten dieser Strecke des Innthales, sowie der größere, weiter unten gelegene, vom Inn selbst durchströmte St. Morizer See sind nicht in solcher Weise durch Schuttdämme gebildet worden, sondern alte, noch von der Eiszeit her stammende Becken.

Weiter unten ist der Inn durch die Aufnahme des Berninabaches und anderer Zuflüsse schon so stark geworden, dass er die seitlichen Schuttkegel überwinden kann, deshalb fehlen im Unterengadin jene Stauseen. Während sich der Inn dort unten immer tiefer in den Felsgrund eingräbt, ist die Thalbildung hier im Oberengadin vorläufig zur Ruhe gekommen. An Stelle des aufwühlenden, ausfeilenden, unruhigen Stromes , sagt Heim, sind die stillen, friedlichen Seen getreten, in denen die Bäche sich klären. .... Dort Thalbildung, stürmische, rastlose Arbeit des Wassers, hier Ruhe — das ist die Sonntagsstimmung, die über diesen herrlichen Seen schwebt. Drum fühlen wir uns an Seen so wohl, so harmonisch gestimmt und so ganz am rechten Orte, wenn wir hingehen, um unseren Geist von dem Sturm und Kampfe auszuruhen, der uns in unserer Arbeit umtost .

Eine eigentliche Quelle hat der Inn gar nicht, und wenn man den westlich vom Silser See, am Fuße des Piz Lunghino gelegenen Lunghinosee (Abb. 184) als Innquelle bezeichnet, so ist das eine ganz

willkürliche Annahme. Richtiger ist es, wie Heim thut, den Silser See
selbst als Innquelle in Anspruch zu nehmen.

Von der wasserscheidenden Südwestkante der Ebene von Maloja
zieht das Innthal in nordöstlicher Richtung hinab. Bei Zernez biegt es
nach Nordwesten aus und beschreibt einen nach Nordwest convexen
Bogen. Bei Tarasp lenkt es wieder in die nordöstliche Verlaufsrichtung
ein, und diese behält es bis Prutz bei. Hier wendet es sich abermals
nach Nordwest, zieht in dieser Richtung nach Landeck und schlägt hier
jenen ostnordöstlichen Curs ein, dem es im großen und ganzen bis
Kiefersfelden unterhalb Kufstein folgt. Hier wendet sich das Innthal
nach Norden, um bei Flintsbach in die bairische Ebene hinaus zu treten.
Von der Malojawasserscheide bis Campfèr herab ist das Innthal breit,
flach und sanft geneigt. In dieser obersten, 12½ Kilometer langen Strecke
hat es ein Gefälle von bloß 1 : 413. Dann folgt die Stufe: Campfèr-
St. Moriz-Cresta. Hier hat auf eine Strecke von ½ Kilometern das
engere Thal ein Gefälle von 1 : 60. Dann folgt die bis in die Gegend
von Zuoz hinabreichende, im Südwesten breite, nach Nordosten allmählich
sich verschmälernde, 15 Kilometer lange Ebene von Samaden, in welcher
das Gefälle wieder gering ist; es beträgt dort nur 1 : 260. Von Zuoz
hinunter bis Landeck ist das Innthal auf eine Strecke von 90 Kilometern
eine schmale, nur stellenweise zu kleinen Böden sich erweiternde Erosionsschlucht mit einem Gefälle von 1 : 95. Von Landeck bis Kufstein dagegen ist es breit, unterhalb Kufstein aber stark verengt. Das Gefälle
ist: Landeck Innsbruck (73 Kilometer) 1 : 390; Innsbruck Rosenheim
(111 Kilometer) 1 : 841.

Der Nordwestrand des mehrfach erwähnten Triasdreiecks Königs-
spitze-Martinsbruck-Samaden wird durch eine lange und gerade, südwest-nordöstlich verlaufende Verwerfungsspalte gebildet, und diese setzt
sich über die Dreieckspitzen fort, über Samaden hinaus nach Südwest
und über Martinsbruck hinaus nach Nordost. Diese Verwerfungsspalte entlang zieht eine Depression; das ist die Furche, welcher, von kleineren
Abweichungen abgesehen, im großen und ganzen das Innthal folgt.
Oben schon ist darauf hingewiesen worden, dass sich diese Depression,
welche ich hier als Engadiner Furche bezeichne, über die Maloja hinaus ins
Bergell fortsetzt. Oberhalb Samaden durchziehen jene Verwerfungsspalte
und die ihr folgende Engadiner Furche das verworrene, aus azoischen,
paläozoischen und mesozoischen Schichten zusammengesetzte und von
großen Inseln massigen, granitischen Urgesteins unterbrochene Terrain
des Bernina- und Albulagebirges. Granit, Diorit, Gneis, Glimmerschiefer,

Abb. 184. Am Jungfraujoc.

Phyllit und mesozoischer Kalk nehmen hier an dem Aufbaue der Thalwände theil.

Bei Samaden kreuzt die Engadiner Spalte und Furche jene auffallende, vom Piz d'Aela nach Osten zur Königsspitze streichende Verwerfung, welche den Südrand des erwähnten Triasdreieckes und des im
Westen damit zusammenhängenden, zum großen Theile ebenfalls aus
Triaskalk und -dolomit zusammengesetzten Geländes von Davos bildet.
In der Linie Ponte-Capella durchschneidet unsere Engadiner Furche
den hier ganz schmalen mesozoischen Streifen, welcher die Davoser Trias
mit dem Triasdreieck verbindet, und folgt dann bis Zernez dem Nordwestrande des Triasdreiecks. In dieser Strecke bestehen die linken, nordwestlichen Thalwände aus Gneis und Hornblendeschiefer, die rechten,
südöstlichen vorwiegend aus mesozoischem Gestein: unten stellenweise
Gneis, dann Perm, Verrucano, Rauchwacke (Untere Trias), Hauptdolomit
und etwas Lias.

Bei Zernez verlässt das Innthal die ihm durch die erwähnte Verwerfungsspalte gewissermaßen vorgezeichnete Bahn und wendet sich nach
links in das hier größtentheils aus Gneis bestehende Urgebirge hinein.
In diesem bleibt es aber nicht lange, sondern kehrt, einen Halbkreis
beschreibend, über Lavin und Ardez in die Verwerfungsfurche zurück,
in die es bei Tarasp wieder eintritt. Diese Gegend ist eine höchst verworrene. Die mesozoischen und älteren Schichten sind hier in merkwürdiger Weise durcheinander gefaltet und überdies von Granit- und
Serpentinmassen unterbrochen.

Bis Tarasp herauf reicht jene ausgedehnte Ablagerung des oberen
Lias, welche von hier bis Prutz hinab das Innthal begleitet. Von Tarasp
bis gegen Martinsbruck zieht das Innthal an der Grenze zwischen dem
Lias (Nordwesten) und dem Triasdreieck (im Südosten) hin, und diese
Grenze wird hier durch mehrere schmale, in der Thalsohle anstehende
Streifen und Schollen von Gneis, Granit und anderen alten Gesteinen
markiert. Bei Martinsbruck tritt das Innthal ganz in den Lias ein, und
von hier bis Prutz hinab bildet dieses mesozoische Gestein beide Wände
desselben.

Zwischen Prutz und Landeck durchbricht das hier nach Nordwest
gerichtete Innthal das Urgebirge und tritt — bei Landeck — in die
große, die mesozoische Außenzone der Alpen von dem azoischen Centralzuge trennende Furche ein, welcher es von hier bis Kufstein folgt.
Unterhalb Kufstein durchbricht es, nach Norden gewendet, die nördlichen Kalkketten und die hier schmale äußere Flyschzone in der Linie

Kiefersfelden Flintsbach und tritt dann hinaus in das quaternäre Land
der bairischen Ebene.

Der Inn, welcher dieses Thal durchströmt, bildet von Martinsbruck
bis Finstermünz die Grenze zwischen der Schweiz und Tirol; hier ist das
linke Ufer schweizerisch, das rechte tirolisch. Der oberhalb Martinsbruck
liegende Theil des Innthales liegt ganz in der Schweiz, dieser führt den
Namen Engadin. Der untere Theil heißt Unter-, die Ebene von Samaden
und der oberhalb derselben gelegene Theil Oberengadin.

Im Engadin wohnen Rätoromanen, es sind das sehr kluge und
tüchtige Leute, namentlich verstehen sie sich auf das Geschäft — nirgends
in den Alpen sind die Führertaxen so hoch wie im Engadin. Aber obwohl einige als Führer und auch sonst in Verbindung mit der Fremdenindustrie viel Geld verdienen, so findet doch die überwiegende Mehrzahl
in der Heimat zu wenig Gelegenheit, ihr kaufmännisches Talent zu ver-
werten: in Scharen wandern die Engadiner aus, um in den benachbarten
Ländern als Kaufleute und Gewerbetreibende, namentlich als Zucker-
bäcker, Geld zu verdienen. Reich geworden, pflegen sie im Alter ins
Engadin zurückzukehren, um sich hier in ihrer Heimat ein schönes
Haus zu bauen und darin die letzten Jahre ihres Lebens zuzubringen.
So sind die vielen hübschen und soliden Häuser entstanden, welche
das Thal schmücken, und deren opulentes Aussehen in lebhaftem Con-
trast zu den recht dürftigen Culturen steht, die uns in dem schmalen
Thale begegnen.

Wir wollen nun das prächtige Hotel Cursaal Maloja verlassen, durch
das Engadin hinabfahren und dabei vielleicht noch einen Berg besteigen.
Was für eine merkwürdige Gesellschaft sammelt sich in den Postwagen,
von denen wir einen bestiegen haben! Leute aus aller Herren Länder,
Welsche und Deutsche, Franzosen und Engländer, Amerikaner und noch
andere, von den entlegensten Confinen des Erdkreises. Neben blasierten
Globe-Trotters — Erdballtrabern — wie diese Vergnügungs-Welt-
reisenden genannt werden, Buchholz'sche Philister und lebhafte Südländer,
alles mögliche, nur keine Bergsteiger: die letztere Menschenart vertreten
wir allein. Die einen bewundern alles, andere gar nichts, und es gibt
auch welche, die behaupten, bei ihnen zu Hause sei alles noch viel großartiger — wo mögen die wohl her sein, doch nicht von der kahlen, nord-
deutschen Tiefebene? — Am meisten rümpfen die Amerikaner die Nase.
Die glauben, in ihrer Heimat ein Patent auf alles Großartige zu haben;
you should see the Yosemité Valley meint einer this is nothing , na
meinetwegen — mir gefällt es ganz gut.

Nach wenigen Minuten erreichen wir den Silser See, dessen Südwestende kaum 700 Meter von der Passhöhe entfernt ist. Einsam und ernst liegt seine weite Wasserfläche da. Der Silser See ist der oberste und der größte von den Stauseen des Oberengadins. Sein Spiegel liegt 1700 Meter über dem Meere (bloß 21 Meter unter der Passhöhe) und hat eine Flächenausdehnung von ungefähr 8 Quadratkilometern. Seine größte Tiefe beträgt 73 Meter. In der Mitte wird der langgestreckte See durch zwei von seinem Nordwest- und seinem Südostufer vorragende Caps stark eingeengt. Das nordwestliche Cap ist ein gegen die Thalfurche etwas vorspringender dioritischer Felskopf; das südöstliche, flache Cap, auf welchem Isola liegt, ist der Schuttkegel des von Südostsüd herabkommenden Fedozbaches.

Die Straße führt dicht am nordwestlichen Ufer des Sees hin und überschreitet den erwähnten Felsvorsprung -- Crap da Chüern. Am unteren Seeende, auf dem Schuttkegel der Ova da Fex, liegt das Dorf Sils. Dieser Schuttkegel drängt den jungen Inn dicht an die ziemlich steile und felsige, nordwestliche Berglehne, in welche die Straße eingeschnitten ist. Jenseits der Silser Thalebene liegt der Silvaplaner See, an dessen Nordwestufer hinfahrend wir bald den flachen Schuttkegel der Ova da Vallun erreichen, auf welchem Silvaplana gebaut ist. Hier zweigt von unserem Wege die Julierstraße nach links ab. Der Silvaplaner Schuttkegel hat das dortige, einst continuierliche Wasserbecken in zwei Hälften zerlegt: eine größere obere, den Silvaplaner See, und eine kleinere untere, den See von Campfèr. Eine schmale, von einer Straßenbrücke überspannte See-Enge verbindet diese beiden Wasserbecken.

Unsere Fahrt das Nordostufer des Campfèrsees entlang fortsetzend, erreichen wir die Ebene von Campfèr, welche sich unterhalb des Sees ausbreitet. Diese Ebene ist der Schuttkegel des von Nordwesten herabkommenden St. Morizer Baches. An ihrem Nordwestrande liegt Campfèr, und hier theilt sich die Straße. Der Hauptweg führt geradeaus, über die Höhen hin; ein anderer nach rechts und weiter durch den Boden des hier schluchtartigen Innthales. Beide vereinigen sich im Dorf St. Moriz wieder. Wir folgen dem letzteren, welcher nach dem großen, 1½ Kilometer südlich vom Dorf St. Moriz gelegenen Bad St. Moriz führt.

Hier, am Westfuße des Piz Rosatsch, entspringt ein eisenhaltiger Sauerbrunnen, dessen Heilkraft schon seit Jahrhunderten bekannt ist. Scererhard erklärt in seinem 1712 veröffentlichten Werke über das Engadin diese Quelle für den edelsten Sauerbrunnen Europas. Zu jener Zeit waren die Vorrichtungen, welche die Benützung der Quelle

Abb. 185. St. Moriz.

erleichterten, ziemlich
primitiv: Bei der Quelle
stehen keine Häuser;
sie ist mit Mauern um-
fangen, die mit einem
Obdach versehen sind,
und man findet da ein kupfernes Wassergeschirr an einer Kette befestigt
womit das Wasser aus der Tiefe geschöpft werden kann . — Jetzt sieht's
anders dort aus! Eine stattliche Anzahl eleganter Hotels (Abb. 185) ist
dem Boden entwachsen, und jeder denkbare Comfort wird uns geboten,
Curmusik, Tanzkränzchen u. s. w.

Nördlich von der Curanstalt St. Moriz breitet sich der St. Morizer
See aus, dessen Spiegel 1767 Meter über dem Meere liegt. Die Straße,
welche die Curanstalt mit dem Dorfe St. Moriz verbindet, und auf
welcher ein elektrischer Bahnzug verkehrt, zieht am Westufer dieses Sees
hin. Glänzende Verkaufsläden, die gar nicht in die alpine Umgebung zu
passen scheinen, begleiten sie, und auf ihr wogt im bunten Wechsel die
Menge der Gäste.

Außer der alten und der sogenannten Paracelsus-Quelle — schon
1539 wurde die St. Morizer Quelle von Paracelsus gerühmt – hat man
neuerlich noch eine dritte, die Funtauna surpunt, erbohrt. Das Wasser,
welches aus diesen Quellen hervorsprudelt, hat eine Temperatur von 6°
und enthält außer einer großen Menge von Kohlensäure, welche es beim
Hervorkommen zu Wallung veranlasst, schwefel- und kohlensaure Eisen-
und Natronsalze. Das Wasser der alten Quelle dient vorzugsweise zum
Baden, jenes der neuen (surpunt) zum Trinken. Diese ausgezeichneten
Quellen, die großartige Alpenumgebung und die schönen Spaziergänge

in dem waldigen Hügellande, welches sich zwischen dem St. Morizer See und Pontresina ausbreitet, haben ebenso wie die vortreffliche Gebirgsluft diesem Curort zu seinem erstaunlich raschen Emporblühen verholfen. Leider ist das Klima etwas rauh. Auch im Hochsommer — die Curanstalten sind nur von Mitte Juni bis Mitte September geöffnet — treten nicht selten Fröste und sogar ab und zu ein leichter Schneefall ein. Drei Vierteljahr Winter und ein Vierteljahr kalt, sagen die Engadiner, und im Reisehandbuche steht der beachtenswerte, auf St. Moriz Bezug nehmende Wink: Damen mögen den Wintermantel nicht vergessen!

Während die Curanstalt, das Bad St. Moriz, nur im Sommer belebt ist, finden sich in dem ebenfalls mit prächtigen Hotels ausgestatteten Dorf St. Moriz auch zur Winterszeit Fremde ein, welche mit Schlittschuhlaufen und Rodeln die Zeit vertreiben. Namentlich das letztere ist ein großes Vergnügen, das man im Tieflande so leicht nicht haben kann. Die nordamerikanischen Indianer schaffen ihre Pelze auf kleinen Schlitten, welche Taboggan genannt werden, nach den Handelsstationen in Canada. Diese indianische Bezeichnung Taboggan für kleine Schlitten wurde von den Engländern ihrem Sprachschatze einverleibt und, in verbale Form gebracht, zur Bezeichnung des Rodel-Sports verwendet, welchem Herren und Damen zur Winterszeit in St. Moriz obliegen. Im Schweiße ihres Angesichtes ziehen sie die Schlitten über die geneigten Schneehalden hinauf und taboggan, dann um die Wette herunter. Wem solche Eilfahrt durch den wirbelnden Schnee in der scharfen winterlichen Alpenluft das überarbeitete Gehirn nicht in Ordnung bringt, dem wird kaum mehr zu helfen sein! Ich empfehle diese Taboggan-Cur aufs wärmste.

Wir verlassen St. Moriz und setzen unsere Thalfahrt fort. Zunächst geht es durch das Hügelland am Fuße der linken Berglehne hin, dann hinab in einer großen Schlinge nach Cresta. Hier erreichen wir den Boden der ausgedehnten Thalebene von Samaden und fahren über Celerina durch diese hinaus nach Samaden. Sowohl in Celerina wie in Samaden zweigen von unserem Wege Straßen nach rechts ab, welche hinaufführen nach Pontresina.

Weiter thalab fahrend, gewinnen wir jenseits Samaden einen prächtigen Ausblick auf die Hochfirne des Berninamassivs, links den Palü, rechts den Roseg und dazwischen Morteratsch und Bernina. Wir kommen nach Bevers. Die Thalebene verschmälert sich. Bei Ponte zweigt links die Albulastraße ab, die wir schon kennen. Über Madulein und Zuoz erreichen wir die Mündung des von Westen zwischen Piz Kesch und Piz Vadred herabkommenden Sulsannathales und fahren dann in jene enge Schlucht ein, welche das Unter- vom Oberengadin trennt. Die Straße passiert die Grenze an der Punt Ota, einer Brücke über den aus dem westlichen Puntotathale herabkommenden Nebenbach. Auf gedeckter Holzbrücke setzen wir aufs rechte Innufer über; das Thal öffnet sich zu der freundlichen Mulde von Zernez (1497 Meter, 221 Meter tiefer als die Majola). Eine Straße führt von hier durch das Spölthal und über den 2155 Meter hohen Ofenpass nach Osten hinüber ins Münsterthal. Das Innthal verlässt die bisher streng und geradlinig eingehaltene nordöstliche Verlaufsrichtung und wendet sich nach Nordwestnord, um dann, wie oben erwähnt, im Bogen in seine alte Richtung wieder einzulenken. Bald lassen wir den Boden von Zernez hinter uns; eine enge, felsige Waldschlucht nimmt uns auf. Bei Süs erweitert sich diese wieder ein wenig. Hier zweigt links die Straße über den 2388 Meter hohen Fluëlapass nach Davos ab. Das Innthal, dem wir folgen, wendet sich nach Nordost, und wir erreichen Lavin (1430 Meter). Hier wollen wir bleiben, um morgen den im Norden aufragenden Piz Linard, den Culminationspunkt der Silvrettagruppe, zu besteigen.

Obwohl der Piz Linard 3416 Meter hoch ist und somit die Höhendifferenz zwischen Lavin und dem Gipfel nahezu 2000 Meter beträgt, so wollen wir doch lieber die Tour in einem Zuge direct von Lavin aus machen als in der Glimsalpe, welche ungefähr halbwegs liegt, übernachten, weil es mit der Unterkunft in der dortigen Schutzhütte sehr schlecht bestellt ist.

In der Nacht noch brechen wir auf und wandern beim Lichte der Laterne durch den finsteren Bergwald hinauf. Geisterhaft tauchen die mächtigen Stämme im Laternenlichte aus dem undurchdringlichen Dunkel auf, um gleich darauf wieder hinter uns zu verschwinden. Still ist's im Walde: das Knirschen der Schuhnägel auf dem steinigen Pfade und der Klang der taktmäßig aufstoßenden Pickelspitzen tönen allein durch die Nacht. Wir überschreiten einige Blößen und passieren einen Schutthang. Dann geht es wieder durch Wald. Niedriger werden die Bäume, verworrener die Äste; wir nähern uns der Waldgrenze und treten nun bald hinaus auf einen freien Alpenboden. Vor uns erhebt sich die schöne Felspyramide des Linard stolz über die Trümmerhalden und Schutthänge, welche den Fuß ihrer plattigen Wände umgürten: fahl und grau im ersten Lichte des erwachenden Tages. Über Geröll ansteigend kommen wir bald zur Hütte und genießen hier während der Frühstücksrast den Sonnenaufgang. Bläuliche Schatten erfüllen das schmale, tief eingeschnittene

Innthal; hell und heller aber erglänzen im feurigen Morgenroth die Firne des Bernina, welche gleich Wolkengebilden hoch über den dunklen Vorbergen zu schweben scheinen.

Wir setzen den Marsch fort. Durch ein ödes Kar und über eine Schutthalde nach links, in nordwestlicher Richtung ansteigend, gewinnen wir die Höhe des vom Linardgipfel nach Südwest herabziehenden Grates, überschreiten ihn, traversieren ein an seine Westflanke gelehntes Schneefeld in nördlicher Richtung und erreichen das untere Ende eines zum Vorgipfel des Linard, dem Hörndli, hinaufziehenden Couloirs. Ohne Schwierigkeit, wenn auch nicht ohne Mühe, geht es durch diese ziemlich steile Schneerinne empor. Wir gewinnen wieder den Grat und gleich darauf über einen Schneerücken die Spitze (Abb. 160).

Eine wolkenlose Fernsicht lohnt reichlich die Mühe des Anstieges. Der Piz Linard fällt sehr steil nach Südosten gegen das Innthal ab. Nach Norden zieht von seinem Gipfel ein hoher, theilweise überfirnter Grat hinüber zu dem breiten Centralmassive der Silvrettagruppe. Da erhebt sich links der scharfe Felszahn des Großlitzner, dann näher das Silvrettahorn und der Piz Buin. Ein langer, vergletscherter Kamm zieht von letzterem nach Osten hinüber zum Piz Fatschalo, über welchen das schöne Fluchthorn herüberschaut. Andere Gebirgsgruppen umstehen in größerer Ferne im Westen, Süden und Osten den Piz Linard. Über den Val Tortapass und den Pischagletscher nach Westen hinausblickend sehen wir das breite, firngekrönte Massiv des Tödi, Piz Rusein, Claridenstock und rechts weiter den Glärnisch. Links vom Tödi erkennen wir über der Depression des Davoser Thales in weiter Ferne die Gipfel des Finsteraarmassivs, dann Camadra und Rheinwaldhorn. Näher ragen im Südwesten die Berge auf, welche die linke Thalwand des Oberengadins bilden: uns zunächst der Piz Vadred mit seinen ausgedehnten Firnfeldern, dahinter der wilde Grat des Piz Kesch und weiter entfernt der Piz d'Err. Wir blicken hinauf durch die Engadiner Furche zu den herrlichen Gipfeln der Berninagruppe, dem stolzen Schwesterpaare Piz Roseg und Piz Bernina. Weiterhin sehen wir, thronend über den breiten Firnfeldern des Morteratschgletschers, den prächtigen Schneedom des Palü. Im Südosten blicken wir hinab in das tief eingeschnittene Innthal und darüber hinaus zum Piz Nuna und den Bergen des Ofenpasses. Stolz erhebt sich über dieses niedrigere Bergland die mächtige Ortlergruppe, aus welcher nach links hin der Ortlerspitz selber kräftig hervortritt. Im Osten endlich erkennen wir, über die Innthalspalte und die Depression der Malserheide hinausblickend, die Ötzthaler Alpen; rechts die Weißkugel und nach links

hin den von großen Gletschern eingefassten Kamm, welcher hinüberzieht zu
dem schönen Doppelgipfel der Wildspitze.

Schwer reißen wir uns los von diesem herrlichen Bilde, aber endlich
muss geschieden sein. Wir gehen hinüber zum Vorgipfel und eilen dann
hinab durch das große Couloir. Trefflich ist der Schnee; laufend und
abfahrend erreichen wir in kürzester Zeit das untere Schneefeld, gehen
wieder zurück zum Grate und jenseits hinab zur Glimshütte. Hier halten
wir uns nicht auf, sondern eilen weiter, hinunter ins Thal.

Bald nach Mittag sind wir wieder in Lavin, nehmen einen kleinen
Imbiss und fahren dann gleich weiter auf der Straße hinaus, um noch
vor Nacht unser heutiges Ziel, Schuls, zu erreichen. Es ist eine herrliche
Fahrt, und doppelt wohlig fühlen wir uns jetzt nach unserem scharfen
Marsche am Morgen in den weichen Kissen des Landauers. Wir passieren ein Felsenthor und fahren dann hoch über dem in tiefer Schlucht
hinabrauschenden Inn durch eine Geröllwand, weiter durch Lärchenwald
und Culturen hinaus nach Ardez. Hier befinden wir uns schon im Lias-
terrain. Die Straße biegt in das Tasnathal ein, überschreitet den Tasna-
bach und steigt dann herab nach Tarasp (Abb. 183), einem viel besuchten
Curorte mit sehr heilkräftigen, jenen von Karlsbad ähnlichen Mineral-
quellen. Jenseits Tarasp steigt die Straße an der nördlichen Berglehne
wieder etwas empor. Schon breiten die Schatten der Nacht ihren dunklen
Fittich über das enge Thal, freundlich aber winken uns jetzt die hell
erleuchteten Fenster der Häuser von Schuls. Wir betreten unser Hotel,
finden alles bereit und freuen uns bei wohlbestellter Tafel der schönen
Erlebnisse des Tages.

Das 1244 Meter über dem Meere gelegene Schuls ist der Hauptort
des Unterengadins. Hier halten wir uns einen Tag auf, um Schloss Tarasp,
den einstigen Sitz der österreichischen Landvögte — bis 1815 gehörte
Tarasp zu Österreich — zu besuchen. Dieser Spaziergang ist recht hübsch,
aber man wird das beengende Gefühl, welches die Lage des Ortes in der
Tiefe des schmalen Thales wachruft, selbst hier nicht recht los.

Am andern Tage nehmen wir Abschied von Schuls und setzen unsere
Reise fort. Immer an der nordwestlichen Berglehne hinfahrend kommen
wir unter Remüs durch. Das Thal erweitert sich etwas. Jenseits folgt eine
in azoisches Massengestein eingeschnittene Enge; das ist der letzte Granit:
wir kommen in das von hier bis Prutz hinab ununterbrochene liassische
Terrain hinaus. Das Thal, erst ein wenig erweitert, verengt sich dann
gleich wieder zu der wilden, schmalen, von steilen Wänden eingefassten
Schlucht von Finstermünz. Wir erreichen die Brücke. Eine schwarz-

gelbe Mautstange sperrt sie ab. Sei uns gegrüßt, du liebes Symbol des theueren Vaterlandes! Freudig erregt fass' ich die Stange an — schön ist's wohl gewesen, die prächtigen Hotels, der großartige Verkehr, das zitternde Mondlicht am Lago Maggiore, der gewaltige Aletschgletscher und jene unvergleichlichen Felsbauten der Dauphiné, die Aiguilles von Chamonix, das Matterhorn — schön ist's gewesen, ja, aber doch ist es nirgends so schön wie daheim! Fröhlich begrüß' ich den Zollwächter, als wär's ein Bruder von mir, und jauchzend betret' ich den vaterländischen Boden — wie gerne nehm' ich Abschied von der Fremde! — Auch dir, lieber Leser, der du im Geiste mich treulich begleitet, ruf' ich hier Lebewohl! zu und Auf Wiedersehen in der Heimat!»

Abb. 180. Der Piz Linard von Guarda.

485

Allgemeines Namens-Verzeichnis.

Berichtigungen und Zusätze.

—

106541.

H641
L564a
v.1

Author Lendenfeld, Robert von.

Title Aus den Alpen... Vol1.

UNIVERSITY OF TORONT
LIBRARY

Do not
remove
the card
from this
Pocket.

Acme Library Card Pocket
Under Pat. "Ref. Index File."
Made by LIBRARY BUREAU

FSC
www.fsc.org

MIX

Papier aus ver-
antwortungsvollen
Quellen
Paper from
responsible sources

FSC® C141904

Druck:
Customized Business Services GmbH
im Auftrag der KNV-Gruppe
Ferdinand-Jühlke-Str. 7
99095 Erfurt